한국 행정지명 변천사

이병운

이회

머 리 말

　지명은 그 지역 사람들의 삶의 역사와 함께 한다. 그러므로 우리의 지명은 우리의 먼 조상들이 살아온 역정의 흔적을 엿볼 수 있는 좋은 자료가 된다.

　우리 지명에 관한 가장 오랜 기록은『三國史記』이다. 특히『삼국사기』의 권34~권37은 삼국 통일 전의 삼국 지명을 비롯해서 통일 후 경덕왕 16년(757년)의 행정지명, 그리고 『삼국사기』를 편찬한 시기(1145년)의 행정지명을 자세히 기술하고 있다. 그러므로 우리는 『삼국사기』의 기록으로 삼국시대의 행정지명이 고려 중엽까지 변천해온 과정을 알 수 있다.

　그러나 그 뒤의 행정지명은 우리의 역사 변천에 따라 수없이 바뀌어 왔으므로, 그 많은 변천과정을 알기 위해서는 그 뒤의 역사책과 지리서를 일일이 찾아보아야 한다. 그런데 권상로 선생께서『韓國地名沿革考』(1961년)에서 한국행정지명의 변천과정을 많은 자료를 참고하여 정리하여 기술하고 있으니, 그 과정을 잘 살펴볼 수 있어 여간 다행스럽지 않다. 그러나 그 책은 나온 지 이미 40년이 지나 구해 보기도 어려울 뿐 아니라, 책의 체제 또한 지명의 변천과정을 통시적으로 파악하기가 쉽지 않다. 그래서 이 책은 우리의 행정지명이 삼국시대부터 오늘날까지 변천해온 과정을 쉽고 간편하게 보기 위한 의도로 엮었다. 이를 위해 이 책의 체제는 다음과 같이 하였다.

　본문은 먼저『三國史記』'地理志'의 원문을 싣고, 그 다음에 번역을 실었으며, 끝에는 『三國史記』에 기술된 주(州), 군(郡), 현(縣)의 순서에 따라 번호를 붙여 지명의 변천과정을 현재에 이르기까지 기술하였다. 본문의 <변천>과정 끝에는 인용문헌의 해설을 달았다.

　<부록>에서는 본문의 변천과정을 간편하게 볼 수 있도록 정리하였다. 삼국시대의 행정지명이 변천해 온 과정을 통시적으로 살필 수 있는 1) 시대별 행정지명 변천표를 먼저 싣고, 다음에는 행정구역 지명을 시대순으로 실었다. 곧 2) 신라시대 3) 고려시대 4) ①조선시대(1454) ②조선시대(1530) 5) ①대한시대(1895) ②대한시대(1896) 6) 일제시대(1914), 현재

7) 남한(2003년 기준)과 8) 북한(1991)의 행정구역 지명을 실었다. 끝으로 각 시대별 지도를 실어 당시의 행정구역을 개략적으로 알 수 있게 했다.

이 책을 내기까지에는 시간과 품이 많이 들었다. 오랜 동안 원고정리를 한 류윤도 선생과 교정에 애를 많이 쓴 김길영 선생께 고마운 마음을 전하고 싶다.

『三國史記』의 원문은 북한본을 중심으로 하고 이병도본 등을 참고로 하였으며, 번역은 주로 "三國史記 CD96"(한국사사료연구소)와 이병도 역주(1993,『국역 삼국사기』, 을유문화사) 번역 등을 참고로 하였다.

2003년 11월
이 병 운 씀

일 러 두 기

(1) 원문의 기호 설명

【 　】 : 國名

〔 　〕 : 王名 또는 人名

〈 　〉 : 地名

『 　』 : 書名

{ 　} : 다른 表記

(2) 번호를 부여한 기준

1. ～ 9. : 九州

10. ～12. : 통일 전의 高句麗 百濟의 州, 그밖의 지역

1.01. ～ : 州의 直屬縣

1.1. ～ : 州에 속한 京 또는 郡

1.1.1. ～ : 郡에 속한 縣

(3) 변천과정의 기호 설명

◇ : 현재 지명에 대한 보충 설명

○ : 삼국사기에 기록된 지명에 대한 변천과정 설명

▶ : 언급한 지명에 대한 보충 설명

(4) 인용 문헌 줄임

<문헌 이름>	편찬연대(중간/증보)	줄임말
三國史記	1145(1394)	三
三國遺事	1280경(1512)	遺
朝鮮王朝實錄	1413-1865(1932-1936)	實
慶尙道地理志	1452	慶
東國輿地勝覽	1486(1530)	輿
世宗地理志	1454(1938)	世
高麗史	1454	麗
東國通鑑	1484	東
文獻備考	1770(1903/1908)	文
東史綱目	1758(1915)	綱
旅庵全書	1770경(1939/1976)	旅
海東繹史	1800경	繹
大東水經	1818(1936)	水
東實錄	1859	實
朝鮮地誌資料	1902	料
辭源	1915(1931)	辭
朝鮮全道名稱一覽	1917	名
大韓疆域考	1903	疆
大東地名辭典	1930	六
與猶堂全書	1936(1960)	與
韋庵遺稿	1956	韋
韓國地名沿革考	1961	增
한국지명총람	1966(한글학회)	한
最新北韓地圖	1992(佑晋地圖文化史)	北
地方行政區域要覽	2003(行政自治部)	地

차   례

三國史記 卷 第 三十四

雜志 第 三

地理一 －【新羅】

원문

○【新羅】疆界, 古傳記不同. [杜佑]『通典』云: "其先本【辰韓】種, 其國在【百濟】‧【高麗(高句麗)】二國東南, 東濱大海." [劉煦(劉昫)]『唐書』云: "東南俱限大海." [宋祁]『新書』云: "東南【日本】, 西【百濟】, 北【高麗(高句麗)】, 南濱海." [賈耽]『四夷述』曰: "【辰韓】在【馬韓】東, 東抵海, 北與【濊】接."【新羅】[崔致遠]曰: "【馬韓】則【高麗(高句麗)】,【卞韓】則【百濟】,【辰韓】則【新羅】也." 此諸說, 可謂近似焉. 若『新‧舊唐書』皆云: "【卞韓】苗裔在【樂浪】之地."『新唐書』又云: "東距長人, 長人者, 人長三丈, 鋸牙鉤爪, 搏人以食,【新羅】常屯弩士數千, 守之." 此皆傳聞懸說, 非實錄也. 按兩『漢志』: "<樂浪郡>距<洛陽>, 東北五千里." 注曰: "屬<幽州>, 故<朝鮮國>也." 則似與<雞林>地分隔絶. 又相傳: 東海絶島上有【大人國】, 而人無見者, 豈有弩士守之者. 今按【新羅】始祖[赫居世],【前漢】[五鳳]元年甲子開國, 王都長三千七十五步, 廣三千一十八步, 三十五里, 六部. 國號曰【徐耶伐】, 或云【斯羅】, 或云【斯盧】, 或云【新羅】. [脫解王]九年, <始林>有雞怪, 更名【雞林】, 因以爲國號, [基臨王]十年, 復號【新羅】. 初[赫居世]二十一年, 築宮城, 號<金城>. [婆娑王]二十二年, 於<金城>東南, 築城, 號<月城>, 或號<在城>, 周一千二十三步. <新月城>北有<滿月城>, 周一千八百三十八步. 又<新月城>東有<明活城>, 周一千九百六步. 又<新月城>南有<南山城>, 周二千八百四步. 始祖已來處<金城>, 至後世多處兩<月城>. 始與【高句麗】‧【百濟】, 地錯犬牙, 或相和親, 或相寇鈔. 後與(一大)【唐】侵滅二邦, 平其土地, 遂置九州. 本國界內, 置三

州 : 王城東北, 當<唐恩浦>路曰<尙州>, 王城南曰<良州>, 西曰<康州>. 於故【百濟】國界, 置三州 :【百濟】故城北<熊津>口曰<熊州>, 次西南曰<全州>, 次南曰<武州>. 於故【高句麗】南界, 置三州 : 從西第一曰<漢州>, 次東曰<朔州>, 又次東曰<溟州>. 九州所管郡縣, 無慮四百五十. [方言所謂鄕・部・曲等, 雜所不復具錄.]【新羅】地理之廣袤, 斯爲極矣, 及其衰也, 政荒民散, 疆土日蹙, 末王 [金傳], 以國歸我[太祖], 以其國爲<慶州>.

번 역

○【新羅】의 국토 경계에 대하여는 옛날 기록들의 내용이 동일하지 않다. [杜佑]의 『通典』에는 "그 선조는 원래【辰韓】의 종족인데, 그 나라가【百濟】,【高句麗】두 나라의 동남쪽에 있으며 동쪽은 큰 바다에 닿았다."고 기록되어 있고, [劉煦]의 『唐書』에는 "【新羅】의 동남쪽이 모두 큰 바다에 닿았다."고 기록되어 있으며, [宋祁]의 『新書』에는 "동남쪽은【日本】, 서쪽은【백제】, 북쪽은【高句麗】, 남쪽은 바다에 닿았다."고 기록되어 있다. [賈耽]의 『四夷述』에는 "【辰韓】은【馬韓】동쪽에 있는데, 동쪽은 바다에 닿고, 북쪽은【濊】와 인접하였다."고 기록되어 있다.

【신라】의 [崔致遠]은 "【馬韓】은【高句麗】,【弁韓】은【百濟】,【辰韓】은【新羅】이다."고 하였으니, 이와 같은 여러 설이 모두 유사하다고 할 만하다. 『新・舊唐書』에서는 모두 "【弁韓】의 후예들이 <樂浪> 지방에 있었다."고 하였으며, 『新唐書』에는 또한 "동쪽으로 [長人]과 대치하고 있었는데, [長人]이라는 것은 키가 세 길이며, 톱날 이빨과 갈고리 손톱으로 사람을 잡아먹으므로【新羅】에서는 항상 활 쏘는 군사 수 천명을 주둔시켜 수비하였다."고 하였으나, 이는 모두 전해지는 소문이지 실제적인 기록은 아니다. 두 『漢志』에 의하면 "<樂浪郡>은 <洛陽> 동북쪽으로 5천리에 있다."고 하였고, 이 부분의 주에는 "<幽州>에 속하였으니, 옛날【朝鮮國】이다."고 하였다. 그렇다면 <樂浪郡>은 <雞林>과는 많이 떨어져 있었던 것 같다. 또한 전래되는 말로는 동해의 외딴 섬에【大人國】이 있다고 하지만 이를 본 사람이 없으니, 어찌 활 쏘는 군사를 두어 수비하게 하는 일이 있겠는가?

이제 상고하건대 【新羅】 시조 [赫居世]는 【前漢】[五鳳] 원년 갑자에 나라를 세웠는데, 왕
도는 길이가 3천 75보, 넓이는 3천 18보이며, 35리 6부로 되어 있었다. 국호는 【徐耶伐】이라
하였는데 혹은 【斯羅】 혹은 【斯盧】 혹은 【新羅】라고 하였다. [脫解王] 9년에 <始林>에서
닭소리가 들리는 괴이한 일이 있어 【雞林】으로 바꾸어 불렀다. 이로 인하여 이것으로 국호
를 삼았다가 [基臨王] 10년에 다시 【新羅】라고 하였다. 처음 [赫居世] 21년에 궁성을 쌓아
이름을 <金城>이라 하였으나, [婆娑王] 22년에 <금성> 동남쪽에 성을 쌓아 <月城> 혹은
<在城>이라고 불렀는데, 그 둘레가 1천 23보였다. <新月城> 북쪽에 <滿月城>이 있는데
둘레가 1천 8백 38보였다. 또한 <新月城> 동쪽에 <明活城>이 있는데 둘레가 1천 9백 6보
였다. 또한 <新月城> 남쪽에 <南山城>이 있는데 둘레가 2천 8백 4보였다. 시조 이래로 사
람들은 <金城>에 살았고, 후세에 이르러서는 두 <月城>에서 많이 살았다. 처음에는 【高句
麗】, 【百濟】와는 국경이 들쭉날쭉 엇갈려 때로는 서로 화친하기도 하였고, 때로는 서로 침
략을 하다가, 후일 【唐】나라와 함께 두 나라를 침공하여 멸망시키고, 그 영토를 평정한 다
음 마침내 9주를 설치하였다.

본국 경계 내에 3주를 설치하였다. 왕성 동북쪽의 <唐恩浦> 방면을 <尙州>라 하고, 왕
성 남쪽을 <良州>라고 하고, 서쪽을 <康州>라고 하였다. 이전의 【百濟】 경내에 3주를 설
치하였다. 【百濟】의 옛성 북쪽 <熊津> 어구를 <熊州>라고 하고, 그 다음 서남쪽을 <全
州>, 그 다음 남쪽을 <武州>라고 하였다. 이전의 【高句麗】 남쪽 지역에 3주를 설치하였
다. 서쪽으로부터 첫째를 <漢州>, 그 다음 동쪽을 <朔州>, 그 다음 동쪽을 <溟州>라고
하였다. 9주에서 관할하던 군, 현은 무려 4백 50개 소였다. [방언으로 말하던 향, 부, 곡 등
잡다한 것은 여기에 모두 적지 않는다] 【新羅】 지역의 넓이와 길이가 이 때 가장 컸다. 【新
羅】가 쇠약하게 되자 정사가 거칠고 백성들이 흩어지니 강토가 날로 줄었다. 마지막 임금
[金傅]가 나라를 가지고 우리 [太祖]에게 귀순하니 그 나라를 <慶州>로 정하였다.

원 문

1. <尙州>, [沾解王]時取 【沙伐國】爲州, [法興王]十一(二)年, 【梁】[普通]六年, 初
   置軍主, 爲<上州>. [眞興王]十八年, 州廢, [神文王]七年, 【唐】[垂拱]三年, 復置, 築城,

周一千一百九步, [景德王]十六年, 改名<尙州>, 今因之. 領縣三: <靑驍縣>, 本<昔里火縣(音里火縣)>, [景德王]改名, 今<靑理縣>, <多仁縣>, 本<達巳縣>(或云<多巳>.), [景德王]改名, 今因之; <化昌縣>, 本<知乃彌知縣>, [景德王]改名, 今未詳.

번 역

1. <상주>는 [첨해왕] 때 【사벌국】을 빼앗아 주로 삼은 지방이다. [법흥왕] 11년 【양】나라[보통] 6년에 처음으로 군주를 배치하여 <상주>라고 하다가 [진흥왕] 18년에 주를 폐지하였다. [신문왕] 7년 【당】나라 [수공] 3년에 다시 주를 설치하고 성을 쌓았다. 둘레가 1천 1백 9보였으며, [경덕왕] 16년에 <상주>로 개칭하였는데 지금도 그대로 부른다.

주에 속한 현은 셋이다. <청효현>은 원래 <석리화현>을 [경덕왕]이 개칭한 것이다. 지금의 <청리현>이다. <다인현>은 원래 <달이현> 혹은 <다이현>이었는데, [경덕왕]이 개칭한 것이다. 지금도 그대로 부른다. <화창현>은 원래 <지내미지현>을 [경덕왕]이 개칭한 것이다. 지금은 위치가 분명치 않다.

변 천

1. 尙州 – 본래 沙伐(또는 沙弗)國의 땅인데, 新羅 沾解王이 빼앗아 沙伐州로 삼았다가 法興王이 <上州>로 고쳐서 軍主를 두었고, 眞興王은 上洛郡으로 고쳐 주를 없앴으나, 神文王이 다시 沙伐州를 두었고, 景德王이 <尙州>로 고쳤다. 惠恭王은 沙伐州라 하였고, 高麗 太祖 23年(940)에 尙州로 고쳤다가, 뒤에 다시 安東都督府라 하였다. 成宗 2년(983)에 처음 12牧을 둘 때 尙州도 그 하나였고, 14年(995)에 12節度使를 두어 歸德軍이라 하고 嶺南道로 소속하게 하였다가, 顯宗 3年(1012)에 節度使를 없애고 다시 安東大都護府로 고쳤다가, 5年(1014)에 尙州 安撫使로 고치고, 同 9年(1018)에 8牧의 하나로 정하였다. 朝鮮 太祖 元年(1392)에 觀察營을 두었다가, 太宗 8年(1408)에 都觀察使가 牧使를 兼하게 하였다가, 同 10年(1410)에 다시 牧使를 따로 보내게 하였다. 世宗 31年(1449)에 비로소 鎭을 두어서 牧使가 右道兵馬節度副使를 겸하게 하였다가 곧바로 없애고 鎭을 두었다. 宣祖 29年(1596)에 觀察營을 大邱로 옮겼다.(三·麗·興·慶·文)

○ 1895년에 개편하여 尙州郡이 되고, 1914년에 功西面 內의 熊北里는 忠淸北道 永同郡으로 편입되고 咸昌郡 일원이 합쳐졌다.(增)

○ 지금의 慶尙北道 尙州市.

1.0.1. 靑驍縣 - 본래 신라 昔里火縣인데, 경덕왕이 <靑驍>로 고쳐 尙州에 편입하였다가, 고려시대에 <靑里>로 고쳐서 그대로 두었고, 조선시대에도 그대로 불렀다.(三·麗·興·慶·文)

○ 지금의 慶尙北道 尙州市 靑里面.

1.0.2. 多仁縣 - 본래 신라 達已(또는 多已)縣인데, 경덕왕이 <多仁>으로 고치고 尙州에 편입하였다. 高麗初까지 그대로 부르다가, 뒤에 甫州(醴泉)에 편입하였다.(三·麗·世·興·慶·文)

○ 지금의 慶尙北道 義城郡 多仁面.

▶ 醴泉郡 - 1.1. 참조.

1.0.3. 化昌縣 - 본래 知乃彌知(『文獻備考』에는 作乃彌知)縣인데, 신라 경덕왕이 <化昌>으로 고쳐서 尙州 領縣으로 삼았다고 하나 지금은 그 위치가 분명치 않다.(三·興·文)

○ 지금의 慶尙北道 尙州市.

원 문

1.1. <醴泉郡>, 本<水酒郡>, [景德王]改名, 今<甫州>. 領縣四 : <永安縣>, 本<下枝縣>, [景德王]改名, 今<豐山縣> : <安仁縣>, 本<蘭山縣>, [景德王]改名, 今未詳 : <嘉猷縣>, 本<近(一作巾.)品縣>, [景德王]改名, 今<山陽縣> : <殷正縣>, 本<赤牙縣>, [景德王]改名, 今<殷豐縣>.

번 역

1.1. <예천군>은 본래 <수주군>을 [경덕왕]이 개칭한 것이다. 지금의 <보주>이다. 이 군에 속한 현은 넷이다. <영안현>은 본래 <하지현>이었는데 [경덕왕]이 개칭하였으며, 지금의 <풍산현>이다. <안인현>은 본래 <난산현>을 [경덕왕]이 개칭한 것인데, 지금은 위치가 분명치 않다. <가유현>은 본래 <근(또는 건(巾)품현>을 [경덕왕]이 개칭한 것인데, 지금의 <산양현>이다. <은정현>은 본래 <적아현>을 [경덕왕]이 개칭한 것인데, 지금의 <은풍현>이다.

변 천

1.1. 醴泉郡 － 본래 新羅 水酒縣인데, 景德王이 <醴泉>으로 고쳐서 郡을 삼았다. 高麗 初에 甫州로 고치고, 顯宗 9年(1018)에 安東府에 소속하였다가, 明宗 2年(1172)에 太子 의 胎를 묻고 基陽으로 고쳐서 縣으로 昇格하고, 神宗 7年(1204)에 南道招討使 崔光義 가 東京의 賊을 縣地에서 무찔러 이긴 공으로 知甫州事로 昇格되었다. 朝鮮시대에도 그대로 부르다가 太宗 13年(1413)에 모든 郡·縣·面에 州로 불리는 지명은 山·川 두 字로 바꾸어서 州를 고쳐서 <甫川>이라 하였다가, 同 16年(1416)에 다시 <醴泉> 으로 고쳤다.(三·麗·輿·慶·文)
   ○ 또 다른 지명은 淸河·襄陽이라고도 하며, 高麗 成宗 때에 붙여진 이름이다.(麗)
   ○ 1914년에 龍宮郡(申下面은 제외) 일대와 比安郡 縣西面이 醴泉郡에 합쳐졌다.(增)
   ○ 지금의 慶尙北道 醴泉郡.

1.1.1. 永安縣 － 본래 新羅 下枝(또는 豊岳)縣이었는데, 景德王이 <永安>으로 고쳐서 醴 泉郡 領縣이 되었다가, 高麗 太祖 6年(923)에 縣人 元逢이 歸順한 功이 있다 하여 <順 州>로 昇格되었다. 뒤에 다시 甄萱에게 陷落되었다 하여 下枝縣으로 降等되었다가, 그 뒤 <豊山>으로 고치고, 顯宗 9年(1018)에는 安東에 편입되었다가, 明宗 2年(1172) 에 監務를 두었다. 뒤에 다시 安東에 편입되었다.(三·麗·輿·慶·文)
   ○ 지금의 慶尙北道 安東市 豊山邑.
   ▶ 安東 － 1.2. 참조.

1.1.2. 安仁縣 - 본래는 蘭山縣인데, 新羅 景德王이 <安仁>으로 고쳐서 甫州(醴泉)郡 領
縣으로 삼았다.(輿·文)
   ○ 三國史記에는 그 위치를 알 수 없다 하였고, 輿地勝覽에는 醴泉에 편입되어 실려
   있다.(文)
   ○ 지금의 慶尙北道 醴泉郡.

1.1.3. 嘉猷縣 - 본래는 新羅 近品(또는 近品)縣인데, 景德王이 <嘉猷>로 고쳐서 醴泉郡
領縣으로 삼았다. 高麗初에는 <山陽>으로 고치고, 顯宗 9年(1018)에는 尙州에 소속
시켰다. 뒤에 監務를 두었으나 明宗 10년(1180)에 곧 없애고 이내 尙州에 소속시켰다.
(三·輿·麗·文)
   ○ 지금의 慶尙北道 聞慶市 山陽面.

1.1.4. 殷正縣 - 본래 新羅 赤牙縣인데, 景德王이 <殷正>으로 고쳐서 醴泉郡 領縣에 편
입하였다. 高麗初에 <殷豊>으로 고치고, 顯宗 9年(1018)에 安東府로 편입하였다가,
恭讓王 때에 榮川으로 편입하였다. 朝鮮 文宗의 胎를 <殷豊縣>에 奉安하고는 <殷
豊·基川> 두 縣의 지명을 합하여 <豊基>로 고치고 郡으로 昇格하였다. 또 다른 지
명은 <殷山>으로 불린다.(三·麗·輿·慶·文)

   ◇ 豊基 - 慶尙北道에 있으며, 殷豊·基川을 합친 지명이다. 基川縣은 본래 新羅 基
   木鎭인데, 高麗初에 基州라 불렀고, 顯宗 9年(1018)에는 吉州(安東)에 소속되었다가,
   明宗 2年(1172)에 監務를 두었고, 뒤에 다시 安東에 소속되어 恭讓王 2年(1390)에
   다시 監務를 두고 <殷豊縣>을 편입하고, 朝鮮 太宗 13年(1413)에 <基川縣監>으로
   昇格하고, 뒤에 文宗의 胎를 <殷豊縣>에 奉安하고는 殷豊·基川 두 縣의 지명을
   합하여 <豊基>로 고치고 郡으로 昇格하였다.(三·麗·輿·慶·文)
   ○ 또 다른 지명은 永定·安定이라고도 불린다.(麗)
   ○ 1895년 安東府 소속의 榮川郡, 豊基郡, 順興郡이, 1914년에 豊基郡 일대와 順興郡
   일대가 편입하여 榮州郡으로 되었다.(地)
   ○ 1940년 榮州面이 榮州邑으로 승격되고, 1980년 榮州邑 일원과 몇 개 面을 합하여

榮州市로 승격되었으며, 榮州郡이 榮豊郡으로 바뀌었다. 1995년 榮州市와 榮豊郡이 통합하여 榮州市가 설치되었다.(地)

○ 지금의 慶尙北道 榮州市 豊基邑.

▶ 榮州 － 5.3. 참조.

원 문

1.2. <古昌郡>, 本<古陁耶郡>, [景德王]改名, 今<安東府>. 領縣三: <直寧縣>, 本<一直縣>, [景德王]改名, 今復故; <日谿縣>, 本<熱兮縣>(或云<泥兮>.), <景德王>改名, 今未詳; <高丘縣>, 本<仇火縣>(或云<高近>.), <景德王>改名, 今合屬<義城府>.

번 역

1.2. <고창군>은 원래 <고타야군>을 [경덕왕]이 개칭한 것이다. 지금의 <안동부>이다. 이 군에 속한 현은 셋이다. <직녕현>은 원래 <일직현>을 [경덕왕]이 개칭한 것인데, 지금은 옛 이름을 다시 찾았다. <일계현>은 원래 <열혜(혹은 이혜)현>을 [경덕왕]이 개칭한 것인데 지금은 위치가 분명치 않다. <고구현>은 원래 <구화(혹은 고근)현>을 [경덕왕]이 개칭한 것인데 지금은 <의성부>에 소속되어 있다.

변 천

1.2. 古昌郡 － 본래 昌寧國인데, 新羅가 取하여 古陀耶郡으로 삼았다가, 景德王이 <古昌郡>으로 지명을 고쳤고, 高麗 太祖 13年(930)에 後百濟王 甄萱과 郡地에서 싸워 패하였는데, 郡 사람 金宣平·權幸·張吉이 太祖를 도와서 크게 공을 세웠으므로 宣平에게는 大匡의 벼슬을 내리고, 幸·吉 두 사람에게는 大相의 벼슬을 내렸으며, 이와 함께 郡을 府로 昇格하여 <安東>으로 지명을 고쳤다. 뒤에 永嘉郡으로 고치고, 成宗

14年(995)에 吉州刺史라 불렀다가, 顯宗 3年(1012)에 安撫使가 되었다. 顯宗 9年 (1018)에는 知吉州事로 고치고, 顯宗 21年(1030)에는 다시 <安東府>가 되었다가, 明宗 27年(1197)에 南賊 金三·孝心 等이 州郡을 약탈하므로 군사를 보내어 토벌할 때에 府가 功이 있다고 하여 都護府로 昇格시켰다. 神宗 7年(1204)에는 東京夜別抄 李佑 等이 무리를 지어 반란을 일으키므로 府가 반란을 진압한 功이 있다 하여 大都護府로 昇格시켰다. 忠烈王 34年(1308)에 福州로 지명을 고쳤다가, 遇王 10年(1384)에는 왕이 홍건적을 피하여 남쪽지방으로 피신할 때에 州의 사람들이 지나가는 왕의 행렬에 모두 머리를 조아려 예의를 갖추었으므로 다시 安東大都護府로 昇格되었고(忠烈王은 加也鄕人護軍 金仁軌이 공이 있다 하여 그 鄕을 昇格하여 春陽縣으로 삼았고, 忠宣王은 敬和翁主의 鄕인 德山部曲을 才山縣으로 삼았고, 忠惠王은 宦者 姜金剛이 元에 들어가서 負絏의 勞가 있다 하여 그 鄕인 退串部曲을 昇格하여 奈城郡으로 삼고 또 吉安部曲을 昇格하여 縣을 삼았다), 朝鮮이 이를 물려받아 世祖 때에 鎭을 두고 府使가 兵馬節度副使를 兼하게 하였다가 얼마 안 있어 副使를 없애고, 宣祖 9年 (1576)에는 降等하여 縣으로 삼았다가, 14年(1581)년에 다시 회복하여 府가 되고, 正祖 初年(1776)에 또 강등하여 縣으로 되었다가, 正祖 9年(1884)에 다시 府가 되었다. (三·麗·輿·慶·文)

o 또 다른 지명은 綾羅·地平·石陵·一界·花山·古藏이다. 모두 新羅 때 붙여진 이름이다.(三·麗·輿·慶)

o 1895년에 安東府가 되어 16郡을 거느리다가, 1914년에 다시 禮安郡을 합병하여 安東郡으로 되고, 1931년 安東面이 邑으로, 1963년 市로 승격되자 郡에서 분리되었다. 1995년 安東市와 安東郡이 통합되어 安東市가 설치되었다.(地)

o 지금의 慶尙北道 安東市.

1.2.1. 直寧縣 - 본래 新羅 一直縣인데, 景德王이 <一寧>으로 고쳐서 古昌(安東)郡 領縣으로 삼았다가, 高麗初에 다시 옛 지명을 回復하였고, 顯宗 9年(1018)에 安東으로 편입시켰다.(三·麗·輿·慶·文)

o 지금의 慶尙北道 安東市 一直面.

1.2.2. 日谿縣 - 본래 新羅 熱兮(또는 泥兮)縣이었는데, 景德王이 <日谿>로 고쳐서 古昌 (安東)郡에 편입시켰다.(興·文)

　　ㅇ 三國史記에는 그 위치를 알 수 없는 지명이라 하였다.(文)

　　ㅇ 지금의 慶尙北道 安東市.

1.2.3. 高丘縣 - 본래 仇火縣인데, 新羅 炤智王이 城을 쌓고, 景德王이 <高丘>(또는 高 近)로 지명을 고쳤다. 高麗 顯宗 때에 安東에 편입시켰다가 恭讓王 때에 다시 義城에 편입시켰다.

　　ㅇ 지금의 慶尙北道 義城郡.

원 문

　　1.3　<聞韶郡>, 本<召文國>, [景德王]改名, 今<義城府>. 領縣四: <眞寶縣>, 本 <漆巴火縣>, [景德王]改名, 今<甫城>; <比屋縣>, 本<阿火屋縣>(一云 <幷屋>.), [景德王]改名, 今因之; <安賢縣>, 本<阿尸兮縣>(一云<阿乙兮>.), [景德王]改名, 今 <安定縣>; <單密縣>, 本<武冬彌知>(一云<冬彌知{曷冬彌知}>), [景德王]改名, 今 因之.

번 역

　　1.3. <문소군>은 원래 <소문국>을 [경덕왕]이 개칭한 것인데 지금의 <의성부>이다. 이 군에 속한 현은 넷이다. <진보현>은 원래 <칠파화현>이었던 것을 [경덕왕]이 개칭한 것이다. 지금의 <보성>이다. <비옥현>은 원래 <아화옥(또는 병옥)현>이었던 것을 [경 덕왕]이 개칭하였는데 지금도 그대로 부른다. <안현현>은 원래 <아시혜(또는 아을혜)현> 이었던 것을 [경덕왕]이 개칭한 것인데 지금의 <안정현>이다. <단밀현>은 원래 <무동 미지(또는 갈동미지)현>이었던 것을 [경덕왕]이 개칭한 것인데 지금도 그대로 부른다.

변 천

1.3. 聞韶郡 – 본래는 召文國인데, 新羅가 합병하여 文武王이 성을 쌓고, 景德王이 <聞 韶郡>으로 고쳤다. 高麗初에 <義城>으로 고쳐서 府로 昇格하였고, 顯宗 9年(1018)에 安東府에 소속시켰다가, 仁宗 21年(1143)에 縣令을 두었고, 神宗 2年(1199)에는 賊에게 패하여 함락되었다 하여 監務로 降等하였다. 忠烈王 때에 大邱府에 병합하였다가 곧 바로 다시 縣令이 되었고, 朝鮮시대에도 그대로 불렀다.(三·麗·輿·慶·文)

   ○ 1895년에 義城郡으로 昇格되었고, 1914년에 比安郡(縣西面은 제외) 一圓과 龍宮郡 申下面이 편입되었다.(增)

   ○ 지금의 慶尙北道 義城郡.

1.3.1. 眞寶縣 – 新羅 漆巴火縣인데, 景德王이 <眞寶>로 고쳐서 聞韶(義城)郡 領縣으로 삼 았고, 또 高句麗의 助攬縣을 景德王이 <眞安>으로 고쳐서 野城(盈德)郡 領縣으로 삼 았는데, 高麗初에 두 縣을 合하여 甫城府(또는 載岩城)를 만들었다가, 顯宗 9年(1018) 에는 禮州(寧海)에 소속시켰다. 뒤에 倭寇의 침탈로 居民이 거주하지 않았다. 朝鮮 太 祖가 甫城監務를 두었고, 世宗이 靑鳧(靑松)와 合하여 <靑寶>라 하였다가, 얼마 안 있어 <眞寶>로 지명을 고쳐서 다시 縣監을 두었고, 成宗 5年(1474)에 縣人 琴孟誠이 縣監 申右同을 욕되게 하므로 <眞寶縣>을 없애고 靑松府에 소속시켰다가, 同 9年 (1478)에 토착민들의 간절한 청으로 다시 復舊시켰다.(三·麗·輿·文)

   ○ 1895년에 眞寶郡으로 하였다가, 1914년에 郡을 없애고 東面 및 北面은 英陽郡에 소속시키고, 그 나머지 지역은 靑松郡에 합병시켰다.(增)

   ○ 지금의 慶尙北道 靑松郡 眞寶面.

1.3.2. 比屋縣 – 본래 新羅 阿火屋(또는 幷屋)縣인데 景德王이 <比屋>으로 고쳐서 聞韶 (義城)郡 領縣으로 삼았다. 高麗初에 그대로 부르다가, 顯宗 9年(1018)에 尙州에 소속 시키고, 恭讓王 2年(1390)에 <安貞縣>監務가 比屋을 함께 관할하게 하였다. 朝鮮 世 宗 3年(1421)에 <安比>로 고쳤다가, 同 5年(1423)에 관할 관청을 比屋으로 옮기고 다 시 <比安>으로 바꾸고는 합병하였다(三·麗·世·輿·慶·文)

○ 1895년에 比安郡으로 昇格하였다가, 1914년에 縣西面은 醴泉郡에 소속시키고, 그
나머지 지역은 義城郡에 합병하였다.(增)

○ 지금의 慶尙北道 義城郡 比安面.

▶ 安貞 ─ 1.3.3. 참조.

1.3.3. 安賢縣 ─ 본래 新羅 阿尸兮(또는 阿乙兮)縣인데, 景德王이 <安賢>으로 고치어 聞
韶(義城)郡 領縣으로 삼았다. 高麗初에 <安定>(또는 安貞)으로 고치고, 顯宗 9年
(1018)에 尙州에 소속시켰다가, 恭讓王 2年(1390)에 監務를 두어서 <比屋>(比安)을 함
께 관할하게 하였다. 朝鮮 世宗 3年(1421)에 <安比>로 고쳤다가, 同 5年(1423)에 관할
관청을 <比屋>으로 옮기어 <比安>으로 부르고 합병하였다.(三·麗·世·輿·慶·文)

○ 지금의 慶尙北道 義城郡 比安面.

▶ 比屋 ─ 1.3.2. 참조.

1.3.4. 單密縣 ─ 본래 新羅 武冬彌知(또는 曷冬彌知)縣인데, 景德王이 <丹密>로 고쳐서
聞韶(義城)郡 領縣으로 삼았다. 高麗初에 그대로 부르다가, 顯宗 9年(1018)에 尙州에
편입시켰고, 朝鮮시대에도 그대로 따랐다.(三·麗·世·輿·慶·文)

○ 지금의 慶尙北道 義城郡 丹密面.

원 문

1.4. <嵩善郡>, 本<一善郡>, [眞平王] 三十六年, 爲<一善州>, 置軍主. [神文王]
七年, 州廢, [景德王]改名, 今<善州>. 領縣三: <孝靈縣>, 本<芼兮縣>, [景德王]改
名, 今因之; <尒同兮縣>, 今未詳; <軍威縣>, 本<奴同覓縣>(一云<如豆覓>), [景德
王]改名, 今因之.

번 역

1.4. <숭선군>은 원래 <일선군>으로 [진평왕] 36년에 <일선주>라 하여 군주를 두었으나 [신문왕] 7년에 주가 폐지되었다가, [경덕왕]이 <일선군>으로 개칭하였다. 지금의 <선주>이다. 이 군에 속한 현은 셋이다. <효령현>은 원래 <모혜현>이었던 것을 [경덕왕]이 개칭한 것인데 지금도 그대로 부른다. <이동혜현>은 지금 분명치 않다. <군위현>은 원래 <노동멱(또는 여두멱)현>이었던 것을 [경덕왕]이 개칭한 것인데 지금도 그대로 부른다.

변 천

1.4. 嵩善郡 - 본래 新羅 訥祇王 때에 一善郡이라 부르기 시작하였는데, 眞平王이 州로 昇格하여 軍主를 두었으나, 神文王이 州를 廢하였다. 景德王이 <嵩善郡>으로 고치었다가, 高麗 成宗 14年(995)에 善州刺史를 두었고, 顯宗 9年(1018)에는 尙州에 편입시켰다가, 仁宗 21年(1143)에 一善縣令으로 고치었다가, 뒤에 다시 昇格하여 <知善州事>가 되고, 朝鮮 太宗 13年(1413)에 모든 郡·縣이 州로 불려지는 지명은 모두 山·川 두 字로 대신하라 하여 <善山>으로 고쳤다. 다음 해에 관할 주민의 戶口數가 千戶 以上이라 하여 都護府가 되었다.(三·麗·輿·慶·文)

○ 1895년에 善山都護府를 善山郡으로 고치고, 1963년 龜尾面을 邑으로 승격하고, 1978년 善山郡 龜尾邑과 漆谷郡 仁同面을 통합하여 龜尾市를 설치하였다. 1979년 善山面을 邑으로 승격하고, 1995년 善山郡과 龜尾市를 통합하여 龜尾市를 설치하였다.(地)

○ 지금의 慶尙北道 龜尾市 善山邑.

1.4.1. 孝靈縣 - 본래 新羅 芼兮縣인데, 景德王이 <孝靈>으로 고쳐서 嵩善(善山)郡 嶺縣을 삼았다. 高麗 顯宗 9年(1018)에 尙州로 편입시켰다가, 仁宗 21年(1143)에 一善(善山)으로 다시 분리시켰고, 恭愍王 9年(1360)에 <軍威縣>에 편입시켰다.(三·麗·輿·慶·文)

○ 지금의 慶尙北道 軍威郡 孝令面.

▶ 軍威 — 1.4.3. 참조.

1.4.2. 尒同兮縣 — 慶尙北道 軍威郡에 있던 옛 지명으로 지금은 그 위치가 분명하지 않다.

○ 지금의 慶尙北道 軍威郡.

▶ 軍威 — 1.4.3. 참조.

1.4.3. 軍威縣 — 본래 新羅 奴同覓(또는 知豆覓)縣인데, 景德王이 <軍威>로 고쳐서 崇善(善山)郡 領縣으로 삼았다. 高麗 顯宗 9年(1018)에 尙州로 편입시켰다가, 仁宗 21年(1143)에 다시 一善(善山)郡에 편입시키고, 恭讓王 2年(1390)에 監務를 두어서 <孝靈>을 함께 관할하게 하였다. 朝鮮 太宗 13年(1413)에 다시 고쳐서 監務를 두었다.(三·麗·興·文)

○ 1895년에 軍威郡으로 昇格하고 大邱府의 管轄로 하였다가, 1914년에 義興郡을 軍威郡에 합병하였다.(增)

○ 지금의 慶尙北道 軍威郡.

원 문

1.5. <開寧郡>, 古【甘文小國】也. [眞興王]十八年,【梁{陳}】[永定]元年, 置軍主, 爲<靑州>. [眞平王]時, 州廢, [文武王]元年, 置<甘文郡>, [景德王]改名, 今因之. 領縣四: <禦侮縣>, 本<今勿縣>(一云<陰達>.), [景德王]改名, 今因之; <金山縣>, [景德王]改州·縣名, 及今並因之; <知禮縣>, 本<知品川縣>, [景德王]改名, 今因之; <茂豐縣>, 本<茂山縣>, [景德王]改名, 今因之.

번 역

1.5. <개령군>은 옛날【감문소국】이었다. [진흥왕] 18년,【진나라】[영정] 원년에 군주

를 두어 <청주>라 하였으나, [진평왕] 때 폐지되었다가, [문무왕] 원년에 <감문군>을 설치하였고, [경덕왕]이 <개령군>으로 개칭하였는데 지금도 그대로 부른다. 이 군에 속한 현은 넷이다. <어모현>은 원래 <금물(또는 음달)현>을 [경덕왕]이 개칭한 것인데 지금도 그대로 부른다. <금산현>은 [경덕왕]이 주와 현의 명칭을 개칭하였는데 지금까지 모두 그대로 부른다. <지례현>은 원래 <지품천현>이었던 것을 [경덕왕]이 개칭한 것인데 지금도 그대로 부른다. <무풍현>은 원래 <무산현>이었던 것을 [경덕왕]이 개칭한 것인데 지금도 그대로 부른다.

변 천

1.5. 開寧郡 – 본래 弁韓·辰韓 지방의 甘文小國이었는데, 新羅가 병합하여 眞興王이 <靑州>로 고쳐서 軍主를 두었다가 眞平王이 州를 폐지하고, 文武王이 甘文郡으로 만들었다가, 景德王이 <開寧>으로 고쳤다. 高麗 顯宗 9년(1018)에는 尙州에 소속되었고, 明宗 2年(1172)에는 監務를 두었다. 朝鮮 시대에도 그대로 부르다가, 太宗 13年(1413)에 고쳐서 縣監을 두었고, 宣祖 34年(1601)에는 金山郡으로 편입시켰다가, 同 39年(1606)에는 善山府로 다시 편입하였고, 光海主 元年(1609)에 다시 縣을 두었다.(三·麗·興·世·慶·文)

　　○ 1895년에 開寧郡으로 하여 大邱府의 管轄로 하였다가, 1914년에 金泉郡에 통합하였다.(增)

　　○ 지금의 慶尙北道 金泉市 開寧面.

　　▶ 金泉 —1.5.2. 참조.

1.5.1. 禦侮縣 – 본래는 新羅 今勿(또는 陰達)縣인데, 景德王이 <禦侮>로 고쳐서 甘文(開寧)郡 領縣으로 삼았다. 高麗 顯宗 9年(1018)에 尙州에 소속시켰다가, 朝鮮 太祖 2年(1393)에 金山(金泉)으로 다시 편입시켰고, 지금까지 그대로 부른다.(三·麗·世·興·慶·文)

　　○ 지금의 慶尙北道 金泉市 禦侮面.

　　▶ 金泉 —1.5.2. 參照.

1.5.2. 金山縣 — 본래 新羅 <金山>(또는 風茂)縣인데, 甘文(開寧)郡 領縣으로 하였다. 高麗가 옛 지명을 그대로 사용하였고, 顯宗 9年(1018)에는 京山府(星州)에 편입시켰다. 恭讓王 2年(1390)에 監務를 두었다가, 同 4年(1392)에 監務를 폐지하고 京山府로 다시 소속시켰다. 朝鮮 太祖 2年(1393)에 다시 監務를 두었다가, 定宗 元年(1399)에 御胎를 黃嶽山에 奉安한 것을 계기로 郡으로 昇格하였다. 또 다른 지명은 金陵이다.(三·麗·興·文)

  ○ 1895년에는 大邱府의 管轄로 하였다가, 1914년에는 知禮·開寧과 星州郡 薪谷面을 합병하여 金泉郡으로 하였다. 1931년 金泉面을 邑으로, 1949년 府로 승격하고, 金泉府를 다시 金泉市로 고치고 郡에서 분리하였으며, 郡의 이름을 金陵郡으로 바꾸고, 1995년 金陵郡과 金泉市를 통합하여 金泉市로 하였다.(地)

  ○ 지금의 慶尙北道 金泉市(甘文面).

1.5.3. 知禮縣 — 본래 新羅 知品川縣인데, 景德王이 <知禮>로 고쳐서 開寧郡 領縣으로 삼았다. 高麗 顯宗 9年(1018)에 京山府(星州)로 편입시켰고, 恭讓王 2年(1390)에 監務를 두었다. 朝鮮 시대에도 그대로 부르다가, 太宗 때에 고쳐서 縣監을 두었다.(三·麗·興·慶·文)

  ○ 1895년에 知禮郡으로 昇格하였다가, 1914년에 金泉郡에 편입하였다.(增)

  ○ 지금의 慶尙北道 金泉市 知禮面.

1.5.4. 茂豐縣 — 본래 新羅 尙州의 屬縣이었는데, 景德王이 <茂豊>으로 고쳐서 開寧郡 領縣으로 삼았다. 高麗初에는 進禮(錦山)縣에 소속시켰고, 明宗 6年(1176)에 監務를 두어서 <朱溪縣>을 함께 관할하게 하였다. <朱溪縣>은 본래 百濟 赤川縣인데, 新羅 景德王이 <丹川>으로 고쳐서 進禮(錦山)縣에 소속시켰는데, 高麗가 朱溪로 고쳐서 편입시켰다가, 明宗 6年(1176)에 茂豊監務가 함께 관할하게 하였다. 恭讓王 3年(1391)에 茂豊·朱溪 두 縣을 합하여 다스렸는데, 朝鮮 太宗 14年(1414)에 두 縣의 이름을 따서 <茂朱>로 고쳐서 縣監을 두었고, 朱溪에 관할 관청을 두었다가, 顯宗 15年(1674)에 錦山의 安城·橫川 2縣을 편입하여 府로 昇格시켰다.(三·麗·興·文)

  ○ 1895년에 고쳐서 茂朱郡으로 하였다.(增)

○ 지금의 全羅北道 茂朱郡 茂豊面.

▶ 朱溪 — 8.4.3. 참조.

원 문

1.6. <永同郡>, 本<吉同郡>, [景德王]改名, 今因之. 領縣二: <陽山縣>, 本<助比川縣>, [景德王]改名, 今因之; <黃潤縣>, 本<召羅縣>, [景德王]改名, 今因之.

번 역

1.6. <영동군>은 원래 <길동군>이었던 것을 [경덕왕]이 개칭한 것인데 지금도 그대로 부른다. 이 군에 속한 현은 둘이다. <양산현>은 원래 <조비천현>이었던 것을 [경덕왕]이 개칭한 것인데 지금도 그대로 부른다. <황간현>은 원래 <소라현>이었던 것을 [경덕왕]이 개칭한 것인데 지금도 그대로 부른다.

변 천

1.6. 永同郡 — 본래 新羅 吉同郡인데, 景德王이 <永同>으로 고쳤다. 高麗 成宗 14年(995)에 昇格하여 稽州刺史가 되었다. 穆宗 8年(1005)에 刺史를 폐지하고, 顯宗 9年(1018)에 尙州에 소속시켰다가, 明宗 2년(1172)에 監務를 두었고, 同 6年(1176)에 縣令으로 昇格하였다. 뒤에 다시 監務를 두었다가 곧 폐지하고, 朝鮮 太宗 13년(1413)에 고쳐서 縣監이 되었다.(三·麗·輿·文)

○ 1895년에 永同郡으로 昇格하였으며, 1914년에 黃潤郡 일대와 慶尙北道 尙州郡 功西面의 熊北里가 편입되었다.(增)

○ 지금의 忠淸北道 永同郡 永同邑.

1.6.1. 陽山縣 — 본래 新羅 助比川縣인데, 景德王이 <陽山>으로 고쳐 管城(沃川)郡 領縣

으로 삼았다. 高麗 顯宗 9年(1018)에 京山府(星州)에 소속시켰고, 明宗 6年(1176)에 縣
領을 두었는데, 忠烈王 11年(1285)에 다시 沃川으로 편입하였다.(三·麗·輿·文)

○ 1914년 鶴山面, 龍化面, <陽山面>이 永同郡에 편입되었다.(地)

○ 지금의 忠淸北道 永同郡 陽山面.

1.6.2. 黃澗縣 - 본래는 新羅 召羅縣인데, 景德王이 <黃澗>으로 고쳐서 永同郡 領縣으
로 삼았다. 高麗 顯宗 9年(1018)에는 京山府(星州)로 소속시켰고 뒤에 監務를 두었다
가, 恭愍王 2年(1353)에 다시 京山府에 소속시켰다. 恭讓王 2年(1390)에 監務를 다시
두었고, 朝鮮 太宗 13年(1413)에는 忠淸道로 편입하였는데, 同 14年(1414)에는 <靑山>
과 합하여 <黃靑縣>으로 하였다가, 同 16年(1416)에 각각 옛 지명으로 다시 부르게
되어 縣監을 두었다. 宣祖 26年(1593)에 縣監 朴夢悅이 晋州 왜적과 싸워 한 사람도
살아남지 못하고 패하였으므로 縣監을 폐지하고 靑山縣에 편입시켰다가, 光海主 13
年(1621)에 縣을 다시 두었다.(三·麗·輿·文).

○ 1895년에 黃澗郡으로 昇格되었다가, 1914년에 永同郡에 합병되었다.(增)

○ 지금의 忠淸北道 永同郡 黃澗面.

원 문

1.7. <管城郡>, 本<古尸山郡>, [景德王]改名, 今因之. 領縣二: <利山縣>, 本<所
利山縣>, [景德王]改名, 今因之; <縣眞縣{安貞縣}>, 本<阿冬號縣>, [景德王]改名,
今<安邑縣>.

번 역

1.7. <관성군>은 원래 <고시산군>이었던 것을 [경덕왕]이 개칭한 것인데 지금도 그
대로 부른다. 이 군에 속한 현은 둘이다. <이산현>은 원래 <소리산현>이었던 것을 [경
덕왕]이 개칭한 것인데 지금도 그대로 부른다. <현진현>은 원래 <아동호현>이었던 것

을 [경덕왕]이 개칭한 것이다. 지금의 <안읍현>이다.

변 천

1.7. 管城郡 － 본래 新羅 古尸山郡인데, 景德王이 <管城郡>으로 고쳤다. 高麗 顯宗 9年
    (1018)에 京山府(星州)에 소속시켰다가, 仁宗 21年(1143)에 縣令을 두었는데, 明宗 12年
    (1182)에 縣의 관리와 일반 백성들이 縣令 洪彦을 잡아서 가두었으므로 현령을 폐지
    하고 官號를 모두 삭제하였다. 忠宣王 5年(1313)에 <知沃州事>로 昇格하고, 京山府
    의 소속인 利山・安邑・陽山 세 縣을 떼어서 편입시켰다.(三・麗・興)
    ○ 1895년 沃川郡으로 되고, 1914년 鶴山面, 龍化面, 陽山面이 永同郡에 편입되고,
    1949년 沃川面이 邑으로 승격되었다.(地)
    ○ 지금의 忠淸北道 沃川郡 沃川邑.

1.7.1. 利山縣 － 본래 新羅 所利山縣인데, 景德王이 <利山>으로 고쳐서 管城(沃川)郡 領
    縣으로 삼았다. 高麗 顯宗 9年(1018)에 京山府(星州)로 편입하였고, 明宗 6年(1176)에
    監務를 두었다가, 忠宣王 5年(1313)에 京山府의 소속인 利山・安邑・陽山 세 縣을 떼
    어서 知沃州事에 편입시켰고, 朝鮮 太宗 3년(1413)에 <沃川郡>으로 고치는 동시에
    慶尙道에서 忠淸道로 편입시켰다.(三・麗・興).
    ○ 지금의 忠淸北道 沃川郡.

1.7.2. 縣眞縣(安貞縣) － 본래 新羅 阿冬兮縣인데, 景德王이 <安貞>으로 고쳐서 管城(沃
    川)郡 領縣으로 삼았다. 高麗初에 <安邑>으로 고치고, 顯宗 9年(1018)에 京山府(星州)
    에 소속시켰다가, 忠宣王 5年(1313)에 京山府의 소속인 <利山・安邑・陽山> 세 縣을
    떼어서 <知沃州事>에 편입시켰고, 朝鮮 太宗 3년(1413)에 <沃川郡>으로 고치는 동
    시에 慶尙道에서 忠淸道로 편입시켰다.(三・麗・興).
    ○ 지금의 忠淸北道 沃川郡.

원 문

> 1.8. <三年郡>, 本<三年山郡>, [景德王]改名, 今<保齡郡>. 領縣二: <淸川縣>, 本 <薩買縣>, [景德王]改名, 今因之; <耆山縣>, 本<屈縣>, [景德王]改名, 今<靑山縣>.

번 역

1.8. <삼년군>은 원래 <삼년산군>이었던 것을 [경덕왕]이 개칭한 것이다. 지금의 <보령군>이다. 이 군에 속한 현은 둘이다. <청천현>은 원래 <살매현>이었던 것을 [경덕왕]이 개칭한 것인데 지금도 그대로 부른다. <기산현>은 원래 <굴현>이었던 것을 [경덕왕]이 개칭한 것이다. 지금의 <청산현>이다.

변 천

1.8. 三年郡 – 본래는 新羅 三年山郡인데, 景德王이 <三年>으로 고쳤고, 高麗初에 保齡으로 고쳤다가, 뒤에 같은 발음인 <保令>이 되었다. 顯宗 9年(1018)에 尙州에 소속시켰다가, 明宗 2年(1172)에 監務를 두었고, 朝鮮 太宗 6年(1406)(世宗地理志에는 16年)에 保寧縣과 발음이 서로 같다고 하여 <報恩>으로 고치고 縣監을 두었는데, 同 13年(1413)에 慶尙道에서 忠淸道로 편입하였다.(三·麗·輿·文)

○ 1895년에 報恩郡으로 昇格되었고, 1914년에 懷仁郡이 편입되었다.(增)

○ 지금의 忠淸北道 報恩郡.

1.8.1. 淸川縣 – 본래 古薩買(또는 靑州)縣인데, 尙州에 소속시켰다가, 高麗에 와서는 <靑川>으로 고치고 淸州에 소속시켰다가 폐지하였다.(三·麗·輿·文)

○ 1914년 槐山郡 靑川面으로 하였다.(增)

○ 지금의 忠淸北道 槐山郡 靑川面.

1.8.2. 耆山縣 – 본래 新羅 屈山(또는 埃山)縣인데, 景德王이 <耆山>으로 고쳐서 三年山

(報恩)郡 領縣으로 삼았다가, 高麗初에 <靑山>으로 고쳐서 尙州에 소속시켰다. 恭愍
王 2年(1353)에 監務를 두었고, 尙州 酒城部曲을 갈라서 편입시키고, 同 11年(1362)에
다시 尙州에 소속시켰다가, 朝鮮 太宗 3年(1403)에 다시 監務를 두었고, 同 14年
(1414)에는 黃澗과 합하여 <黃靑縣>이라 불렀는데, 同 16年(1416)에 다시 <靑山>縣
監을 두었다.(三·麗·輿·文)

○ 1895년에 靑山郡이 되었다가, 1914년에 沃川郡에 편입되었다.(增)

○ 지금의 忠淸北道 沃川郡 靑山面.

원 문

1.9. <古寧郡>, 本【古寧伽倻國】,【新羅】取之, 爲<古冬攬郡>(一云<古陵縣>.),
[景德王]改名, 今<咸寧郡>. 領縣三: <嘉善縣>, 本<加害縣>, [景德王]改名, 今<加
恩縣>; <冠山縣>, 本<冠縣>(一云<冠文縣>.), [景德王]改名, 今<聞慶縣>; <虎溪
縣>, 本<虎側縣>, [景德王]改名, 今因之.

번 역

1.9. <고령군>은 원래 【고령가야국】이었는데, 【신라】가 이를 빼앗아 <고동람군(또는
고릉현)>이 되었고, [경덕왕]이 이를 <고령군>으로 개칭하였다. 지금의 <함령군>이다.
이 군에 속한 현은 셋이다. <가선현>은 원래 <가해현>이었던 것을 [경덕왕]이 개칭한
것인데 지금의 <가은현>이다. <관산현>은 원래 <관(또는 관문)현>이었던 것을 [경덕
왕]이 개칭한 것인데 지금의 <문경현>이다. <호계현>은 원래 <호측현>이었던 것을
[경덕왕]이 개칭한 것인데 지금도 그대로 부른다.

변 천

1.9. 古寧郡 - 본래 古寧伽倻國인데, 新羅가 빼앗아서 古冬攬(攬은 欖으로 표기하기도

함, 古陵이라고도 함)郡으로 부르다가, 景德王이 <古寧郡>으로 고쳤다. 高麗 光宗 15 年(964)에는 <咸寧郡>으로 고치고 顯宗 9年(1018)에는 尙州에 소속시켰다가 뒤에 <咸 昌>으로 고쳤는데, 明宗 2年(1172)에 監務를 두었다. 朝鮮 시대에 와서도 그대로 부 르다가, 太宗 13年(1413)에 고쳐서 縣監을 두었다.(三·麗·世·慶·興·文)

  ○ 1895년에 咸昌郡으로 昇格되었고, 1914년에 尙州郡으로 편입되었다.(增)
  ○ 1931년 尙州面이 邑으로 승격되고, 1986년 尙州邑에 內西面 蓮院里와 南長里 및 外西面 南積里가 통합되어 尙州市로 승격되고 郡에서 분리되었다. 1980년 咸昌面 이 咸昌邑으로 승격되고, 1995년 尙州郡과 尙州市가 통합되어 尙州市가 설치되었 다.(地)
  ○ 지금의 慶尙北道 尙州市 咸昌邑.

1.9.1. 嘉善縣 - 본래는 新羅 加害縣인데 景德王이 <嘉善>으로 고쳐서 古寧(咸昌)郡 領 縣으로 삼았다. 高麗初에 <加恩>으로 고치고, 顯宗 9年(1018)에는 尙州에 소속시켰 다가, 恭讓王 3年(1391)에 다시 聞慶로 편입하였다.(三·麗·興·文)

  ○ 지금의 慶尙北道 聞慶市 加恩邑.

1.9.2. 冠山縣 - 본래 新羅 冠文(또는 冠縣, 高思曷伊城)縣인데, 景德王이 <冠山>으로 고쳐서 古寧(咸昌)郡 領縣으로 삼았다. 高麗初에는 <聞喜>로 고치고, 顯宗 9年(1018) 에는 尙州에 소속시켰다가 뒤에 지명을 <聞慶>으로 고치고, 恭讓王 2年(1390)에 監 務를 두고 加恩縣을 편입하였다. 朝鮮 太宗 13年(1413)에 고쳐서 縣監을 두었다.(三· 慶·興·世·麗·文)

  ○ 1895년에 聞慶郡으로 昇格되었고, 1914년에 尙州郡 山北面·山西面·山東面·山 陽面·永順面과 龍宮郡 西面이 편입되었다.(增)
  ○ 지금의 慶尙北道 聞慶市 聞慶邑.

1.9.3. 虎溪縣 - 본래 新羅 虎側(또는 拜山城)縣인데, 景德王이 <虎溪>로 고쳐서 古寧 (咸昌)郡 領縣으로 삼았다. 高麗 顯宗 9年(1018)에 尙州에 소속시켰다가, 朝鮮 太宗 16

年(1416)에 聞慶에 다시 편입하였다.(三·麗·世·興·慶·文)

○ 지금의 慶尙北道 聞慶市 虎溪面.

원 문

> 1.10.　<化寧郡>, 本<荅達匕郡>(一云<沓達>.), [景德王]改名, 今因之. 領縣一:
> <道安縣>, 本<刀良縣>, [景德王]改名, 今<中牟縣>.

번 역

1.10.　<화령군>은 원래 <답달비(또는 답달)군>이었던 것을 [경덕왕]이 개칭한 것인데 지금도 그대로 부른다. 이 군에 속한 현은 하나이다. <도안현>은 원래 <도량현>이었던 것을 [경덕왕]이 개칭한 것인데 지금의 <중모현>이다.

변 천

1.10.　化寧郡 ‒ 본래 新羅 荅達匕(또는 沓達)郡인데, 景德王이 <化寧郡>으로 고쳤다. 高麗 시대에도 그대로 부르다가, 朝鮮 太宗 13年(1413)에 縣으로 고쳐서 尙州에 편입시켰다.(三·麗·世·興·慶·文)

○ 지금의 慶尙北道 尙州市.

1.10.1.　道安縣 ‒ 본래 新羅 刀良縣인데, 景德王이 <道安>으로 고쳐서 化寧郡 領縣으로 삼았다. 高麗 시대에 <中牟>로 고치고, 顯宗 9年(1018) 戊午에 尙州에 편입시켰는데, 朝鮮 시대에도 그대로 불렸다.(三·麗·世·興·慶·文)

○ 지금의 慶尙北道 尙州市 牟西面 道安里.

원 문

2. <良州>, [文武王]五年, [麟德]二年, 割<上州>·<下州>地, 置<歃良州>. [神文王]七年, 築城, 周一千二百六十步, [景德王]改名<良州>, 今<梁州>. 領縣一: <巘陽縣>, 本<居知火縣>, [景德王]改名, 今因之.

번 역

2. <양주>는 [문무왕] 5년 [인덕] 2년에 <상주>와 <하주>의 땅을 분할하여 <삽량주>를 설치한 곳으로 [신문왕] 7년에 성을 쌓았는데 둘레가 1천 2백 60보였다. [경덕왕]이 이를 <양주>로 개칭하였다. 지금의 <양주>이다. 이 주에 속한 현은 하나이다. <헌양현>은 원래 <거지화현>이었던 것을 [경덕왕]이 개칭한 것인데 지금도 그대로 부른다.

변 천

2. 良州 - 新羅 文武王이 上州·下州의 땅을 떼어서 <歃良州>를 두었는데, 景德王이 <良州>로 고쳐서 九州의 하나가 되었다. 高麗 太祖 23年(940)에 <梁州>로 고쳤고, 顯宗 9年(1018)에 防禦使를 두었다. 뒤에 元의 中書省으로부터 지나치게 많은 관청은 백성에게 폐를 끼친다는 지적을 받아 密城에 합병되었으나, 州·縣의 업무를 수행하기 위하여 관리들이 오고 가는 불편이 더 크기 때문에 忠烈王 31年(1305)에 다시 복구하였다. 朝鮮 太宗 13年(1413)에 <梁山>으로 고쳐서 郡이 되었고, 다시 宣祖 25年(1592) 壬辰倭亂뒤에는 東萊에 편입시켰다가, 同 36年(1603)에 다시 복구하였다.(三·麗·輿·文)

   ㅇ 또 다른 지명은 宜春이라고도 하며, 高麗 成宗 때 지은 것이다.(麗)

   ㅇ 1405년 梁山郡으로 하고, 1979년 梁山面을 邑으로, 1995년 市로 昇格하였다.(地)

   ㅇ 지금의 慶尙南道 梁山市.

2.0.1. 巘陽縣 - 본래 居知火縣인데, 景德王이 巘陽으로 고쳐서 良州(梁山)郡 領縣으로

삼았다. 高麗 顯宗 9年(1018)에 蔚州(蔚山)에 소속시켰고, 仁宗 9年(1131)에 監務를 두었으며 뒤에 <彦陽>으로 고쳤다. 朝鮮 시대에도 그대로 부르다가 縣監을 두고, 宣祖 32年(1599)에 蔚山에 편입시켰다가, 光海君 4年(1612)에 縣을 두었다.(三·麗·輿·文)

○ 1895년에 彦陽郡으로 昇格하였으며, 1914년에 蔚山郡에 합병하였다.(增)

○ 지금의 蔚山廣域市 蔚州郡 彦陽邑.

◇ 蔚山 -1910년 蔚山郡 蔚山面으로 하고, 1931년 蔚山面을 邑으로 승격하고, 1962년 蔚山郡의 蔚山邑, 方魚津邑, 大峴面, 下廂面, 農所面의 華峰里·松亭里, 凡西面 茶雲里·無去里, 靑良面 斗旺里를 분리하여 蔚山市를 설치하자, 蔚山郡을 蔚州郡으로 바꾸었다. 1995년 蔚州郡과 蔚山市를 통합하여 蔚山市 설치하고, 1997년 蔚山市를 蔚山廣域市로 하였으며, 蔚州區의 일부(農所邑과 江東面을 제외한 지역)의 2읍 10면을 蔚州郡으로 하였다.(地)

원 문

2.1. <金海小京>, 古【金官國】(一云【伽落國】, 一云【伽耶】.), 自始祖[首露王], 至十世[仇亥王{仇充王}], 以【梁】[中大通]四年,【新羅】[法興王]十九年, 率百姓來降, 以其地爲<金官郡>. [文武王]二十年, [永隆]元年, 爲小京, [景德王]改名<金海京{金海小京}>, 今<金州>.

번 역

2.1. <김해소경>은 옛날【금관국】(또는【가락국】,【가야】)이었다. 그 나라 시조 [수로왕]으로부터 10대왕인 [구해왕]이【양나라】[중대통] 4년,【신라】[법흥왕] 19년에 백성들을 거느리고 항복해와서 그 지역이【금관국】이 되었으며, [문무왕] 20년, [영륭] 원년에는 <소경>이라고 하였다. [경덕왕]이 <김해경>으로 개칭하였는데 지금의 <금주>이다.

변 천

2.1. 金海小京 - 新羅 儒理王 18年(41) 辛丑에 駕洛의 長王 我刀干·汝刀干·彼刀干 等 9 人이 백성을 이끌고 목욕재계하고 잔치를 열고 있는데, 龜旨峰을 바라보니 이상한 소리가 나기에 가서 보니, 금궤짝이 하늘에서 내려왔다. 가운데에는 금빛 알이 태양과 같이 둥글었기 때문에 9人이 神이라 하여 禮拜하고 我刀干이 받들어 알을 집에 두었다. 다음날 9人이 모여서 궤짝을 열어보니 한 아이가 껍질을 부수고 나오는데, 나이는 15세 가량 되어 보이고, 용모가 매우 거룩하므로 모인 군중이 모두 엎드려 절하며 예의를 갖추었다. 아이가 날마다 몰라보게 자라서 열흘이 지나니 키가 9尺이나 되었다. 이 달 보름에 9人이 드디어 君主로 추대하니, 그가 곧 首露王이요 國號를 駕洛이라 하고, 또 伽倻라고도 불렸는데 뒤에 金官國으로 고쳤다. 사방이 東은 黃山江에 이르고, 東北은 伽倻山에 이르고, 西南은 大海에 접하고, 西北은 智異山과 경계를 이루었다. 즉위한 지 158年에 돌아가시고, 九代孫 仇亥에 이르러 나라의 금고와 보물을 싸서 新羅에 항복하니, 首露王 이후 居登王·麻品王·居叱彌王·伊尸品王·坐知王·吹希王·銍知王·鉗知王·仇亥王(또는 仇衡王)까지 491年 동안 존속하였다. 新羅 法興王이 항복을 받아내고는 예의를 갖추어 우대하고, 그 나라의 땅을 食邑으로 삼아 金官郡이라 불렀는데, 文武王은 金官小京을 두었고, 景德王은 金海小京이라 하였다. 高麗 太祖 23年(940)에 府·郡·縣의 이름을 고칠 때 金海府라 하였다가, 뒤에 降等하여 臨海縣이 되었다가, 얼마 뒤에 다시 昇格하여 郡이 되었고, 成宗 14年(995)에는 金州都護府로 고쳤다. 顯宗 3年(1012)에 金州로 고치고, 元宗 11年(1270)에는 防禦使 金暄이 密城의 반란을 평정하고 또 三別抄가 공을 세워 金寧都護府로 昇格하고, 金暄을 都護로 삼아 다스리게 하였는데, 忠烈王 2年(1276)에 按廉使(안렴사) 劉顥(유호)를 죽이므로, 同 19年(1293)에 縣으로 降等되었다가, 同 34年(1308)에 다시 金州牧으로 昇格되었다. 忠宣王 2年(1310)에 여러 牧을 없앨 때, 다시 金海府가 되었고, 朝鮮 시대에도 그대로 부르다가, 太宗 때에 都護府로 고치고, 世祖 때에는 鎭을 두었다.(三·麗·興·文)

  ○ 1895년에 晋州府 金海郡으로 하고, 1931년 金海面이 邑으로, 1981년 市로 승격하고, 1995년 金海君과 金海市를 통합하여 金海市를 설치하였다.(地)

○ 지금의 慶尙南道 金海市.

원 문

2.2. <義安郡>, 本<屈自郡>, [景德王]改名, 今因之. 領縣三: <漆隄縣{漆堤縣}>, 本<漆吐縣>, [景德王]改名, 今<漆園縣>; <合浦縣>, 本<骨浦縣>, [景德王]改名, 今因之; <熊神縣>, 本<熊只縣>, [景德王]改名, 今因之.

번 역

2.2. <의안군>은 원래 <굴자군>이었던 것을 [경덕왕]이 개칭한 것인데 지금도 그대로 부른다. 이 군에 속한 현은 셋이다. <칠제현>은 원래 <칠토현>이었던 것을 [경덕왕]이 개칭한 것인데 지금의 <칠원현>이다. <합포현>은 원래 <골포현>이었던 것을 [경덕왕]이 개칭한 것인데 지금도 그대로 부른다. <웅신현>은 원래 <웅지현>이었던 것을 [경덕왕]이 개칭한 것인데 지금도 그대로 부른다.

변 천

2.2. 義安郡 — 본래 新羅 屈自郡인데, 景德王이 <義安>으로 고쳤고, 會原縣은 본래 新羅 骨浦縣인데 景德王이 合浦로 고쳐서 義安郡에 소속시켰다. 高麗 顯宗 9年(1018)에 義安·合浦를 모두 金州(金海)에 포함시켰으며, 뒤에 監務를 두었다. 忠烈王 8年(1282)에는 元 世祖의 東征에 이바지한 노고를 보상하기 위하여 義安은 <義昌>으로, 合浦는 <會原>으로 고쳐서 모두 縣令으로 昇格시켰고, 朝鮮 太宗 때에는 두 縣을 合하여 <昌原>으로 고치고 府로 昇格시켰다가, 뒤에 都護府로 고쳤고, 顯宗 2年(1661)에 縣으로 강등시켰다가, 同 11年(1670)에 다시 회복시켰다.(三·麗·輿·文)

○ 또 다른 지명은 檜山이라고도 한다.(麗)

○ 1895년에 고쳐서 昌原郡으로 하고, 1914년에는 馬山府의 府內面·上南面·下南

面·東面·北面·內西面·龜山面·大山面·鎭東面·鎭北面·鎭西面·良田面·熊邑面·熊東面·天加面·鎭海面·熊西面 및 外西面內의 馬山府에 屬하지 아니한 地域을 편입하였다.(增)

○ 1976년 馬山市의 일부(龍池洞, 聖住洞, 熊南1.2洞, 上北洞, 八龍洞, 三貴洞)를 관할하는 慶尙南道 昌原地區出張所 설치하고, 1980년 昌原地區出張所 관할지역과 馬山市 義昌洞을 통합하여 昌原市 설치하였으며, 昌原郡의 東面과 北面, 昌原市를 통합하여 昌原市를 설치하였다.(地)

○ 지금의 慶尙南道 昌原市 義安洞.

2.2.1. 漆隄(堤)縣 － 본래 新羅 漆吐縣인데, 景德王이 <漆隄>로 고쳐서 義安(昌原)郡 領縣으로 삼았다. 高麗初에 <漆原>(또는 漆園)으로 고치고, 顯宗 9年(1018)에 金州(金海)로 속하였다가, 恭讓王 2年(1390)에 監務를 두었고, 朝鮮에 와서는 縣監으로 고치었다. 宣祖 25年(1592)에는 전란에 고을이 다 불에 타서 昌原에 편입시켰다가, 光海主 9年(1617)에 다시 縣을 두었다.(三·麗·輿·文)

○ 1895년에 郡이 되었다가, 뒤에 폐지되고 咸安에 편입되었다.(增)

○ 또 다른 지명은 龜城이다.(麗)

○ 지금의 慶尙南道 咸安郡 漆原面.

▶ 咸安 － 3.4. 참조

2.2.2. 合浦縣 － 본래 新羅 骨浦縣인데, 景德王이 <合浦>로 고쳐서 義安(昌原)郡 領縣으로 삼았다. 高麗 顯宗 9年(1018)에 金州(金海)에 소속시켰다가 뒤에 監務를 두었고, 忠烈王 8年(1282)에 원나라 世祖의 東征 때에 협력한 공으로 <會原>으로 고쳐서 縣令으로 昇格하였고, 朝鮮 太宗 때에 <昌原>에 편입하였다.(麗·文)

○ 또 다른 지명은 還珠이다.(麗)

○ 1914년 馬山府를 설치하고, 1949년 馬山府를 馬山市로 개칭하였으며, 1990년 마산시 合浦出張所 및 會原出張所를 각각 區로 승격하고, 2001년 合浦區 및 會原區 폐지하였다.(地)

○ 馬山市 合浦區 및 會原區의 옛 이름.

2.2.3. 熊神縣 - 본래 新羅 熊只縣인데, 景德王이 <熊神>으로 고쳐서 義安(昌原)郡 領縣
으로 삼았다. 高麗 顯宗 9年(1018)에는 金州(金海)에 속하였고, 朝鮮 世宗 때에는 僉
節制使를 두었다가, 文宗 때에 <熊川>으로 고쳐서 縣監을 두었다. 中宗 5年(1510)에
倭寇를 물리치므로 昇格하여 都護府를 삼았다가 곧 縣으로 하였다.(三·麗·興·文)
○ 1895년에 熊川郡으로 昇格하였다가, 1908년 8月에 昌原에 편입하였다.(增)
○ 지금의 慶尙南道 鎭海市 熊川洞.

◇ 鎭海 - 1914년 昌原郡 鎭海面으로 개칭하고, 鎭海面이 邑으로, 1955년 市로 승격
하였다. 1973년 昌原郡 熊川面을, 1975년 巨濟郡 長木面 柳湖里의 猪島, 望蛙島를,
1983년 義昌郡 熊東面을 鎭海市에 편입하고, 1993년 安谷洞의 猪島, 望蛙島를 巨濟
郡에 편입하였다.(地)

원 문

2.3. <密城郡>, 本<推火郡>, [景德王]改名, 今因之. 領縣五: <尙藥縣>, 本<西
火縣>, [景德王]改名, 今<靈山縣>; <密津縣>, 本<推浦縣>(一云<竹山>.), [景德
王]改名, 今未詳; <烏丘山縣>, 本<烏也山縣>(一云<仇道>, 一云<烏禮山>.), [景德
王]改名, 今合屬<淸道郡>; <荊山縣>, 本<驚山縣>, [景德王]改名, 今合屬<淸道郡>;
<蘇山縣>, 本<率已山縣>, [景德王]改名, 今合屬<淸道郡>.

번 역

2.3. <밀성군>은 원래 <추화군>이었던 것을 [경덕왕]이 개칭한 것인데 지금도 그대
로 부른다. 이 군에 속한 현은 다섯이다. <상약현>은 원래 <서화현>이었던 것을 [경덕
왕]이 개칭한 것인데 지금의 <영산현>이다. <밀진현>은 원래 <추포(또는 죽산)현>이었
던 것을 [경덕왕]이 개칭한 것인데 지금은 위치가 분명치 않다. <오구산현>은 원래 <오
야산(또는 구도, 오례산)현>이었던 것을 [경덕왕]이 개칭한 것인데 지금은 <청도군>에 병

합되었다. <형산현>은 원래 <경산현>이었던 것을 [경덕왕]이 개칭한 것인데 지금은 <청도군>에 병합되었다. <소산현>은 원래 <솔이산현>이었던 것을 [경덕왕]이 개칭한 것인데 지금은 <청도군>에 병합되었다.

변 천

2.3. 密城郡 – 본래 新羅 推火郡인데, 景德王이 <密城郡>으로 고쳤다. 高麗初에 그대로 부르다가, 成宗 14年(995)에 密州刺史로 고쳤고, 顯宗 9年(1018)에는 知密城郡事로 고 쳤다. 忠烈王 元年(1275)에 郡人 趙仟 等이 郡守를 죽이고 珍島에서 반란을 일으킨 三 別抄와 내통하였으므로 歸化部曲으로 降等하여 鷄林(慶州)에 편입시켰다. 뒤에 다시 <密城縣>이라 부르다가, 同 11年(1285)에는 昇格하여 郡이 되었다가, 또 降等하여 縣 이 되고, 恭讓王 2年(1390)에는 曾祖 盆陽侯의 妣 朴氏의 內鄕이라 하여 <密陽府>로 昇格하였다. 朝鮮 太祖 때에 다시 密城郡이 되었다가, 뒤에 조정의 환관 金仁甫의 고 향이라 하여 다시 府로 昇格하고 <密陽>으로 이름을 고쳤다. 太宗 때에 다시 縣이 되었다가, 뒤에 都護府로 고치고, 中宗 13年(1518)에는 그 府의 사람 중에 아비를 죽 인 일이 있다고 하여 縣으로 降等되고 府地를 떼어서 淸道, 慶山, 靈山, 玄風 等 다른 邑에 分屬시켰다가, 同 17年(1522)에 復舊하여 다시 府로 하였다.(三・麗・輿・文)

○ 1895년에 大邱府 密陽郡으로 하였다가, 1896년 密陽郡으로 분리하였고, 1931년 密 陽面이 邑으로, 1989년 市로 승격하고서, 1995년 密陽郡과 密陽市가 통합하여 密陽 市로 발족하였다.(地)

○ 지금의 慶尙南道 密陽市.

2.3.1. 尙藥縣 – 본래 新羅 西火縣인데, 景德王이 尙藥으로 고쳐서 密城(密陽)郡 領縣으 로 삼았다. 高麗 시대에는 지명을 <靈山>으로 고쳐서 그대로 密城(密陽)郡 領縣으로 삼았다가, 元宗 15年(1274) 甲戌에 監務를 두었고, 朝鮮初에 고쳐서 縣監을 두었다. (三・麗・輿・文)

○ 1895년에 郡으로 昇格하였다가, 1914년에 郡을 폐지하고 그 땅을 나누어 吉谷面 射村里는 咸安郡에 소속시키고, 그 나머지 일대는 昌寧郡에 합병시켰다.(增)

　　○ 지금의 慶尙南道 昌寧郡 靈山面.

2.3.2.　密津縣 － 본래 推浦縣인데, 新羅 景德王이 密津으로 고쳐서 密城(密陽)郡 領縣으로 삼았다.(興·文)

　　○ 지금의 慶尙南道 密陽市.

2.3.3.　烏丘山縣 － 본래 伊西 小國인데, 新羅 儒理王이 쳐서 빼앗았다. 뒤에 仇刀(또는 仇道, 烏也山, 烏禮山)城 境內의 率伊山(또는 率爾山, 率己山)·驚山(또는 茄山)·烏刀山 3城을 합하여 <大城郡>을 두었는데, 景德王 때에 <仇刀>는 <烏岳縣>으로, <驚山>은 <荊山縣>으로, <率伊山>은 <蘇山縣>으로 고쳐서 모두 密城(密陽)郡 領縣으로 삼았다. 高麗初에 <烏岳·荊山·蘇山> 세 縣을 합하여 郡으로 삼아 <淸道>(또는 道州)라 고치고 密城郡에 소속시켰다가, 睿宗 4年(1109)에 監務를 두었고, 忠惠王 後 4年(1343)에 郡人 上護軍 金善莊이 功을 세웠으므로 昇格하여 知郡事를 두었다. 이듬해에 다시 監務를 두고, 恭愍王 15年(1366)에는 郡人 金漢貴가 監察大夫가 되어 다시 청하여 知郡事로 昇格시켰는데, 朝鮮 시대에도 그대로 불렀다.(三·麗·興·文)

　　○ 1895년에 淸道郡으로 고쳤다.(增)

　　○ 지금의 慶尙北道 淸道郡.

2.3.4.　荊山縣 － 본래 驚山(또는 茄山, 茹山)縣인데 新羅 景德王이 <荊山>으로 고쳤고, 高麗 시대에 <淸道>에 편입하였다.(興·文)

　　○ 지금의 慶尙北道 淸道郡.

2.3.5.　蘇山縣 － 본래 率伊山(또는 率已山)縣인데 新羅 景德王이 <蘇山>으로 고쳤고, 高麗 시대에 <淸道>에 편입하였다.(興·文)

　　○ 지금의 慶尙北道 淸道郡.

원 문

번 역

2.4. <화왕군>은 원래 <비자화(또는 비사벌)군>으로 [진흥왕] 16년에 주를 설치하여 <하주>라고 불렀다가, 26년에 주가 폐지되었다. [경덕왕]이 이를 <화왕군>으로 개칭하였는데 지금의 <창녕군>이다. 이 군에 속한 현은 하나이다. <현효현>은 원래 <추량화(또는 삼량화)현>이었던 것을 [경덕왕]이 개칭한 것이다. 지금의 <현풍현>이다.

변 천

2.4. 火王郡 – 본래 新羅 比自火(또는 比斯伐)郡인데, 眞興王 16年(555)에 下州를 설치하였다가, 同 21年 庚辰에 폐지하고, 景德王이 火王郡으로 고쳤다. 高麗 太祖 23年(940)에 <昌寧>으로 고치고, 顯宗 9年(1018)에 密城(密陽)郡에 속하였다가, 明宗 2年(1172)에 監務를 두었다. 朝鮮初에 고쳐서 縣監이 되고, 仁祖 9年(1631)에 靈山郡에 편입하였다가, 同 15年(1637)에 다시 縣을 두었다.(三·麗·輿·文)

   ○ 또 다른 지명은 夏城·昌城이다.

   ○ 1895년에 郡으로 昇格하였고, 1914년에 靈山郡(吉谷面 新村里는 제외하고) 일대를 합쳤다.(增)

   ○ 지금의 慶尙南道 昌寧郡.

2.4.1. 玄驍縣 – 본래 新羅 推良火(또는 三良火)縣인데, 景德王이 玄驍로 고쳐서 火王(昌寧)郡 領縣으로 삼았다. 高麗初에는 <玄風>(또는 玄豊)으로 고치고, 顯宗 9年(1018)에 密城(密陽)에 屬하였다가, 恭讓王 2年(1390)에 監務를 두었고, 密城郡의 仇知山部曲을

떼어서 편입시켰다. 朝鮮 시대에는 縣監을 두었다.(三·麗·輿·文)

○ 1895년에 昌寧郡에 편입하였다가, 얼마 뒤에 復舊하여 玄風郡을 두었다가 1914년에 達城郡에 합병하였다.(增)

○ 지금의 大邱廣域市 達城郡 玄風面.

▶ 大邱 ― 2.5.1. 참조.

원 문

2.5. <壽昌郡>[壽一作嘉.], 本<喟火郡>, [景德王]改名, 今<壽城郡>. 領縣四: <大丘縣>, 本<達句火縣>, [景德王]改名, 今因之; <八里縣>, 本<八居里縣>(一云<北恥長里>, 一云<仁里>.), [景德王]改名, 今<八居縣>; <河濱縣>, 本<多斯只縣>(一云<沓只>.), [景德王]改名, 今因之: <花園縣>, 本<舌火縣>, [景德王]改名, 今因之.

번 역

2.5. <수창군>(수(壽)를 가(嘉)로 쓰기도 함)은 원래 <위화군>이었던 것을 [경덕왕]이 개칭한 것이다. 지금의 <수성군>이다. 이 군에 속한 현은 넷이다. <대구현>은 원래 <달구화현>이었던 것을 [경덕왕]이 개칭한 것인데 지금도 그대로 부른다. <팔리현>은 원래 <팔거리현>(또는 <북치장리>, <인리>)이었던 것을 [경덕왕]이 개칭한 것인데 지금의 <팔거현>이다. <하빈현>은 원래 <다사지현>(또는 <답지>)이었던 것을 [경덕왕]이 개칭한 것인데 지금도 그대로 부른다. <화원현>은 원래 <설화현>이었던 것을 [경덕왕]이 개칭한 것인데 지금도 그대로 부른다.

변 천

2.5. 壽昌郡 ― 본래 喟火(또는 上村昌)郡인데, 新羅 景德王이 <壽昌>(또는 嘉昌)郡으로 고쳤다. 高麗初에 <壽城>으로 고치고, 顯宗 9年(1018)에 慶州에 소속시켰다가, 恭讓

王 2年(1390)에 監務를 두어서 解顔을 함께 다스리게 하였다. 朝鮮 太祖 3年(1394)에 監務를 없애고, 大邱에 편입하였다.(三·麗·輿·文)

○ 지금의 大邱廣域市 壽城區 壽城洞.

2.5.1. 大丘縣 - 본래 新羅 達句火(또는 達弗城)縣인데, 景德王이 <大丘>로 고쳐서 壽昌郡 領縣으로 삼았다. 高麗 顯宗 9年(1018)에는 京山府(星州)에 소속시켰다가, 仁宗 21年(1143)에 縣令을 두었고, 朝鮮 定宗 元年(1399)에 千戶 以上이라 하여 知郡事로 昇格하였다가, 世祖 때에 비로소 鎭을 두고 昇格하여 都護府使가 되었다.(三·麗·輿·文)

○ 1895년에 大邱府를 두어 23郡을 거느렸는데, 1914년에 大邱面(新川洞·新岩洞·南山洞의 一部 및 新洞의 一部 제외) 一圓으로 大邱府를 만들고, 그 나머지는 達城郡으로 하였다. 1949년 大邱府를 大邱市로 바꾸고, 1980년 大邱直轄市로 승격하였다. 1981년, 慶山郡 安心邑, 孤山面, 達城郡 城西邑, 月配邑, 漆谷郡 漆谷邑을 大邱市에 편입하고, 1995년 大邱廣域市로 바꾸었다.(地)

○ 지금의 大邱廣域市.

2.5.2. 八里縣 - 본래 新羅 八居(또는 仁里)縣인데 景德王이 八里로 고쳐서 壽昌(大邱)縣에 屬하게 하였다. 高麗初에 다시 八居로 고치고 뒤에 居의 音이 변하여 莒로 바꾸었다. 顯宗 9年(1018)에 星州에 屬하고, 朝鮮 시대에도 그대로 불렀다.(三·麗·輿·文)

○ 또 다른 지명은 <七谷>이다.(麗)

○ 1895년 漆谷都護府를 漆谷郡으로 개칭하고, 1896년 慶尙北道 漆谷郡으로 하고, 1914년 仁同郡을 편입하고, 倭館面을 邑으로 승격하였다. 1978년 仁同面 一圓을 龜尾市에 편입하고, 1980년 漆谷面을 邑으로 승격하고, 1981년 漆谷邑 一圓을 大邱市에 편입하고 분리하였다.(地)

○ 지금의 慶尙北道 漆谷郡.

2.5.3. 河濱縣 - 본래 新羅 多斯知(斯는 高麗史에 期로 표기되어 있음, 畓只이라고도 함)縣인데, 景德王이 <河濱>으로 고쳐서 壽昌(壽城郡)郡 領縣으로 삼았다. 高麗 顯宗 9年(1018)에 京山(星州)府에 소속시켰다가 뒤에 大丘에 소속시켰고, 朝鮮 시대에도 그

대로 불렸다. 다른 지명은 琴湖이다.(三·麗·輿·慶·文)

ㅇ 지금의 大邱廣域市 達城郡 河濱面.

2.5.4. 花園縣 – 본래 新羅 舌火縣인데, 景德王이 <花園>으로 고쳐서 壽昌(壽城)郡 領縣
으로 삼았다. 高麗 顯宗 9年(1018)에 京山府(星州)에 속하였고, 뒤에 大邱로 다시 편입
하였다. 그 뒤 다시 星州에 소속시켰고, 朝鮮 肅宗 11年(1685)에 大邱로 편입하였다.
(三·麗·輿·慶·文)

ㅇ 전해오는 말에 의하면 신라왕이 꽃을 감상하던 곳이므로 縣의 지명을 花園이라고
하였다 한다.(韋)

ㅇ 또 다른 지명은 錦城이다.(麗)

ㅇ 지금의 大邱廣域市 達城郡 花園邑.

원 문

2.6. <獐山郡>, [祇味王{祇摩王}]時, 伐取<押梁>(一作督.)小國, 置郡, [景德王]改
名, 今<章山郡>. 領縣三: <解顏縣>, 本<雉省火縣>(一云<美里>.), [景德王]改名,
今因之; <餘糧縣>, 本<麻珍(一作彌.)良縣>, [景德王]改名, 今<仇史>部曲; <慈仁
縣>, 本<奴斯火縣>, [景德王]改名, 今因之.

번 역

2.6. <장산군>은 [지마왕] 때 <압량>(또는 <압독>)이란 작은 나라를 탈취하여 군을
설치하였는데 [경덕왕]이 이를 개칭한 것이다. 지금의 <장산군>이다. 이 군에 속한 현은
셋이다. <해안현>은 원래 <치성화(또는 미리)현>이었던 것을 [경덕왕]이 개칭한 것인데
지금도 그대로 부른다. <여량현>은 원래 <마진량(또는 마미량)현>이었던 것을 [경덕왕]
이 개칭한 것인데 지금의 <구사> 부곡이다. <자인현>은 원래 <노사화현>이었던 것을
[경덕왕]이 개칭한 것이다. 지금도 그대로 부른다.

변 천

2.6. 獐山郡 - 본래 押梁(또는 押督)小國인데, 新羅 祗味王(祗摩王)이 빼앗아 郡을 두었고, 景德王이 <獐山>이라 불렀다. 高麗初에는 章山으로 고치고, 顯宗 9年(1018)에는 慶州로 붙였다가, 明宗 2年(1172)에 監務를 두었다. 忠宣王이 卽位하고는 王의 嫌名을 避하여 <慶山>으로 고치고, 忠肅王 4年(1317)에는 國師 一然의 故鄕이라 하여 縣令官으로 昇格하였고, 恭讓王 3年(1391)에는 王妃 盧氏의 고향이라 하여 知郡事로 昇格하였다. 朝鮮 太祖 때에 다시 降等하여 縣令官을 두었다가, 宣祖 34年(1601)에는 倭寇의 침략으로 쇠퇴하여 大邱로 들어갔다가, 同 40년에 復舊하였다.(三·麗·輿·文)

○ 1895년에 慶山郡이 되어 大邱府에 소속시켰다가, 1914년에 慈仁郡과 河陽 郡, 新寧郡 南面을 편입, 慶山面을 邑으로, 1989년 市로 승격하였고, 1995년 慶山市와 慶山郡을 통합하여 慶山市를 설치하였다.(地)

○ 지금의 慶尙北道 慶山市.

2.6.1. 解顔縣 - 본래 新羅 雉省火(또는 美里)縣인데, 景德王이 <解顔>으로 고쳐서 獐山(慶山)郡 領縣으로 삼았다. 高麗 顯宗 9年(1018)에 慶州에 소속시키고, 恭讓王 2年(1390)에 監務를 두어서 壽城 監務로써 兼任케 하였다. 朝鮮 太祖 3年(1394)에 監務를 폐지하고 大丘로 소속시켰다가, 뒤에 慶州에 다시 소속되고, 太宗 14年(1414)에 다시 大丘에 소속시켰다가 폐지하였다.(三·麗·輿·文)

○ 1914년 大邱郡 일부와 玄風郡을 합하여 達城郡을 만들고 이에 解顔面으로 소속되었다.(地)

○ 1938년 達城郡 일부를 大邱府에 편입하고, 1949년 大邱府를 大邱市로 바꾸고 達城郡 解顔面을 東村面으로 바꾸었다. 1957년 대구시의 구역확장으로 대구시에 편입하였다.(한)

○ 지금의 大邱廣域市 東區 解顔洞, 東村洞 일대(한)

2.6.2. 餘糧縣 - 본래 麻珍良(또는 麻彌良)縣인데, 新羅 景德王이 <餘糧>으로 고쳐서 縣을 두었다. 高麗 때에 降等하여 仇史部曲이 되어서 慶州에 편입되었다가, 朝鮮 孝宗

4年(1653)에 慈仁에 편입되었다.(興·文)

○ 지금의 慶尙北道 慶山市 慈仁面.

▶ 慈仁 - 2.6.3. 참조.

2.6.3. 慈仁縣 - 본래 新羅 奴斯火(또는 其火)縣인데, 景德王이 <慈仁>으로 고쳐서 獐山 (慶山)郡 領縣으로 삼았다. 高麗 顯宗 9年(1018)에 慶州에 소속시켰다가, 朝鮮 仁祖 20 年(1642)에 비로소 縣을 두었다.(三·麗·興·文)

○ 1895년에 慈仁郡으로 昇格하였다가, 1914년에 慶山郡에 편입하였다.(增)

○ 지금의 慶尙北道 慶山市 慈仁面.

▶ 慶山 - 2.6. 참조.

원 문

2.7. <臨皐郡>, 本<切也火郡>, [景德王]改名, 今<永州>. 領縣五: <長鎭縣>, 今<竹長伊部曲>; <臨川縣>, [助貴王{助賁王}]時, 伐得【骨大{骨火}】小國, 置縣, [景德王]改名, 今合屬<永州>; <道同縣>, 本<刀冬火縣>, [景德王]改名, 今合屬<永 州>; <新寧縣>, 本<史丁火縣>, [景德王]改名, 今因之; <黽白縣>, 本<買熱次縣>, [景德王]改名, 今合屬<新寧縣>.

번 역

2.7. <임고군>은 원래 <절야화군>이었던 것을 [경덕왕]이 개칭한 것이다. 지금의 <영주>이다. 이 군에 속한 현은 다섯이다. <장진현>은 지금의 <죽장이>부곡이다. <임천현>은 [조분왕] 때 【골화】라는 작은 나라를 빼앗아 현을 설치했던 곳을 [경덕왕]이 개칭한 것인데 지금은 <영주>에 병합되었다. <도동현>은 원래 <도동화현>이었던 것을 [경덕왕]이 개칭한 것인데 지금은 <영주>에 병합되었다. <신령현>은 원래 <사정화현>이었던 것을 [경덕왕]이 개칭한 것인데 지금도 그대로 부른다. <민백현>은 원래 <매열차현>이

었던 것을 [경덕왕]이 개칭한 것인데 지금은 <신령현>에 병합되었다.

변 천

2.7. 臨皐郡 – 본래 新羅 切也火郡인데, 景德王이 <臨皐>로 고쳤다. 高麗初에 道同·臨川 두 縣을 붙여서 <永州>(또는 高鬱府)로 고치었고, 成宗 14年(995)에는 永州刺史를 두었다가, 顯宗 9年(1018)에는 慶州에 소속시키고, 明宗 2年(1172)에 監務를 두었다. 뒤에 昇格하여 知州事를 두고, 朝鮮 太宗 13年(1413)에 고쳐서 郡으로 하였다.(三·麗·輿·文)

 ○ 高麗 成宗 때에는 益陽으로 부르기도 했다.(麗)

 ○ 1894년에 永川郡으로 하고, 1914년에 新寧郡을 통합하였다. 1937년 永川面을 邑으로, 1981년 市로 승격하고, 1987년 臨皐面 彦河洞, 新基洞을 편입하고, 1995년 永川市와 永川郡을 통합하여 永川市를 설치하였다.(地)

 ○ 지금의 慶尙北道 永川市 臨皐面.

2.7.1. 長鎭縣 – 高麗 시대에 降等하여 竹長部曲으로 하였다가 <慶州>에 편입하였다. (輿·文)

 ○ 지금의 慶尙北道 慶州市.

2.7.2. 臨川縣 – 본래 骨火小國인데, 新羅 助賁王이 정벌하여 縣을 두었고, 智證王이 城을 쌓고 景德王이 <臨川>으로 고쳐서 <臨皐>(永川)郡 領縣으로 삼았는데, 高麗初에도 그대로 소속시켰다.(輿·文)

 ○ 지금의 慶尙北道 永川市 臨皐面.

 ▶ 永川 – 2.7. 참조.

2.7.3. 道同縣 – 본래 新羅 刀冬火縣인데, 景德王이 <道同>으로 고쳐서 <臨皐郡>領縣으로 삼았고, 高麗初에도 그대로 소속시켰다.(輿)

 ○ 지금의 慶尙北道 永川市 臨皐面.

▶ 永川 — 2.7. 참조.

2.7.4. 新寧縣 — 본래 新羅 史丁火(또는 花山)縣인데, 景德王이 <新寧>으로 고쳐서 臨皐 (永川)郡 領縣으로 삼았다. 高麗 顯宗 9年(1018)에 慶州에 소속시켰다가, 恭讓王 2年 (1390)에 監務를 두었고, 朝鮮 시대에 고쳐서 縣監을 두고 治所를 長壽驛으로 옮겼다. 中宗(또는 燕山) 3年(1508)에 縣의 관리들이 縣官 吉脩의 嚴猛함을 싫어하여 邑을 비 우고 逃亡을 하였으므로 폐지하고 永川郡에 편입시키고, 北面 新村里의 땅은 떼어서 義城에 소속시키고, 南面 梨皐縣의 땅은 義興에 소속시켰다가, 同 9年에 復舊하였다. (三・麗・興・文)

○ 1895년에 新寧郡으로 昇格하였다가, 1914년에 永川郡에 합병하였다.(增)

○ 지금의 慶尙北道 永川市 新寧面.

▶ 永川 — 2.7. 참조.

2.7.5. 黽白縣 — 慶尙北道 新寧에 있는 지명으로 본래 買熱次(또는 買熟次)縣인데, 新羅 景德王이 <黽白>으로 고쳤다. 高麗 때에는 新寧에 편입하였고, 朝鮮 中宗(또는 燕山) 6年(1511)에는 永川으로 편입하였다가, 뒤에 다시 <新寧>에 편입하였다.(興)

○ 지금의 慶尙北道 永川市 新寧面.

▶ 新寧 — 2.7.4. 참조.

원 문

2.8. <東萊郡>, 本<居漆山郡>, [景德王]改名, 今因之. 領縣二: <東平縣>, 本<大 甑縣>, [景德王]改名, 今因之; <機張縣>, 本<甲火良谷縣>, [景德王]改名, 今因之.

번 역

2.8. <동래군>은 원래 <거칠산군>이었던 것을 [경덕왕]이 개칭한 것인데 지금도 그 대로 부른다. 이 군에 속한 현은 둘이다. <동평현>은 원래 <대증현>이었던 것을 [경덕

왕]이 개칭한 것인데 지금도 그대로 부른다. <기장현>은 원래 <갑화량곡현>이었던 것을
[경덕왕]이 개칭한 것인데 지금도 그대로 부른다.

변 천

2.8. 東萊郡 － 본래 옛 萇山國(또는 萊山國)인데, 新羅가 取하여 居漆山郡을 만들었다가,
     景德王이 <東萊郡>으로 고치고, 高麗 顯宗 9年(1018)에 蔚州(蔚山)로 소속시켰다가
     뒤에 縣令을 두었다. 朝鮮 太祖 때에 비로소 鎭을 두어서 兵馬使가 判縣事를 兼하게
     하였고, 世宗 때에 僉節制使로 改稱하고 뒤에 鎭을 屬縣 東平으로 옮겼다가 얼마 후
     舊治로 돌아가고, 뒤에 縣令으로 고치었다가, 明宗 2年(1547)에 府로 昇格하였다. 宣
     祖 때에 縣으로 降等하였다가 뒤에 다시 昇格하고, 同 25年(1592)에 縣으로 降等하였
     다가, 同 32年(1599)에 復舊하였다.(三・麗・輿・文)

     ○ 1895년에 東萊府로 하여 觀察使를 두고 10郡을 거느렸다가, 1896년에 觀察使를 고
       쳐서 府尹으로 하고, 光武 7年(1903)에 고쳐서 東萊郡으로 하였다. 1910년 東萊府를
       釜山府로 하고, 1914년에 釜山府를 釜山府와 東萊郡으로 분리하였다. 1936년 東萊
       郡 西面 및 沙下面 岩南里를, 1942년 東萊郡 一部(東萊邑 일원, 沙下面 일원, 南面
       일원, 北面 金谷里, 長箭里)를 편입하였고, 1949년 釜山府를 釜山市로 개칭하고,
       1963년 直轄市로 승격하고 동래군 일부(龜浦邑, 沙上面, 北面, 機張面 松亭里)를 편
       입하였다. 1995년 釜山直轄市를 釜山廣域市로 개칭하고, 慶尙南道 梁山郡 機張邑,
       長安邑, 鐵馬面, 日光面, 鼎冠面 일원을 편입하여 機張郡(2읍 3면) 설치하였으며, 鎭
       海市 佳主洞, 龍院洞 일부지역을 江西區에 편입하였다.(地)

     ○ 지금의 釜山廣域市 東萊區.

2.8.1. 東平縣 － 본래 新羅 大甑縣인데, 景德王이 <東平>으로 고쳐서 東萊郡 領縣으로
       삼았다. 高麗 顯宗 9年(1018)에는 梁州(梁山)에, 朝鮮 太宗 5年(1405)에 다시 東萊에,
       뒤에 다시 梁州에 소속시켰다가, 世宗朝에 다시 東萊에 소속시켰다.(三・麗・輿・文)

     ○ 舊韓末까지 東萊郡 東平面으로 존속하다가 1914년 행정구역 개편으로 凡一洞에
       편입되었다.(名)

○ 지금의 釜山廣域市 東區 凡一洞.

2.8.2. 機張縣 - 본래 新羅 甲火良谷縣인데, 景德王이 <機張>으로 고쳐서 東萊郡 領縣으로 삼았다가, 뒤에 梁州(梁山)에 소속시켰다. 高麗 顯宗 9年(1018)에는 蔚州(蔚山)에 소속시켰다가 뒤에 監務를 두었다. 朝鮮 시대에는 縣監을 두었고, 宣祖 32年(1599)에는 東萊에 소속시켰다가, 光海主 9年(1617)에 다시 縣을 만들었다.(三·麗·輿·文)

○ 1895년에 機張郡으로 昇格하여 東萊府에 소속시켰다가, 1914년에 東萊郡에 합병하였다.(增)

○ 지금의 釜山廣域市 機張郡 機張邑.

▶ 釜山 -2.8. 참조.

원 문

2.9. <東安郡>, 本<生西良郡>, [景德王]改名, 今合屬<慶州>. 領縣一: <虞風縣>, 本<于火縣>, [景德王]改名, 今合屬<蔚州>.

번 역

2.9. <동안군>은 원래 <생서량군>이었던 것을 [경덕왕]이 개칭한 것인데 지금은 <경주>에 병합되었다. 이 군에 속한 현은 하나이다. <우풍현>은 원래 <우화현>이었던 것을 [경덕왕]이 개칭한 것인데 지금은 <울주>에 병합되었다.

변 천

2.9. 東安郡 - 본래 生西良郡인데, 景德王이 <東安>으로 고치고, 高麗 때에 慶州에 편입하였다.(文·興)

○ 지금의 慶尙北道 慶州市.

2.9.1. 虞風縣 - 慶尙南道 蔚山 亏弗山 아래에 있는 지명으로 본래 亏火縣인데, 新羅 景德王이 <虞風>으로 고쳤고, 高麗 太祖 初에 蔚州(蔚山)로 편입하였다.(興·文)
　○ 지금의 蔚山廣域市.

원 문

2.10. <臨關郡>, 本<毛火(一作<蚊化>)郡>, [聖德王]築城, 以遮【日本】賊路, [景德王]改名, 今合屬<慶州>. 領縣二: <東津縣>, 本<栗浦縣>, [景德王]改名, 今合屬<蔚州>; <河曲(一作西)縣>, <婆娑王>時, 取<屈阿火村>, 置縣, [景德王]改名, 今<蔚州>.

번 역

2.10. <임관군>은 원래 <모화(또는 문화)군>으로 [성덕왕]이 성을 쌓아 【일본】의 침략로를 막았다. [경덕왕]이 <임관군>으로 개칭하였는데 지금은 <경주>에 병합되었다. 이 군에 속한 현은 둘이다. <동진현>은 원래 <율포현>이었던 것을 [경덕왕]이 개칭한 것인데 지금은 [울주]에 병합되었다. <하곡(곡(曲)을 서(西)로도 씀)현>은 [파사왕] 때 <굴아화촌>을 빼앗아 현을 설치한 곳인데, [경덕왕]이 <임관군>으로 개칭하였다. 지금의 <울주>이다.

변 천

2.10. 臨關郡 - 본래 毛火(또는 蚊化)郡인데 新羅 聖德王이 城을 쌓아서 日本의 賊路를 막았다. 景德王이 <臨關郡>으로 고쳤고, 高麗 때에는 慶州에 편입하였다. 石城의 흔적이 아직 남아 있어서 사람들이 關門이라 한다.(興·文)
　○ 지금의 慶尙北道 慶州市.

2.10.1. 東津縣 - 본래 栗木浦인데, 新羅 景德王이 東津으로 고쳤다가 高麗 太祖初에 蔚
州(蔚山)로 편입하였다.(文·興)

　　ㅇ 지금의 蔚山廣域市.

2.10.2. 河曲縣 - 본래 新羅 阿屈火村인데, 婆娑王이 비로소 縣을 두었고, 景德王이 <河
曲>(또는 河西)으로 改名하여 臨關(慶州에 속한 縣)의 領縣으로 삼았다. 高麗 太祖는
郡人 朴允雄이 공이 있다고 하여 東津·虞風 두 縣을 編入·昇格시켜서 興麗府를 삼
았다가, 뒤에 降等하여 恭化縣으로 하였고, 또 고치어 知蔚州事를 두었다. 顯宗 9年
(1018)에 防禦使를 두었고, 朝鮮 太祖 6年(1397)에는 鎭을 두어서 兵馬使가 知州事를
兼하게 하였다. 太宗 13年(1413) 에 鎭을 없애고 <蔚山>으로 고쳐서 知郡事를 삼았
다가, 同 15年(1415)에 郡治로서 左道兵馬節制使營을 만들고, 世宗 8年(1426)에는 郡治
를 營西에서 7里 떨어진 곳으로 옮기었다가, 뒤에 營을 폐지하고 다시 鎭을 두어서
兵馬僉節制使가 知郡事를 兼하게 하였다가, 同 19年 丁巳에 都護府로 昇格하여 다시
左道節制使가 判府事를 兼하게 하고 判官을 두었다가, 이 해에 다시 降等하여 郡으로
하였고, 宣祖 32年(1599)에 다시 昇格하여 府로 하였다.(三·麗·興·文)

　　ㅇ 1895년에 고쳐서 蔚山郡으로 하였고, 1914년에 彦陽郡 一圓을 합쳤다. 1931년 蔚
山面을 邑으로 승격하고, 1962년 蔚山郡의 일부(蔚山邑, 方魚津邑, 大峴面, 下廂面,
農所面의 華峰里·松亭里, 凡西面 茶雲里·無去里, 靑良面 斗旺里)를 분리하여 蔚
山市를 설치하고, 蔚山郡은 蔚州郡으로 變更하였다. 1995년 蔚州郡과 蔚山市를 통
합하여 蔚山市 설치하고, 1997년 蔚山市를 蔚山廣域市로 하고, 蔚州區의 일부(農所
邑과 江東面을 제외한 지역) 2읍 10면을 蔚州郡으로 하였다.(地)

　　ㅇ 지금의 蔚山廣域市.

원 문

2.11. <義昌郡>, 本<退火郡>, [景德王]改名, 今<興海郡>. 領縣六: <安康縣>,
本<比火縣>, [景德王]改名, 今因之; <鬐立縣>, 本<只沓縣>, [景德王]改名, 今<長

韾縣>; <神光縣>, 本<東仍音縣>, [景德王]改名, 今因之; <臨汀縣>, 本<斤烏支縣
{斤烏友縣}>, [景德王]改名, 今<迎日縣>; <杞溪縣>, 本<芼兮縣>(一云<化雞>.),
[景德王]改名, 今因之; <音汁火縣>, [婆娑王]時取【音汁伐國】, 置縣, 今合屬<安康縣>.

번 역

2.11. <의창군>은 원래 <퇴화군>이었던 것을 [경덕왕]이 개칭한 것이다. 지금의 <흥
해군>이다. 이 군에 속한 현은 여섯이다. <안강현>은 원래 <비화현>이었던 것을 [경덕
왕]이 개칭한 것이다. 지금도 그대로 부른다. <기립현>은 원래 <지답현>이었던 것을
[경덕왕]이 개칭한 것이다. 지금의 <장기현>이다. <신광현>은 원래 <동잉음현>이었던
것을 [경덕왕]이 개칭한 것이다. 지금도 그대로 부른다. <임정현>은 원래 <근오지현>이
었던 것을 [경덕왕]이 개칭한 것이다. 지금의 <영일현>이다. <기계현>은 원래 <모혜(또
는 화계)현>이었던 것을 [경덕왕]이 개칭한 것이다. 지금도 그대로 부른다. <음집화현>
은 [파사왕] 때 【음집벌국】을 빼앗아 현을 만든 것인데, 지금은 <안강현>에 병합되었다.

변 천

2.11. 義昌郡 - 본래 新羅 退火郡인데, 景德王이 義昌郡으로 고쳤다. 高麗初에 <興海>
로 고치고, 顯宗 9年(1018)에 慶州에 屬하였다가, 明宗 2年(1172)에 監務를 두었다. 恭
愍王 16年(1367)에는 國師 千熙의 鄕이라 하여 知郡事로 昇格하였고, 朝鮮 시대에도
그대로 불렀다.(三·麗·興·文)

  ○ 또 다른 지명은 曲江·鰲山이다.(麗)

  ○ 1914년에 迎日郡에 합병하였다.(增)

  ○ 지금의 慶尙北道 浦項市 北區 興海邑.

   ▶ 浦港 - 2.11.4. 참조.

2.11.1. 安康縣 - 본래 新羅 比火縣인데, 景德王이 <安康>으로 고쳐서 義昌(興海)郡 領
   縣으로 삼았다. 高麗 顯宗 9年(1018) 慶州에 소속시켰다가, 恭讓王 2年(1390)에 監務를

두었고, 朝鮮 太宗 때에 다시 慶州에 소속시켰다.(三·麗·興·文)

○ 지금의 慶尙北道 慶州市 安康邑.

2.11.2. 髻立縣 − 본래 新羅 只沓縣인데, 景德王이 髻立으로 고쳐서 義昌(興海)郡 領縣으로 삼았다. 高麗初에 <長髻>로 고쳐서 慶州에 소속시켰다가, 恭愍王 때에 監務를 두었고, 朝鮮 太宗 때에는 땅이 大海에 인접하였기 때문에 마땅히 지위가 높은 武臣이 다스려야 한다 하여 知縣事가 되었다가, 뒤에 監務를 두었다.(三·麗·興·文)

○ 1895년에 長髻郡으로 昇格하였고, 1914년에 郡의 內西·陽南 두 面은 慶州郡에 편입하고, 그 나머지는 延日郡에 합병하였다.(增)

○ 지금의 慶尙北道 浦項市 南區 長髻面.

▶ 浦港 − 2.11.4. 참조.

2.11.3. 神光縣 − 본래 新羅 東仍音(또는 神乙)縣인데, 景德王이 <神光>으로 고쳐서 義昌(興海)郡 領縣이 되었다가, 뒤에 昵於鎭이라 불렀다. 高麗 太祖 13年(930)에 親幸하여 城을 쌓고 神光鎭으로 고쳤다가, 顯宗 9年(1018)에 慶州에 소속시켰다.(三·麗·興·文)

○ 지금의 慶尙北道 浦項市 北區 神光面.

▶ 浦港 − 2.11.4. 참조.

2.11.4. 臨汀縣 − 본래 新羅 斤烏支(또는 烏良友)縣인데, 景德王이 <臨汀>으로 고쳐서 義昌(興海)郡 領縣으로 삼았다. 高麗初에 <延日>로 고치고, 顯宗 9年(1018)에 慶州에 소속되었다가, 恭讓王 2年(1390)에 監務를 두고 管軍萬戶가 兼任하게 하였는데, 朝鮮 太宗 때에 鎭을 두고 兵馬使가 縣事를 兼하게 하였다가, 世宗 때에 兵馬僉節制使로 개칭하였고 뒤에 縣監으로 고쳤다.(三·麗·興·文)

○ 1895년에 延日郡으로 昇格하였고, 1914년에 興海郡, 淸河郡, 長髻郡, 延日郡을 통합하여 迎日郡(18面)으로 하였다. 以前의 興海郡과 延日郡의 일부를 통합하여 浦港面을 설치하고, 1931년 浦港面을 浦港邑으로, 1949년 浦港府로 승격한 뒤 분리하였고, 다시 浦港府를 浦港市로 바꾸었다. 1995년 浦港市와 迎日郡을 統合하여 浦港市

를 設置하였다.(地)

   ○ 지금의 慶尙北道 浦項市 南區 延日邑.

2.11.5. 杞溪縣 − 본래 新羅 芼兮(또는 化雞)縣인데, 景德王이 <杞溪>로 고쳐서 義昌(興海)郡 領縣으로 삼았다. 高麗 顯宗 9年(1018)에 慶州에 소속시켰다가 뒤에 폐지하였다.(三·麗·輿·文)

   ○ 지금의 慶尙北道 浦項市 北區 杞溪面.

   ▶ 浦港 − 2.11.4. 참조.

2.11.6. 音汁火縣 − 新羅 婆娑王이 音汁火縣을 두었다가, 뒤에 安康縣에 합쳤다.(輿)

   ◇ 安康 − 본래 新羅 比火縣인데 景德王이 <安康>으로 고쳐서 義昌(興海)郡 領縣으로 삼았다. 高麗 顯宗 9年(1018)에 慶州에 소속시켰다가, 恭讓王 2年(1390)에 監務를 두었고, 朝鮮 太宗 때에 다시 慶州에 소속시켰다.(三·麗·輿·文)

   ○ 지금의 慶尙北道 慶州市 安康邑.

원 문

2.12. <大城郡>, 本<仇刀城>境內, <率伊山城>·<茄山縣>(一云<驚山城>.)·<烏刀山城>等三城, 今合屬<淸道郡>. <約章縣>, 本<惡支縣>, [景德王]改名, 今合屬<慶州>. <東畿停>, 本<毛只停>, [景德王]改名, 今合屬<慶州>.

번 역

2.12. <대성군>은 원래 <구도성> 경내의 <솔이산성>, <가산현>(또는 <경산성>), <오도산성> 등의 세 성이었는데 지금은 <청도군>에 병합되었다. <약장현>은 원래 <악지현>이었던 것을 [경덕왕]이 개칭한 것이다. 지금은 <경주>에 병합되었다. <동기정>

은 원래 <모지정>을 [경덕왕]이 개칭한 것이다. 지금은 <경주>에 병합되었다.

변 천

2.12. 大城郡 － 본래 伊西國인데, 新羅 儒理王이 取하여 仇刀城으로 고쳤고, 景德王이 <大城郡>이라 하고, 高麗 때에는 <淸道>에 편입하였다.(麗·文)
　　○ 지금의 慶尙北道 淸道郡.

2.12.1. 約章縣 － 본래 惡支縣인데, 景德王이 <約章>으로 고쳤고, 高麗 때에 慶州에 편입되었다.(麗·文)
　　○ 지금의 慶尙北道 慶州市.

2.12.2. 東畿停 － 본래 毛只停을 景德王이 改名하였는데, 慶州에 편입하였다.
　　○ 지금의 慶尙北道 慶州市.

원 문

2.13. <商城郡>, 本<西兄山郡>, [景德王]改名, 今合屬<慶州>. <南畿停>, 本<道品兮停>, [景德王]改名, 今合屬<慶州>. <中畿停>, 本<根乃停>, [景德王]改名, 今合屬<慶州>. <西畿停>, 本<豆良彌知停>, [景德王]改名, 今合屬<慶州>. <北畿停>, 本<雨谷停>, [景德王]改名, 今合屬<慶州>. <莫耶停>, 本<官阿良支停>(一云<北阿良>.), [景德王]改名, 今合屬<慶州>.

번 역

2.13. <상성군>은 원래 <서형산군>이었던 것을 [경덕왕]이 개칭한 것이다. 지금은 <경주>에 병합되었다. <남기정>은 원래 <도품혜정>이었던 것을 [경덕왕]이 개칭한 것이다.

지금은 <경주>에 병합되었다. <중기정>은 원래 <근내정>이었던 것을 [경덕왕]이 개칭한 것이다. 지금은 <경주>에 병합되었다. <서기정>은 원래 <두량미지정>이었던 것을 [경덕왕]이 개칭한 것이다. 지금은 <경주>에 병합되었다. <북기정>은 원래 <우곡정>이었던 것을 [경덕왕]이 개칭한 것이다. 지금은 <경주>에 병합되었다. <막야정>은 원래 <관아량지(또는 북아량)정>이었던 것을 [경덕왕]이 개칭한 것이다. 지금은 <경주>에 병합되었다.

변 천

2.13. 商城郡 - 본래 西兄山郡인데, 景德王이 <商城郡>으로 고쳤고, 高麗 때에 慶州 兄山으로 편입하였다.(興·文)
   o 지금의 慶尙北道 慶州市.

2.13.1. 南畿停 - 원래 <道品兮停>이었던 것을 景德王이 <南畿停>으로 고친 것인데, 고려때 慶州에 편입하였다.
   o 지금의 慶尙北道 慶州市.

2.13.2. 中畿停 - 원래 <根乃停>이었던 것을 景德王이 <中畿停>으로 고친 것인데, 고려때 慶州에 편입하였다.
   o 지금의 慶尙北道 慶州市.

2.13.3. 西畿停 - 원래 <豆良彌知停>이었던 것을 景德王이 <西畿停>으로 고친 것인데, 고려때 慶州에 편입하였다.
   o 지금의 慶尙北道 慶州市.

2.13.4. 北畿停 - 원래 <雨谷停>이었던 것을 景德王이 <北畿停>으로 고친 것인데, 고려때 慶州에 편입하였다.
   o 지금의 慶尙北道 慶州市.

2.13.5. 莫耶停 − 원래 <官阿良支停>(혹은 <北阿良>)이었던 것을 景德王이 <莫耶停>으로 고친 것인데, 고려때 慶州에 편입하였다.

○ 지금의 慶尙北道 慶州市.

원 문

3. <康州>, [神文王]五年, 【唐】[垂拱]元年, 分<居陁州>, 置<菁州>, [景德王]改名, 分{今}<晉州>. 領縣二: <嘉壽縣{嘉樹縣}>, 本<加主火縣>, [景德王]改名, 今因之; <屈村縣{屈村縣}>, 今未詳.

번 역

3. <강주>는 [신문왕] 5년, 【당나라】 [수공] 원년에 <거타주>를 분할하여 <청주>를 설치하였다가 [경덕왕]이 <강주>로 개칭한 것인데 지금의 <진주>이다. 이 주에 속한 현은 둘이다. <가수현>은 원래 <가주화현>이었던 것을 [경덕왕]이 개칭한 것이다. 지금도 그대로 부른다. <굴재현>은 지금 분명치 않다.

변 천

3. 康州 − 新羅 文武王 2年(662)에 백제의 거열성(居烈城)을 빼앗아서 居陁州를 두고 萬興山城을 쌓았다. 神文王이 居陁州를 나누어 菁州를 분리하였고, 나머지는 경덕왕이 거창군으로 고치고, 菁州는 康州로 고쳤다. 慧恭王이 다시 菁州라 하였다. 高麗 太祖는 다시 康州로 고쳤다. 成宗 2年(983)에 12牧을 설치할 때 康州도 그 하나였고, 同 14年 乙未에 12州 節度使를 설치할 때는 <晋州>로 고치고 節度使를 두어서 號를 定海軍이라 하고 山南道에 소속시켰다. 顯宗 3年(1012)에 폐지하고 安撫使로 하였다가, 同 9年에 牧으로 정하여 8牧의 하나가 되었다. 朝鮮 太祖 때 顯妃의 고향이라 하여 晋州大都護府로 昇格하였다가, 太宗 때에 다시 晋州牧으로 하고, 世宗 때에는 鎭을 두었

다.(三·麗·輿·文)

○ 또 다른 지명은 晋康으로 高麗 成宗 때 지은 것이다. 菁州 혹은 晋陽이라고도 한다.(麗)

○ 1895년에 晋州府로 하여 21郡을 거느렸고, 또 觀察使營을 두었다가, 1914년에 夫火谷面·杻洞面은 떼어서 泗川郡에 소속시켰고, 咸安郡의 上奉面·下奉面·上寺面을 晋州郡에 편입시켰다.(增)

○ 지금의 慶尙南道 晋州市.

3.0.1. 嘉壽(樹)縣 - 본래 新羅 加主火縣인데, 景德王이 <嘉樹>(또는 嘉壽)로 고쳐서 康州(晋州)郡 領縣이 되었는데, 高麗 顯宗 9年(1018)에 陜州(陜川)에 屬하였다가, 朝鮮 太宗 때에 <三岐·嘉樹> 두 縣을 合하여 <三嘉>로 改名하고 監務를 설치하였는데, 뒤에 縣監으로 고치고 治所를 <嘉樹>로 옮겼다. <三岐縣>은 본래 新羅 三支(또는 麻杖)縣인데, 景德王이 三岐로 고쳐서 江陽(陜川)郡 領縣으로 삼았다. 高麗 顯宗 9年(1018)에 陜州(陜川)에 屬하였다가, 恭愍王 22年(1373)에 監務를 두었고, 朝鮮 太祖 때에 昇格하여 郡이 되었고, 太宗이 다시 降等하여 縣이 되었다.(三·麗·輿·文).

○ 嘉樹縣의 다른 지명은 鳳城이다.(麗)

○ 1895년에 三嘉郡으로 昇格하였다가, 1914년에 郡을 폐지하여 神旨面·栗原面은 居昌郡에 소속시키고, 그 나머지는 陜川郡에 편입하였다.(增)

○ 지금의 慶尙南道 陜川郡 三嘉面.

3.0.2. 屈村(材)縣 - 慶尙南道 晋州의 서쪽 50里에 있는 폐지된 縣으로 新羅時代에는 晋州에 속하였다.(文·輿)

○ 지금의 慶尙南道 晋州市.

원 문

3.1. <南海郡>, [神文王]初置<轉也山郡>, 海中島也, [景德王]改名, 今因之. 領縣二: <蘭浦縣>, 本<內浦縣>, [景德王]改名, 今因之; <平山縣>, 本<平西山縣>(一云 <西平>.), [景德王]改名, 今因之.

번 역

3.1. <남해군>은 [신문왕]이 처음 <전야산군>을 설치한 곳인데 바다에 있는 섬이다. [경덕왕]이 개칭하여 지금도 그대로 부른다. 이 군에 속한 현은 둘이다. <난포현>은 원래 <내포현>이었던 것을 [경덕왕]이 개칭한 것이다. 지금도 그대로 부른다. <평산현>은 원래 <평서산(또는 서평)현>이었던 것을 [경덕왕]이 개칭한 것이다. 지금도 그대로 부른다.

변 천

3.1. 南海郡 — 新羅 神文王이 처음 轉(傳)也山郡을 두었고, 景德王이 <南海郡>으로 고쳤다. 高麗 顯宗 9年(1018)에 縣令을 두었는데, 恭愍王 7年(1358)에 倭亂으로 땅을 빼앗기고 晋州 任內 大也川部曲에 임시로 속하였다가, 朝鮮 太宗 14年(1414)에 河東郡과 合하여 <河南縣>이라 불렀고, 다음해 다시 河東縣을 두고 晋州 任內 金陽部曲으로 편입되어 <海陽縣>이라 불렀는데, 同 17年(1417)에 金陽部曲은 다시 晋州에 편입시키고 獨立官으로 南海縣令이 되었다. 世宗 元年(1409)에 昆明縣과 합하여 <昆南郡>이라 하였고, 다시 分離하여 縣이 되고, 燕山君 4年(1498)에 縣人이 求禮 백성 裵目仁과 함께 謀叛하므로 降等하여 縣監이 되었다가, 中宗 2年(1507)에 다시 縣令을 두었다.(三·麗·輿·文)

　○ 1895년에 南海郡으로 昇格하였고 晋州府에 속하였다. 그 후 高宗 10年(1906)에 晋州郡의 昌善面을 편입하고, 1914년에는 행정구역 개편에 따라 8면, 79리로 하였다가, 1973년 二東面 尚州里의 葛島를 統營郡 欲知面에 넘겨주었고, 1979년에 南海面을 南海邑으로 승격하였다.(한)

○ 지금의 慶尙南道 南海郡 南海邑.

3.1.1. 蘭浦縣 - 본래 新羅 內浦縣인데, 景德王이 <蘭浦>로 고쳐서 南海에 편입시켰다. 高麗初에도 그대로 부르다가, 뒤에 倭寇의 침탈로 사람은 없어지고 土地만 남았다. (三·麗·輿·慶·文)

○ 지금의 慶尙南道 南海郡.

3.1.2. 平山縣 - 본래 新羅 平西山(또는 西平)縣인데, 景德王이 <平山>으로 고쳐서 南海郡 領縣으로 삼았고, 高麗初에도 그대로 부르다가 뒤에 倭寇의 침탈로 사람은 없어지고 土地만 남았다.(三·麗·輿·文·慶)

○ 지금의 慶尙南道 南海郡 南面 平山里.

원 문

3.2. <河東郡>, 本<韓多沙郡>, [景德王]改名, 今因之. 領縣三: <省良縣>, 今<金良部曲>; <嶽陽縣>, 本<小多沙縣>, [景德王]改名, 今因之; <河邑縣>, 本<浦村縣>, [景德王]改名, 今未詳.

번 역

3.2. <하동군>은 원래 <한다사군>이었던 것을 [경덕왕]이 개칭한 것이다. 지금도 그대로 부른다. 이 군에 속한 현은 셋이다. <성량현>은 지금의 <금량> 부곡이며, <악양현>은 원래 <소다사현>이었던 것을 [경덕왕]이 개칭한 것이다. 지금도 그대로 부른다. <하읍현>은 원래 <포촌현>으로서 [경덕왕]이 개칭하였으나 지금은 위치가 분명치 않다.

변 천

3.2. 河東郡 － 본래 新羅 韓多沙郡인데, 景德王이 <河東>으로 고치고, 高麗初에도 그대로 불렀다. 顯宗 9年(1018)에 晋州에 屬하고, 明宗 2年(1172)에 監務를 두었다. 朝鮮 太宗 때에 南海縣이 편입되어 河南縣이라 하고 令을 두었다가, 뒤에 다시 갈라서 縣監이 되고, 肅宗 28年(1702)에 섬진강 때문에 통행에 지장이 있다 하여, 晋州의 <岳陽·花開> 等 4개 縣을 합병하고, 同 29年(1703)에 州治를 陳畓面 豆谷으로 옮겼다가, 同 30年에 府로 昇格하고, 英祖 6年(1730)에 治所를 螺洞으로 옮겼고, 同 21年(1745)에 또 項洞으로 옮겼다.(三·麗·輿·文)

　ㅇ 또 다른 지명은 淸河이다.(輿)

　ㅇ 1895년에 河東郡으로 昇格하였고, 1914년에 昆陽郡의 西面과 金陽面을 편입하였다.(增)

　ㅇ 지금의 慶尙南道 河東郡 河東邑.

3.2.1. 省良縣 － 原本에는 金陽部曲이라 하였다. 金陽이 慶尙南道 昆陽郡으로 편입되었는데, 省良의 위치는 알 수가 없다.(文)

　ㅇ 지금의 慶尙南道 泗川市 昆陽面.

3.2.2. 嶽陽縣 － 본래 新羅 小多沙縣인데, 景德王이 <嶽陽>으로 고쳐서 河東郡 嶺縣을 삼았다. 高麗 顯宗 9年(1018)에 晋州에 屬했다가, 朝鮮 中宗 13年(1518)에 嶽陽과 花開 두 縣의 행정구역을 옮겨, 너무 멀어서 백성이 곡식을 운반하기가 불편하여 창고를 처음 여기에 두었는데, 肅宗 28年(1702)에 河東에 편입하였다.(輿·文)

　ㅇ 지금의 慶尙南道 河東郡 嶽陽面.

3.2.3. 河邑縣 － 본래 浦村縣인데, 新羅 景德王이 <河邑>으로 고쳐서 河東郡 領縣으로 삼았고, 朝鮮 시대에는 <昆陽>에 편입하였다.(輿·文)

　ㅇ 지금의 慶尙南道 泗川市 昆陽面.

　　▶ 泗川 － 3.3.2. 참조.

원 문

> 3.3. <固城郡>, 本<古自郡>, [景德王]改名, 今因之. 領縣三: <蚊火良縣>, 今未詳; <泗水縣>, 本<史勿縣>, [景德王]改名, 今<泗州>; <尙善縣>, 本<一善縣>, [景德王]改名, 今<永善縣>.

번 역

3.3. <고성군>은 원래 <고자군>이었던 것을 [경덕왕]이 개칭한 것이다. 지금도 그대로 부른다. 이 군에 속한 현은 셋이다. <문화량현>은 지금 분명치 않다. <사수현>은 원래 <사물현>이었던 것을 [경덕왕]이 개칭한 것이다. 지금의 <사주>이다. <상선현>은 원래 <일선현>을 [경덕왕]이 개칭한 것이다. 지금의 <영선현>이다.

변 천

3.3. 固城郡 － 본래 小伽倻國인데, 新羅가 빼앗아 古自郡을 두었다가, 景德王이 <固城>으로 고쳤다. 高麗 成宗 14年(995)에는 固州刺史가 되었다가, 뒤에 降等하여 縣이 되었고, 顯宗 9年(1018)에는 巨濟로 屬하였다가 뒤에 縣令을 두었고, 元宗 7年(1266)에 昇格하여 州가 되었다. 忠烈王 때에 南海에 합병되었다가 다시 회복되었고, 恭讓王 3年(1391)에 降等하여 縣이 되었는데, 朝鮮 시대에도 그대로 불렀다.(三 · 麗 · 輿 · 慶)
   ○ 1895년에 晋州府 管轄의 固城郡으로 하였다가, 1914년에 龍南郡 光二面 · 光南面이 固城郡에 편입하였다.(增)
   ○ 지금의 慶尙南道 固城郡 固城邑.

3.3.1. 蚊火良縣 － 慶尙南道 固城에 있던 지명으로 新羅 때 固城郡 領縣이었으나, 지금은 그 위치를 알 수가 없다.(輿 · 文)
   ○ 지금의 慶尙南道 固城郡 固城邑.

3.3.2. 泗水縣 – 본래 新羅 史勿縣인데, 景德王이 <泗水>로 고쳐 固城郡 領縣으로 삼았다. 高麗初에는 晋州에 屬하고, 顯宗 2年(1011)에 <泗州>로 고치고, 明宗 2年(1172)에 監務를 두었는데, 朝鮮 太宗 때에는 <泗川>으로 고쳐서 縣監이 되고, 뒤에는 鎭을 두어서 兵馬使가 縣事를 兼하게 하였다. 世宗 때에는 兵馬僉節制使로 改稱하였고, 뒤에 다시 縣監으로 고쳤다.(三·麗·興·文)
  ㅇ 1895년에 泗川郡으로 昇格하였다가, 1914년에 昆陽郡(西面·金陽面은 제외) 一圓 및 晋州郡의 夫火谷面·杻洞面이 편입되었다. 1931년 三千浦面(洙南面과 文善面을 통합)을 邑으로 승격하고, 1956년 三千浦邑과 南陽面을 통합하여 三千浦市로 승격하였으며, 1995년 三千浦市와 泗川郡을 통합하여 泗川市를 설치하였다.(地)
  ㅇ 지금의 慶尙南道 泗川市.

3.3.3. 尙善縣 – 본래 新羅 一善縣인데, 景德王이 尙善으로 고쳐서 固城郡 領縣으로 삼았다. 高麗初에 永善으로 고치고, 顯宗 9年(1018)에 晋州로 편입하였다.(三·麗·文)
  ㅇ 지금의 慶尙南道 晉州市.

원 문

3.4. <咸安郡>, [法興王]以大兵, 滅<阿尸良國>(一云<阿那加耶>.), 以其地爲郡, [景德王]改名, 今因之. 領縣二: <玄武縣>, 本<召乡縣>, [景德王]改名, 今<召乡部曲>; <宜寧縣>, 本<獐含縣>, [景德王]改名, 今因之.

번 역

3.4. <함안군>은 [법흥왕]이 대군을 동원하여 【아시량(또는 아나가야)국】을 없애고, 그 지역을 군으로 만들었던 곳을 [경덕왕]이 개칭한 것이다. 지금도 그대로 부른다. 이 군에 속한 현은 둘이다. <현무현>은 원래 <소삼현>이었던 것을 [경덕왕]이 개칭한 것이다. 지금의 <소삼> 부곡이다. <의령현>은 원래 <장함현>이었던 것을 [경덕왕]이 개칭한

것이다. 지금도 그대로 부른다.

변 천

3.4. 咸安郡 - 본래 阿尸良(또는 阿那伽倻)國인데, 新羅 法興王이 멸망시키고 그 땅을 郡
으로 삼았는데, 景德王이 <咸安>으로 고쳤다. 高麗 成宗 14年(995)에 咸州刺史가 되
었다가, 顯宗 9年(1018)에 다시 咸安으로 불러 金州(金海)에 屬하게 하였고, 明宗 2年
(1172)에 監務를 두었다가, 恭愍王 22年(1373)에 周英贊의 딸이 明에 들어가 宮人이 되
어서 총애를 받으므로 昇格하여 知郡事가 되었고, 朝鮮 시대에도 그대로 불렀다. (三·
麗·興·文)

○ 또 다른 지명은 金羅이다.(麗)

○ 1914년에 咸安郡의 上奉面·下奉面·上寺面이 晋州郡에 편입되고, 靈山郡 吉谷面
  의 射村里가 咸安郡에 편입되었다.(增)

○ 지금의 慶尙南道 咸安郡.

3.4.1. 玄武縣 - 본래 新羅 召三縣인데, 景德王이 <玄武>(또는 正武)로 고쳤다. 뒤에 降
等하여 召三部曲이 되었다가, 高麗初에는 <咸安>으로 편입되었다.(興·文)

○ 지금의 慶尙南道 咸安郡.

3.4.2. 宜寧縣 - 본래 新羅 獐含縣인데, 景德王이 <宜寧>으로 고쳐서 咸安郡 領縣으로
삼았다. 高麗 顯宗 9年(1018)에 晋州에 속하게 하고, 恭讓王 2年(1390)에 監務를 두고
新繁縣을 편입시켰다. 朝鮮 시대에도 그대로 부르다가 뒤에 縣監으로 고쳤다.(三·
麗·興·文)

○ 1895년에 晋州府 宜寧郡으로 하고, 1914년에 陜川郡 宮所面이 宜寧郡에 편입되었
  다.(增)

○ 지금의 慶尙南道 宜寧郡.

원 문

3.5. <巨濟郡>, [文武王]初置<裳郡>, 海中島也, [景德王]改名, 今因之. 領縣三; <鵝洲縣>, 本<巨老縣>, [景德王]改名, 今因之; <溟珍縣>, 本<買珍伊縣>, [景德王]改名, 今因之; <南垂縣>, 本<松邊縣>, [景德王]改名, 今復故.

번 역

3.5. <거제군>은 [문무왕]이 처음으로 <상군>을 설치했던 곳으로 바다에 있는 섬이 었는데, [경덕왕]이 개칭한 것이다. 지금도 그대로 부른다. 이 군에 속한 현은 셋이다. <아주현>은 원래 <거로현>이었던 것을 [경덕왕]이 개칭한 것이다. 지금도 그대로 부른다. <명진현>은 원래 <매진이현>이었던 것을 [경덕왕]이 개칭한 것이다. 지금도 그대로 부른다. <남수현>은 원래 <송변현>이었던 것을 [경덕왕]이 개칭한 것이다. 지금은 다시 옛 이름으로 회복되었다.

변 천

3.5. 巨濟郡 - 본래 海島인데, 新羅 文武王이 裳郡을 처음 두었고, 景德王이 <巨濟>로 고쳤다. 高麗 顯宗 9年(1018)에 縣令을 두었다가, 元宗 12年(1271) 에 倭亂으로 땅을 잃고 居昌 加祚縣에 임시로 행정구역을 이전하였고, 忠烈王 때에 管城에 합병되었다가 이내 復舊하고, 朝鮮 太宗 14年(1414)에는 居昌과 合하여 濟昌縣이라 하다가, 다음 해 폐지하고 다시 <巨濟>라 하였다. 世宗 14年(1432)에 사람들이 다시 옛 지역으로 돌아가서 知縣事가 되었다가, 顯宗 5年(1664)에는 溟珍의 없어진 縣의 서쪽 5里 땅으로 옮기고 縣令으로 고쳤다가, 肅宗 37年(1711)에 府로 昇格하였다.(三·麗·興·慶·文) ○ 1895년에는 東萊府 管轄의 巨濟郡으로 되었다가, 1914년에 統營郡에 편입하였다. 1935년 二運面을 長承浦邑으로 승격하고, 1953년에 統營郡에서 분리되어 巨濟郡으로 복귀하였다.(1읍 8면), 1989년 長承浦邑이 市로 승격하고(6洞), 1995년 長承浦市와 巨濟郡(1읍 9면 3출장소)를 통합하여 巨濟市를 설치하였다.(地)

○ 지금의 慶尙南道 巨濟市.

3.5.1. 鵝洲縣 — 慶尙南道 巨濟 동쪽 20里에 있는 지명으로 본래 新羅 居績(또는 巨績)縣인데, 菁州(晋州)에 屬하였다가, 孝昭王이 學生祿邑地로 삼았고, 景德王 때 <鵝州>로 고쳐지고 巨濟에 소속하였다. 高麗 시대에도 그대로 불렸다.(三·麗·輿·文)
○ 지금의 巨濟市 鵝洲洞.

3.5.2. 溟珍縣 — 慶尙南道 巨濟 남쪽 15里(文獻備考에는 동쪽으로 30里라 함)에 있는 지명으로 본래 新羅 買珍伊縣인데, 景德王이 <溟珍>으로 고쳐서 巨濟郡 領縣으로 삼았다. 高麗 시대에도 그대로 불렸고 뒤에 監務를 두었다. 元宗 때에는 倭를 避하여 晋州 永善縣에 임시로 행정구역을 옮겼다가, 朝鮮 太宗 때에 江城縣과 合하여 珍城縣이라 부르다가, 世宗 때에 本島로 돌아가서 다시 巨濟에 屬하였다.(三·麗·輿·慶·文)
○ 지금의 慶尙南道 巨濟市.

3.5.3. 南垂縣 — 본래 新羅 松邊縣인데, 景德王이 <南垂>로 고쳐서 巨濟에 소속시켰고, 高麗 시대에 옛 지명을 회복하여 <巨濟>에 소속하였다.(三·麗·輿·文)
○ 지금의 慶尙南道 巨濟市.

원 문

3.6. <闕城郡>, 本<闕支郡>, [景德王]改名, 今<江城縣>. 領縣二: <丹邑縣>, 本<赤村縣>, [景德王]改名, 今<丹溪縣>; <山陰縣>, 本<知品川縣>, [景德王]改名, 今因之.

번 역

3.6. <궐성군>은 원래 <궐지군>이었던 것을 [경덕왕]이 개칭한 것이다. 지금의 <강

성현>이다. 이 군에 속한 현은 둘이다. <단읍현>은 원래 <적촌현>이었던 것을 [경덕왕]
이 개칭한 것이다. 지금의 <단계현>이다. <산음현>은 원래 <지품천현>이었던 것을 [경
덕왕]이 개칭한 것이다. 지금도 그대로 부른다.

변 천

3.6. 闕城郡 − 본래 新羅 闕支縣인데, 景德王이 <闕城郡>으로 고쳤다. 高麗初에 <江城
郡>으로 고쳐서, 顯宗 9年(1018)에 晋州에 屬하고, 恭讓王이 監務를 두었다. 朝鮮 定
宗 때에는 永善(晋州 屬縣)에 임시로 옮겨 와 있는 溟珍縣과 합하여 <珍城縣>이라
하였다. 世宗 때에는 溟珍을 巨濟로 돌려보내고, <丹溪·江城> 두 縣의 이름을 合하
여 <丹城>으로 고치고 縣監을 두었다. 宣祖 32年(1599)에 倭寇에 의해 사람들이 많
이 살해되어 山陰(山淸)으로 편입하였다가 光海君 5年(1613)에 다시 회복하고, 邑治를
<來山> 아래로 옮겼다. 肅宗 28年(1702)에는 邑治를 다시 <江城> 옛터로 옮겼다가,
英祖 7年(1731)에 다시 <來山>으로 옮겼다.(三·麗·輿·文)
  ○ 1895년에 丹城郡으로 昇格하였다가, 1914년에 丹城郡이 山淸郡에 편입되었다.(增)
  ○ 지금의 慶尙南道 山淸郡 丹城面.
    ▶ 丹溪 − 3.6.1. 참조.

3.6.1. 丹邑縣 − 본래 新羅 赤村縣인데, 景德王이 <丹邑>으로 고쳐서 闕城郡 領縣으로
삼았다가, 高麗初에는 <丹溪>로 고치고, 縣宗 9年(1018)에 陜州(陜川)에 소속시켰다
가, 恭讓王 2年(1390)에 江城에 소속시켰다. 朝鮮 世宗 때에는 <丹溪·江城> 두 縣의
이름을 合하여 <丹城>으로 고치고 縣監을 두었다. 宣祖 32年(1599)에 倭寇에 의해
사람들이 많이 살해되어 山陰(山淸)으로 편입시켰다가 光海主 5年(1613)에 다시 회복
하고, 邑治를 <來山> 아래로 옮겼다. 肅宗 28年(1702)에는 邑治를 다시 <江城> 옛
터로 옮겼다가, 英祖 7年(1731)에 다시 <來山>으로 옮겼다.(三·麗·輿·文)
  ○ 지금의 慶尙南道 山淸郡 丹城面.
    ▶ 江城 − 3.6. 참조.

3.6.2. 山陰縣 – 본래 新羅 知品川縣인데, 景德王이 <山陰>으로 고쳐서 闕城(丹城)郡에 屬하게 하였다. 高麗 顯宗 9年(1018)에 陜州(陜川)로 편입시켰고, 恭讓王 2年(1390)에 는 監務를 두었다. 朝鮮 시대에도 그대로 부르다가, 英祖 43年(1767)에 <山淸>으로 고쳤다.(三・麗・輿・文)

  ○ 또 다른 지명은 山陽이다.(麗)

  ○ 1895년에 山淸郡으로 昇格하였고, 1914년에 丹城面이 편입되었다.(增)

  ○ 지금의 慶尙南道 山淸郡.

원 문

3.7. <天嶺郡>, 本<速含郡>, [景德王]改名, 今<咸陽郡>. 領縣二: <雲峰縣>, 本<母山縣>(或云<阿英城>, 或云<阿莫城>.), [景德王]改名, 今因之; <利安縣>, 本<馬利縣>, [景德王]改名, 今因之.

번 역

3.7. <천령군>은 원래 <속함군>이었던 것을 [경덕왕]이 개칭한 것이다. 지금의 <함양군>이다. 이 군에 속한 현은 둘이다. <운봉현>은 원래 <모산현(또는 아영성, 아막성)>이었던 것을 [경덕왕]이 개칭한 것이다. 지금도 그대로 부른다. <이안현>은 원래 <마리현>이었던 것을 [경덕왕]이 개칭한 것이다. 지금도 그대로 부른다.

변 천

3.7. 天嶺郡 – 본래 新羅 速含郡인데, 景德王이 <天嶺郡>으로 고쳤다. 高麗 成宗 14年(995)에 許州團練使로 昇格되었다가, 顯宗 3年(1012)에 降等하여 <含陽郡>이 되어 陜州(陜川)에 屬하였다. 뒤에 含을 咸으로 고쳐서 <咸陽>(또는 含城)으로 하고, 明宗 2年(1172)에는 다시 降等하여 縣으로 하고 監務를 두었다. 恭讓王 2年(1390)에 군사상

요충지라 하여 軍管 萬戶를 兼하였다가, 朝鮮 太祖 4年(1395)에 郡으로 昇格하였고, 英祖 5年(1729)에 府로 昇格하고, 正祖 12年(1788)에 다시 降等하여 郡으로 하였다.(三·麗·輿·慶·文)

○ 1895년에 安義郡과 합하였다가 얼마 뒤에 갈라서 咸陽郡으로 하고, 1914년에 安義郡의 縣內面·黃谷面·大代面·知代面·西上面·西下面·草岾面이 편입되었다.(增)

○ 지금의 慶尙南道 咸陽郡.

3.7.1. 雲峰縣 − 본래 新羅 母山縣(또는 阿英城, 阿莫城)인데, 景德王이 <雲峰>으로 고쳐서 天嶺(咸陽)郡 屬縣으로 삼았다. 高麗 시대에는 南原府에 屬하였고, 恭讓王 3年(1391)에 阿容谷 勸農兵馬使를 兼하였다가, 朝鮮 太祖 元年(1392)에 監務를 두었고, 뒤에 縣監을 두고, 宣祖 33年(1600)에 南原으로 편입하였다가, 光海主 3年(1611)에 다시 설치하였다.(三·麗·輿·文)

○ 1895년에 고쳐서 雲峰郡으로 하고, 1914년에 南原郡에 합병하였다.(增)

○ 지금의 全羅北道 南原市 雲峰邑.

▶ 南原 − 8.1. 참조.

3.7.2. 利安縣 − 본래 新羅 馬利縣인데, 景德王이 <利安>으로 고쳐서 天嶺(咸陽)郡 領縣으로 삼았다. 高麗 顯宗 9年(1018)에는 陜川에 소속하였고, 恭讓王 2年(1390)에 感陰(安義)에 편입되었다.(三·麗)

○ 지금의 慶尙南道 咸陽郡 安義面.

원 문

3.8. <居昌郡>, 本<居烈郡>(或云<居陀>), [景德王]改名, 今因之. 領縣二: <餘善縣>, 本<南內縣>, [景德王]改名, 今<感陰縣>; <咸陰縣>, 本<(大)加召縣>, [景德王]改名, 今復故.

번 역

3.8. <거창군>은 원래 <거열(또는 거타)군>이었던 것을 [경덕왕]이 개칭한 것이다. 지금도 그대로 부른다. 이 군에 속한 현은 둘이다. <여선현>은 원래 <남내현>이었던 것을 [경덕왕]이 개칭한 것이다. 지금의 <감음현>이다. <함음현>은 원래 <가소현>이었던 것을 [경덕왕]이 개칭한 것이다. 지금은 옛 이름으로 회복되었다.

변 천

3.8. 居昌郡 - 본래 新羅 居烈(또는 居陀)郡인데, 景德王이 <居昌>으로 고쳤다. 高麗 顯宗 9年(1018)에 陝州(陝川)에 屬하였다가, 明宗이 監務를 두었고, 朝鮮 太宗 14年(1414)에 巨濟縣과 合하여 濟昌縣이 되었다가, 다음해 다시 회복하여 居昌이 되었고 縣監으로 고쳤다. 成宗 元年(1470)에는 王妃의 고향이라 하여 郡으로 昇格하였다가, 中宗初에 다시 縣으로 하였다. 孝宗 9年(1658)에 安陰(安義)으로 합쳤다가, 顯宗 元年(1660)에 다시 회복하였고, 英祖 4年(1728)에 府로 昇格하였다가, 正祖 12年(1788)에 縣으로 다시 강등하였다.(三·麗·輿·慶·文)

　○ 1895년에 晋州府 管轄의 居昌郡으로 하였다가, 1914년에 安義郡의 北上面·北下面·古縣面·東里面·南里面과 三嘉郡의 神旨面·要院面이 편입되었다.(增)

　○ 지금의 慶尙南道 居昌郡.

3.8.1. 餘善縣 - 본래 新羅 內南縣인데, 景德王이 <餘善>으로 고쳐서 居昌縣에 屬하였다가 高麗初에 <感陰>으로 고쳤고, 顯宗 9年(1018)에 陝州에 屬하였다가, 毅宗 15年(1161)에 縣人 子和 等이 誣告하기를 "鄭敍의 妻가 縣吏 仁梁과 함께 임금과 大臣을 咀呪한다."고 하므로 子和는 강물에 던져 죽이고, 縣은 降等하여 部曲이 되었다. 恭讓王 2年(1390)에 監務를 두어 利安縣을 합병하였고, 朝鮮 太宗 15年(1415)에 感陰과 合하여 <安陰>으로 改稱하고 縣監를 두고 治所는 利安으로 이전하였다가, 英祖 4年(1728)에 땅을 갈라서 咸陽·居昌으로 편입하였는데, 同 12年(1736)에 다시 縣을 두었고, 同 43年 (1767)에 <安義>로 고쳤다.(三·麗·輿·文)

○ 1895년에 安義郡으로 昇格하였고, 1914년에는 北上面·古縣面·北下面·東里面·南里面은 <居昌郡>에 편입되고, 縣內面·黃谷面·大代面·知代面·西上面·西下面·草岾面은 <咸陽郡>에 편입되었다.(增)

○ 지금의 慶尙南道 咸陽郡 安義面.

3.8.2. 咸陰縣 – 본래는 新羅 <加召縣>인데, 방언이 비슷한 까닭에 召가 變하여 㐌가 되고, 景德王이 <咸陰>으로 고치어 居昌에 소속시켰다. 高麗 顯宗 9年(1018)에는 陜州(陜川)에 편입하였다가, 뒤에 居昌으로 다시 들어왔고, 元宗 때에는 巨濟縣이 三別抄의 亂을 피하여 여기 와서 임시로 다스리므로 巨濟라 부르다가, 朝鮮 世宗때에 이르러 巨濟는 本島로 돌아가고, 縣도 居昌으로 돌아왔다.(輿)

○ 지금의 加東·加西·加北面이 그 곳이다.(增)

○ 지금의 慶尙南道 居昌郡 加㐌面.

원 문

3.9. <高靈郡>, 本【大加耶國】, 自始祖[伊珍阿豉王](一云[內珍朱智].), 至[道設智王], 凡十六世, 五百二十年, [眞興大王]侵滅之, 以其地爲<大加耶郡>, [景德王]改名, 今因之. 領縣二: <冶爐縣>, 本<赤火縣>, [景德王]改名, 今因之; <新復縣>, 本<加尸兮縣>, [景德王]改名, 今未詳.

번 역

3.9. <고령군>은 원래【대가야국】으로 그 나라 시조 [이진아시왕](또는 [내진주지])부터 [도설지왕]까지 16대 520년 간 유지되었는데, [진흥대왕]이 이를 침공하여 없애고 그 지역을 <대가야군>으로 만들었으며, [경덕왕]이 <고령군>으로 개칭하였다. 지금도 그대로 부른다. 이 군에 속한 현은 둘이다. <야로현>은 원래 <적화현>이었던 것을 [경덕왕]이 개칭한 것이다. 지금도 그대로 부른다. <신복현>은 원래 <가시혜현>이었던 것을 [경

덕왕]이 개칭한 것이다. 지금은 위치가 분명치 않다.

변 천

3.9. 高靈郡 - 본래 大伽倻國인데, 始祖 伊珍阿鼓王(또는 内珍朱智)으로부터 道設智王에 이르기까지 치세기간은 16世 520年이다. 崔致遠의 釋利貞傳을 살펴보면 "伽倻山神 正見母主가 天神 夷昆訶와 서로 감응하여 太伽倻王 惱窒朱日과 金官國王 惱窒靑裔 2人을 낳았다."고 기록되어 있는데, 惱窒朱日은 伊珍阿鼓王의 別稱이요, 惱窒靑裔는 首露王의 別稱일 것이나, 駕洛國古記의 여섯 알의 이야기와 함께 荒唐하여 믿을 수 없는 이야기라 할 수 있다. 또 釋順應傳에는 "大伽倻國 月光太子는 正見王의 10世孫으로 父는 日異腦王이다. 新羅에 求婚하여 夷粲比枝輩의 女를 맞아 太子를 낳았다."고 하고 있는데 異腦王은 惱窒朱日의 8世孫일 것이나 이것 역시 믿을 수 없는 이야기이다. 新羅 眞興王이 멸망시켜 그 땅을 大伽倻郡으로 만들었고, 景德王이 <高靈>으로 고쳤다. 高麗初에는 京山府(星州)에 소속시켰고, 明宗이 監務를 두고 朝鮮 시대에도 그대로 부르다가, 太宗 13年(1415)에 縣監으로 고쳤다.(三·麗·輿·慶·文)
  ○ 1895년에 高靈郡으로 昇格하였다.(增)
  ○ 지금의 慶尙北道 高靈郡.

3.9.1. 冶爐縣 - 본래 新羅 赤火縣인데, 景德王이 <冶爐>로 고쳐서 高靈郡 領縣으로 삼았고, 高麗 顯宗 9年(1018)에 陜川에 편입되었다.(三·麗·輿·文)
  ○ 지금의 慶尙南道 陜川郡 冶爐面.

3.9.2. 新復縣 - 본래 新羅 加尸兮縣인데, 景德王이 <新復>으로 고쳤다.(輿·文)
  ○ 三國史記에는 알 수 없는 지명이라 하였고, 輿地勝覽에는 "高靈縣의 서쪽 10里 떨어진 땅에 地名이 加西谷인 곳이 있는데, 尸兮가 변하여 西가 된 것이 아닌가 생각된다."고 하였다.(文)
  ○ 지금의 慶尙北道 高靈郡.

원 문

3.10. <江陽郡>, 本<大良(一作耶.)州郡>, [景德王]改名, 今<陜州>. 領縣三: <三岐縣>, 本<三支縣>(一云<麻杖>.), [景德王]改名, 今因之; <八谿縣>, 本<草八兮縣>, [景德王]改名, 今<草谿縣>; <宜桑縣>, 本<辛尒縣>(一云<朱烏村>, 一云<泉州縣>.), [景德王]改名, 今<新繁縣>.

번 역

3.10.   <강양군>은 원래 <대량(또는 대야)주군>이었던 것을 [경덕왕]이 개칭한 것이다. 지금의 <합주>이다. 이 군에 속한 현은 셋이다. <삼기현>은 원래 <삼지(또는 마장)현>이었던 것을 [경덕왕]이 개칭한 것이다. 지금도 그대로 부른다. <팔계현>은 원래 <초팔혜현>이었던 것을 [경덕왕]이 개칭한 것이다. 지금의 <초계현>이다. <의상현>은 원래 <신이현(또는 주오촌, 천주현)>이었던 것을 [경덕왕]이 개칭한 것이다. 지금의 <신번현>이다.

변 천

3.10.   江陽郡 - 본래 新羅 大良(또는 大耶)州인데, 景德王이 <江陽>으로 고쳤다. 高麗 顯宗이 大良院君으로 即位하고, 또 皇妃 孝肅王后의 故鄕이라 하여 知陜州事로 昇格하였다가, 朝鮮 太宗 때에 <陜川>으로 고쳐서 郡으로 하였다.(三·麗·輿·文)

ㅇ 1914년에 宮所面은 떼어서 宜寧郡에 屬하게 하고, 草溪郡 一圓과 三嘉郡(神旨面·東院面은 제외) 一圓이 편입되었다.(增)

ㅇ 지금의 慶尙南道 陜川郡.

3.10.1.   三岐縣 - 본래 新羅 三支(또는 麻杖)縣인데, 景德王이 <三岐>로 고쳐서 江陽(陜川)郡 領縣으로 삼았다. 高麗 顯宗 9年(1018)에 陜州(陜川)에 屬하였다가, 恭愍王 22年(1373)에 監務를 두었고, 朝鮮 太祖 때에 昇格하여 郡이 되었고, 太宗이 다시 降等하

여 縣이 되었다. 太宗 때에 <三岐·嘉樹> 두 縣을 合하여 <三嘉縣>으로 改名하고 監務를 설치하였는데, 뒤에 縣監으로 고치고 治所를 嘉樹로 옮겼다(三·麗·輿·文).

○ 지금의 慶尙南道 陝川郡 三嘉面.

▶ 三嘉 — 3.0.1. 참조.

3.10.2. 八谿縣 — 본래 新羅 草八兮縣인데, 景德王이 <八谿>로 고쳐서 江陽(陝川)郡 領縣으로 삼았다. 高麗 때에는 <草谿>로 고치고, 顯宗 9年(1018)에 陝州(陝川)로 편입하였다가, 明宗 2年(1172)에 監務를 두었고, 忠肅王 3年(1316)에 縣人 鄭守琪·卞遇成이 王室에 공을 세워 知郡事로 昇格하였는데, 朝鮮 시대에는 <草溪郡>으로 고쳤다.(三·麗·輿·文)

○ 또 다른 지명은 淸溪인데 高麗 成宗 때 지은 것이다.(麗)

○ 1914년에 陝川郡에 합병하였다.(增)

○ 지금의 慶尙南道 陝川郡 草溪面.

3.10.3. 宜桑縣 — 본래 新羅 新尒(또는 朱鳥村, 泉川)縣인데, 景德王이 <宜桑>으로 고쳐서 江陽(陝川)郡에 소속시켰다. 高麗初에 <新繁>으로 고치고, 顯宗 9年(1018)에 陝州(陝川)에 소속시켰다가, 恭讓王 3年(1391)에 <宜寧>에 편입하였다.(三·麗·輿·文)

○ 지금의 慶尙南道 宜寧郡 富林面 新反里.

원 문

3.11. <星山郡>, 本<一利郡>(一云<里山郡>.), [景德王]改名, 今<加利縣>. 領縣四: <壽同縣>, 本<斯同火縣>, [景德王]改名, 今未詳; <谿子縣>, 本<大木縣>, [景德王]改名, 今<若木縣>; <新安縣>, 本<本彼縣>, [景德王]改名, 今<京山府>; <都山縣{都川縣}>, 本<狄山縣>, [景德王]改名, 今未詳.

번 역

　3.11.　<성산군>은 원래 <일리(또는 이산)군>이었던 것을 [경덕왕]이 개칭한 것이다. 지금의 <가리현>이다. 이 군에 속한 현은 넷이다. <수동현>은 원래 <사동화현>을 [경덕왕]이 개칭하였으나 지금은 위치가 분명치 않다. <계자현>은 원래 <대목현>이었던 것을 [경덕왕]이 개칭한 것이다. 지금의 <약목현>이다. <신안현>은 원래 <본피현>이었던 것을 [경덕왕]이 개칭한 것이다. 지금의 <경산부>이다. <도산현>은 원래 <적산현>이었던 것을 [경덕왕]이 개칭한 것이다. 지금은 위치가 분명치 않다.

변 천

3.11.　星山郡 － 본래 新羅 本彼縣(三國遺事에는 "星山은 6伽倻의 하나였다."고 하였는데, 新羅가 星山伽倻를 빼앗아 本彼縣을 두었던 것이라고 생각된다. 金海 아래에 상세히 기록되어 있다.)인데, 景德王이 <新安>으로 고쳐서 星山郡에 소속시켰는데, 뒤에 碧珍郡으로 고쳤다. 高麗 太祖가 <京山府>로 고쳤고, 景宗이 降等하여 廣平郡을 삼았다가, 成宗이 岱州團練使로 고쳐서 다시 京山府로 하였다. 忠烈王이 興安都護府로 昇格시켰다가, 뒤에 <星州>로 고쳐서 牧을 삼았고, 忠宣王이 降等하여 다시 京山府를 삼았는데, 朝鮮 시대에도 그대로 불렀다. 太宗이 御胎를 府의 祖谷山에 奉安하고 牧으로 昇格시켰는데, 光海主 6年(1614)에 降等하여 <新安縣>이 되었고, 仁祖 元年(1623)에 다시 昇格하였다가, 同 9年(1631)에 또 降等하여 <星山縣>이 되었다가, 同 18년(1640)에 다시 昇格하였고, 22年(1644)에 또 降等하여 縣이 되었다. 孝宗 4年(1653)에 다시 昇格했다가, 英祖 12年(1736) 丙辰에 다시 降等하고, 同 21年(1745)에 다시 昇格하였다.(三·麗·興·文)
　○ 1895년에 星州郡으로 昇格하였고, 1914년에 薪谷面이 金泉郡에 편입되었다.(增)
　○ 지금의 慶尙北道 星州郡.

3.11.1.　壽同縣 － 본래 新羅 斯同火縣인데, 뒤에 壽同縣이 되었다가, 景德王이 <仁同>으로 고쳤다. 高麗 顯宗이 京山府(星州)에 소속시켰고, 恭愍王 12年(1363)에 監務를 두

고 若木縣을 편입시켰다. 朝鮮 시대에도 그대로 부르다가, 宣祖 37年(1604)에 府로 昇格하였다. (三·麗·輿·文·慶)

○ 1895년에 郡으로 昇格하였다가, 1914년에 漆谷郡에 합병하였다.(增)

○ 1978년 善山郡 龜尾邑과 漆谷郡 <仁同面>을 龜尾市로 통합하였다.(地)

○ 지금의 慶尙北道 龜尾市 仁同洞.

3.11.2. 谿子縣 – 본래 新羅 大木(또는 七村, 昆山)縣인데, 景德王이 谿子로 고쳐서 星山(星州)郡 領縣으로 삼았다. 高麗 시대에는 <若木>으로 고쳐서 京山府(星州)에 소속되었다가, 恭讓王 3年(1391)에 <仁同>에 편입하였다.(三·麗·輿·慶·文)

○ 또 다른 지명은 七谷이다.(麗·文)

○ 1895년에 大邱府에 편입하였다가 다시 漆谷郡을 만들고, 1914년에 仁同郡 一圓이 편입되었다.(增)

○ 지금의 慶尙北道 龜尾市 仁同洞.

▶ 漆谷 – 2.5.2. 참조.

3.11.3. 新安縣 – 본래 新羅 <本彼縣>이었던 것을 景德王이 新安縣으로 고쳐서 星山(星州) 領縣으로 삼았다. 高麗 때에는 京山府(星州) 소속이다.

○ 지금의 慶尙北道 星州郡.

▶ 星州 – 3.11. 참조.

3.11.4. 都山縣(都川縣) – 慶尙北道 星州에 있는 지명으로 본래 新羅 狄山縣인데, 景德王이 <都山>으로 고쳐서 星山(星州) 領縣으로 삼았다.(輿·文)

○ 지금의 慶尙北道 星州郡.

三國史記 卷第 三十五

雜志 第 四

地理 二

원 문

4. <漢州>, 本【高句麗】<漢山郡>, 【新羅】取之, [景德王]改爲<漢州>, 今<廣州>.
領縣二: <黃武縣>, 本【高句麗】<南川縣{南買縣}>, 【新羅】并之, [眞興王]爲州, 置軍
主, [景德王]改名, 今<利川縣>; <巨黍縣>, 本【高句麗】<駒城縣>, [景德王]改名,
今<龍駒縣>.

번 역

4. <한주>는 원래 【고구려】의 <한산군>이었던 것을 【신라】가 빼앗은 것으로 [경덕
왕]이 <한주>로 개칭하였다. 지금의 <광주>이다. 이 주에 속한 현은 둘이다. <황무현>
은 원래 【고구려】의 <남천현>이었는데 【신라】가 병합하였고, [진흥왕]이 주로 만들어 군
주를 두었으며, [경덕왕]이 <한주>로 개칭하였다. 지금의 <이천현>이다. <거서현>은
원래 【고구려】의 <구성현>이었던 것을 [경덕왕]이 개칭한 것이다. 지금의 <용구현>이
다.

변 천

4. 漢州 – 본래 百濟 南漢山城이다. 始祖 溫祚王이 漢成帝 鴻嘉 3年(紀元前 18)에 慰禮城
에 도읍을 정하였다가, 13年(紀元前 8)에는 漢山 아래로 옮겨서 慰禮城 民戶를 옮기

고 宮闕을 建築하고, 다음해 (紀元前 7)에 도읍을 옮겨서 南漢山城이라 부르다가, 近
肖古王 25年(370) 에는 南平壤城으로 도읍을 옮겼다. 新羅 太宗王이 金庾信을 보내서
唐의 蘇定方과 함께 百濟를 멸망시켰고, 唐兵이 돌아간 뒤에 文武王이 그 땅을 차지
하여 南漢山城을 고쳐서 漢山州를 만들었다가, 또 고쳐서 南漢山州라 하였고, 景德王
15年(756)에 漢州로 고쳤다. 高麗 太祖 23년(940)에 <廣州>로 고쳤다. 成宗 2年(983)
에 12牧을 처음 두었을 때 廣州도 그 하나였다. 同 14年(995)에 12節度使를 둘 때 奉
國軍이라 하여 關內道에 소속시켰다가, 顯宗 3年(1012)에는 폐지하고 安撫使를 두었
고, 同 9年(1018)에 8牧을 定할 때에 牧官이 되었다. 조선 시대에도 그대로 부르다가
世祖 때에 鎭을 두었고, 燕山君 11年(1505)에는 州人이 말을 함부로 하는 者가 있다
고 하여 州를 폐지하였다가, 中宗 6年(1511)에 復舊하였는데 뒤에 다시 州가 쇠퇴하
므로 判官을 없애고, 明宗 14年(1559)에 復舊하고, 光海主 10年(1618)에 府로 昇格하
였다. 仁祖 4年(1626)에 南漢山城을 쌓고 州治를 城內로 옮겼고, 正祖 19年(1795)에 留
守를 두었다.(三·麗·興·文) 新羅 文武王 때에 漢州의 동쪽 산봉우리 위에 日長城
을 쌓으니, 晝長城이라고도 불렀다. 山勢가 높아서 해 뜨는 모습은 일찍 볼 수 있고
해 지는 모습은 늦게까지 볼 수 있다는 뜻인데, 朝鮮 시대에 修築하여 南漢山城으로
고쳤고, 그 뒤에 州治를 城內로 옮겼다. 仁祖 14년(1636)에는 이 城에서 전란을 避하
고, 다음해에 宰臣 金尙憲의 주장으로 溫祚祠를 城中에 짓게 하였는데, 사실은 溫祚
의 舊都는 산 아래에 있고, 이 城中은 아니다.(興)

○ 또 다른 지명은 淮安으로 高麗 成宗 때 지은 것이다.(麗)

○ 1906에 廣州郡이 되어서 漢城府의 管轄로 되었다가, 1914년에 儀谷面·旺倫面이
  水原郡에 편입되고, 楊平郡 南終面이 廣州郡에 편입되었다.(增)

○ 2001년 廣州郡을 廣州市로 승격하였다.(地)

○ 지금의 京畿道 廣州市.

4.0.1. 黃武縣 － 본래 高句麗 南川(또는 南買)縣인데, 新羅가 합병하고 眞興王이 昇格시
켜 州를 삼고 軍主를 두었는데, 景德王이 <黃武>로 고쳐서 漢州 領縣으로 삼았다.
高麗 太祖가 남쪽지방을 정벌할 때 郡人 徐穆이 길을 인도하여 진군에 도움을 주었
으므로 <利川郡>으로 부르도록 하였고, 곧 이어 廣州에 속하였다가, 仁宗 21年(1143)

에 監務를 두었고, 高宗 44年(1257)에는 永昌이라 불렀다가, 恭讓王 4年(1392)에 祖妣 申氏의 親鄕이라 하여 南川郡으로 昇格하였다. 朝鮮 太祖 2年(1393)에 다시 <利川縣>을 만들어 監務를 두었고, 太宗 13年(1413)에 知縣事로 고쳤다가, 同 16年(1416)에는 千戶 以上이라 하여 都護府로 昇格하였다. 光海主 5年(1613)에 縣으로 강등하였다가, 仁祖 元年(1623) 에 다시 昇格하여 府가 되고, 同 24년(1646)에는 다시 강등하여 縣이 되었다가, 顯宗 4年(1663)에 복구하였다. 英祖 5年(1729)에 또 강등하여 縣이 되었다가, 同 14年(1738)에 복구하고, 正祖 初年(1777)에 또 강등하여 縣이 되었다가, 同 9年(1785)에 다시 복구하였다.(三·麗·輿)

○ 1914년에 陰竹郡(東面·考坪里 一部, 下栗面·叢谷里 一部, 上栗面·八星里 一部, 石橋村 一部 제외) 一圓과 忠淸北道 陰城郡 法旺面 石院里의 一部 및 豆衣面 龍山里가 利川郡에 편입되었다.(增)

○ 1996年 3月 1日 利川郡을 利川市로 昇格하였다.(地)

○ 지금의 京畿道 利川市.

4.0.2. 巨黍縣 - 본래 高句麗 駒城(또는 滅烏)縣인데, 新羅 景德王이 <巨黍>로 고쳐서 漢州 領縣으로 삼았다. 高麗初에 <龍駒縣>으로 고쳤다가, 顯宗 9年(1018)에는 廣州에 속하였다가, 明宗 2年(1172)에 監務를 두었고, 뒤에 昇格하여 令이 되었다. 處仁縣은 본래 水原府 處仁部曲인데, 朝鮮 太祖 6年(1397) 에 縣令을 처음 두었다가, 太宗 13年(1413)에 <龍駒·處仁> 두 縣을 합하여 <龍仁縣>으로 고쳤다.(三·麗·輿·文)

○ 1895년 龍仁縣을 忠州府 龍仁郡으로, 1996년 龍仁市로 승격하였다.(地)

○ 지금의 京畿道 龍仁市 駒城邑.

원 문

4.1. <中原京>, 本【高句麗】<國原城>,【新羅】平之, [眞興王]置小京, [文武王]時築城, 周二千五百九十二步, [景德王]改爲<中原京>, 今<忠州>.

번 역

4.1. <중원경>은 원래 【고구려】의 <국원성>으로 【신라】가 이를 평정하여 [진흥왕]이 소경을 설치하였고, [문무왕] 때 여기에 성을 쌓았는데, 둘레가 2천 5백 92보였다. [경덕왕]이 <중원경>으로 개칭하였다. 지금의 <충주>이다.

변 천

4.1. 中原京 ─ 본래 高句麗 國原城(또는 未乙省, 薍長城, 託長城)인데, 新羅가 빼앗아 眞興王이 小京을 두었고, 景德王이 <中原京>으로 고쳤다. 高麗 太祖 23年(940)에 <忠州>로 고쳤는데, 成宗 2年(983) 癸未에 12牧을 설치할 때 忠州도 그 하나였다. 同 14년(995)에 12州節度使를 설치하였는데 號를 昌化軍이라 하여 中原道라 부르다가, 顯宗 3年(1012)에 없애고 安撫使가 되었고, 同 9년(1018)에 牧이 되니 8牧의 하나였다. 高宗 41年(1254)에 昇格하여 國原京이라 하였다가, 뒤에 또 牧이 되고, 朝鮮 시대에도 그대로 불렀다. 世宗 31年(1449)에 觀察使가 牧使를 겸하게 하였다가 곧 없애고 鎭을 두었다가, 明宗 5年(1550)에 강등하여 <維新縣>이 되었다. 宣祖 10年(1577)에 복구하고, 光海君 5年(1613)에 縣으로 강등하였다가, 仁祖 元年(1623)에 또 복구하고, 同 6년(1628)에 다시 縣으로 강등하였다가, 同 15년(1637)에 다시 복구하고, 同 25년 (1647)에 또 縣이 되었다가, 孝宗 5年(1654)에 또 복구하고, 肅宗 6年(1680)에 다시 縣으로 강등하였다가, 同 15년(1689) 복구하고, 英祖 5年(1729)에 縣으로 강등하였다가, 同 14년(1738)에 복구하고, 同 15년에 다시 縣으로 강등하였다가, 同 23년(1747)에 복구하고, 31년(1755)에 또 縣으로 강등하였다가, 同 40년 (1764)에 또 복구하였다.(三·麗·興·文)
○ 또 다른 지명은 大原으로 高麗 成宗 때 지은 것이다. <藥城>이라고도 부른다.(麗)
○ 1895년에 忠州牧을 忠州府로 개칭하고, 관내에 忠州郡을 설치하였다. 1914년에 邑內面을 설치하고 이를 1917년 忠州面으로 바꾸었다. 1931년 忠州面을 忠州邑으로, 1956년 忠州市(23洞)로 승격하고서, 面지역은 中原郡(23面)으로 바꾸고 분리하였다. 1995년 忠州市와 中原郡을 통합하여 忠州市를 설치하였다.(地)
○ 지금의 忠淸北道 忠州市.

원 문

4.2. <槐壤郡>, 本【高句麗】<仍斤內郡>, [景德王]改名, 今<槐州>.

번 역

4.2. <괴양군>은 원래【고구려】의 <잉근내군>이었던 것을 [경덕왕]이 개칭한 것이다. 지금의 <괴주>이다.

변 천

4.2. 槐壤郡 - 본래 高句麗 仍斤內郡이었는데, 新羅 景德王이 <槐壤郡>으로 고치고, 高麗初에 槐州로 고쳤다. 顯宗 9年(1018)에는 忠州에 속하였다가 뒤에 監務를 두었고, 朝鮮 太宗 3年(1403)에 知槐州事로 昇格하였다가, 同 13년(1413)에 <槐山>으로 고쳐서 郡이 되었다.(三·麗·輿·文)

○ 또 다른 지명은 始安으로 高麗 成宗 때 지은 것이다.(麗)

○ 1895년에는 忠州府의 管轄이 되었다가, 1914년에는 延豊郡 一圓, 淸安郡(西面은 제외) 一圓, 淸州郡·淸川面·忠州郡·甘勿面·栗枝面이 槐山郡에 편입되었다.(增)

○ 지금의 忠淸北道 槐山郡.

원 문

4.3. <沂(一作沂)川郡>, 本【高句麗】<述川郡>, [景德王]改名, 今<川寧郡>. 領縣二: <黃驍縣>, 本【高句麗】<骨乃斤縣>, [景德王]改名, 今<黃驪縣>; <濱陽縣>, 本【高句麗】<楊根縣>, [景德王]改名, 今復故.

번 역

4.3. <소(또는 기(沂))천군>은 원래 【고구려】의 <술천군>이었던 것을 [경덕왕]이 개칭한 것이다. 지금의 <천령군>이다. 이 군에 속한 현은 둘이다. <황효현>은 원래 【고구려】의 <골내근현>이었던 것을 [경덕왕]이 개칭한 것이다. 지금의 <황려현>이다. <빈양현>은 원래 【고구려】의 <양근현>이었던 것을 [경덕왕]이 개칭한 것이다. 지금은 옛 이름으로 회복되었다.

변 천

4.3. 沂川郡 - 高句麗 述川郡을 新羅 景德王이 <沂川郡>으로 고친 것인데, 고려에서는 <川寧縣>이라 하였다. 朝鮮 睿宗 元年(1469)에 英陵을 驪興都護府 北城山으로 옮기고는 川寧縣을 없애고 驪興에 편입시켜 <驪州>로 지명을 고쳐 昇格하여 牧使가 되었다.

　○ 1895년에는 忠州府의 管轄로 되었다가, 1914년에 京畿道 驪州郡으로 復舊되었다. (增)

　○ 지금의 京畿道 驪州郡.

　▶ 驪興, 驪州 - 4.3.1. 참조.

4.3.1. 黃驍縣 - 본래 高句麗 骨乃斤縣인데, 新羅 景德王이 <黃驍>로 고쳐서 沂川(驪州 川寧縣)郡 領縣으로 삼았다가, 高麗初에 黃驍(또는 黃利)縣으로 고쳐서, 顯宗 9年(1018)에는 原州에 소속하게 하였다가 뒤에 監務를 두고, 高宗 44年(1257)에는 永義로 고쳤다. 忠烈王 31年(1305)에 敬順王后 金氏의 고향이라 하여 <驪興郡>으로 昇格하였다가, 明 洪武 21年(高麗 禑王 14年(1388)에 郡을 옮기고 昇格하여 驪興府라 하였는데, 恭讓王 元年(1389)에 다시 강등하여 驪興郡이 되었다가, 朝鮮 太宗 때에는 元敬王后의 고향이라 하여 府로 昇格하고 陰竹縣의 북쪽 於西伊村을 떼어서 편입시켰고, 忠淸道에서 京畿道로 옮겨 소속되었다가 뒤에 고쳐서 都護府가 되고, 睿宗 元年(1469)에 英陵을 府 北城山으로 옮기고는 川寧縣을 고쳐서 없애고 편입시켜 <驪州>로 지

명을 고쳐 昇格하여 牧使가 되었다. 燕山君 7年(1501)에는 本州가 쇠퇴하므로 判官을 없앴다.(三·麗·輿·文)

○ 지금의 京畿道 驪州郡.

4.3.2. 濱陽縣 − 본래 高句麗 楊根(또는 恒陽)郡인데, 新羅 景德王이 <濱陽>으로 고쳐서 沂川(驪州 川寧縣)郡 領縣으로 삼았다. 高麗初에 옛 지명을 回復하였다가, 顯宗 9年(1018)에 廣州에 소속시켰고, 明宗 5年(1175)에 監務를 처음 두었고, 高宗 44年(1257)에 永化로 고쳐 부르다가, 元宗 10年(1269)에는 衛社功臣 金自廷의 고향이라 하여 益和縣으로 하였다가, 恭愍王 5年(1356)에는 王師 普愚(太古)의 母鄕이라 하여 <楊根郡>으로 昇格하였고, 朝鮮 시대에도 그대로 불렸다. 孝宗 9年(1658)에 砥平으로 편입하였다가, 顯宗 9年(1668)에 郡을 두었고, 英祖 4年(1728)에 縣으로 강등하였다가, 同 17年(1741)에 복구하였고, 正祖 初年(1776)에 또 縣으로 강등하였다가, 同 9年(1785)에 復舊하였다. 옛 治所는 乾止山 아래에 있었는데 英祖 23年(1747)에 葛山으로 옮겼다.(三·麗·輿)

○ 1895년에 楊根郡으로 고쳤다가, 1908년에 砥平縣과 합하여 <楊平郡>이라 하였다.(增)

○ 지금의 京畿道 楊平郡.

▶ 砥平 − 5.03. 참조.

원 문

4.4. <黑壤郡>(一云<黃壤郡>.), 本【高句麗】<今勿奴郡>, [景德王]改名, 今<鎭州>. 領縣二: <都西縣>, 本【高句麗】<道西縣>, [景德王]改名, 今<道安縣>; <陰城縣>, 本【高句麗】<仍忽縣>, [景德王]改名, 今因之.

번 역

4.4. <흑양군(또는 황양군)>은 원래 【고구려】의 <금물노군>이었던 것을 [경덕왕]이 개칭한 것이다. 지금의 <진주>이다. 이 군에 속한 현은 둘이다. <도서현>은 원래 【고구려】의 <도서현>이었던 것을 [경덕왕]이 개칭한 것이다. 지금의 <도안현>이다. <음성현>은 원래 【고구려】의 <잉홀현>이었던 것을 [경덕왕]이 개칭한 것이다. 지금도 그대로 부른다.

변 천

4.4. 黑壤郡 - 원래 高句麗 今勿奴(또는 萬弩, 首知, 新知)郡인데, 新羅 景德王이 黑壤(또는 黃壤)郡으로 고치고, 高麗初에는 <降州>로 부르다가 뒤에 <鎭州>로 고치고, 成宗 14年(995)에 刺史를 두었다가, 穆宗 8年(1005)에 없애고, 顯宗 9年(1018)에 淸州에 속하였다. 高宗 46年(1259)에는 林衍의 內鄕이라 하여 <彰義縣>으로 昇格하고 令을 두었는데, 元宗 10年(1269)에 또 林衍의 공이 있다 하여 知義寧郡事로 昇格하였다가, 衍이 죽임을 당하니, 다시 강등하여 <鎭州>로 부르고 監務를 두었다. 朝鮮 太宗 13年(1413)에 <鎭川>으로 고쳐서 縣監을 두었고, 燕山君 11年(1505)에 京畿道에 속하였다가, 中宗 初에 다시 회복되었다.(三·麗·輿·文)

○ 또 다른 지명은 <常山>으로, 高麗 成宗 때 지은 것이다.(麗)

○ 1895년에 鎭川郡으로 昇格하였고, 1914년에 京畿道 竹山郡 南面의 加尺里·東注里가 편입되었다.(增)

○ 지금의 忠淸北道 鎭川郡.

4.4.1. 都西縣 - 본래 高句麗 道西縣인데, 新羅 景德王이 <都西>로 고쳐서 黑壤(또는 漢州)郡 領縣으로 삼았다가, 高麗初에 <道安縣>으로 고치고, 顯宗 9年(1018)에 淸州로 소속시켰다. 朝鮮 太宗 5年(1405)에는 <淸塘·道安> 두 縣의 땅이 좁고, 인구가 적어 합병시켜 <淸安>으로 고치고 監務를 두었다가, 同 13년(1413)에 고쳐서 縣監이 되었다.(三·麗·輿·文)

○ 淸塘縣 - <靑淵>이라고도 하며, 高麗 시대에 와서 <靑塘>으로 고쳐서 <淸州>에 소속시켰다가 뒤에 朝鮮 太宗 5年(1405)에 監務를 두어서 <道安縣>을 함께 관할하게 하였다.

○ 1895년에 淸安郡으로 昇格되었다가, 1914년에 西面은 떼어서 淸州에 속하게 하고, 그 나머지 一圓은 槐山郡에 편입되었다.(增)

○ 지금의 忠淸北道 槐山郡 道安面, 淸安面.

4.4.2. 陰城縣 - 본래 高句麗 仍忽縣이었는데, 新羅 景德王이 <陰城>으로 고쳐서 黑壤(鎭川)郡 領縣으로 삼았다. 高麗 시대에 忠州郡에 속하였고 뒤에 監務를 두었다가, 朝鮮 太宗 13年(1413)에 縣監이 되었고, 宣祖 25年(1592)에는 <淸安>에 편입되었다가, 光海主 10年(1618)에 復舊하여 縣이 되었다.(三·麗·輿·文)

○ 1895년에 고쳐서 陰城郡으로 하고, 1914년에 法旺面·石院里 一部와 豆衣面·龍山里 一部는 京畿道 <利川郡>에 소속되고, 忠州郡 蘇波面·沙伊面과 京畿道 陰竹郡 東面·老坪里 一部, 下栗面·叢谷里 一部, 上栗面·八星里 一部, 石橋村 一部가 편입되었다.(增)

○ 지금의 忠淸北道 陰城郡.

원 문

4.5. <介山郡>, 本 【高句麗】<皆次山郡>, [景德王]改名, 今<竹州>. 領縣一: <陰竹縣>, 本 【高句麗】<奴音竹縣>, [景德王]改名, 今因之.

번 역

4.5. <개산군>은 원래 【고구려】의 <개차산군>이었던 것을 [경덕왕]이 개칭한 것이다. 지금의 <죽주>이다. 이 군에 속한 현은 하나이다. <음죽현>은 원래 【고구려】의 <노

음죽현>이었던 것을 [경덕왕]이 개칭한 것이다. 지금도 그대로 부른다.

변 천

4.5. 介山郡 − 본래 高句麗 皆次山郡인데, 新羅 景德王이 <介山郡>으로 고쳤다. 高麗初에 <竹州>로 고치고, 成宗 14年(995)에 團練使를 두었다가, 穆宗 8年(1005)에 폐지하고, 顯宗 9年(1018)에 廣州에 속하였다. 明宗 2年(1172)에 監務를 두었고, 朝鮮 太宗 13年(1413)에 <竹山>으로 고쳐서 縣監을 두었다가, 中宗 38年(1543)에 昇格하여 府가 되고, 宣祖 17年(1584)에 강등하여 縣이 되었다가, 同 29年(1596)에 다시 昇格하여 府를 두었다.(三·麗·輿·文)

○ 또 다른 지명은 陰平으로 高麗 成宗 때 지은 것이다. 延昌이라고도 부른다.(麗)

○ 1895년에 竹山郡으로 고쳤다가, 1914년에 安城, 陽城, 竹山 등 세 郡을 병합하여 安城郡을 두었다.(地)

○ 1998년에 安城郡을 安城市로 昇格하였다.(地)

○ 지금의 京畿道 安城市 竹山面.

4.5.1. 陰竹縣 − 본래 高句麗 奴音竹縣인데, 新羅 景德王이 <陰竹>으로 고쳐서 介山(竹山)郡 領縣으로 삼았다. 高麗 縣宗 9年(1018)에 忠州에 소속시켰다가 뒤에 監務를 두었고, 朝鮮 太宗 13年(1413)에 縣監으로 고쳐서 忠淸道에서 京畿道로 소속시켰다. 宣朝 때에는 <竹山>으로 편입하였다가 곧 復舊하였다.(三·麗·輿)

○ 1895년에 利川郡에 편입하였다가 곧 다시 陰竹郡을 두었는데, 1914년에 郡을 폐지하고, 東面 老坪里 一部, 下栗面 叢谷里 一部, 上栗里·八星里 一部, 石橋村 一部를 忠淸北道 <陰城郡>에 편입하고, 그 나머지는 京畿道 <利川郡>에 편입하였다.(增)

○ 지금의 京畿道 利川市와 忠淸北道 陰城郡.

▶ 竹山 − 4.5. 참조.

원 문

4.6. <白城郡>, 本【高句麗】<奈兮忽>, [景德王]改名, 今<安城郡>. 領縣二: <赤城縣>, 本【高句麗】<沙伏忽>, [景德王]改名, 今<陽城縣>; <蛇山縣>, 本【高句麗】蛇山縣, [景德王]因之, 今<稷山縣>.

번 역

4.6. <백성군>은 원래【고구려】의 <나혜홀>이었던 것을 [경덕왕]이 개칭하였다. 지금의 <안성군>이다. 이 군에 속한 현은 둘이다. <적성현>은 원래【고구려】의 <사복홀>이었던 것을 [경덕왕]이 개칭한 것이다. 지금의 <양성현>이다. <사산현>은 원래<고구려>의 현으로 [경덕왕]도 이 이름을 따랐다. 지금의 <직산현>이다.

변 천

4.6. 白城郡 ― 본래 高句麗 奈兮忽인데, 新羅 景德王이 <白城郡>으로 고쳤다. 高麗初에 <安城>으로 고쳐서 縣이 되었다가, 顯宗 9年(1018)에 水州(水原)에 속하였고, 뒤에 天安에 소속되었다가, 明宗 2年(1172)에 監務를 두었고, 恭愍王 10年(1361)에 홍건적이 松都에 침입하므로 왕이 南으로 피신할 때, 賊이 先鋒을 보내서 항복을 요구하였다. 楊廣(京畿)道 州郡이 이 때에 감히 적의 기세를 꺾을 수 없었으나, 오직 本郡人이 거짓 항복하여 잔치를 베풀고 음식을 대접하다가, 그 醉한 틈을 이용하여 魁首 6人을 죽이니 賊은 이 일이 있은 후로 敢히 南下하지 못하였다. 同 11년(1362)에 그 功을 인정하여 이곳을 郡으로 昇格하여 安城이라 하고 水原任內의 陽良·甘彌呑·馬田·薪曲의 4部曲을 편입시켰으나, 뒤에 金鏞이 賂物을 받고 3部曲을 다시 水原에 還屬시켰다. 朝鮮 시대에도 그대로 부르다가, 太宗 13年(1413)에 忠淸道에서 京畿道로 관할을 바꾸었다.(三·麗·輿)

  ○ 1914년에 安城, 陽城, 竹山 등 세 郡을 병합하여 安城郡으로 하였다.(地)
  ○ 1998년에 安城郡을 安城市로 昇格하였다.(地)

○ 지금의 京畿道 安城市.

4.6.1. 赤城縣 — 본래 高句麗 沙伏忽인데, 新羅 景德王이 <赤城>으로 고쳐서 白城(安城)郡 領縣으로 삼았다. 高麗 顯宗 5年(1014)에 水州(水原)로 속하였다가, 明宗 5年(1175)에 監務를 두고<陽城>으로 고쳤는데, 朝鮮 太宗 13年(1413)에 고쳐서 縣監이 되어 忠淸道에서 京畿道로 소속시켰다.(三·麗·輿)

○ 1895년에 陽城郡으로 하였다가, 1914년에 安城郡에 편입하였다.(地)

○ 1998년에 安城郡이 安城市로 昇格되었다.(地)

○ 지금의 京畿道 安城市 陽城面.

4.6.2. 蛇山縣 — 본래 慰禮城인데, 百濟 始祖 溫祚王이 卒本夫餘에서 南으로 내려와 여기서 開國하여 도읍을 정하였다. 뒤에 高句麗가 빼앗아서 <蛇山縣>으로 고쳤고, 新羅는 그대로 부르다가 白城(安城)郡 領縣으로 삼았다. 高麗初에 <稷山>으로 고쳤고, 顯宗 9年(1018)에 天安府로 속하였는데 뒤에 監務를 두었으며, 朝鮮 定宗 2年(1400)에 縣人宦者 金淵이 명나라에 들어가 벼슬을 지냈으므로 昇格하여 知郡이 되었다. 太宗 9年(1401)에 다시 降等하여 監務가 되고, 燕山君 11年(1505)에 京畿道로 옮겨 소속되었다가, 中宗初에 復舊하여 忠淸道로 편입되었다.(三·麗·輿·文)

○ 1895년에 稷山郡으로 昇格하였다가, 1914년에 天安郡에 합쳐졌다.(增)

○ 1963년 天安郡의 天安邑과 歡城面을 통합하여 天安市로 승격하였다.(地)

○ 지금의 忠淸南道 天安市 稷山邑.

◇ 天安 — 忠淸南道에 있는 지명으로 본래 東西 兜率의 땅이다. 高麗 太祖 13年(930)에 민간에 전하는 말에 의하면, "점술가 藝方이 계시하기를 三國의 中心이요, 다섯 용이 여의주를 다투는 지세이니 만일 큰 관청을 설치하면 百濟가 스스로 항복하리라 하므로, 太祖가 그 山에 올라 주위를 둘러보고 府를 두었다." 하였으며, 李詹集에는 "王氏의 始祖가 倪方의 말을 듣고 이에 蛇山(稷山)·湯井(溫陽)·大木嶺(木川) 3邑의 땅을 떼어서 天安府를 두었다."고 말하고 있다. 東西 兜率의 땅을 합하여 天安府를 만들고 都督을 두었는데, 成宗 14年(995)에 懽州都團練使로 고쳤다가, 穆宗

8年(1005)에 團練使를 없애고 옛 이름으로 回復하여 知府事가 되었다. 顯宗이 다시 天安으로 고치고, 高宗 43年(1256)에 몽고군을 피하여 仙藏島로 들어갔다가 뒤에 육지로 나와서 옛 땅으로 돌아오고, 忠宣王 2年(1310)에 여러 牧·府를 폐지하므로 寧州로 고쳤다가, 恭愍王 11年(1362)에 天安府가 되고, 朝鮮 太宗 13年(1413)에 寧山郡으로 고쳤다가, 同 16年 丙申에 다시 <天安>으로 고쳤다.(三·麗·興·文)

○ 또 다른 지명은 任歡이다.(麗)

○ 1914년에 木川 一圓, 稷山 一圓이 편입되었다.(增)

○ 지금의 忠淸南道 天安市.

원 문

4.7. <水城郡>, 本【高句麗】<買忽郡>, [景德王]改名, 今<水州>.

번 역

4.7. <수성군>은 원래【고구려】의 <매홀군>이었던 것을 [경덕왕]이 개칭한 것이다. 지금의 <수주>이다.

변 천

4.7. 水城郡 - 본래 高句麗 買忽郡인데, 新羅 景德王이 <水城>으로 고쳤다. 高麗 太祖가 남쪽을 정벌할 때, 郡人 金七·崔承珪 等 200餘 人이 歸順하여 도왔으므로, 그 功으로 昇格하여 水州라 하였다가, 成宗 14年(995)에 團練使를 두었고, 穆宗 8年(1005)에 폐지하고, 顯宗 9年(1018)에 다시 知州事가 되었다. 元宗 12年(1271)에 좁은 길목을 굳게 지키고 있었는데 蒙古軍이 大部島에 들어가서 居民을 약탈하므로 島人들이 분노하여 몽고군을 죽이고 거사함에 副使 安悅이 군사를 거느리고 토벌하였으므로, 그 功으로 <水原都護府>로 昇格하였고, 뒤에 <仁州>로 고쳤다가 다시 <水州牧>으로

昇格하였으나, 忠宣王 2年(1310)에 여러 牧을 폐지할 때, 降等하여 다시 <水原府>가 되었다. 恭愍王 11年(1362)에 홍건적이 先鋒을 보내서 楊廣道 州郡의 항복을 요구할 때, 府人이 가장 먼저 스스로 항복하여 賊勢를 더욱 확장하게 하였으므로 강등하여 郡이 되었다가, 郡人이 宰臣 金鏞에게 뇌물을 주어 다시 府가 되었다. 朝鮮 太宗 13年 (1413)에 고쳐서 都護府가 되었으며, 世祖 때에는 鎭을 두고 또 判官을 두었다가, 中宗 21年(1526)에 府民 중에 그 父母를 죽인 자가 있다고 하여 강등하여 郡이 되었다가, 同 30年 乙未에 復舊하였다. 正祖 13年(1789)에 郡治를 八達山 아래로 옮기고 廣州 두 面을 더하니 옛 治所와 거리가 22里나 되어 昇格하여 府로 삼고 留守를 두었다.(三·麗·輿·文)

○ 또 다른 지명은 漢南으로 高麗 成宗 때 지은 것이다. 隨城이라고도 부른다.(麗)

○ 1895년에 水原郡이 되고, 1914년에 宗德面·栗北面·水北面·土津面·西新里面·靑城面·宿城面·梧井面·堰北面·浦內面·玄岩面·安外面·升良面·佳士面·廣德面이 <振威郡>에 편입되고, 南陽郡(靈興面·大阜面은 제외) 一圓과 廣州郡의 儀谷面·旺倫面과 安山郡의 月谷面·北方面·聲串面이 水原郡에 편입되었다.(增)

○ 1931년 水原面이 水原邑으로, 1949년 水原邑이 水原市로 승격하고, 1963년 華城郡 日旺面(11개里), 台章面(3개里), 安龍面(6개里)이 편입하였다.(地)

○ 지금의 京畿道 水原市.

원 문

4.8. <唐恩郡>, 本【高句麗】<唐城郡>, [景德王]改名, 今復故. 領縣二: <車城縣>, 本【高句麗】<上(一作車)忽縣>, [景德王]改名, 今<龍城縣>; <振威縣>, 本【高句麗】<釜山縣>, [景德王]改名, 今因之.

번 역

4.8. <당은군>은 원래【고구려】의 <당성군>이었던 것을 [경덕왕]이 개칭한 것이다.

지금은 옛 이름으로 회복되었다. 이 군에 속한 현은 둘이다. <차성현>은 원래 【고구려】
의 <상(또는 차(車))홀현>이었던 것을 [경덕왕]이 개칭한 것이다. 지금의 <용성현>이다.
<진위현>은 원래 【고구려】의 <부산현>이었던 것을 [경덕왕]이 개칭한 것이다. 지금도
그대로 부른다.

변 천

4.8. 唐恩郡 − 본래 高句麗 唐城郡인데, 新羅 景德王이 <唐恩郡>으로 고쳤다가, 興德王
이 폐지하고 鎭을 삼았다. 高麗初에 옛 지명으로 回復하고, 顯宗 9年(1018)에는 水州
(水原)에 합병되어 仁州(仁川)로 소속되었다가, 明宗 2年(1172)에 다시 監務를 두었고,
忠烈王 16年(1290)에는 洪茶丘(邑人으로서 元에 벼슬하여 征東行省右丞이 된 자)의 고
향이라 하여 知益州事로 昇格하였다가 곧 다시 江寧都護府라 하였고, 同 34年(1308)
에 또 昇格하여 <益州牧>이 되었다가, 忠宣王 2年(1310)에 여러 牧을 없애므로 강등
하여 <南陽府>가 되었다. 朝鮮 太宗 13年(1413)에 고쳐서 都護府가 되었고, 仁祖 22
年(1644)에 縣으로 강등하였다가, 孝宗 4年(1653)에 다시 회복하고, 顯宗 2年(1661)에
다시 강등하였다가, 同 15年 甲寅에 다시 復舊하였다.(三·麗·興·文)

  ○ 1895년에 仁川府 管轄의 唐恩郡이 되었다가, 1914년에 郡을 없애고 靈興面·大阜
    面은 富平郡에 편입하고, 그 나머지는 水原郡에 합쳐졌다.(增).

  ○ 1949년 水原邑이 市로 昇格하자 水原郡을 華城郡으로 바꾸고, 2001년 華城郡을 華
    城市로 昇格하였다.(地)

  ○ 지금의 京畿道 華城市 南陽洞.

4.8.1. 車城縣 − 본래 高句麗 上忽(또는 車忽)縣인데, 新羅 景德王이 <車城>으로 고쳐서
唐恩(南陽)郡 領縣으로 삼았다. 高麗初에 <龍城>으로 고치고, 顯宗 9年(1018)에 水原
으로 편입하였다.(三·麗·興·文)

  ○ 지금의 京畿道 水原市 台安邑(舊 安龍面).

    ▶ 水原 − 4.7. 참조.

4.8.2. 振威縣 − 본래 高句麗 釜山(또는 古淵達部曲, 金山, 松村活達)縣인데, 新羅 景德王
이 <振威>로 고쳐서 水城(水原)郡 領縣으로 삼았다. 高麗 시대에도 그대로 부르다가,
明宗 2年(1172)에 다시 監務를 두었다. 뒤에 昇格하여 縣令이 되었고, 朝鮮 시대에도
그대로 부르다가, 太祖 7年(1398)에 忠淸道에서 京畿道로 편입하였다.(三・麗・輿・文)

○ 1895년에 振威郡으로 昇格하였고, 1914년에는 水原郡의 宗德面・栗北面・水北面・
土津面・西新里面・靑龍面・宿城面・梧井面・堰北面・浦內面・玄巖面・安外面・
升良面・佳士面・廣德面과 忠淸南道 平澤郡 일대를 합병하였다.(增)

○ 1938년 振威郡을 平澤郡으로 바꾸고, 1995년 松炭市, 平澤市, 平澤郡을 통합하여
平澤市로 하였다.(地)

○ 지금의 京畿道 平澤市 振威面.

원 문

4.9. <栗津郡>, 本【高句麗】<栗木郡>, [景德王]改名, 今<菓州>. 領縣三: <穀壤
縣{穀陽縣}>, 本【高句麗】<仍伐奴縣>, [景德王]改名, 今<黔州>; <孔巖縣>, 本【高
句麗】<濟次巴衣縣>, [景德王]改名, 今因之; <邵城縣>, 本【高句麗】<買召忽縣>,
[景德王]改名, 今<仁州>(一云<慶原買召>)(一作 <彌鄒>).

번 역

4.9. <율진군>은 원래 【고구려】의 <율목군>이었던 것을 [경덕왕]이 개칭한 것이다.
지금의 <과주>이다. 이 군에 속한 현은 셋이다. <곡양현>은 원래 【고구려】의 <잉벌노
현>이었던 것을 [경덕왕]이 개칭한 것이다. 지금의 <검주>이다. <공암현>은 원래 【고
구려】의 <제차파의현>이었던 것을 [경덕왕]이 개칭한 것이다. 지금도 그대로 부른다. <소
성현>은 원래 【고구려】의 <매소홀현>이었던 것을 [경덕왕]이 개칭한 것이다. 지금의 <인
주(또는 경원매소, 미추)>이다.

변 천

4.9. 栗津郡 - 본래 高句麗 栗木(冬斯肹)縣인데, 新羅 景德王이 <栗津郡>으로 고쳤다. 高麗初에는 <果州>로 고쳤다가, 顯宗 9年(1018)에 廣州로 소속되었고 뒤에 監務를 다시 두었다. 朝鮮 太宗 13年(1413)에는 衿川과 합병하여 衿果라 부르다가 몇 달만에 폐지하고, 世祖 때에는 衿川을 <果川>에 합병하였다가, 또 얼마 안 있어 각각 복구하였다.(三·麗·輿·文)

○ 또 다른 지명은 富安으로 高麗 成宗 때 지은 것이다. 富林이라고도 부른다.(麗)

○ 1895년에 果川郡으로 昇格하였다가, 1914년에 衿川(始興), 安山, 果川의 세 郡을 始興郡에 합병하였다.(地)

○ 1979년 京畿道 果川地區 支援事業所를 설치하고, 1982년 京畿道 果川地區 支援事業所를 果川地區出張所로 昇格해서, 1986년 果川地區出張所가 果川市로 昇格하였다.(地)

○ 지금의 京畿道 果川市.

4.9.1. 穀壤(陽)縣 - 본래 高句麗 仍伐奴縣인데, 新羅 景德王이 <穀壤>으로 고쳐서 栗津(果川)郡 領縣으로 삼았다. 高麗初에 衿州(또는 黔州)로 고치고, 成宗 14年(995)에 團練使를 두었는데, 穆宗 8年(1005)에 폐지하고, 顯宗 9年(1018)에 樹州(富平)에 속하였다가, 明宗 2年(1172)에 監務를 두었다. 朝鮮 太宗 14年(1414)에 果州(果川)를 합쳐서 衿果縣이 되었다가 몇 달 뒤에 폐지하고, 또 陽川을 합쳐서 衿陽縣이라 하다가 1年만에 폐지하고, 同 16年(1416)에 <衿川>으로 고쳐서 縣監이 되었는데, 世祖 때에는 果川과 합하였다가, 얼마 뒤에 복구하고 뒤에 <始興>으로 고쳤다.(三·麗·輿)

○ 1895년에 始興郡으로 昇格하였다가, 1914년에 安山, 果川의 두 郡을 始興郡에 합병하였다.(地)

○ 1989년 始興郡 蘇萊邑, 秀岩面, 君子面을 始興市로 승격하고 始興郡을 폐지하였다.(地)

○ 지금의 京畿道 始興市.

4.9.2. 孔巖縣 — 본래 高句麗 齊次巴衣縣인데, 新羅 景德王이 <孔巖>으로 고쳐서 栗津(果川)郡 領縣으로 삼았다. 高麗 顯宗 9年(1018)에는 樹州(富平)에 속하였다가, 忠宣王 2年(1310)에 <陽川>으로 고쳐서 縣令을 두었고, 朝鮮 시대에도 그대로 불렀다.(三·麗·輿)

　　ㅇ 1895년에 陽川郡으로 昇格하였다가, 1914년에 金浦郡, 陽川郡, 通津面 등을 통합하여 金浦郡으로 하였다. 이때, 옛 陽川郡은 陽東面과 陽西面으로 통합되었다.(地)

　　ㅇ 1963년 金浦郡의 陽東面과 陽西面은 서울특별시 영등포구로 편입되었다.(地)

　　ㅇ 1977년 永登浦區의 일부로 江西區를 신설, 1988년 江西區 중 일부로 陽川區(옛 陽川郡의 일부)를 신설했다.(地)

　　ㅇ 현재의 서울특별시 陽川區.

4.9.3. 邵城縣 — 본래 高句麗 買召忽(또는 彌鄒忽, 彌趨忽)縣인데, 新羅 景德王이 <邵城>으로 고쳐서 栗津(果川)郡 領縣으로 삼았다. 高麗 顯宗 9年(1018)에 樹州(富平)에 속하였다가, 肅宗 때에 와서는 皇妣 仁睿王后 李氏(大覺國師의 母親)의 고향이라 하여 慶源郡으로 昇格하였고, 仁宗 때에는 또 다시 皇妣 順德王后 李氏의 고향이라 하여 仁州로 고쳐서 知州事를 삼았고, 恭讓王 2年(1390)에는 7代 御鄕이라 하여 慶源府로 昇格하였다. 朝鮮 太祖 元年(1392)에 다시 仁州라 하였고, 太宗 13年(1413)에는 <仁川>으로 고쳐서 郡이 되었다가, 世祖 7年(1461)에는 昭憲王后의 외가라 하여 都護府로 昇格하였고, 中宗 21年(1526)에는 水原鎭을 없애고 이 곳으로 옮겼는데, 肅宗 14年(1688)에 縣으로 강등하였다가, 同 24年(1698)에 복구하였다.(三·麗·輿·文)

　　ㅇ 1895년에 仁川府가 되어 12郡을 거느렸는데, 1914년에 府로 그대로 두었고 府 바깥의 땅은 富平郡과 合하여 富川郡으로 하였다.(增)

　　ㅇ 1949년 仁川府를 仁川市로 바꾸고, 1981년 仁川直轄市로 昇格하고, 1995년 仁川直轄市를 仁川廣域市로 바꾸었다.(地)

　　ㅇ 지금의 仁川廣域市.

원 문

> 4.10.   <獐口郡>, 本【高句麗】<獐項口縣>, [景德王]改名, 今<安山縣>.

번 역

　4.10.   <장구군>은 원래【고구려】의 <장항구현>이었던 것을 [경덕왕]이 개칭한 것이
다. 지금의 <안산현>이다.

변 천

4.10.   獐口郡 － 본래 高句麗 獐項口(또는 古斯也忽次)縣인데, 新羅 景德王이 <獐口郡>
으로 고쳤다. 高麗初에 <安山郡>으로 고치고, 顯宗 9年(1018)에 水原으로 속하였다
가 뒤에 監務를 두었고, 忠烈王 34年(1308)에 文宗이 탄생한 곳이라 하여 知郡事로 昇
格하였고, 조선시대에도 그대로 불렀다.(三・麗・興・文)
　○ 1895년에 安山郡으로 昇格하였다가, 1914년에 衿川(始興), 安山, 果川의 세 郡을 始
　　興郡에 합병하였다.(地)
　○ 1976년 京畿道 半月都市 開發支援 事業所 설치하고, 1979년 京畿道 半月都市 開發
　　支援 事業所가 京畿道 半月出張所로 昇格하고, 1986년 京畿道 半月出張所를 安山
　　市로 昇格하였다.(地)
　○ 지금의 京畿道 安山市.

원 문

> 4.11.   <長堤郡>, 本【高句麗】<主夫吐郡>, [景德王]改名, 今<樹州>. 領縣四: <戌
> 城縣>, 本【高句麗】<首尒忽>, [景德王]改名, 今<守安縣>; <金浦縣>, 本【高句
> 麗】<黔浦縣>, [景德王]改名, 今因之; <童城縣>, 本【高句麗】<童子忽>(一云<幢山

縣{幢山縣}>.)縣>, [景德王]改名, 今因之; <分津縣>, 本【高句麗】<平唯押縣{平淮押縣}>, [景德王]改名, 今<通津縣>.

번 역

4.11. <장제군>은 원래【고구려】의 <주부토군>이었던 것을 [경덕왕]이 개칭한 것이다. 지금의 <수주>이다. 이 군에 속한 현은 넷이다. <수성현>은 원래【고구려】의 <수이홀>로서 [경덕왕]이 개칭하였다. 지금의 <수안현>이다. <김포현>은 원래【고구려】의 <검포현>이었던 것을 [경덕왕]이 개칭한 것이다. 지금도 그대로 부른다. <동성현>은 원래【고구려】의 <동자홀(또는 동산)현>으로서 [경덕왕]이 개칭하였다. 지금도 그대로 부른다. <분진현>은 원래【고구려】의 <평유압현>이었던 것을 [경덕왕]이 개칭한 것이다. 지금의 <통진현>이다.

변 천

4.11. 長堤郡 - 본래 高句麗 主夫吐郡인데, 新羅 景德王이 <長堤>로 고쳤다. 高麗初에 <樹州>로 고치고, 成宗 14年(995)에 團練使를 두었다가, 穆宗 8年(1005)에 폐지하고, 顯宗 9年(1018)에 知州事로 고쳤는데, 毅宗 4年(1150)에 다시 <安南都護府>를 만들었고, 高宗 2年(1215)에 또 <桂陽都護府>로 고쳤다. 忠烈王 34年(1308)에 昇格하여 <吉州牧>이 되었고, 忠宣王 2年(1310)에 여러 牧을 없애므로 강등하여 <富平府>가 되었다. 朝鮮 太宗 13年(1413)에 都護府가 되었고, 世宗 20年(1438)에 강등하여 縣令이 되었고, 同 28年(1446)에 복구하였다가, 燕山君 11年(1505)에 府의 백성이 관리 金舜孫을 죽이므로 郡을 폐지하였다가, 中宗 元年(1506)에 복구하였는데, 肅宗 24年(1698)에 縣으로 강등하였다가, 同 33年(1707)에 복구하였다.(三·麗·輿·文)

o 1895년에 富平郡이 되고, 1914년에 南陽郡의 靈興·大阜 두 面과 仁川府의 舊邑面·永宗面·西面·南村面·德積面 및 多所面內의 仁川府에 屬하지 않은 지역과 江華郡의 信島·矢島·芧島·長峰島이 合하여 富川郡이 되었다.(增)

o 1973년 富川郡을 폐지하고, 素砂邑 一圓을 富川市로 승격하였다.(地)

○ 지금의 京畿道 富川市.

※ 행정구역으로는 京畿道 富川市이나 지명은 仁川廣域市 富平區와 桂陽區 등에 그 지명이 남아 있다.

4.11.1. 戍城縣 － 본래 高句麗 首爾忽인데, 新羅 景德王이 <戍城>으로 고쳐서 長堤(富平)郡 領縣으로 삼았다. 高麗初에 <守安>으로 고쳐서 그대로 소속시켰고 뒤에 樹州(富平)에 편입시켰다가, 明宗 2年(1172) 壬辰에 監務를 처음 두었고, 恭讓王 3年(1391)에 <通津縣>에 편입시켰다.(三・麗・輿)

○ 1895년에는 仁川府 관할의 通津郡으로 하였다가, 1914년에 通津・陽川・두 郡을 金浦郡에 편입하였다.

○ 지금의 京畿道 金浦市 通津面.

4.11.2. 金浦縣 － 본래 高句麗 黔浦縣인데, 新羅 景德王이 <金浦>로 고쳐서 長堤(富平)郡 領縣으로 삼았다. 高麗 顯宗 9年(1018)에 그대로 소속되었고, 뒤에는 樹州(仁川)에 속하였다가, 明宗 2年(1172)에 監務를 처음 두었다. 神宗 元年(1198)에 御胎를 縣地에 묻었다고 하여 昇格하여 縣令官이 되었고, 朝鮮 太祖 때에는 富平에 속하였다가 곧 따로 분리되었고, 太宗 14年(1414)에 陽川을 없애고 金浦縣에 합쳐서 金陽縣이라 하였다가 얼마 뒤에 陽川을 衿川(果川)에 합치고, 金浦縣을 富平에 속하였다가, 同 16年에 다시 각각 縣이 되어 令을 두었고, 仁祖 11年(1633)에 郡으로 昇格하였다.(三・麗・輿・文)

○ 1895년에는 仁川府 관할의 金浦郡이 되었다가, 1914년에 通津・陽川 두 郡을 金浦郡에 편입하고, 1979년 金浦面을 邑으로 승격하고, 1998년 金浦郡을 金浦市로 승격하였다.(地)

○ 지금의 京畿道 金浦市.

4.11.3. 童城縣 － 본래 高句麗 童子忽(또는 幢山縣, 仇斯波衣)縣인데, 新羅 景德王이 <童城>으로 고쳐서 長堤(富平)郡 領縣으로 삼았다. 高麗 시대에도 그대로 불렀고, 樹州(仁川)에 속하였다가, 明宗 때에 다시 회복하였고, 恭讓王 3年(1391)에 通津縣에 편입

시켰다.(三·麗·輿·文)

○ 1895년에는 仁川府 관할의 通津郡이 되었다가, 1914년에 通津·陽川 두 郡이 金浦郡에 편입되었다.(增)

○ 지금의 京畿道 金浦市 通津面.

4.11.4. 分津縣 - 본래 高句麗 平淮押(또는 平唯押, 北史城, 毛史城, 別史波衣, 別史波兒)縣인데, 新羅 景德王이 <分津>으로 고쳐서 長堤(富平)郡 領縣으로 삼았다. 高麗가 <通津>으로 고쳐서 그대로 소속시켰다가, 顯宗 때에 樹州(富平)에 소속시켰고, 恭讓王이 監務를 두었다. 朝鮮 시대에도 그대로 부르다가, 太宗 13年(1413)에 縣監이 되었고, 肅宗 20年(1694)에 府로 昇格하였다.(三·麗·輿·文)

○ 1895년에 고쳐서 通津郡으로 하였다가, 1914년에 通津·陽川 두 郡이 金浦郡에 편입되었다.(增)

○ 지금의 京畿道 金浦市 通津面.

원 문

4.12. <漢陽郡>, 本【高句麗】<北漢山郡>(一云<平壤>.), <眞興王>爲州, 置軍主, [景德王]改名, 今<楊州>舊墟. 領縣二: <荒壤縣>, 本【高句麗】<骨衣奴縣>, [景德王]改名, 今<豐壤縣>; <遇王縣>, 本【高句麗】<皆伯縣>, [景德王]改名, 今<幸州>.

번 역

4.12. <한양군>은 원래【고구려】의 <북한산군(또는 평양)>으로 [진흥왕]이 주로 만들어 군주를 두었다. [경덕왕]이 이를 <한양군>으로 개칭하였다. 지금 <양주>의 옛 터이다. 이 군에 속한 현은 둘이다. <황양현>은 원래【고구려】의 <골의노현>이었던 것을 [경덕왕]이 개칭한 것이다. 지금의 <풍양현>이다. <우왕현>은 원래【고구려】의 <개백

현>이었던 것을 [경덕왕]이 개칭한 것이다. 지금의 <행주>이다.

변 천

4.12. 漢陽郡 - 본래 高句麗 北漢山州인데, 百濟 溫祚王이 땅을 빼앗아 城을 쌓고 近肖古王이 南漢山에서 이곳으로 도읍을 옮겼다. 105年이 지난 蓋鹵王때에 高句麗 長壽王이 都城을 포위하므로 蓋鹵王이 도주하다가 살해당하고, 아들 文周王이 熊津(公州)으로 수도를 옮겼다. 뒤에 新羅 眞興王이 北漢山에 경계를 정하고, 18年(557)에는 北漢山州 軍主를 두었고, 景德王은 漢陽郡으로 고쳤다. 高麗初에는 <楊州>로 고치고, 成宗初에 10道를 정하고 12州 節度使를 둘 때에 左神策軍이라 부르며 海州와 함께 左右 두 축이 되어 關內道에 屬하였는데, 顯宗이 安撫使로 고쳤다가 다시 降等하여 知州事를 삼아 楊廣道에 편입시켰고, 文宗 때에는 南京留守官으로 昇格시키고 이웃 郡의 백성을 옮겨서 살게 하였다. 肅宗 때에 金謂磾가 "道詵의 비밀리에 적은 기록에 의거하여 楊州에 木覓壤이 있으니 가히 都城을 세울 만하다 하였으니 請컨대 南京으로 도읍을 옮기십시오."라고 말하니, 점성가 文象이 그 말이 옳다고 하므로 王이 친히 살펴보고 平章事 崔思諏와 知奏事 尹瓘에게 명하여 그 공사를 감독하게 하여 5年만에 完成하였다. 忠烈王은 <漢陽府>로 고치고, 恭讓王 때에는 京畿左道에 소속되었다가, 朝鮮 太祖 2年(1393)에는 여기에 도읍을 정하고 <漢城府>로 고쳤다.(輿)

○ 1895년에 漢城府가 되어 11郡을 거느렸고, 1896년에 13道로 나눌 때에는 京師 5署만을 管轄하기 위한 漢城府가 되고 判尹, 少尹을 두었다.(增)

○ 1910년 漢城府를 京城府로, 1945년 京城府를 서울시로 바꾸고, 1949년 서울시를 서울特別市로 바꾸었다.(地)

○ 지금의 서울特別市.

4.12.1. 荒壤縣 - 본래 高句麗 骨衣奴縣인데, 新羅 景德王이 <荒壤>으로 고쳐서 漢陽郡 領縣으로 삼았다. 高麗初에 <豊德>으로 고쳤다가 뒤에 <豊壤>으로 고치고, 顯宗 9年(1018) 戊午에 楊州로 속하였다가 뒤에 抱州(抱川)로 옮겨 소속되고, 朝鮮 世宗 9年(1427)에 다시 <楊州>에 편입되었다.(三・麗・輿・文)

○ 1895년 漢城府 陽州郡으로 하고, 1914년 京畿道 陽州郡으로 하였다.(地)

○ 지금의 京畿道 楊洲郡.

4.12.2. 遇王縣 − 본래 高句麗 皆白縣인데, 新羅 景德王이 <遇王>(또는 王逢)으로 고쳐서 漢陽郡 領縣으로 삼았고, 高麗初에 <幸州>(또는 德陽)로 고쳐서 楊洲에 속하였다. 朝鮮 太祖 3年(1394)에 비로소 <高峰>監務를 두고, <幸州・富原・荒調>의 세 縣을 합병하였다가, 太宗 13年(1413)에 <高峰・德陽> 두 縣의 地名을 따서 <高陽>으로 고치고 縣監을 두었다가, 成宗 2年(1471)에는 敬・昌 二陵이 있다 하여 高陽郡으로 昇格하였다. 燕山君 10年(1504)에 本郡을 없애고 그 땅을 비워서 임금의 행락지로 만들고, 남은 땅은 갈라서 이웃 읍에 부쳤다가, 中宗 元年(1506)에 다시 郡을 두었다.(三・麗・輿・文)

◇ 高陽 − 京畿道에 있는 지명으로 高峰・德陽(幸州)・富原・荒調를 합친 것이다. 高峰(또는 高烽)은 본래 高句麗 達乙省縣인데, 新羅 景德王이 高峰으로 고쳐서 交河郡 縣令을 삼았고, 高麗 顯宗 9年(1018)에 楊洲로 편입하였다.

幸州는 본래 高句麗 皆白縣인데, 新羅 景德王이 遇王(또는 王逢)으로 고쳐서 漢陽郡 領縣으로 삼았고, 高麗初에 幸州(또는 德陽)로 고쳐서 楊洲에 속하였다. 富原縣은 본래 果州 龍山處인데, 高麗 忠烈王 11年(1285)에 富原으로 고쳤다. 荒調縣(또는 荒調鄉)은 본래 富平府(또는 主葉里)이다.

朝鮮 太祖 3年(1394)에 비로소 <高峰>監務를 두고, <幸州(德陽)・富原・荒調>을 합병하였다가, 太宗 13年(1413)에 <高峰・德陽> 두 縣의 地名을 따서 <高陽>으로 고치고 縣監을 두었다가, 成宗 2年(1471)에는 敬・昌 二陵이 있다 하여 高陽郡으로 昇格되었다. 燕山君 10年(1504)에 本郡을 없애고 그 땅을 비워서 임금의 행락지로 만들고, 남은 땅은 갈라서 이웃 읍에 부쳤다가, 中宗 元年(1506)에 다시 郡을 두었다.(三・麗・輿・文)

○ 1895년에 高陽郡이 되어 漢城府의 管轄이 되었다가, 1914년에 楊洲郡의 楊州面과 京城府의 西江面・恩平面・延禧面,・及面部・龍山面・崇信面・仁昌面・漢芝面・豆毛面 중 京城에 속하지 않은 地域이 편입되었다.(增)

ㅇ 1992년 高陽郡을 高陽市로 昇格하였다.(地)

ㅇ 지금의 京畿道 高陽市.

원 문

4.13. <來蘇郡>, 本【高句麗】<買省縣>, [景德王]改名, 今<見州>. 領縣二: <重城縣>, 本【高句麗】<七重縣>, [景德王]改名, 今<積城縣>; <波平縣>, 本【高句麗】<波害平史縣{坡害平史縣}>, [景德王]改名, 今因之.

번 역

4.13. <내소군>은 원래【고구려】의 <매성현>이었던 것을 [경덕왕]이 개칭한 것이다. 지금의 <견주>이다. 이 군에 속한 현은 둘이다. <중성현>은 원래【고구려】의 <칠중현>이었던 것을 [경덕왕]이 개칭한 것이다. 지금의 <적성현>이다. <파평현>은 원래【고구려】의 <파해평사현>이었던 것을 [경덕왕]이 개칭한 것이다. 지금도 그대로 부른다.

변 천

4.13. 來蘇郡 - 본래 高句麗 買省(또는 昌化)郡인데, 新羅 景德王이 <來蘇>로 고쳤다. 高麗初에 <見州>로 昇格하였다가, 顯宗 9年(1018)에 <楊州>로 속하고, 朝鮮 太祖 3年(1394)에 도읍을 漢陽府, 즉 옛 楊州에 定하고는 州治를 東村楊津西 峨嵯山南大洞里로 옮기고 강등하여 知楊州事를 두었다가 얼마 뒤에 다시 昇格하여 府가 되고, 同 6年(1397)에는 府治를 <見州> 옛 땅으로 옮기고 <楊州>로 그대로 부르다가, 太宗 13年(1413)에 고쳐서 都護府가 되었고, 世宗 11年(1429)에 昇格하여 牧이 되고 鎭을 두었다. 燕山君 10年(1504)에 <楊州>를 없애고 그 땅을 비워서 임금의 행락지로 만들고, 나머지 땅은 갈라서 이웃 읍에 소속시켰는데, 中宗 6年(1511)에 다시 州를 두었다 (輿)

○ 1895년에 고쳐서 楊州郡으로 하였다가, 1914년에 嶺斤面은 漣川郡에 편입하고, 옛 楊州面은 高陽郡에 편입하였다.(增)

○ 지금의 京畿道 楊州郡.

4.13.1. 重城顯 – 본래 高句麗 七重(또는 灘隱別)縣인데, 新羅 景德王이 <重城>으로 고쳐서 來蘇(楊州)郡 領縣으로 삼았다. 高麗初에 <積城>으로 고치고, 顯宗 9年(1018)에 長湍屬縣이 되었다가, 文宗 16年(1062)에는 開城府로 옮겨 소속되었고, 睿宗 元年(1106)에 監務를 두었다. 朝鮮 시대에도 그대로 부르다가, 太宗 13年(1413)에 縣監이 되었다.(三·麗·輿·文)

○ 1895년에 積城郡으로 昇格하였다가, 1914년에 麻田, 積城의 두 郡과 朔寧郡의 대부분, 陽州郡 일부를 漣川郡에 편입시켰다.(地)

○ 1945년 積城面, 南面 전부와 百鶴面, 全谷面 일부가 坡州郡에 편입되고, 1996년 坡州郡을 坡州市로 昇格하였다.(地)

○ 지금의 京畿道 坡州市 積城面.

4.13.2. 波平懸 – 본래 高句麗 波害平史(또는 額蓬, 額逢)縣인데, 新羅 景德王이 坡平으로 고쳐서 來蘇(楊州)郡 領縣으로 삼았다. 高麗 顯宗 9年(1018)에 長湍郡에 속한 縣이 되었고, 文宗 16年(1062)에 開城府로 편입하였다가, 睿宗 元年(1106)에 監務를 두었는데 朝鮮 시대에도 그대로 불렀다. 太祖 7年(1398)에 <瑞原·坡平>을 합하여 <原平郡>이 되었다가, 太宗 때에 交河縣을 없애고 편입하였고, 同 15年(1415)에는 千戶 以上이 된다 하여 都護府로 昇格하였는데, 同 18年(1418)에 交河縣을 복구하니 府는 1000戶가 못 되어 당연히 府가 되지 못하게 되었으나 관리들과 백성들이 다시 상소하여 그대로 불렀다. 世祖 7年(1461)에는 王妃의 고향이라 하여 牧으로 昇格하고 <坡州>로 고쳤다. 燕山郡 10年(1504)에 本州를 폐지하고 그 땅을 비워서 임금의 행락지로 만들고, 나머지 땅은 갈라서 이웃 읍으로 편입시켰는데, 中宗 元年(1506)에 州를 다시 만들었다.(三·麗·輿·文)

○ 1895년에 고쳐서 坡州郡으로 하였고, 1914년에 交河郡 일대가 편입하고, 1996년 坡州郡을 坡州市로 승격하였다.(地)

○ 지금의 京畿道 坡州市 (坡平面).

▶ 瑞原 - 4.14.1. 참조.

원 문

4.14. <交河郡>, 本【高句麗】<泉井口縣>, [景德王]改名, 今因之. 領縣二: <峯城縣>, 本【高句麗】<述尒忽縣>, [景德王]改名, 今因之; <高烽縣{高峰縣}>, 本【高句麗】<達乙省縣>, [景德王]改名, 今因之.

번 역

4.14. <교하군>은 원래 【고구려】의 <천정구현>이었던 것을 [경덕왕]이 개칭한 것이다. 지금도 그대로 부른다. 이 군에 속한 현은 둘이다. <봉성현>은 원래 【고구려】의 <술이홀현>이었던 것을 [경덕왕]이 개칭한 것이다. 지금도 그대로 부른다. <고봉현>은 원래 【고구려】의 <달을성현>이었던 것을 [경덕왕]이 개칭한 것이다. 지금도 그대로 부른다.

변 천

4.14. 交河郡 - 본래 高句麗 泉井口(또는 屈火郡, 於乙買串)懸인데, 新羅 景德王이 <交河>로 고쳐서 郡을 만들었다. 高麗 顯宗 9年(1018)에는 楊州에 속하였다가, 朝鮮 太祖 3年(1394)에 비로소 監務를 두었고, 漢陽屬縣 <深岳>과 富平屬鄕 <石淺>을 편입시켰다. 太宗 14年(1414)에 石淺은 原平府로, 深岳은 高陽縣으로 보냈다가, 18年(1418)에 모두 다시 편입시켜 縣을 두었는데, 肅宗 13年(1687)에는 縣을 없애고 坡州에 합병하였다가, 英祖 9年(1733)에 郡으로 昇格하여 治所를 金城里로 옮겼다가 다시 朽栗里로 옮겼다. (三・麗・輿・文)

○ 또 다른 지명은 宣城이다.(麗)

○ 1895년에 또 坡州郡에 편입하였다가 곧바로 복구하여 漢城府 管轄로 하였는데, 1914년에 交河郡을 없애고 坡州郡에 합병하였다.(增)

○ 지금의 京畿道 坡州市 交河邑.

4.14.1. 峯城縣 – 본래 高句麗 述彌忽縣인데, 新羅 景德王이 <峰城>으로 고쳐서 交河郡 領縣으로 삼았다. 高麗 顯宗 9年(1018)에는 楊州로 속하고, 明宗 2年(1172)에 監務를 두었는데, 禑王 13年(1387)에 <瑞原>縣令이 되었고, 朝鮮 太祖 2年(1393)에 郡으로 昇格하였다가, 同 7年에 瑞原·坡平을 합하여 <原平郡>이 되었는데, 世祖 7年(1461)에 <坡州>로 고쳤다.(三·麗·興·文)

○ 지금의 京畿道 坡州市.

▶ 坡州 – 4.13.2. 참조.

4.14.2. 高烽(峰)縣 –본래 高句麗 達乙省縣인데, 新羅 景德王이 <高峰>으로 고쳐서 交河郡 縣令을 삼았고, 高麗 顯宗 9年(1018)에 楊洲로 편입하였다.

○ 1895년에 漢城府 管轄의 高陽郡이 되었다가, 1914년에 楊州郡 옛 楊州面과 京城府의 西江面·恩平面·延禧面,·及面部·龍山面·崇信面·仁昌面·漢芝面·豆毛面 중 京城에 속하지 않은 地域을 편입하였다.(增)

○ 1992년 高陽郡을 高陽市로 昇格하였다.(地)

○ 지금의 京畿道 高陽市.

▶ 高陽 – 4.12.2. 참조.

원 문

4.15. <堅城郡>, 本【高句麗】<馬忽郡>, [景德王]改名, 今<抱州>. 領縣二: <沙川縣>, 本【高句麗】<內乙買縣>, [景德王]改名, 今因之; <洞陰縣>, 本【高句麗】<梁骨縣>, [景德王]改名, 今因之.

번 역

4.15. <견성군>은 원래 【고구려】의 <마홀군>이었던 것을 [경덕왕]이 개칭한 것이다. 지금의 <포주>이다. 이 군에 속한 현은 둘이다. <사천현>은 원래 【고구려】의 <내을매현>이었던 것을 [경덕왕]이 개칭한 것이다. 지금도 그대로 부른다. <동음현>은 원래 【고구려】의 <양골현>이었던 것을 [경덕왕]이 개칭한 것이다. 지금도 그대로 부른다.

변 천

4.15. 堅城郡 – 본래 高句麗 馬忽(또는 命旨)郡인데, 新羅 景德王이 <堅城郡>으로 고쳤다. 高麗初에 <抱州>로 고치고, 成宗 14年(995)에 團練使를 두었다가, 穆宗 8年(1005)에 폐지하고, 顯宗 9年(1018)에 楊州에 소속시켰다가, 明宗 2年(1172)에 監務를 두었다. 朝鮮 太宗 13年(1413)에 <抱川>으로 바꾸고 縣監을 두었다가, 光海君 10年(1618)에 永平으로 편입하여 府로 하였는데, 仁祖 元年 (1623)에 각각 복구하고, 뒤에 降等하여 縣을 두었다.(三・麗・輿・文)
  ○ 또 다른 지명은 淸化이며 高麗 成宗 때 지은 것이다.(麗)
  ○ 1895년에 抱川郡으로 昇格하고, 1914년에 永平郡 一帶가 편입하였다.(增)
  ○ 지금의 京畿道 抱川郡.

4.15.1. 沙川縣 – 본래 高句麗 內乙買(또는 內爾米縣)縣인데, 新羅 景德王이 <沙川>으로 고쳐서 堅城(抱川)郡 領縣으로 삼았다. 高麗 顯宗 9年(1018)에 楊州로 편입되었고, 朝鮮 시대에도 그대로 이어 받았다.(三・麗・輿・文)
  ○ 지금의 京畿道 楊州郡.
  ▶ 陽州 – 4.13. 참조.

4.15.2. 洞陰縣 – 본래 高句麗 梁骨縣인데, 新羅 景德王이 <洞陰>으로 고쳐 서 堅城(抱川)郡 領縣으로 삼았다. 高麗 顯宗 9年(1018)에 東州(鐵原)로 속하였다가, 睿宗 元年(1106)에 監務를 두었고, 元宗 10年(1269)에는 衛社功臣 康允紹의 고향이라 하여 昇格

하여 永興縣令官이 되었다가, 朝鮮 太祖 3年(1394)에 <永平>으로 고치고, 文宗이 郡
으로 고쳤다.(三·麗·輿·文).

ㅇ 1914년에 抱川郡으로 편입되었다.(增)

ㅇ 지금의 京畿道 抱川郡 永中面 永平里.

원 문

4.16. <鐵城郡>, 本【高句麗】<鐵圓郡>, [景德王]改名, 今<東州>. 領縣二: <幢
梁縣>, 本【高句麗】<僧梁縣>, [景德王]改名, 今<僧嶺縣>; <功成縣>, 本【高句
麗】<功木達縣>, [景德王]改名, 今<獐州>.

번 역

4.16. <철성군>은 원래 【고구려】의 <철원군>이었던 것을 [경덕왕]이 개칭한 것이다.
지금의 <동주>이다. 이 군에 속한 현은 둘이다. <동량현>은 원래 【고구려】의 <승량현>
이었던 것을 [경덕왕]이 개칭한 것이다. 지금의 <승령현>이다. <공성현>은 원래 【고구
려】의 <공목달현>이었던 것을 [경덕왕]이 개칭한 것이다. 지금의 <장주>이다.

변 천

4.16. 鐵城郡 - 본래 高句麗 鐵圓(또는 毛乙冬非)郡인데, 新羅 景德王이 <鐵城郡>으로
고쳤다. 뒤에 弓裔가 군사를 일으켜 高句麗의 옛 땅을 빼앗고, 松岳郡에서 도읍을 옮
겨서 宮室을 호화스럽게 수축하고 國號를 泰封이라 하였다. 高麗 太祖가 卽位하여 도
읍을 松嶽으로 옮기고 <鐵圓>으로 고쳐서 東州(弓裔의 宮室 옛 터는 州의 북쪽 27
里에 있는 楓川의 들판에 있다.)라 하였다. 成宗 14年(995)에 團練使를 두었다가 穆宗
8年(1005)에 폐지하고, 顯宗 9年(1018)에 知東州事로 고쳤다가, 高宗 41年(1254)에 강등
하여 縣令官을 만들었고, 뒤에 昇格하여 牧이 되었다. 忠宣王 2年(1310)에 여러 牧을

없앨 때, 강등하여 <鐵原府>가 되었다가 朝鮮 太宗 13年(1413)에 고쳐서 都護府가
되었고, 京畿道에서 江原道로 옮겨 소속되었다.(三·麗·輿·文)

○ 또 다른 지명은 昌原으로 高麗 成宗 때 지은 것이다. 昌有라고도 한다.(麗)

○ 1895년에 고쳐서 鐵原郡으로 하고, 1914년에 京畿道 朔寧郡 乃文面·寅目面·馬
場面을 편입하였다.(增)

○ 지금의 江原道 鐵原郡.

4.16.1. 幢梁縣 − 본래 高句麗 僧梁(또는 非勿)縣인데, 新羅 景德王이 <幢梁>으로 고쳐
서 鐵城(鐵原)郡 領縣으로 삼았다가, 顯宗 9年(1018)에 東州(鐵原)로 편입시켰고, 睿
宗 元年(1106)에 監務를 두어서 <朔寧>을 관할하게 하였다. 朝鮮 太宗 3年(1403)에는
神懿王后의 외가라 하여 知郡事로 昇格하여 <僧嶺>을 편입시켰고, 同 14年(1414)에
安峽郡을 폐지하여 합병하고 <安朔郡>이라 하였는데, 同 16年(1516)에 <安峽縣>을
다시 설치하고 옛 지명을 회복하였다.(三·麗·輿·文)

○ 1895년에 朔寧郡으로 昇格하였다가, 1914년에는 郡을 폐지하고 乃文面·寅目面·
馬場面은 江原道 <鐵原郡>에 편입하고, 그 나머지는 漣川郡에 합병하였다.(增)

○ 지금의 江原道(북한) 鐵原郡 朔寧里.

▶ 朔寧 − 4.18.2. 참조.

4.16.2. 功成縣 − 본래 高句麗 工木達(또는 熊閃山)縣인데, 新羅 景德王이 <功城>으로
고쳐서 鐵城(鐵原)郡 領縣으로 삼았다. 高麗가 <漳州>(또는 獐州)로 고쳤고 成宗 14
年(995)에 團練使를 두었다가, 穆宗 8年(1005)에 폐지하고, 顯宗 9年(1018)에 東州(鐵原)
로 편입시켰다. 明宗 5年(1175)에 監務를 두어서 僧嶺(朔寧)을 관할하게 하였고, 忠宣
王이 卽位할 때 왕의 嫌名(王諱 璋)을 避하여 <漣川>으로 고쳤다. 朝鮮 太宗 13年
(1413)에 고쳐서 縣監이 되었다가, 同 14年에는 麻田縣에 합병되어 麻漣縣이 되었고,
同 16年(1416)에 다시 갈라서 縣이 되었고, 顯宗 3年(1662)에 또 다시 麻田에 편입시켰
다가, 同 4年에 다시 郡을 두었다.(三·麗·輿·文)

○ 또 다른 지명은 獐浦로 高麗 成宗 때 지은 것이다.(麗)

○ 1895년에 漢城府 管轄의 漣川郡으로 하여, 1914년에는 積城郡 一圓, 麻田郡 一圓,

楊州郡의 嶺斤面과 朔寧郡 一圓(乃文面・寅目面・馬場面은 제외)이 편입되었다.(增)

ㅇ 지금의 京畿道 漣川郡.

원 문

4.17. <富平郡>, 本【高句麗】<夫如郡>, [景德王]改名, 今<金化縣>. 領縣一: <廣平縣>, 本【高句麗】<斧壤縣>, [景德王]改名, 今<平康縣>.

번 역

4.17. <부평군>은 원래 【고구려】의 <부여군>이었던 것을 [경덕왕]이 개칭한 것이다. 지금의 <금화현>이다. 이 군에 속한 현은 하나이다. <광평현>은 원래 【고구려】의 <부양현>이었던 것을 [경덕왕]이 개칭한 것이다. 지금의 <평강현>이다.

변 천

4.17. 富平郡 — 본래 高句麗 夫如郡인데, 新羅 景德王이 <富平郡>으로 고쳤다. 高麗 顯宗 9年(1018)에 <金化>로 고쳐서 東州(鐵原)에 소속시켰고, 仁宗 21年(1143)에 監務를 두었고, 朝鮮 太宗 16年(1416)에 고쳐서 縣監이 되었다.(三・麗・輿・文)

ㅇ 1895년에 金化郡이 되어 春川府에 소속시켰다가, 純宗 2年(1908)에 金城郡에 합병하였고, 1914년에는 다시 金城郡이 金化郡에 통합되었다.(增)

ㅇ 지금의 江原道 鐵原郡 金化邑.

ㅇ 지금의 江原道(북한) 金化郡.

4.17.1. 廣平縣 — 본래 高句麗 斧壤(또는 於斯內)縣인데, 新羅 景德王이 <廣平>으로 고쳐서 富平(金化)郡 領縣으로 삼았다. 高麗 顯宗 9年(1018)에 <平康>(또는 平江)으로 고쳐서 東州(鐵原)郡에 屬하였다가, 明宗 2年(1172)에 監務를 두었고, 뒤에 金化監務의

관할이 되었다가, 恭讓王 元年(1389)에 다시 갈라서 監務를 각각 두었는데, 朝鮮 太宗 13年(1413)에 고쳐서 縣監이 되었다.(三·麗·輿·文)

○ 1895년에 平康郡으로 昇格되었다.(增)

○ 지금의 江原道(북한) 平康郡.

원 문

4.18. <兎山郡>, 本【高句麗】<烏斯含達縣>, [景德王]改名, 今因之. 領縣三: <安峽縣>, 本【高句麗】<阿珍押縣>, [景德王]改名, 今因之; <朔邑縣>, 本【高句麗】<所邑豆縣>, [景德王]改名, 今<朔寧縣>; <伊川縣>, 本【高句麗】<伊珍買縣>, [景德王]改名, 今因之.

번 역

4.18. <토산군>은 원래【고구려】의 <오사함달현>이었던 것을 [경덕왕]이 개칭한 것이다. 지금도 그대로 부른다. 이 군에 속한 현은 셋이다. <안협현>은 원래【고구려】의 <아진압현>이었던 것을 [경덕왕]이 개칭한 것이다. 지금도 그대로 부른다. <삭읍현>은 원래【고구려】의 <소읍두현>이었던 것을 [경덕왕]이 개칭한 것이다. 지금의 <삭녕현>이다. <이천현>은 원래【고구려】의 <이진매현>이었던 것을 [경덕왕]이 개칭한 것이다. 지금도 그대로 부른다.

변 천

4.18. 兎山郡 – 본래 高句麗 烏斯含達(邑志에는 烏斯, 含達, 月城)縣인데, 新羅 景德王이 <兎山>으로 고쳤다. 高麗 顯宗 9年(1018)에는 長湍縣에 속하여 尙書部省에서 직접 관할하였고, 文宗 16年(1062)에 開城으로 옮겨 편입되었고, 睿宗 9年(1114)에 監務를 두었다가, 朝鮮 太宗 13年(1413)에 縣監이 되어 黃海道에 편입되었다.(輿)

ㅇ 1895년에 郡으로 昇格되어 京畿道 開城府에 편입되었다가, 1914년에 郡을 없애면
서 美原面은 新溪郡에 편입되고, 그 나머지 지역은 金川郡에 합병되었다.(增)

ㅇ 1954년 沙里院市, 松林市와 14郡(鳳山, 銀波, 平山, 麟山, 金川, 兎山, 瑞興, 黃州, 谷
山, 遂安, 燕灘, 新溪, 新坪, 延山)과 휴전후 북한에 편입된 開豊, 長湍의 2 郡을 합
하여 황해북도를 신설하였다.(北)

ㅇ 지금의 黃海北道 兎山郡.

4.18.1. 安峽縣 ─ 본래 高句麗 阿珍押(또는 窮岳)縣인데, 新羅 景德王이 <安峽>으로 고
쳐서 兎山郡 領縣으로 삼았다. 高麗 顯宗 9年(1018)에 東州(鐵原)로 속하였고, 睿宗 元
年(1106)에 監務를 두었다. 朝鮮 太宗 14年(1414)에 京畿道 <朔寧郡>과 합하여 <安
朔郡>이라 하다가, 同 16年에 다시 縣監이 되었고, 世宗 6年(1424)에 江原道로 소속
되었다.(三·麗·輿·文)

ㅇ 1895년에 고쳐서 安峽郡이 되었다가, 1914년에 伊川郡으로 편입되었다.(增)

ㅇ 1946년 평양시를 특별시로, 京畿道 漣川郡 일부와 咸南의 元山市, 文川郡, 安邊郡
을 합하여 江原道를 新設하고, 1975년 대대적인 행정구역 개편으로 伊川郡이 鐵原
郡, 伊川郡, 洗浦郡, 板橋郡 등으로 분리되어 安峽面은 鐵原郡에 편입되었다.(北)

ㅇ 지금의 江原道(북한) 鐵原郡.

4.18.2. 朔邑縣 ─ 본래 高句麗 所邑豆縣인데, 新羅 景德王이 <朔邑>으로 고쳐서 兎山郡
領縣으로 삼았다. 高麗 顯宗 9年(1018)에는 東州(鐵原)에 속하였고, 睿宗 元年(1106)에
는 僧嶺縣 監務에 편입시켜 <朔寧>으로 고쳤다. 朝鮮 太宗 3年(1403)에는 神懿王后
의 외가라 하여 知郡事로 昇格하여 <僧嶺>을 편입시켰고, 同 14年(1414)에 安峽郡을
폐지하여 합병하고 安朔郡이라 하였는데, 同 16年(1516)에 <安峽縣>을 다시 설치하
고 옛 지명을 회복하였다.(三·麗·輿·文)

ㅇ 1895년에 朔寧郡으로 昇格되었다가, 1914년에 땅을 갈라서 乃文面·寅目面·馬場
面은 江原道 鐵原郡에 속하고 나머지는 京畿道 漣川郡에 편입되었다.(增)

ㅇ 1946년 평양시를 특별시로, 京畿道 漣川郡 일부와 咸南의 元山市, 文川郡, 安邊郡
을 합하여 江原道를 新設하였다.(北)

○ 지금의 江原道(북한) 鐵原郡.

4.18.3. 伊川縣 - 본래 高句麗 伊珍買縣인데, 新羅 景德王이 <伊川>으로 고쳐서 兎山郡 領縣으로 삼았다. 高麗 顯宗 9年(1018)에 東州(鐵原)로 옮겨 소속되었다가 뒤에 監務를 두었고, 朝鮮 太宗 13年(1413)에 고쳐서 縣監이 되어 京畿道에서 江原道로 소속되었다. 光海君 元年(1608)에 府로 昇格하였다가, 仁祖 元年(1623)에 縣으로 강등되었고, 肅宗 13年(1687)에 다시 昇格하여 府가 되었다.(三·麗·輿·文)

○ 또 다른 지명은 花山이다.(輿)

○ 1895년에 伊川郡이 되었고, 1914년에 安峽郡 一圓이 편입되었다.(增)

○ 지금의 江原道(북한) 伊川郡.

원 문

4.19. <牛峯郡>, 本【高句麗】<牛岑郡>, [景德王]改名, 今因之. 領縣三: <臨江縣>, 本【高句麗】<獐項縣>, [景德王]改名, 今因之; <長湍縣>, 本【高句麗】<長淺城縣>, [景德王]改名, 今因之; <臨端縣>, 本【高句麗】<麻田淺縣>, [景德王]改名, 今<麻田縣>.

번 역

4.19. <우봉군>은 원래【고구려】의 <우잠군>이었던 것을 [경덕왕]이 개칭한 것이다. 지금도 그대로 부른다. 이 군에 속한 현은 셋이다. <임강현>은 원래【고구려】의 <장항현>이었던 것을 [경덕왕]이 개칭한 것이다. 지금도 그대로 부른다. <장단현>은 원래【고구려】의 <장천성현>이었던 것을 [경덕왕]이 개칭한 것이다. 지금도 그대로 부른다. <임단현>은 원래【고구려】의 <마전천현>이었던 것을 [경덕왕]이 개칭한 것이다. 지금의 <마전현>이다.

변 천

4.19. 牛峯郡 - 본래 高句麗 牛岑(또는 牛嶺, 首知衣)郡인데, 新羅 景德王이 <牛峯>으로
고쳤다. 高麗 顯宗 6年(1015)에는 平州(平山)에 소속된 縣이 되었다가, 文宗 15年(1062)
에 京畿道 開城府에 직속되었고, 睿宗 元年(1106)에 監務를 두었다. 朝鮮 太祖 4年
(1395)에 昇格하여 縣令이 되었고, 太宗 13年(1413) 에는 黃海道에 속하였다가, 孝宗 3
年(1652)에 <金川>으로 편입되었다.(三·麗·輿·文)
  ○ 1954년 沙里院市, 松林市와 14郡(鳳山, 銀波, 平山, 麟山, 金川, 兎山, 瑞興, 黃州, 谷
山, 遂安, 燕灘, 新溪, 新坪, 延山)과 휴전후 북한에 편입된 開豊, 長湍의 2 郡을 합
하여 황해북도를 신설하였다.(北)
  ○ 지금의 黃海北道(북한) 金川郡.

4.19.1. 臨江縣 - 京畿道 長湍의 북쪽 40里에 있는 지명으로 본래 高句麗 獐項(또는 古斯
也忽次)縣인데, 新羅 景德王이 臨江으로 고쳐서 牛峰郡 領縣으로 삼았다. 高麗 顯宗 9
年(1018)에는 長湍에 속하여 尙書都省 관할이 되었다가, 文宗 17年(1063)에는 開城府
에 소속되었고, 恭讓王 元年(1389)에 다시 監務를 두었다. 朝鮮 太宗 14年(1414)에는
長湍과 합하여 長臨縣이라 하였다가 몇 달 후 다시 縣監이 되었고, 世祖 3年(1457)에
다시 長湍에 속하였다가 폐지되었다.(三·麗·輿·文)
  ○ 지금의 開城直轄市(북한) 長豊郡 臨江里.

4.19.2. 長湍縣 - 京畿道에 있는 지명으로 본래 高句麗 長淺城(또는 耶耶, 夜牙)縣인데,
新羅 景德王이 長湍으로 고쳐서 牛峰郡 領縣으로 삼았다. 高麗 穆宗 4年(1001)에 侍中
韓彦恭의 고향이라 하여 湍州로 昇格하였다가, 顯宗 9年(1018)에 다시 강등하여 長湍
縣을 만들었고 令을 두어 尙書都督省의 관할이 되었다가, 文宗 16年(1062)에는 開城
에 소속되었다. 朝鮮 太宗 14年(1414)에는 臨江縣과 합병하여 長臨縣이 되었다가, 뒤
에 다시 長湍을 臨津에 합병하여 臨湍縣이라 하였는데, 世宗 元年(1419) 3月에 다시
長湍縣令이 되었다. 世祖 3年(1457)에는 長湍·臨江을 폐지하고 臨津에 편입시켰다가,
同 5年에는 다시 臨江·臨津을 <長湍>에 속하게 하였고, 同 6年에는 왕비의 曾祖·

高祖·玄祖 세 조상의 先塋이 있는 곳이라 하여 郡으로 昇格하고 治所를 桃源驛으로 옮겼다. 睿宗 元年(1469)에 鎭을 두어서 都護府로 昇格하였고, 光海君은 治所를 白岳山 남쪽 산기슭에 있는 옛 임진 땅으로 옮겼다.(三·麗·興·文)

○ 1895년에 고쳐서 長湍郡이 되었다.(增)

○ 1963년 長湍郡 郡內面이 坡州郡 臨津面 관할이 되었다.(地)

○ 1972년 長湍郡의 長湍面, 郡內面, 津西面, 津東面이 坡州郡에 편입되고, 1996년 坡州郡이 坡州市로 昇格되었다.(地)

○ 지금의 京畿道 坡州市 長湍面.

○ 개성직할시(북한) 長豊郡, 板門郡 일부.

4.19.3. 臨端縣 − 본래 高句麗 麻田淺(또는 泥沙波忽)縣인데, 新羅 景德王이 <臨端>으로 고쳐서 牛峰郡 領縣으로 삼았다. 高麗初에 <麻田>으로 고치고, 顯宗 9年(1018)에는 <長湍>에 속하여 尙書都省 관할이 되었는데, 文宗 17年(1063)에는 開城府로 소속시켰으며, 뒤에 監務를 두었다가 곧 積城縣에 합병되었다. 恭讓王 元年(1389)에 다시 監務를 두어서 <麻田>으로 고쳤고, 朝鮮 太宗 13年(1413)에 縣監이 되었다.(三·麗·興·文)

○ 1895년에 <朔寧郡>으로 편입하였다가 곧 麻田郡을 다시 설치하였고, 1914년에 <漣川郡>으로 편입하였다.(增)

○ 지금의 京畿道 漣川郡 麻田里.

원 문

4.20. <松岳郡>, 本【高句麗】<扶蘇岬>, (【新羅】改<松嶽郡>) [孝昭王{孝照王}]三年築城.【景德王】因之. 我<太祖>開國爲王畿. 領縣二: <如羆縣>, 本【高句麗】<若豆恥縣>, [景德王]改名, 今<松林縣>. 第四葉 <光宗>, 創置<佛日寺{佛日寺}>於其地, 移其縣於東北; <江陰縣>, 本【高句麗】<屈押縣>, [景德王]改名, 今因之.

번 역

4.20. <송악군>은 원래【고구려】의 <부소갑>인데(신라가 <송악군>으로 개칭), [효소왕] 3년에 성을 쌓았고, [경덕왕] 때에도 그대로 불렀다. 우리 [태조]가 나라를 창건하자 왕도의 기내 지역이 되었다. 이 군에 속한 현은 둘이다. <여비현>은 원래【고구려】의 <약두치현>이었던 것을 [경덕왕]이 개칭한 것이다. 지금의 <송림현>이다. 제 4대 [광종]이 그 곳에 <불일사>라는 절을 창건하고 그 현의 소재지를 동북쪽으로 옮겼다. <강음현>은 원래【고구려】의 <굴압현>이었던 것을 [경덕왕]이 개칭한 것이다. 지금도 그대로 부른다.

변 천

4.20. 松岳郡 : 松岳郡은 본래 高句麗의 扶蘇岬이요, 開城郡은 본래 高句麗의 冬比忽인데, 高麗 太祖 2年(919)에 도읍을 松嶽의 남쪽에 定하고 두 郡의 땅을 합하여 開州를 삼아 宮闕을 創建하고 민가를 들어서게 하여 구획을 갈라서 五部로 나누었다. 光宗 11年(960)에는 <開京>으로 고쳐서 皇都를 삼고, 成宗 6年(987)에는 다시 五部의 구획을 정하였다가, 14年(995)에는 <開城府>라 하여 赤縣 6과 畿縣 9를 管轄케 하였다. 顯宗 元年(1010)에 契丹이 침입하여 宮闕과 민가가 다 부서져서, 同 9年(1018)에 府를 폐지하고 縣令을 두어 貞州·德水·江陰 세 縣을 管轄케 하여 尙書部省에 직속케 하고 京畿라 부르다가, 同 15年(1024)에 또 다시 五部의 구역을 정하고, 同 20年(1029)에는 궁성을 둘러싼 羅城이 完成되고, 文宗 16年(1062)에는 다시 知開城府事라 하여 都省 所管이던 10縣(開城縣令 所管이던 貞州·德水·江陰 세 縣과 長湍縣令 所管이던 松禾·臨津·兎山·臨江·積城·坡平·麻田의 일곱 縣)을 모두 편입시키고, 또 西海道 平州 관할인 牛峰郡을 편입시켰다. 忠烈王 34年(1308)에는 府尹以下官을 두어 城內만 管轄케 하고 별도로 開城縣令을 두어 城外를 다스리게 하였다. 恭愍王 7年(1358)에는 松都外城을 修築하고, 恭讓王 2年(1390)에는 京畿를 나누어 左右道로 삼았는데 開城府는 右道에 속하였다. 朝鮮 太祖 卽位 3年(1394)에 都邑을 漢陽으로 옮기고 나서 松都 開城 留後司로 고쳐서 留後·副留後斷事官·經歷·都事 各 一人을 두었고, 開城

縣은 폐지하였는데, 世宗 20年(1438)에는 開城留守로 고치고, 世祖 13年(1467)에는 京畿에 편입되었으므로 留守·斷事官·經歷·都事를 폐지하고, 다만 尹과 判官 각 一人을 두었고, 成宗 元年(1470)에 다시 留守·經歷·都事를 두었다.(三·麗·輿)

○ 1895년에는 開城府가 되어 開城·豐德·朔寧·麻田·長湍·伊川·安峽·兎山·平山·金川·遂安·谷山·新溪 等 13郡을 管轄하다가, 1906년에 郡이 되고, 1914년에 豐德郡을 폐지하여 편입하였고, 1930년에 다시 松都面 全部와 靑郊面內의 德岩里, 中西面內의 舘前里, 嶺南面內의 龍興里를 떼어서 府를 만들고, 府外의 지역에 開豐郡을 신설하였다.(增)

○ 지금의 開城直轄市(북한)

4.20.1. 如羆縣 – 본래 高句麗 若只豆耻(또는 之蟾, 朔頭, 衣頭)縣인데, 新羅 景德王이 如羆로 고쳐서 松嶽(開城)郡 領縣으로 삼았는데, 高麗初에 松林으로 고쳤다. 光宗이 佛日寺를 그 縣治에 창건하고 縣治는 동북쪽으로 옮겼는데, 顯宗 9年(1018) <長湍>에 속한 縣이 되어 尙書都省所管이 되었는데, 文宗 17年(1063)에 開城府로 직속되었다가 뒤에 監務를 두었고, 朝鮮 太宗 18年(1420)에 長湍에 속하였다가, 지금은 폐지되었다.(三·麗·輿·文)

○ 지금의 京畿道 坡州市 長湍面.
▶ 長湍 – 4.19.2. 참조.

4.20.2. 江陰縣 – 본래 高句麗 屈押(또는 江西)縣인데, 新羅 景德王이 <江陰>으로 고쳐서 松嶽(開城)郡 領縣으로 삼았다. 高麗 顯宗 9年(1018)에는 開城縣에 소속되어 尙書部省에서 직접 관할하였고, 文宗 16年(1062)에는 開城府에 편입되었다가, 仁宗 21年(1143)에 비로소 監務를 두었다. 朝鮮 太宗 13年(1413)에 縣監이 되어 黃海道에 속하였다가, 孝宗 3年(1652)에는 牛峰과 합하여 郡이 되었고, 邑을 金郊의 북쪽에 있는 吾道川의 남쪽에 두어 <金川>으로 고쳤고, 肅宗 4年(1678)에는 治所를 吾道川의 북쪽 渚灘南으로 옮겼다가, 英祖 2年(1726)에 다시 옛 땅으로 옮겼다.(三·麗·輿·文)

○ 지금의 黃海北道 金川郡.
▶ 金川 – 4.18 참조.

원 문

4.21. <開城郡>, 本【高句麗】<冬比忽>, [景德王]改名, 今<開城府>. 領縣二: <德水縣>, 本【高句麗】<德勿縣>, [景德王]改名, 今因之. 第十一葉 [文宗]代, 創置<興王寺>於其地, 移其縣於南; <臨津縣>, 本【高句麗】<津臨城>, [景德王]改名, 今因之.

번 역

4.21. <개성군>은 원래【고구려】의 <동비홀>이었던 것을 [경덕왕]이 개칭하였다. 지금의 <개성부>이다. 이 군에 속한 현은 둘이다. <덕수현>은 원래【고구려】의 <덕물현>이었던 것을 [경덕왕]이 개칭한 것이다. 지금도 그대로 부른다. 제11대 [문종] 시대에 그곳에 <흥왕사>라는 절을 세우고, 현의 소재지를 남쪽으로 옮겼다. <임진현>은 원래【고구려】의 <진림성>을 [경덕왕]이 개칭한 것이다. 지금도 그대로 부른다.

변 천

4.21. 開城郡 - 開城郡은 본래 高句麗의 冬比忽인데, 高麗 太祖 2年(919)에 도읍을 松嶽의 남쪽에 定하고 두 郡의 땅을 합하여 開州를 삼아 宮闕을 創建하고 민가를 들어서게 하여 구획을 갈라서 五部로 나누었다. 光宗 11年(960)에는 開京으로 고쳐서 皇都를 삼고, 成宗 6年(987)에는 다시 五部의 구획을 정하였다가, 14年(995)에는 開城府라 하여 赤縣 6과 畿縣 9를 管轄케 하였다. 顯宗 元年(1010)에 契丹이 침입하여 宮闕과 민가가 다 부서져서, 同 9年(1018)에 府를 폐지하고 縣令을 두어 貞州·德水·江陰 세 縣을 管轄케 하여 尙書部省에 직속케 하고 京畿라 부르다가, 同 15年(1024)에 또 다시 五部의 구역을 정하고, 同 20年 己巳에는 궁성을 둘러싼 羅城이 完成되고, 文宗 16年(1062)에는 다시 知開城府事라 하여 都省所管이던 10縣(開城縣令 所管이던 貞州·德水·江陰 세 縣과 長湍縣令 所管이던 松禾·臨津·兎山·臨江·積城·坡平·麻田의 일곱 縣)을 모두 편입시키고, 또 西海道 平州 관할인 牛峰郡을 편입시켰다. 忠烈王 34年(1308)에는 府尹以下官을 두어 城內만 管轄케 하고 별도로 開城縣令을 두어 城外를

다스리게 하였다. 恭愍王 7年(1358)에는 松都外城을 修築하고, 恭讓王 2年(1390)에는 京畿를 나누어 左右道로 삼았는데 開城府는 右道에 속하였다. 朝鮮 太祖 卽位 3年 (1394)에 都邑을 漢陽으로 옮기고 나서 松都 開城 留後司로 고쳐서 留後・副留後斷事 官・經歷・都事 各 一人을 두었고, 開城縣은 폐지하였는데, 世宗 20年(1438)에는 開城 留守로 고치고, 世祖 13年(1467)에는 京畿에 편입되었으므로 留守・斷事官・經歷・都 事를 폐지하고, 다만 尹과 判官 각 一人을 두었고, 成宗 元年(1470)에 다시 留守・經 歷・都事를 두었다.(三・麗・輿)

o 1895년에는 開城府가 되어 開城・豊德・朔寧・麻田・長湍・伊川・安峽・兎山・ 平山・金川・遂安・谷山・新溪 等 13郡을 管轄하다가, 1906년에 郡이 되고, 1914년 에 豊德郡을 폐지하여 편입하였으며, 1930년에 다시 松都面 全部와 靑郊面內의 德 岩里, 中西面內의 舘前里, 嶺南面內의 龍興里를 떼어서 府를 만들고, 府外의 지역 에 開豊郡을 신설하였다.(增)

o 지금의 開城直轄市(북한)

4.21.1. 德水縣 – 본래 高句麗 德勿(또는 仁物)縣인데, 新羅 景德王이 <德水>로 고치고 고려 시대에도 그대로 부르다가 顯宗 9年(1018)에 開城府에 속한 縣이 되었다가 文宗 10年(1056)에 興王寺를 縣治에 창건하고 縣治는 <楊川>으로 옮겼다. 同 16年 壬寅에 는 開城府에 직속되었다가 恭讓王 元年(1389)에 다시 監務를 두었고, 朝鮮 太祖 7年 (1398)에 監務를 없애고 <豊德>에 편입되었다.(三・麗・輿・文)

◇ 豊德 – 京畿道에 있는 지명으로 본래 高句麗 <貞州>인데, 高麗 顯宗 9年(1018) 에 開城郡에 속한 縣이 되었다가, 文宗 16年(1062)에 開城府로 속하고, 睿宗 3年 (1108)에 고쳐서 昇天府가 되어 知府事를 두었다가, 忠宣王 2年(1310)에는 강등하여 海豊郡이 되어 知郡事를 두었다. 朝鮮 太宗 13年(1413)에는 郡을 폐지하고 開城留 後司에 속하였다가, 同 18年 戊戌에 다시 郡이 되었고, 世宗 24年(1442)에 德水縣과 합하여 <豊德>으로 고쳤는데, 孝宗 初年(1649)에 府로 昇格하였다가, 純祖 23年 (1823)에 府를 폐지하고 開城에 屬하였다.(三・・麗・輿・文)

o 1866년에 복구하였고, 1895년에 開城郡에 편입되었다가 다시 豊德郡을 만들었고, 開城이 府가 됨에 따라 원래의 開城郡 지역과 합하여 開豊郡이 되었다.(增)

○ 지금의 開城直轄市(북한) 開豊郡.

4.21.2. 臨津縣 － 본래 高句麗 津臨城(또는 烏斯忽, 烏阿忽)縣인데, 新羅 景德王이 <臨津>으로 고쳐서 開城郡 領縣으로 삼았다. 顯宗 9年(1018)에는 長湍縣에 속하여 尙書都省所管이 되었고, 文宗 16年(1062)에는 開城府에 직속되었다가, 恭讓王 元年(1389)에 비로소 監務를 두었다. 朝鮮 太宗 13年(1413)에 縣監이 되었다가, 同 14年 甲午에 長湍에 합병되어 <臨湍>이라 불렸고, 世宗 元年(1419)에 다시 나누어 <臨津> 縣監이 되었다가, 世祖 4年(1458)에 다시 <長湍縣>에 편입되었다.(三・麗・輿・文)

○ 지금의 京畿道 坡州市 長湍面.

○ 지금의 開城直轄市 長豊郡.(북한)

원 문

4.22. <海口郡>, 本【高句麗】<穴口郡>, 在海中, [景德王]改名, 今<江華縣>. 領縣三: <沍陰縣{沍陰縣/江陰縣}>, 本【高句麗】<冬音奈縣>, [景德王]改名, 在<穴口島>內, 今<河陰縣>; <喬桐縣{橋桐縣}>, 本【高句麗】<高木根縣>, 海島也, [景德王]改名, 今因之; <守鎭縣>, 本【高句麗】<首知縣>, [景德王]改名, 今<鎭江縣>.

번 역

4.22. <해구군>은 원래【고구려】의 <혈구군>으로서 바다에 있었는데 [경덕왕]이 개칭하였다. 지금의 <강화현>이다. 이 군에 속한 현은 셋이다. <강음현>은 원래【고구려】의 <동음나현>이었던 것을 [경덕왕]이 개칭한 것이다. <혈구도>에 있었으며 지금의 <하음현>이다. <교동현>은 원래【고구려】의 <고목근현>으로서 바다에 있는 섬인데 [경덕왕]이 개칭하였고 지금도 그대로 부른다. <수진현>은 원래【고구려】의 <수지현>이었던 것을 [경덕왕]이 개칭한 것이다. 지금의 <진강현>이다.

변 천

4.22. 海口郡 - 본래 高句麗 穴口郡(또는 甲比古次)인데 바다 가운데 있으며 貞州의 서
남쪽이고, 通津縣의 서쪽에 위치하고 있다. 新羅 景德王이 <海口>로 고치고, 元聖王
이 穴口鎭을 두었는데, 高麗初에 <江華>로 고쳐서 縣이 되었고, 顯宗 9年(1018)에 縣
令을 두었다가, 高宗 19年(1232)에 몽고군을 피하여 도읍을 옮기고는 昇格하여 郡을
삼았고 號를 江都라 하였다. 同 37年(1250)에 中城을 쌓으니 주위가 2960餘 間이었다.
元宗 元年(1260)에 松都로 다시 도읍을 옮겼으므로, 忠烈王 때에는 <仁川>에 합병되
었다가 곧 복구하였고, 禑王 3年(1377)에 昇格하여 府가 되었다가, 朝鮮 太宗 13年
(1413)에는 다시 昇格하여 都護府가 되었고, 光海主 10年(1618)에는 府가 되고, 仁祖 5
年(1627)에는 都로 昇格하였다.(三·麗·輿·文)
  ○ 1895년에 고쳐서 江華郡이 되었다가, 1896년에 江華府로 승격되고, 1906년에 다시
    江華郡이 되었다가, 1914년에 喬桐郡이 편입되고, 信島·矢島·芋島·長峰島는 富
    川郡에 편입되었다.(增)
  ○ 지금의 仁川廣域市 江華郡.

4.22.1. 江陰縣 - 본래 高句麗 冬音奈(또는 芽音)縣인데, 新羅 景德王이 洦音(또는 江陰)
으로 고쳐서 海口(江華)郡 領縣으로 삼았다. 高麗가 <河陰>으로 고쳐서 그대로 불렀
고, 뒤에 開城縣에 속했다가 얼마 뒤에 다시 <江華>에 편입되었다.(三·麗·輿)
  ○ 지금의 仁川廣域市 江華郡 河岾面(?).

4.22.2. 喬(橋)桐縣 - 본래 高句麗 高木根(또는 戴雲島, 高林, 達乙新)縣인데, 新羅 景德王
이 <喬桐>으로 고쳐서 海口(江華)郡 領縣으로 삼았고, 高麗 시대에도 그대로 부르다
가, 明宗 2年(1172)에는 監務를 두었다. 朝鮮 太祖 4年(1395)에 萬戶를 두어서 知縣事
를 겸하게 하였다가 곧 縣監으로 고치고, 仁祖 7年(1629)에 府로 昇格시켜 水使가 관
할하게 하였다.(三·麗·輿·文)
  ○ 1895년에 <江華>에 소속되었다가 곧 복구하여 喬桐郡이 되어 仁川府의 管轄이
    되었고, 1914년에 喬桐郡을 江華에 합병하였다.(增)

○ 지금의 仁川廣域市 江華郡 喬桐面.

4.22.3. 守鎭縣 － 본래 高句麗 首知縣인데, 新羅 景德王이 <首鎭(守鎭)>으로 고쳐서 海口(江華)郡 領縣으로 삼았고, 高麗 시대에 <鎭江>으로 고쳐서 그대로 소속시켰다. (三 · 麗 · 輿 · 文)

○ 지금의 仁川廣域市 江華郡.

원 문

4.23. <永豐郡>, 本【高句麗】<大谷郡>, [景德王]改名, 今<平州>. 領縣二: <檀溪縣>, 本【高句麗】<水谷城縣{氷谷城縣}>, [景德王]改名, 今<俠溪縣>; <鎭湍縣>, 本【高句麗】<十谷城縣>, [景德王]改名, 今<谷州>.

번 역

4.23. <영풍군>은 원래【고구려】의 <대곡군>이었던 것을 [경덕왕]이 개칭한 것이다. 지금의 <평주>이다. 이 군에 속한 현은 둘이다. <단계현>은 원래【고구려】의 <수곡성현>이었던 것을 [경덕왕]이 개칭한 것이다. 지금의 <협계현>이다. <진단현>은 원래【고구려】의 <십곡성현>이었던 것을 [경덕왕]이 개칭한 것이다. 지금의 <곡주>이다.

변 천

4.23. 永豐郡 －본래 高句麗 大谷(또는 多和忽 : 漢昭帝 始元 5年 乙丑에 2外府를 두어서 고조선 땅인 平那와 玄菟郡으로 平州 都督府를 삼았는데, 지금의 平山府 동쪽 牛峰縣 聖居山이 옛 平那山이니 郡으로 불리는 것은 平山府가 한나라 때의 都督府였기 때문일 것이다.)인데, 新羅 景德王이 <永豐>으로 고쳤다. 高麗初에 平州로 고치고, 成宗 14年(995)에 防禦使를 두었다가, 顯宗 9年(1018)에 知州事가 되었고, 元宗 13年(1272)에

는 復興(白川)郡에 합병되었다가, 忠烈王 때에 복구하고, 朝鮮 太宗 13年(1413)에 고쳐서 <平山>이라 하고 都護府가 되었다.(三·麗·輿·文)

○ 또 다른 이름은 延德 혹은 東陽이다.(麗)

○ 1895년에 고쳐서 平山郡이 되었다.(增)

○ 1954년 沙里院市, 松林市와 14郡(鳳山, 銀波, 平山, 麟山, 金川, 兔山, 瑞興, 黃州, 谷山, 遂安, 燕灘, 新溪, 新坪, 延山)과 휴전후 북한에 편입된 2 郡(開豊, 長湍)을 합하여 황해북도를 신설하였다.(北)

○ 지금의 黃海北道 平山郡.

4.23.1. 檀溪縣 – 본래 高句麗 水谷城(또는 買且忽)縣인데, 新羅 景德王이 <檀溪>로 고쳐서 永豊(平山)郡 領縣으로 삼았다. 高麗初에 <俠溪(또는 峽溪)>로 고치고, 顯宗 9年(1018)에 谷州(谷山) 관할이었다가 뒤에 監務를 두었고, 朝鮮 太祖 5年(1396)에 <新恩>에 속하였다가, 世宗 27年(1445)에 新恩·俠溪·二縣의 지명을 따서 <新溪>가 되었다.(三·麗·輿·文)

○ 또 다른 지명은 新城이다.(麗)

○ 1895년에 고쳐서 新溪郡이 되었다가, 1914년에 兎山郡 美原面이 편입되었다.(增)

○ 1954년 沙里院市, 松林市와 14郡(鳳山, 銀波, 平山, 麟山, 金川, 兎山, 瑞興, 黃州, 谷山, 遂安, 燕灘, 新溪, 新坪, 延山)과 휴전후 북한에 편입된 開豊, 長湍의 2 郡을 합하여 황해북도를 신설하였다.(北)

○ 지금의 黃海北道 新溪郡.

◇ 新恩 – 본래 高麗 新恩縣인데, 顯宗 9年(1018) 에는 谷州(谷山)에 속하였다가, 高宗 46年(1259)에 衛社功臣 李公柱의 고향이라 하여 知覃州事로 昇格하였고, 뒤에 州를 폐지하고 옛 지명으로 회복하여 谷州에 다시 편입시켰다. 朝鮮 太祖 5年(1396)에 監務를 처음 두어 <俠溪縣>을 합병하였고, 太宗 13年(1413)에 고쳐서 縣令이 되었다가, 世宗 27年(1445)에 <新恩·俠溪> 두 縣의 지명을 따서 <新溪>라 하였다.(三·麗·輿·文)

4.23.2. 鎭湍縣 − 본래 高句麗 十谷城縣(또는 德頓忽, 谷城縣, 谷郡)인데, 新羅 景德王이 <鎭湍>으로 고쳐서 永豐(平山)郡 領縣으로 삼았다. 高麗初에 <谷州>로 고치고, 成宗 14年(995)에 防禦使를 두었다가, 顯宗 9年(1018)에 防禦使를 폐지하고 知郡事가 되었다. 朝鮮 太祖 2年(1393)에는 돌아가신, 왕의 어머니 康氏의 고향이라 하여 <谷山>으로 고치고 昇格하여 府가 되었다가, 太宗 2年(1402)에 다시 강등하여 知州事가 되었다. 뒤에 다시 <谷山>으로 회복하여 郡이 되었고, 顯宗 10年(1669)에 다시 昇格하였다가, 正祖 15年(1791)에 또 다시 昇格하였다.(三·麗·輿·文)

○ 또 다른 지명은 象山으로 高麗 成宗 때 지은 것이다.(麗)

○ 1895년에는 谷山郡이 되어 開城府 管轄이 되었다가, 1914년에는 다시 黃海道에 편입되었다.(增)

○ 1954년 沙里院市, 松林市와 14郡(鳳山, 銀波, 平山, 麟山, 金川, 兎山, 瑞興, 黃州, 谷山, 遂安, 燕灘, 新溪, 新坪, 延山)과 휴전후 북한에 편입된 開豊, 長湍의 2 郡을 합하여 황해북도를 신설하였다.(北)

○지금의 黃海北道 谷山郡.

원 문

4.24. <海皐郡>, 本【高句麗】<冬彡(一作音.)忽郡>, [景德王]改名, 今<鹽州>. 領縣一: <雊澤縣>, 本【高句麗】<刀臘縣>, [景德王]改名, 今<白州>.

번 역

4.24. <해고군>은 원래 【고구려】의 <동삼(또는 동음)홀군>이었던 것을 [경덕왕]이 개칭한 것이다. 지금의 <염주>이다. 이 군에 속한 현은 <구택현> 하나이다. <구택현>은 원래 【고구려】의 <도랍현>이었던 것을 [경덕왕]이 개칭한 것이다. 지금의 <백주>이다.

변 천

4.24. 海皋郡 - 본래 高句麗 冬音忽(또는 多夕忽, 豉鹽城)인데, 新羅 景德王이 <海皋郡> 으로 고쳤다. 高麗初에 <鹽州>라 하였고, 成宗 14年(995)에는 防禦使를 두었다가, 顯宗初에 防禦使를 없애고 海州에 소속시켰으며 뒤에 監務를 두었다. 高宗 4年(1217)에 거란병을 막는 데 공이 있다고 하여 永膺縣令官으로 昇格하였다가, 同 46年(1259)에 縣人 將軍 車松祐가 衛社의 功이 있었다 하여 知復州事로 昇格하고, 元宗 10年(1269) 에는 또 衛社功臣 李汾禧의 고향이라 하여 <碩州>로 고쳤다. 忠烈王 34年(1308)에는 다시 <溫州牧>으로 昇格하였다가, 忠宣王 2年(1310)에 여러 牧을 폐지할 때 강등하 여 <延安府>가 되었다가, 朝鮮 太宗 13年(1413)에 昇格하여 都護府가 되었고, 京畿道 에서 黃海道로 편입되었다.(三·麗·興·文)

  ○ 또 다른 지명은 五原으로 高麗 成宗 때 지은 것이다.(麗)

  ○ 1895년에 고쳐서 延安郡이 되었다가, 1914년에 白川郡과 합하여 延白郡이 되었다.(增)

  ○ 1954년 海州市와 18郡(碧城, 靑丹, 康翎, 甕津, 延安, 白川, 載寧, 新院, 松禾, 長淵, 苔灘, 龍淵, 殷栗, 과일, 信川, 三泉, 安岳, 銀泉)을 합하여 黃海南道를 신설하였다. (北)

  ○ 지금의 黃海南道 延安郡.

4.24.1. 雉澤縣 - 본래 高句麗 刀臘縣(또는 雉嶽城)인데, 新羅 景德王이 <雉澤>으로 고 쳐서 海皋(延安)郡 領縣으로 삼았다. 高麗初에 <白州>로 고치고, 顯宗 9年(1018)에 平 州(平山)에 屬하였다가, 毅宗 13年(1159)에는 兎山에 重興闕을 창건하고 知開興府事로 昇格하였으며, 뒤에 옛 지명으로 회복하여 海州에 屬하였다. 高宗 46年(1259)에는 衛 社功臣 李仁植의 고향이라 하여 知復興郡事로 昇格하였다가, 恭愍王 18年(1369)에 侍 中 慶復興의 이름을 피하여 다시 <白州>라 불렀다. 朝鮮 太宗 13年(1413)에 고쳐서 <白川郡>이 되었고, 京畿道에서 黃海道로 옮겨 소속되었으며, 中宗 21年(1526)에는 郡人이 父를 죽인 자가 있다 하여 강등하여 縣이 되었다.(三·麗·興·文)

  ○ 또 다른 지명은 銀川으로 高麗 成宗 때 지은 것이다.(麗)

  ○ 1895년에는 고쳐서 白川郡이 되었다가, 1914년에는 延安에 합병되어 延白郡이 되

었다.(增)

○ 1954년 海州市와 18郡(碧城, 靑丹, 康翎, 甕津, 延安, 白川, 載寧, 新院, 松禾, 長淵, 苔灘, 龍淵, 殷栗, 과일, 信川, 三泉, 安岳, 銀泉)을 합하여 黃海南道를 신설하였다. (北)

○ 지금의 黃海南道 白川郡.

원 문

4.25. <瀑池郡>, 本【高句麗】<內米忽郡>, [景德王]改名, 今<海州>.

번 역

4.25. <폭지군>은 원래【고구려】의 <내미홀군>이었던 것을 [경덕왕]이 개칭한 것이다. 지금의 <해주>이다.

변 천

4.25. 瀑池郡 — 본래 高句麗 內米忽(또는 池城, 長池)인데, 新羅 景德王이 <瀑池郡>으로 고쳤다. 高麗 太祖가 郡이 남으로 大海와 맞닿아 있다고 하여 <海州>로 이름을 지어 부르게 하였다. 成宗 2年(983)에 12牧을 처음 설치할 때 海州도 그 하나였고, 同 14年 乙未에 12州節度使를 설치할 때에 右神策軍이라 하여 楊州와 함께 左右 짝이 되었다가, 顯宗 5年(1014)에 節度使를 폐지하고, 同 9年 戊午에 4都護府를 설치할 때 海州安西都護府로 고쳤다가, 睿宗 17年(1122)에 昇格하여 大都護府가 되었다. 忠穆王 3年(1347)에 海州牧이 되었고, 恭愍王 22年(1373)에 倭寇가 침입하여 牧使 嚴益謙을 죽이므로 州의 관리 중에서 명령을 듣지 않는 者를 목 베고 강등하여 郡을 삼았다가 뒤에 다시 昇格하여 牧이 되었다. 朝鮮 世宗 元年(1419)에 平山 서쪽 지역을 떼어서 편입시켰고, 世祖 때에는 鎭을 두었으며, 光海主 8年(1616)에 縣으로 강등하였다가, 仁

祖 元年(1623)에 복구하였다.(三·麗·輿·文)

○ 또 다른 지명은 大寧·西海로 高麗 成宗 때 지은 것이다. 孤竹이라고도 한다.(麗)

○ 1895년에 海州府가 되어 16郡을 거느리다가, 1914년에 海州郡이 되었다.(增)

○ 1954년 海州市와 18郡(碧城, 靑丹, 康翎, 甕津, 延安, 白川, 載寧, 新院, 松禾, 長淵, 苔灘, 龍淵, 殷栗, 과일, 信川, 三泉, 安岳, 銀泉)을 합하여 黃海南道를 신설하였다.(北)

○ 지금의 黃海南道 海州市.

원 문

4.26.   <重盤郡>, 本 【高句麗】<息城郡>, [景德王]改名, 今<安州>.

번 역

4.26.   <중반군>은 원래 【고구려】의 <식성군>이었던 것을 [경덕왕]이 개칭한 것이다. 지금의 <안주>이다.

변 천

4.26.   重盤郡 - 본래 高句麗 息城(또는 漢城, 漢忽, 乃忽)郡인데, 新羅 景德王이 <重般郡> 으로 고쳤다. 뒤에 渤海의 관할에 들어갔기 때문에 女眞의 근거지가 되었고, 高麗 太 祖가 <彭原郡>으로 고쳤다가, 同 14年(931)에 安北府를 두었고, 成宗 14年(995)에 寧 州安北大都護府라 부르며 防禦使를 두었다. 顯宗初에는 安北大都護府라 하여 防禦使 를 폐지하고 海州에 속했다가, 睿宗 元年(1106)에 監務를 두었고, 高宗 4年(1217)에 거 란병을 막아서 공을 세웠다 하여 昇格하여 <載寧>縣令官이 되었다가, 同 43年(1256) 에는 몽고군을 피하여 昌麟島로 들어갔다가 뒤에 出陸하고, 毅宗 때에 都節制使營을 두었다가 뒤에 폐지하고, 恭愍王 18年(1369)에 <安州>萬戶府를 두었다가 뒤에 牧이 되었다. 朝鮮 시대에도 그대로 부르다가 世祖 때에 鎭을 두었고, 燕山君 9年(1503)에

本州가 쇠퇴하여 判官을 없앴다. 仁祖 5年(1627)에 兵營을 설치하였으며, 肅宗 8年(1682)에 牧을 두었고, 純祖 12年(1812)申에 縣으로 降等하였다가, 同 22年(1822)에 다시 牧이 되었다.(三·麗·輿·文)

○ 또 다른 지명은 安陵으로 高麗 成宗 때 지은 것이다. 安風이라고도 한다.(麗)

○ 1895년에 平壤府 소속의 安州郡이 되었다가, 1914년에 靑山面內의 余北里와 元興里·元一里·雲鶴里 중의 淸川江 北岸에 속한 地域은 平安北道 博川郡에 편입하였고, 州北面內의 差壯里 중 淸川江 北岸에 속한 地域은 平安北道 寧邊郡에 편입하였으며, 平安北道 博川郡 德安面內의 博飛里·中興里 및 寧邊郡 獨山面內의 龜峰里와 南坪里 중 淸川江 南岸에 接近한 島嶼들이 安州郡에 편입하였다.(增)

○ 지금의 平安南道 安州市.

◇ 載寧 — 본래 高句麗 息城(또는 漢城, 漢忽, 乃忽)郡인데, 新羅 景德王이 <重般郡>으로 고쳤다. 高麗初에 <安州>라 개칭하더니, 成宗이 防禦使를 두었다가 顯宗初에 防禦使를 廢止하고 安西都護府(海州)에 속했다가 睿宗이 監務를 두었다. 高宗 4年(1217)에 거란병을 막아서 공을 세웠다 하여 <載寧>으로 고치고, 縣으로 昇格하였다. 조선 태조 6년(1397)에 豊州(豊川) 소속의 三支縣에 속하다가 태종15년(1415)에 知郡事로 승격시켰다.(三·麗·輿·文)

○ 1895년에 고쳐서 海州府 소속의 載寧郡이 되었고, 1914년에 황해도 載寧郡이 되었다.(增)

○ 1954년 海州市와 18郡(碧城, 靑丹, 康翎, 甕津, 延安, 白川, 載寧, 新院, 松禾, 長淵, 苔灘, 龍淵, 殷栗, 과일, 信川, 三泉, 安岳, 銀泉)을 합하여 黃海南道를 신설하였다.(北)

○ 지금의 黃海南道 載寧郡.

원 문

4.27. <栖嵒郡>, 本【高句麗】<鵂嵒郡>, [景德王]改名, 今<鳳州>.

번 역

4.27. <서암군>은 원래 【고구려】의 <휴암군>이었던 것을 [경덕왕]이 개칭한 것이다.
지금의 <봉주>이다.

변 천

4.27. 栖嵒郡 － 본래 高句麗 鵂嵒(또는 租坡衣, 鵂鶹城)郡인데, 新羅 景德王이 <栖巖郡>
으로 고쳤다. 高麗初에 <鳳州>로 고치고, 成宗 14年(995)에 防禦使를 두었다가, 顯宗
初에 防禦使를 폐지하고 黃州에 속하였고, 忠烈王 11年(1285)에 다시 防禦使라 부르
다가 곧 知鳳陽郡事라 하였는데 뒤에 다시 <鳳州>라 불렀다. 朝鮮 太宗 13年(1413)
에 <鳳山>으로 고쳐서 郡이 되었고, 中宗 18年(1523)에 邑을 지금의 治所로 옮겼는
데, 옛 治所와의 거리가 남쪽으로 14里였다.(三・麗・輿・文)
  ○ 1895년 海州府에서 1914년에 黃海道 소속이 되었다.(增)
  ○ 1954년 북한의 행정구역개편으로 黃海北道 소속이 되었다.(北)
  ○ 지금의 黃海北道 鳳山郡.

원 문

4.28. <五關郡{五開郡}>, 本【高句麗】<五谷郡>, [景德王]改名, 今<洞州>. 領
縣一: <獐塞縣>, 本【高句麗】縣, [景德王]因之, 今<遂安郡>.

번 역

4.28. <오관군>은 원래 【고구려】의 <오곡군>이었던 것을 [경덕왕]이 개칭한 것이다.
지금의 <동주>이다. 이 군에 속한 현은 <장색현> 하나이다. <장색현>은 원래【고구
려】의 현이었는데 [경덕왕]이 이를 따랐다. 지금의 <수안군>이다.

변 천

4.28. 五關郡 - 본래 高句麗 五谷(또는 于次吞忽)郡인데, 新羅 景德王이 <五關郡>으로 고쳤다. 高麗가 <洞州>로 고치고, 成宗 14年(995)에 防禦使를 두었다가, 顯宗初에 防禦使를 폐지하고 平州(平山)에 속하였는데, 元宗 때에 胎를 모셨기 때문에 <瑞興>으로 고쳐서 縣令이 되었다. 朝鮮 太宗 15年(1415)에는 知郡事로 昇格하였고, 世宗 6年(1424)에는 조정의 환관 尹鳳의 고향이라 하여 都護府로 昇格하였다가, 顯宗 12年(1686)에 강등하여 縣이 되었다. 英祖 38年(1762)에 복구하였고, 正祖 元年(1777)에 다시 강등하여 縣이 되었다가, 同 10年 丙午에 또 復舊하였다.(三·麗·興·文)

○ 또 다른 지명은 隴西로서 高麗 成宗 때 지은 것이다.(麗)

○ 1895년에 고쳐서 瑞興郡이 되었다(增)

○ 지금의 黃海北道 瑞興郡.

4.28.1. 獐塞縣 - 본래 高句麗 獐塞(또는 古所於)縣인데 栖巖(鳳山)郡 領縣이 되었다. 高麗初에 <遂安>으로 고쳐서 谷州(谷山)任內에 屬하였다가 뒤에 縣令을 두었고, 忠宣王 2年(1310)에 元의 총애를 받는 신하 李大順의 請으로 遂州(郡人 李連松이 나라에 공을 세웠기 때문에 昇格하여 郡이 되었다고도 함)가 되었다가, 朝鮮初에 다시 고쳐서 <遂安郡>이 되었는데, 孝宗 4年(1653)에 降等하여 縣이 되었고, 顯宗 3年(1662)에 郡으로 昇格하였다.(三·麗·興·文)

○ 지금의 黃海北道 遂安郡.

원 문

4.29. <取城郡>, 本【高句麗】<冬忽>, [憲德王]改名, 今<黃州>. 領縣三: <土山縣>, 本【高句麗】<息達>, [憲德王]改名, 今因之; <唐嶽縣>, 本【高句麗】<加火押>, [憲德王]置縣改名, 今<中和縣>; <松峴縣>, 本【高句麗】<夫斯波衣縣>, [憲德王]改名, 今屬<中和縣>.

번 역

4.29. <취성군>은 원래 【고구려】의 동홀로서 [헌덕왕]이 개칭하였다. 지금의 <황주>이다. 이 군에 속한 현은 셋이다. <토산현>은 원래 【고구려】의 식달로서 [헌덕왕]이 개칭한 것인데 지금도 그대로 부른다. <당악현>은 원래 【고구려】의 <가화압>으로서 [헌덕왕]이 현을 설치하고 개칭하였다. 지금의 <중화현>이다. <송현현>은 원래 【고구려】의 <부사파의현>으로서 [헌덕왕]이 개칭하였다. 지금은 <중화현>에 속한다.

변 천

4.29. 取城郡 - 본래 高句麗 冬忽(또는 于冬於忽)인데, 新羅 憲德王이 <取城郡>으로 고쳤다. 高麗初에 <黃州>로 고치고 成宗 2年(983)에 12牧을 처음 설치할 때 州도 그 하나였다. 同 14年 乙未에 12州 節度使를 설치할 때 天德軍이라 부르며 關內에 속하였다가, 顯宗 3年(1012)에 軍을 폐지하고 按撫使가 되어 西海道에 屬하였고, 同 9年(1018)에 8牧을 定할 때 그대로 牧이 되었는데, 高宗 4年(1217)에 거란병을 막지 못했다고 해서 降等하여 知固寧郡事가 되었다가 뒤에 다시 <黃州牧>이라 불렀다. 뒤에 西北道에 소속되었다가 얼마 뒤에 西海道로 다시 편입되었고, 朝鮮 시대에도 그대로 부르다가, 世宗 때에 鎭을 두었다.(三·麗·輿·文)

  ○ 또 다른 지명은 齊安으로 高麗 成宗 때 지은 것이다. 龍興이라고도 한다.(麗)

  ○ 1895년에 고쳐서 黃州郡이 되었다.(增)

  ○ 지금의 黃海北道 黃州郡.

4.29.1. 土山縣 - 본래 高句麗 息達縣인데, 新羅 景德王이 <土山縣>으로 고쳤다. 高麗 顯宗 9年(1018)에 黃州에 屬하였다가, 忠肅王 9年(1322)에 功臣 趙仁規의 고향이라 하여 <祥原>으로 고치고 郡으로 昇格하였다가 뒤에 平安道로 옮겨 편입되었고, 朝鮮 시대에도 그대로 이어받았다.(三·麗·輿·文)

  ○ 1914년에 祥原面으로 中和郡에 합병되었다가 다시 郡으로 승격되어 분리되었다.(增)

  ○ 1946년 平壤市를 平壤特別市로 바꾸었다.(北)

ㅇ 지금의 平壤特別市 祥原郡.

4.29.2. 唐嶽縣 - 본래 高句麗 加火押인데, 新羅 憲德王이 <唐岳縣>으로 고쳤다. 高麗
에 와서는 西京의 屬村이 되었다가, 仁宗 14年(1136)에 妙淸의 亂을 평정하고 京畿 4
道를 나누어 6縣(江東·江西·順和·三登·三和·中和)을 만들 때, 荒谷·唐岳·松串
等 9村을 합하여 <中和縣>을 삼고, 令을 두어 西京에 소속되었는데, 忠肅王 9年
(1322)에 太祖 功臣 金樂·金哲의 고향이라 하여 郡으로 昇格하였고 令은 예전 그대
로 두었다가, 恭愍王 20年(1371)에 또 昇格하여 知郡事가 되었다. 朝鮮 시대에도 그대
로 부르다가, 宣祖 25年(1592)에 府로 昇格하였다.(三·麗·興·文)

ㅇ 1895년에 고쳐서 中和郡이 되었고, 1914년에 馬井面 內의 魯嵐洞과 唐村面 內의
東島洞이 大同郡에 소속되었고, 祥原郡 一圓과 平壤府 石串面 內의 積善洞과 南山
面 內의 松塢洞이 편입되었다.(增)

ㅇ 지금의 平壤特別市 中和郡.

4.29.3. 松峴縣 - 平安南道 中和의 서쪽 30里에 있는 지명으로 본래 高句麗 夫斯波衣縣
인데, 新羅 憲德王이 松峴으로 고쳤고, 高麗 시대에는 <中和>에 속하였다.(興·文)

ㅇ 지금의 平壤特別市 中和郡.

원 문

5. <朔州>, [賈耽]『古今郡國志』云: "【高句麗】之東南, 【濊{穢}】之西, 古【貊】地.
盖今【新羅】北<朔州>." [善德王]六年, 【唐】[貞觀]十一年, 爲<中首州{牛首州}>, 置
軍主,(一云: [文武王]十三年, 【唐】[咸亨]四年, 置<首若州>.) [景德王]改爲<朔州>, 今
<春州>. 領縣三: <綠驍縣>, 本【高句麗】<伐力川縣>, [景德王]改名, 今<洪川縣>;
<潢川縣>, 本【高句麗】<橫川縣>, [景德王]改名, 今復故; <砥平縣{平縣}>, 本【高
句麗】<砥峴縣{平縣}>, [景德王]改名, 今因之.

번 역

5. <삭주>는 [가탐]의 『고금군국지』에 "【고구려】의 동남쪽, 【예】의 서쪽, 옛날 【맥】의 땅으로서, 대략 지금 【신라】북쪽 <삭주>이다."고 기록되어 있다. [선덕왕] 6년, 【당】[정관] 11년에 <우수주>로 만들어 군주를 두었고 ([문무왕] 13년, 【당】[함형] 4년에 <수약주>를 설치하였다고도 한다.), [경덕왕]이 <삭주>로 개칭하였다. 지금의 <춘주>이다. 이 주에 속한 현은 셋이다. <녹효현>은 원래 【고구려】의 <벌력천현>을 [경덕왕]이 개칭한 것이다. 지금의 <홍천현>이다. <황천현>은 원래 【고구려】의 <횡천현>이었던 것을 [경덕왕]이 개칭한 것이다. 지금은 옛 이름으로 회복되었다. <지평현>은 원래 【고구려】의 <지현현>이었던 것을 [경덕왕] 이 개칭한 것이다. 지금도 그대로 부른다.

변 천

5. 朔州 — 江原道에 있는 지명으로 본래 貊國인데, 新羅 善德女王 6年(637)에 牛首州(또는 牛頭州)라 하여 軍主를 두었는데, 文武王 13年(673)에 首若州(또는 烏斤乃, 烏近乃, 首次若)라 하였고, 景德王이 <朔州>로 고쳤다가 뒤에 다시 <光海州>로 고쳤다. 高麗 太祖 25年(942)에는 <春州>라 불렀고, 成宗 14年(995)에는 州를 폐지하고 團練使라 하여 安邊府에 속하였는데, 神宗 6年(1203) 에 州의 백성들이 길이 멀고 험난하여 往來가 어렵다 하여 崔忠獻에게 뇌물을 바치고 安陽都護府로 昇格하였다가 뒤에 知春州로 강등하였다. 朝鮮 太宗 13年(1413)에 <春川>으로 고쳐서 郡이 되었다가, 同 15年 乙未에 都護府로 昇格되었다가, 英祖 31年(1755)에 縣으로 降等하였고, 同 41年 (1765)에 復舊하였다.(三·麗·輿·文)

   ○ 大韓 高宗 25年(1888)에 留都府로 昇格하여 京畿道에 속했다가, 同 32年 (1895)에 江原道로 옮겨 소속되었고 府로 그대로 남아서 13郡을 거느렸는데, 1896년 13道를 定할 때에 春川郡으로 되었다.(增)

   ○ 1931년 春川面을 春川邑으로 승격하고, 1946년 春川邑이 春川府로 승격하여 분리하였고, 春川郡을 春城郡으로 바꾸었다. 1949년 春川府를 春川市로 바꾸었고, 1992년 春城郡을 春川郡으로 바꾸었으며, 1995년 春川市와 春川郡을 통합하여 春川市

를 설치하였다.(地)

○ 지금의 江原道 春川市.

5.0.1. 綠驍縣 - 본래 高句麗 伐力川郡인데, 新羅 景德王이 <綠驍>로 고쳐서 朔州(春川) 郡 領縣으로 삼았다. 高麗 顯宗 9年(1018)에 <洪川>으로 고쳐서 그대로 소속되었다 가, 仁宗 21年(1143)에 監務를 두었고, 朝鮮 시대에도 그대로 부르다가 뒤에 고쳐서 縣監이 되었다.(三·麗·輿·文)

○ 1895년에 洪川郡으로 昇格하였다.(增)

○ 지금의 江原道 洪川郡.

5.0.2. 潢川縣 - 본래 高句麗 橫川(또는 於斯買)縣인데, 新羅 景德王이 <潢川>으로 고쳐 서 朔州(春川)郡 領縣으로 삼았다. 高麗 시대에 와서 다시 <橫川>이라 불렸고, 그대 로 소속시켰다가 뒤에 原州로 屬하였다. 恭讓王 元年(1389)에 監務를 두었고, 朝鮮 太 宗 13年(1413)에 고쳐서 縣監이 되었는데, 同 14年에 橫川·洪川이 소리가 비슷하다고 하여 <橫城>으로 고쳤다.(三·麗·輿·文)

○ 1895년에 橫城郡으로 昇格하였다.(增)

○ 지금의 江原道 橫城郡.

5.0.3. 砥平縣 - 본래 高句麗 砥峴縣인데, 新羅 景德王이 <砥平>으로 고쳐서 朔州(春川) 郡 領縣으로 삼았다. 高麗 顯宗 9年(1018)에 廣州로 屬하였다가, 禑王 4年(1378)에는 임금의 유모 張氏의 고향이라 하여 監務를 다시 두었는데 뒤에 폐지하고, 恭讓王 3年 (1391)에는 철광석을 채굴하는 광산을 縣境에 두고 監務를 設置하여 함께 관할하게 하였는데, 朝鮮 太宗 13年(1413)에 縣監이 되었고, 肅宗 11年(1685)에 楊根에 속하였 다가, 同 14年에 복구하였다.(三·麗·輿·文)

○ 1895년에 고쳐서 砥平郡이 되었다가, 1908년에 楊根郡과 합하여 楊平郡이 되었다.(增)

○ 지금의 京畿道 楊平郡 砥堤面 砥平里(地)

▶楊根 — 4.3.2. 참조.

원 문

5.1. <北原京>, 本【高句麗】<平原郡>, [文武王]置<北原小京>, [神文王]五年築城, 周一千三十一步, [景德王]因之, 今<原州>.

번 역

5.1. <북원경>은 원래【고구려】의 <평원군>으로서 [문무왕]이 <북원소경>을 설치하였고, [신문왕] 5년에 성을 쌓았는데, 둘레가 1천 31보였다. [경덕왕]이 성의 이름을 그대로 지명으로 불렀다. 지금의 <원주>이다.

변 천

5.1. 北原京 - 본래 高句麗 平原郡인데, 新羅 文武王이 北原小京을 두었다. 高麗 太祖 23年(940)에 <原州>로 고치고, 顯宗 9年(1018)에 知州事가 되었다가, 高宗 46年(1259)에 州의 백성이 逆謀에 가담하였다 하여 강등하여 <一新縣>이 되었는데, 元宗 元年(1260)에 다시 知州事가 되고, 同 10年(1270)에는 林惟茂의 외가라 하여 靖原都護府로 昇格하였다. 忠烈王 17年(1291)에는 거란병 방어에 공이 있다 하여 益興都護府로 고쳤다가, 同 34年(1308)에 <原州牧>으로 昇格하고, 忠宣王 2年(1310)에는 여러 牧을 폐지하므로 降等하여 <成安府>가 되었다. 恭愍王 2年(1353)에는 胎를 州의 雉岳山에 묻고는 原州牧으로 回復하였다. 朝鮮에서도 그대로 부르다가, 世祖 때에는 鎭을 두었고, 肅宗 9年(1683)에 縣으로 降等하였다가, 同 28年(1702)에 復舊하고, 英祖 4年(1728)에 또 降等하여 縣이 되었다가, 同 15年(1739)에 復舊하였다.(三·麗·輿·文)

ㅇ 또 다른 지명은 平凉京 혹은 平凉으로 高麗 成宗 때 지은 것이다.(麗)

ㅇ 1895년에 고쳐서 原州郡이 되었다.(增)

ㅇ 1955年에 江原道 原州邑(原州面) 일대와 板富面 丹邱里·杏邱里, 好楮面 牛山里를 합쳐 原州市를 만들고, 그 나머지는 原城郡에 편입하였다.(地)

ㅇ 지금의 江原道 原州市.

원 문

5.2. <奈隄郡>, 本【高句麗】<奈吐郡>, [景德王]改名, 今<湜州{堤州}>. 領縣二: <淸風縣>, 本【高句麗】<沙熱伊縣>, [景德王]改名, 今因之; <赤山縣>, 本【高句 麗】縣, [景德王]因之, 今<丹山縣>.

번 역

5.2. <나제군>은 원래【고구려】의 <나토군>이었던 것을 [경덕왕]이 개칭한 것이다. 지금의 <제주>이다. 이 군에 속한 현은 둘이다. <청풍현>은 원래【고구려】의 <사열이 현>이었던 것을 [경덕왕]이 개칭한 것이다. 지금도 그대로 부른다. <적산현>은 원래【고 구려】의 현이었는데 [경덕왕]이 이를 따랐다. 지금의 <단산현>이다.

변 천

5.2. 奈隄郡 - 본래 高句麗 奈吐(또는 大堤)郡인데, 新羅 景德王이 <奈堤郡>으로 고쳤 다. 高麗初에 <堤州>로 고치고, 成宗 14年(995)에 刺史를 두었다가, 穆宗 8年(1005)에 폐지하고, 顯宗 9年(1018)에 原州에 屬하였다가, 睿宗 元年(1106)에는 監務를 두었고, 朝鮮 太宗 13年(1413)에 <堤川>으로 고쳐서 縣監이 되었다.(三・麗・輿・文)

  o 또 다른 지명은 義川으로 高麗 成宗 때 지은 것이다. 義原이라고도 한다.(麗)

  o 1895년에 고쳐서 堤川郡이 되었고, 1914년에 淸風郡 일대와 忠州郡 德山面이 편입 되었다.(增)

  o 1940년 堤川面을 邑으로 昇格하고, 1980년 堤川邑을 堤川市로 승격하고 堤川郡을 堤原郡으로 변경하였다. 1991년 堤原郡을 堤川郡으로 변경하고, 1995년 堤川市와 堤川郡을 통합하여 堤川市를 설치하였다.(地)

  o 지금의 忠淸北道 堤川市.

5.2.1. 淸風縣 - 본래 高句麗 沙熱伊縣인데, 新羅 景德王이 <淸風>으로 고쳐서 奈隄(堤 川)郡 領縣으로 삼았다. 高麗 顯宗 9年(1018)에 忠州에 속하였다가 뒤에 監務를 두었

다. 忠肅王 4年(1317)에 縣의 僧侶 淸恭이 王師가 되었기에 昇格하여 知郡事가 되었는
데, 朝鮮 시대에도 그대로 부르다가, 顯宗 元年(1660) 에 昇格하여 府가 되었다.(三·
麗·輿·文)

○ 1895년에 고쳐서 淸風郡이 되었다가, 1914년에 堤川郡에 합병되었다.(增)

○ 지금의 忠淸北道 堤川市 淸風面.

5.2.2. 赤山縣 - 본래 高句麗 赤山(또는 赤城)縣인데, 新羅 때에는 奈堤(堤川)郡 領縣이
되었다. 高麗初에 <丹山>으로 고치고, 顯宗 9年(1018)에 原州에 屬하였다가, 뒤에 忠
州로 옮겨 소속되었고, 高宗 때에 哈丹의 亂에 縣의 백성들이 난을 막아낸 공이 있다
하여 監務를 두었다. 忠肅王 5年(1318)에 <知丹陽郡事>가 되었는데, 朝鮮 시대에도
그대로 불렸고, 太宗 13年(1413)에 <丹陽郡>이 되었다.(三·麗·輿·文)

○ 1895년에 忠州府의 管轄이 되었다가, 1914년에 永春郡이 편입되었다.(增)

○ 지금의 忠淸北道 丹陽郡(赤城面).

원 문

5.3. <奈靈郡>, 本【百濟{高句麗}】<奈已郡>, [婆娑王]取之, [景德王]改名, 今<剛
州>. 領縣二: <善谷縣>, 本【高句麗】<買谷縣,> [景德王]改名, 今未詳; <玉馬縣{王
馬縣}>, 本【高句麗】<古斯馬縣>, [景德王]改名, 今<奉化縣>.

번 역

5.3. <나령군>은 원래【백제】의 <나이군>으로서 [파사왕]이 이를 빼앗았고, [경덕왕]
이 개칭한 것이다. 지금의 <강주>이다. 이 군에 속한 현은 둘이다. <선곡현>은 원래
【고구려】의 <매곡현>이었던 것을 [경덕왕]이 개칭한 것이다. 지금은 위치가 분명치 않
다. <옥마현>은 원래【고구려】의 <고사마현>이었던 것을 [경덕왕]이 개칭한 것이다. 지
금의 <봉화현>이다.

변 천

5.3. 奈靈郡 - 본래 高句麗 奈已(또는 捺已)郡인데, 新羅 婆娑王이 그 땅을 차지하였고, 景德王이 <奈靈郡>으로 고쳤다. 高麗 成宗 14年(995)에 剛州團練使로 고쳤고, 顯宗 9 年(1018)에 安東府에 屬하였다가, 仁宗 21年(1143)에 順安縣令으로 고쳤다. 高宗 46年 (1259)에는 衛社功臣 金仁俊의 고향이라 하여 知榮州事로 昇格하였다가, 朝鮮 太宗 13年(1413)에 <榮州>로 고쳤고, 世祖 4年(1458)에는 順興을 폐지하고 馬兒嶺 아래에 있는 水東의 땅인 浮石・水息・串川・破文丹 4里가 <榮川>에 편입되었다.(三・麗・ 興・文)

○ 또 다른 지명은 龜城으로 高麗 成宗 때 지은 것이다.(麗)

○ 1895년 安東府 소속의 榮川郡, 豊基郡, 順興郡으로 되고, 1914년에 豐基郡 일대와 順興郡 일대가 편입되어 榮州郡으로 되었다.(地)

○ 1940년 榮州面을 榮州邑으로 승격하고, 1980년 榮州邑 일원과 몇 개 面을 합하여 榮州市로 승격하였으며, 榮州郡을 榮豊郡으로 개칭하였다. 1995년 榮州市와 榮豊郡 을 통합하여 榮州市를 설치하였다.(地)

○ 지금의 慶尙北道 榮州市.

5.3.1. 善谷縣 - 金富軾이 말하기를 "본래 高句麗 買谷縣인데, 新羅 景德王이 善谷으로 고쳐서 奈靈(榮川)郡에 편입시켰다."고 하였으나 지금은 그 위치를 알 수 없다.(興)

○ 禮安의 옛 이름으로 추측된다.

◇ 禮安 - 慶尙北道에 있는 지명으로 본래 高句麗 買谷縣인데, 新羅가 善谷으로 고 쳐서 奈靈(順興)郡 領縣으로 삼았다. 高麗 太祖 때에 城主 李能宣이 의병을 일으켜 歸順하므로 <禮安>으로 고쳐서 郡으로 昇格하였다가, 顯宗 9年(1018)에는 吉州(安 東)에 속하고, 禑王 2年(1376)에는 그 胎를 縣地에 묻고, 다시 昇格하여 郡이 되었 다. 恭讓王 2年(1390)에 監務를 두었고 宜仁縣을 편입시켰으며, 朝鮮 시대에도 그대 로 부르다가, 太宗 13年(1413)에 고쳐서 縣이 되었다.(三・麗・興・文)

○ 1895년에 郡으로 昇格하였다가, 1914년에 郡을 없애고 安東에 합병하였다.(增)

○ 지금의 慶尙北道 安東市 禮安面.

5.3.2. 玉馬縣 - 본래 高句麗 古斯馬縣인데, 新羅 景德王이 <玉馬>로 고쳐서 奈靈(榮川) 郡 領縣으로 삼았다. 高麗 景宗 때에 <奉化>로 고치고, 顯宗 9年(1018)에 安東에 屬 하였다가, 恭讓王 2年(1390)에 監務를 두었다. 朝鮮 시대에도 그대로 부르다가, 太宗 때에 고쳐서 縣監이 되었고, 世祖 4年(1458)에 順興·文殊山·水東의 땅을 나누어 관 할하였다가, 肅宗 9年(1683)에 돌려보냈다.(三·麗·興·文)

○ 또 다른 지명은 鳳城이다.(麗)

○ 1895년에 고쳐서 奉化郡이 되었고, 1914년에 順興郡의 花川面·壽民丹面·水息面 이 편입되었다.(增)

○ 1973년 法田面의 소로리가 春陽面에 편입되고, 祥雲面의 내림, 두월 2개 里가 榮 州郡 伊山面에 편입되었다.(地)

○ 지금의 慶尙北道 奉化郡.

원 문

5.4. <岌山郡>, 本【高句麗】<及伐山郡>, [景德王]改名, 今<興州>. 領縣一: <隣 豊縣>, 本【高句麗】<伊伐支縣>, [景德王]改名, 今未詳.

번 역

5.4. <급산군>은 원래【고구려】의 <급벌산군>이었던 것을 [경덕왕]이 개칭한 것이 다. 지금의 <흥주>이다. 이 군에 속한 현은 <인풍현> 하나이다. <인풍현>은 원래【고 구려】의 <이벌지현>이었던 것을 [경덕왕]이 개칭한 것이다. 지금은 위치가 분명치 않다.

변 천

5.4. 岌山郡 - 본래 高句麗 及伐山郡인데, 新羅 景德王이 <岌山郡>으로 고쳤다. 高麗初

에는 興州로 고치고, 成宗이 <順政>으로 다시 고쳤다. 顯宗 9年(1018)에 安東府로 屬하였다가 뒤에 順安(榮州)縣으로 옮겨 소속되었고, 明宗 2年(1172)에 監務를 두었는데, 忠烈王이 胎를 奉安하고는 知興州事로 昇格하였고, 忠穆王이 또 胎를 奉安하고는 <順興>으로 고쳐서 府로 昇格하였다. 朝鮮 太宗 13年(1413)에 都護府로 고쳤다가, 世祖 4年(1458)에 府使 李甫欽이 죄수의 협박으로 謀叛하므로 폐지하여 <豊基郡>에 소속시키고, 馬兒嶺水東의 땅은 榮川으로 편입시키고, 文殊山水東의 땅은 奉化에 편입시키고 府를 폐지하였다가, 肅宗 9年(1683)에 다시 회복하여 府가 되었다.(三·麗·興·慶·文)

○ 또 다른 지명은 順政으로 高麗 成宗 때 지은 것이다.(麗)

○ 1895년에 고쳐서 順興郡이 되었다가, 1914년에 花川面·壽民丹面·水息面은 奉化에 편입되고, 그 나머지는 榮州郡에 편입되었다.(增)

○ 지금의 慶尙北道 榮州市 順興面.

5.4.1. 鄰豊縣 —본래 高句麗 伊伐支(또는 自伐支)縣인데, 新羅 景德王이 <鄰豊>으로 고쳤다.(三·麗·興·文) 지금은 그 위치가 분명하지 않다.

○ 慶尙北道 順興에 편입된 것으로 보인다.

○ 지금의 慶尙北道 榮州市 順興面.

원 문

5.5. <嘉平郡{加平郡}>, 本【高句麗】<斤平郡>, [景德王]改名, 今因之. 領縣一: <浚水縣>, 本【高句麗】<深川縣>, [景德王]改名, 今<朝宗縣>.

번 역

5.5. <가평군>은 원래【고구려】의 <근평군>이었던 것을 [경덕왕]이 개칭한 것이다. 지금도 그대로 부른다. 이 군에 속한 현은 <준수현> 하나이다. <준수현>은 원래【고구

려]의 <심천현>이었던 것을 [경덕왕]이 개칭한 것이다. 지금의 <조종현>이다.

변 천

5.5. 嘉平郡 — 본래는 高句麗 斤平(또는 竝平)郡인데, 新羅 景德王이 <加平(또는 嘉平)>으로 고쳤다. 高麗 顯宗 9年(1018)에 春州(春川)로 屬하였다가, 朝鮮 太祖 5年(1396)에는 監務를 두었고, 太宗 13年(1413)에는 縣監을 만들어 江原道에서 京畿道로 옮겨 소속되었다. 中宗 2年(1507)에는 縣地에 中宗의 御胎를 奉安하므로 郡으로 昇格하였다가, 肅宗 23年(1697)에 縣으로 강등하였으며, 同 33年(1707)에 郡으로 복구하였고, 高宗 20年(1883)에는 江原道 春川으로 편입하였다가, 32年(1895)에는 京畿道 관할의 郡이 되어 漢城府에 속하였는데, 그 해에 다시 抱川郡에 속하였다가 곧 복구하였다. (三·麗·輿·文)

  ○ 1896년 抱川郡에서 분리되어 加平郡이 되었다.(地)

  ○ 지금의 京畿道 加平郡.

5.5.1. 浚水縣 — 본래 高句麗 深川(또는 伏斯買)縣인데, 新羅 景德王이 <浚水>로 고쳐서 嘉平(加平)郡 領縣으로 삼았다. 高麗 시대에 <朝宗>으로 고치고, 顯宗 9年(1018)에 嘉平과 함께 春州(春川)에 편입되었는데, 朝鮮 太祖 5年(1396)에 嘉平 監務를 두고 縣으로 다시 편입되었다.(三·麗·輿·文)

  ○ 지금의 京畿道 加平郡

원 문

5.6. <楊麓郡>, 本【高句麗】<楊口郡>, [景德王]改名, 今<陽溝縣>. 領縣三: <狶蹄縣>, 本【高句麗】<猪足縣>, [景德王]改名, 今<麟蹄縣>; <馳道縣>, 本【高句麗】<王岐縣>, [景德王]改名, 今<瑞禾縣>; <三嶺縣>, 本【高句麗】<三峴縣>, [景德王]改名, 今<方山縣>.

번 역

5.6. <양록군>은 원래 【고구려】의 <양구군>이었던 것을 <경덕왕>이 개칭한 것이다. 지금의 <양구현>이다. 이 군에 속한 현은 셋이다. <희제현>은 원래 【고구려】의 <저족현>이었던 것을 [경덕왕]이 개칭한 것이다. 지금의 <인제현>이다. <치도현>은 원래 【고구려】의 <옥기현>이었던 것을 [경덕왕]이 개칭한 것이다. 지금의 <서화현>이다. <삼령현>은 원래 【고구려】의 <삼현현>이었던 것을 [경덕왕]이 개칭한 것이다. 지금의 <방산현>이다.

변 천

5.6. 楊麓郡 － 본래 高句麗 楊口(또는 要隱忽次)郡인데, 新羅 景德王이 <楊麓郡>으로 고쳤다가, 高麗 때 <楊溝>로 고쳐지고 春州(春川)에 속하였다가, 뒤에 <楊口>로 고쳐지고, 高麗 睿宗 元年(1106)에 監務를 두어서 狼川監務가 관할하게 하였다. 朝鮮 太祖 2年(1393)에 다시 가르고, 太宗 13年(1413)에 고쳐서 縣監이 되었다.(三·麗·輿·文)
  ○ 1895년에 楊口郡으로 昇格하였고, 純宗 隆熙 2年(1908)에 華川郡에 합병되었다가 뒤에 復舊되었다.(增)
  ○ 지금의 江原道 楊口郡.

5.6.1. 狶蹄縣 － 본래 高句麗 猪足(또는 烏斯回)縣인데, 新羅 景德王이 <狶蹄>로 고쳐서 楊麓(楊口)郡 領縣으로 삼았다. 高麗에서는 <麟蹄>로 고쳐서 春州(春川)에 소속시켰다가, 뒤에 淮陽에 소속시켰고, 恭讓王 元年(1389)에 監務를 두었는데, 朝鮮 太宗 13年(1413)에 고쳐서 縣監이 되었다.(三·麗·輿·文)
  ○ 1895년에 麟蹄郡으로 昇格하였다.(增)
  ○ 지금의 江原道 麟蹄郡.

5.6.2. 馳道縣 － 본래 高句麗 玉歧(또는 皆次丁)縣인데, 新羅 景德王이 <馳道>로 고쳐서 楊麓(楊口)郡 領縣으로 삼았다. 高麗에서는 <瑞和(또는 瑞禾, 瑞城)>로 고치고 春川

에 소속시켰다가 뒤에 淮陽에 소속시켰고, 朝鮮 世宗 때에는 <麟蹄>에 소속시켰다. (三·麗·興·文)

○ 지금의 江原道 麟蹄郡 瑞和面.

5.6.3. 三嶺縣 — 본래 高句麗 三峴縣(또는 密波兮)인데, 新羅 景德王이 <三嶺>으로 고쳐서 楊麓(楊口)郡 領縣으로 삼았다. 高麗 때에 <方山>으로 고쳐지고 淮陽府에 소속되었다가, 朝鮮 世宗 6年(1424)에 다시 <楊口郡>에 소속되었다.(三·麗·興·文)

○ 지금의 江原道 楊口郡 方山面.

원 문

5.7. <狼川郡>, 本【高句麗】<狌川郡>, [景德王]改名, 今因之.

번 역

5.7. <낭천군>은 원래 【고구려】의 <성천군>이었던 것을 [경덕왕]이 개칭한 것이다. 지금도 그대로 부른다.

변 천

5.7. 狼川郡 — 본래 高句麗 狌川(또는 也尸買, 也口買)縣인데, 新羅 景德王이 <狼川>으로 고쳤다. 高麗初에 春州(春川)에 屬하였다가, 睿宗 元年(1106)에 監務를 두어서 楊口와 함께 관할하게 하였다. 朝鮮 太祖가 다시 가르고, 太宗 13年(1413)에 縣監이 되었다가, 仁祖 22年(1644)에 <金化>에 편입되었는데, 孝宗 4年(1653)에 縣을 다시 두었다.(三·麗·興·文)

○ 1895년에 春川府 狼川郡으로 昇格하였다가, 1896년에 江原道 華川郡으로 고치었다.(地)

○ 지금의 江原道 華川郡.

원 문

5.8. <大楊郡>, 本【高句麗】<大楊菅郡>, [景德王]改名, 今<長楊郡>. 領縣二: <藪川縣>, 本【高句麗】<藪狌川縣>, [景德王]改名, 今<和川縣>; <文登縣>, 本【高句麗】<文峴縣>, [景德王]改名, 今因之.

번 역

5.8. <대양군>은 원래 【고구려】의 <대양관군>이었던 것을 [경덕왕]이 개칭한 것이다. 지금의 <장양군>이다. 이 군에 속한 현은 둘이다. <수천현>은 원래 【고구려】의 <수성천현>이었던 것을 [경덕왕]이 개칭한 것이다. 지금의 <화천현>이다. <문등현>은 원래 【고구려】의 <문현현>이었던 것을 [경덕왕]이 개칭한 것이다. 지금도 그대로 부른다.

변 천

5.8. 大楊郡 − 본래 高句麗 大楊管(또는 馬斤押)郡인데, 新羅 景德王이 <大楊郡>으로 고쳤다. 高麗가 <長楊郡>으로 고쳐서 交州(淮陽)에 편입시켰고, 朝鮮 시대에도 그대로 따랐다.(三·麗·輿·文)

○ 1914년 淮陽郡 長陽面으로 개편하였다.(名)

○ 지금의 江原道(북한) 淮陽郡, 金剛郡(北).

5.8.1. 藪川縣 − 본래 高句麗 藪狌川縣인데, 新羅 景德王이 <藪川>으로 고쳐서 大楊(長楊)郡 領縣으로 삼았다. 高麗初에 <和川>으로 고쳐서 <淮陽>에 편입시켰다.(三·麗·輿·文)

○ 1914년 淮陽郡 安豊面에 편입하고 <和川>을 <化川>으로 바꾸었다.(名)

○ 지금의 江原道(북한) 金剛郡 化川里(北).

5.8.2. 文登縣 - 본래 高句麗 文峴(또는 文見, 斤尸波兮)縣인데, 新羅 景德王이 <文登>으로 고쳐서 大楊(淮陽)郡 領縣으로 삼았다. 高麗 縣宗 9年(1018)에 春州(春川)로 옮겨 편입되었다가 뒤에 <淮陽>에 다시 屬하였고, 朝鮮 시대에도 그대로 불렀다.(三·麗·興·文)

○ 1914년에 文登里가 楊口郡 水入面으로 편입되었다.(名)
○ 文登里가 楊口郡 水入面에서 昌道郡으로 편입되었다.(北)
○ 지금의 江原道(북한) 昌道郡 文登里.

원 문

5.9. <益城郡>, 本【高句麗】<母城郡>, [景德王]改名, 今<金城郡>.

번 역

5.9. <익성군>은 원래【고구려】의 <모성군>이었던 것을 [경덕왕]이 개칭한 것이다. 지금의 <금성군>이다.

변 천

5.9. 益城郡 - 본래 高句麗 母城郡(또는 也次忽)인데, 新羅 景德王이 <益城郡>으로 고쳤다. 高麗初에는 <金城>으로 고쳤다가, 顯宗 9年(1018)에 昇格하여 郡이 되었는데, 뒤에 강등하여 縣이 되어 交州(淮陽)에 屬하였다. 睿宗 元年(1106)에 監務를 두었고 뒤에 令으로 昇格하였다가, 高宗 41年(1254)에 다시 강등하여 監務가 되었고, 同 44年(1257)에는 또 <道寧>이라 불렀다가, 朝鮮 시대에 와서는 다시 <金城>縣令이라 하였다.(三·麗·興·文)

○ 1895년에 金城郡으로 昇格하였다가 春川府에 管轄되었고, 1914년에 郡을 없애고 金化郡 金城面으로 합병되었다.(名)

○ 지금의 江原道(북한) 金化郡.

원 문

5.10. <岐城郡>, 本【高句麗】<冬斯忽郡>, [景德王]改名, 今因之. 領縣一: <通溝縣{通口縣}>, 本【高句麗】<木入縣{水入縣}>, [景德王]改名, 今因之.

번 역

5.10. <기성군>은 원래【고구려】의 <동사홀군>이었던 것을 [경덕왕]이 개칭한 것이다. 지금도 그대로 부른다. 이 군에 속한 현은 <통구현> 하나이다. <통구현>은 원래【고구려】의 <수입현>이었던 것을 [경덕왕]이 개칭한 것이다. 지금도 그대로 부른다.

변 천

5.10. 岐城郡 - 본래 高句麗 冬斯忽郡인데, 新羅 景德王이 <岐城>으로 고쳐서 郡이 되었다가, 高麗에서는 縣으로 降等되어 <金城>에 屬하였다.(三·麗·輿·文)

○ 1895년에 金城郡(岐城面)으로 昇格하였다가 春川府에 管轄되었고, 1914년에 郡을 없애고 金化郡(岐梧面 岐城里)에 합병되었다.(名)

○ 金化郡 昌道面 岐城里가 昌道郡 岐城里로 바뀌었다.(北)

○ 지금의 江原道(북한) 昌道郡 岐城里.

5.10.1. 通溝(口)縣 - 본래 高句麗 水入(또는 買伊)縣인데, 新羅 景德王이 <通溝(또는 通口)>로 고쳐서 岐城(金城)郡 領縣으로 삼았다. 高麗 顯宗 때에는 交州(淮陽)에 屬하였다가, 뒤에 <金城>으로 편입되었다.(三·麗·輿·文)

○ 1895년에 金城郡으로 昇格하였다가 春川府에 管轄되었고, 1914년에 郡을 없애고
　金化郡에 합병되었다.(名)

○ 金化郡이 金化郡과 昌道郡으로 분리되고, 通口面은 金化郡에서 昌道郡으로 편입
　되었다.(北)

○ 지금의 江原道(북한) 昌道郡.

원 문

5.11.　<連城郡>, 本【高句麗】<各(一作 客)連城郡>, [景德王]改名, 今<交州>,
領縣三, <丹松縣>, 本【高句麗】<赤木鎭>, [景德王]改名, 今<嵐谷縣>, <軼雲縣>,
本【高句麗】<管述縣>, [景德王]改名, 今未詳, <狶嶺縣>, 本【高句麗】<猪守峴縣>,
[景德王]改名, 今未詳.

번 역

5.11.　<연성군>은 원래 【고구려】의 <각연성(또는 객연성)군>을 [경덕왕]이 개칭한 것
이다. 지금의 <교주>이다. 이 군에 속한 현은 셋이다. <단송현>은 원래 【고구려】의 <적
목진>을 [경덕왕]이 개칭한 것인데, 지금의 <남곡현>이다. <질운현>은 원래 【고구려】
의 <관술현>이었던 것을 [경덕왕]이 개칭한 것이다. 지금은 위치가 분명하지 않다. <희
령현>은 원래 【고구려】의 <저수현>이었던 것을 [경덕왕]이 개칭한 것이다. 지금은 위치
가 분명하지 않다.

변 천

5.11.　連城郡 － 본래 高句麗 各連城(또는 客連城, 加牙兮)郡인데, 新羅 景德王이 <連城
郡>으로 고쳤다. 高麗 成宗 14年(995)에 交州 團練使로 고치고, 顯宗 9年(1018)에 防
禦使로 고쳤다가, 忠烈王 34年(1308)에는 鐵嶺을 가로질러 길을 내는데 공이 있다고

하여 <淮州牧>으로 昇格하였다. 忠宣王 2年(1310)에 여러 牧을 폐지할 때 <淮陽>으로 고쳐서 府가 되었다가, 朝鮮 太宗 13年(1413)에 都護府가 되었고 世祖 때에는 鎭을 두었다.(三·麗·興·文)

o 1895년에 고쳐서 淮陽郡이 되었다.(增)

o 淮陽郡은 淮陽郡, 金剛郡, 昌道郡 등으로 분산되어 편입되었다.(北)

o 지금의 江原江(북한) 淮陽郡.

5.11.1. 丹松縣 - 본래 高句麗 赤木鎭(또는 沙非斤乙)인데, 新羅 景德王이 <丹松>으로 고쳐 連城(淮陽)郡 領縣으로 삼았다. 高麗 顯宗 9年(1018)에 <嵐谷>으로 고쳐서 그대로 소속시켰고, 朝鮮 시대에도 그대로 두었다.(三·麗·興·文).

o 지금의 江原江(북한) 淮陽郡.

5.11.2. 軼雲縣 - 본래 高句麗 管述縣인데, 新羅 景德王이 <軼雲>으로 고쳐서 連城(淮陽)郡 領縣으로 삼았다.(興·文)

o 三國史記에는 지금은 알 수 없는 지명이라 하였고, 興地勝覽에는 淮陽郡에 실려 있다.(文)

o 지금의 江原江(북한) 淮陽郡.

5.11.3. 狶嶺縣 - 본래 高句麗 猪守峴(또는 烏生波衣, 猪蘭)縣인데, 新羅 景德王이 狶嶺(또는 稀嶺)으로 고쳐서 連城(淮陽)郡 嶺縣으로 삼았다.(興·文)

o 三國史記에는 지금은 알 수 없는 지명이라 하였고, 興地勝覽에는 淮陽郡에 실려 있다.(文)

o 지금의 江原江(북한) 淮陽郡.

원 문

5.12. <朔庭郡>, 本【高句麗】<比列忽郡>, [眞興王]十七年,【梁】[太平] 元年, 爲 <比列州>, 置軍主, [孝昭王{孝照王}]時築城. 周一千一百八十步, [景德王]改名, 今<登 州>. 領縣五: <瑞谷縣>, 本【高句麗】<原谷縣{原谷縣}>, [景德王]改名, 今因之; <蘭 山縣>, 本【高句麗】<昔達縣>, [景德王]改名, 今未詳; <霜陰縣>, 本【高句麗】<薩 寒縣>, [景德王]改名, 今因之; <菁山縣>, 本【高句麗】<加支達縣>, [景德王]改名, 今<汶山縣>; <翊谿縣{翊溪縣}>, 本【高句麗】<翼谷縣{翊谷縣}>, [景德王]改名, 今 因之.

번 역

5.12. <삭정군>은 원래【고구려】의 <비열홀군>으로서 [진흥왕] 17년,【양】[태평] 원 년에 <비열주>로 만들어 군주를 두었고, [효소왕] 때 성을 쌓았는데, 둘레가 1천 1백 80 보였다. [경덕왕]이 이를 <삭정군>으로 개칭하였다. 지금의 <등주>이다. 이 군에 속한 현은 다섯이다. <서곡현>은 원래【고구려】의 <경곡현>이었던 것을 [경덕왕]이 개칭한 것이다. 지금도 그대로 부른다. <난산현>은 원래【고구려】의 <석달현>이었던 것을 [경 덕왕]이 개칭한 것이다. 지금은 위치가 분명치 않다. <상음현>은 원래【고구려】의 <살한 현>을 [경덕왕]이 개칭한 것이다. 지금도 그대로 부른다. <청산현>은 원래【고구려】의 <가지달현>이었던 것을 [경덕왕]이 개칭한 것이다. 지금의 <문산현>이다. <익계현>은 원래【고구려】의 <익곡현>이었던 것을 [경덕왕]이 개칭한 것이다. 지금도 그대로 부른다.

변 천

5.12. 朔庭郡 − 본래 高句麗 比列忽(또는 淺城)郡인데, 新羅 眞興王 17年(556)에 比列州라 하고 軍主를 두었다가, 景德王이 <朔庭郡>으로 고쳤다. 高麗初에 <登州>로 고쳤다 가, 成宗 14年(995)에 團練使를 두었고, 顯宗 9年(1018)에 <安邊>으로 고쳐서 府가 되 었다. 高宗 때에 定平 以南 여러 城이 蒙古兵의 侵略을 입어서 모두 江陵(江原)道 襄

州(襄陽)에 임시로 治所를 옮겼다가 杆城으로 다시 治所를 옮겼는데, 거의 40年만인 忠烈王 24年(1298)에 본래 城으로 각각 돌아갔다. 朝鮮 太宗 6年(1406)에 府人 趙思義가 난을 일으키므로 강등하여 縣監이 되었다가, 다음해에 다시 都督府가 되었고, 世宗 때에는 鎭을 두었다. 成宗 2年(1471)에 昇格하여 大都護府가 되었고, 中宗 4年(1509)에 강등하여 都護府가 되었다.(三·麗·輿·文)

○ 또 다른 지명은 朔方으로 高麗 定宗 때 지은 것이다.(輿)

○ 1895년에 고쳐서 安邊郡이 되었고, 1914년에는 郡의 일부(永豊面과 下道面의 麗島)가 德源郡(咸鏡南道)에 편입되었다.(增)

○ 1946년 京畿道 漣川郡 일부와 咸南의 元山市, 文川郡, 安邊郡을 합하여 江原道를 신설하였다.(北)

○ 지금의 江原道(북한) 安邊郡.

5.12.1. 瑞谷縣 － 高句麗 原谷(또는 首乙呑)縣인데, 新羅 景德王이 <瑞谷>으로 고쳐서 朔庭(安邊)郡 領縣으로 삼았는데, 高麗 顯宗 9年(1018)에도 그대로 소속되었고, 朝鮮 시대에도 그대로 불렀다.(三·麗·輿·文)

○ 1895년에 고쳐서 安邊郡이 되었고, 1914년에는 咸鏡南道 安邊郡 瑞谷面이 되었다.(名)

○ 1946년 京畿道 漣川郡 일부와 咸南의 元山市, 文川郡, 安邊郡을 합하여 江原道를 신설하고, 安邊郡이 安邊郡과 高山郡으로 분산 편입되었으며, 瑞谷面은 安邊郡에 편입되었다.(北)

○ 지금의 江原道(북한) 安邊郡.

5.12.2. 蘭山縣 － 본래 高句麗 昔達(또는 青達)縣인데, 新羅 景德王이 <蘭山>으로 고쳐서 牛首州(春川) 領縣으로 삼았다.(輿·文)

○ 金富軾의 新羅本紀에 보면, "哀莊王 5年(804)에 牛頭州 蘭山縣에 누운 돌비석이 일어섰다."고 하고 있고, 地理志에는 "蘭山州를 朔庭郡 領縣으로 삼았다."고 하였으니, 대개 景德王이 比列忽을 고쳐서 朔庭이라 하고, 牛首州를 고쳐서 朔州라 하였는데, 富軾이 두 朔字를 잘못 생각하여 朔州를 朔庭이라 한 것이다.(輿)

○ 지금의 江原道 春川市.

5.12.3. 霜陰縣 – 본래 高句麗 薩寒縣인데, 新羅 景德王이 <霜陰>으로 고쳐서 朔庭(安邊)郡 領縣으로 삼았고, 高麗 顯宗 9年(1018)에도 그대로 편입되었고, 朝鮮 시대에도 그대로 불렀다.(三·麗·輿·文)

   ○ 1895년에 고쳐서 安邊郡이 되었고, 1914년에는 咸鏡南道 安邊郡 瑞谷面이 되었다.(名)

   ○ 1946년 京畿道 漣川郡 일부와 咸南의 元山市, 文川郡, 安邊郡을 합하여 江原道를 신설하였다.(北)

   ○ 지금의 江原道 安邊郡 桑陰里.

5.12.4. 菁山縣 – 본래 高句麗 加支達縣인데, 新羅 景德王이 <菁山>으로 고쳐서 朔庭(安邊)郡 領縣으로 삼았다. 高麗初에 <汶山>으로 고치고, 顯宗 9年(1018)에 그대로 부르다가 뒤에 <文山>으로 고치고, 朝鮮 시대에도 그대로 불렀다.(三·麗·輿·文)

   ○ 1895년에 고쳐서 安邊郡이 되었고, 1914년에는 咸鏡南道 安邊郡 文山面이 되었다.(名)

   ○ 지금의 江原道 安邊郡.

5.12.5. 翊谿縣 – 본래 高句麗 於支呑縣인데, 新羅 景德王이 翊谿로 고치어 朔庭(安邊)郡 領縣으로 삼았다. 高麗에 <翼谷>으로 고쳐서 그대로 편입시켰고, 朝鮮 시대에도 그대로 불렀다.(三·麗·輿·文)

   ○ 지금의 江原道 安邊郡.

원 문

5.13. <井泉郡>, 本【高句麗】<泉井郡>, [文武王]二十一年取之, [景德王]改名, 築<炭項>關門, 今<湧州>. 領縣三: <蒜山縣{蒜山縣}>, 本【高句麗】<買尸達縣>, [景德王]改名, 今未詳; <松山縣>, 本【高句麗】<夫斯達縣>, [景德王]改名, 今未詳; <幽居縣>, 本【高句麗】<東墟縣>, [景德王]改名, 今未詳.

번 역

5.13. <정천군>은 원래 【고구려】의 <천정군>으로서 [문무왕] 21년에 이를 빼앗았으며 [경덕왕]이 개칭하고 <탄항>관문을 쌓았다. 지금의 <용주>이다. 이 군에 속한 현은 셋이다. <산산현>은 원래 【고구려】의 <매시달현>이었던 것을 [경덕왕]이 개칭한 것이다. 지금은 위치가 분명치 않다. <송산현>은 원래 【고구려】의 <부사달현>이었던 것을 [경덕왕]이 개칭한 것이다. 지금은 위치가 분명치 않다. <유거현>은 원래 【고구려】의 <동허현>이었던 것을 [경덕왕]이 개칭한 것이다. 지금은 위치가 분명치 않다.

변 천

5.13. 井泉郡 - 본래 高句麗 泉井(또는 旅乙買)郡인데, 新羅 文武王 21年(681)에 빼앗아 <井泉郡>으로 고쳤다. 高麗初에는 <湧州>라 불렸고, 成宗 14年(995)에 防禦使를 두었다가 뒤에 <宜州>로 고쳤고, 睿宗 3年(1108)에 城을 쌓았다. 朝鮮 太宗 13年(1413)에 고쳐서 <宜川>이 되었다가, 世宗 19年(1437)에 <德源>으로 고쳐서 郡이 되었는데, 同 25年에 穆·翼·度·桓 4代의 고향이라 하여 都護府가 되었다가, 1904년에 고쳐서 郡이 되었다.(三·麗·輿·文)

- 1914년에 元山府의 府內面·北面·州北面·龍城面·赤田面과 縣內面의 元山府에 속하지 아니한 地域과 安邊郡의 永豊面·下道面의 麗道와 高原郡 下鉢面의 熊島가 德源郡에 편입되었다.(增)
- 1946년 京畿道 漣川郡 일부와 咸南의 元山市, 文川郡(德源面), 安邊郡을 합하여 江原道를 신설하였다.(北)
- 지금의 江原道(북한) 元山市 德源洞.

5.13.1. 蒜山縣 - 본래 高句麗 買尸達縣인데, 新羅가 <蒜山>으로 고쳤다.
- 三國史記에는 지금은 알 수 없는 지명이라 하였다.(文)
- 지금의 江原道(북한) 元山市.

5.13.2. 松山縣 – 본래 高句麗 夫斯達縣인데, 新羅 景德王이 <松山>으로 고쳤다.
  ○ 三國史記에는 지금은 알 수 없는 지명이라 하였다.(文)
  ○ 지금의 江原道(북한) 元山市.

5.13.3. 幽居縣 – 본래 高句麗 東墟(또는 加知斤)縣인데, 新羅가 <幽居>로 고쳤다.
  ○ 三國史記에는 지금은 알 수 없는 지명이라 하였다.(文)
  ○ 지금의 江原道(북한) 元山市.

원 문

6. <溟州>, 本【高句麗】<河西良>(一作<何瑟羅>.), 後屬【新羅】. [賈耽]古今郡國志』云: “今【新羅】北界<溟州>, 蓋【濊】之古國.” 前史以【扶餘】爲【濊】地, 蓋誤. [善德王]時爲小京, 置仕臣, [太宗王]五年,【唐】[顯慶]三年, 以<何瑟羅>地連【靺鞨】, 罷京爲州, 置軍主以鎭之, [景德王]十六年改爲<溟州>, 今因之. 領縣四: <旌善縣>, 本【高句麗】<仍買縣>, [景德王]改名, 今因之; <㨨(一作棟)隄縣>, 本【高句麗】<束吐縣>, [景德王]改名, 今未詳; <支山縣>, 本【高句麗】縣, [景德王]因之, 今<連谷縣>; <洞山縣>, 本【高句麗】<穴山縣>, [景德王]改名, 今因之.

번 역

6. <명주>는 원래【고구려】의 <하서량>(또는 하슬라)으로 뒷날【신라】에 속하였다. [가탐]의 『고금군국지』에는 “지금【신라】의 북부 경계에 있는 <명주>는 대부분이【예】의 옛 나라이다.”고 기록되어 있다. 이전의 역사서에는【부여】를【예】의 땅이라고 하였는데 잘못인 듯하다. [선덕왕] 때 <소경>을 만들고 관리를 배치하였으나, [태종왕] 5년,【당】[현경] 3년에 <하슬라> 지역이【말갈】과 연결되어 있다 하여 <소경>을 폐지하여 주를 만들고 군주를 두어 이를 지키게 하였다가, [경덕왕] 16년에 <명주>로 개칭하였다. 지금도 그대로 부른다. 이 군에 속한 현은 넷이다. <정선현>은 원래【고구려】의 <잉매

현>이었던 것을 [경덕왕]이 개칭한 것이다. 지금도 그대로 부른다. <축(또는 동(棟)제현>
은 원래 【고구려】의 <속토현>이었던 것을 [경덕왕]이 개칭한 것이다. 지금은 위치가 분
명치 않다. <지산현>은 원래 【고구려】의 현이었다. [경덕왕]이 이 이름을 따랐는데 지금
의 <연곡현>이다. <동산현>은 원래 【고구려】의 <혈산현>이었던 것을 [경덕왕]이 개칭
한 것이다. 지금도 그대로 부른다.

변 천

6. 溟州 － 본래 濊國(또는 鐵國, 藥國)으로 漢武帝 元封 2年(紀元前 109)에 장수를 보내서
   右渠를 토벌하고 四郡을 定할 때에는 臨屯이 되었다가, 高句麗 때에는 河西良(또는
   何瑟羅)이라 하였다. 新羅 景德王은 小京을 삼아 仕臣을 두었고, 武烈王 5年(658)에는
   지역이 靺鞨에 가깝다고 하여 小京을 폐지하고 州를 만들어 都督을 두어서 鎭壓케
   하였다. 景德王 16年(757)에는 <溟洲>로 고쳤다가, 惠恭王 12年(776)에 다시 옛 지명
   으로 고쳤다. 高麗 太祖 19年(936)에는 東京原이라 부르다가 곧 이전 지명으로 다시
   불렀고, 成宗 2年(983)에는 河西府라 부르다가, 同 5年(986)에 溟洲都督府로 고치고,
   同 11年(992)에는 다시 牧이 되었다가, 同 14年(995)에는 團練使가 되었는데, 뒤에 또
   防禦使로 고쳤다. 元宗 元年(1260)에는 功臣 金洪就의 고향이라 하여 慶興都護府로
   昇格하였고, 忠烈王 34年(1308)에 <江陵>으로 고치고 府가 되었다. 朝鮮 시대에 와서
   도 그대로 부르다가, 世祖 때에는 鎭을 두었고, 孝宗 때에는 縣으로 강등하였다가 뒤
   에 다시 府가 되고, 正祖 16年(1792)에 縣으로 강등하였다가 곧 다시 昇格하였다.(三·
   麗·輿·文)

   ○ 또 다른 지명은 臨瀛이다.(麗)

   ○ 高麗 때 鎭管은 딸린 縣이 셋으로 羽溪·旌善·連谷이다.(麗)

   ○ 1895년에 觀察府를 두어서 江陵·蔚珍·平海·三陟·高城·杆城·通川·歙谷·
     襄陽 等 아홉 郡을 管轄하였다가, 1896년에 江陵郡으로 고쳤다.(增)

   ○ 1916년 郡內面을 江陵面으로 改稱하고, 1931년 江陵面을 邑으로 승격하였으며,
     1955년 江陵邑과 城德面, 鏡浦面을 통합하여 江陵市를 설치하고, 江陵郡은 溟洲郡
     으로 고쳤다. 1995년 江陵市와 溟洲郡을 통합하여 江陵市를 설치하였다.(地)

○ 지금의 江原道 江陵市.

6.0.1. 㫌善縣 – 본래 高句麗 仍買(또는 仍置)縣인데, 新羅 景德王이 <㫌善>으로 고쳐서 溟州(江陵) 領縣으로 삼았다. 高麗 顯宗 9年(1018)에 그대로 소속되었다가 뒤에 昇格하여 郡이 되었고, 朝鮮 시대에도 그대로 따랐다.(三・麗・輿・文)

　○ 또 다른 지명은 三鳳이다.(麗)

　○ 1895년 㫌善郡이 江陵府 소속에서 忠州府 소속으로 되고, 1896년 江原道 소속의 㫌善郡이 되었다.(地)

　○ 지금의 江原道 㫌善郡.

6.0.2. 棟(棟)隄縣 – 본래 高句麗 束吐縣인데 新羅 景德王이 棟(棟)隄縣으로 고쳐서 溟州(江陵) 領縣으로 삼았다. 三國史記에는 알 수 없는 지명이라 하였다.

　○ 지금의 江原道 江陵市.

6.0.3. 支山縣 – 본래 高句麗 <支山縣>인데, 新羅 景德王이 옛 지명 그대로 溟州(江陵) 領縣으로 삼았다. 高麗 顯宗 9年(1018)에 <連谷>이라 고쳐 그대로 소속되었다.(三・麗・文)

　○ 縣人의 전하는 말에 의하면 옛 陽谷縣이라 한다.(麗)

　○ 지금의 江原道 江陵市 連谷面.

6.0.4. 洞山縣 – 본래 高句麗 <穴山縣>인데, 新羅 景德王이 <洞山>으로 고쳐서 溟州(江陵) 領縣으로 삼았다. 高麗 顯宗 9年(1018)에 <襄陽>에 속하였고, 朝鮮 시대에도 그대로 따랐다.(三・麗・輿・文)

　○ 지금의 江原道 襄陽郡 縣南面 銅山里.

원 문

<blockquote>
6.1. <曲城郡>, 本【高句麗】<屈火郡>, [景德王]改名, 今<臨河郡>. 領縣一: <緣 (一作{椽})武縣>, 本【高句麗】<伊火兮縣>, [景德王]改名, 今<安德縣>.
</blockquote>

번 역

6.1. <곡성군>은 원래【고구려】의 <굴화군>이었던 것을 [경덕왕]이 개칭한 것이다. 지금의 <임하군>이다. 이 군에 속한 현은 <연무현> 하나이다. <연(또는 연(椽)무현>은 원래【고구려】의 <이화혜현>이었던 것을 [경덕왕]이 개칭한 것이다. 지금의 [안덕현]이 다.

변 천

6.1. 曲城郡 - 본래 高句麗 屈火郡인데, 新羅 景德王이 <曲城郡>으로 고쳐서 溟州(江陵) 에 편입시켰다. 高麗初에 <臨河郡>으로 고치고, 顯宗 9年(1018)에 安東으로 속하였 다가, 朝鮮 太宗 13年(1413)에 <臨河縣>으로 고쳤다.(輿)
   ○ 지금의 慶尙北道 安東市 臨河面.

6.1.1. 緣(椽)武縣 - 본래 高句麗 伊火兮縣인데, 新羅 景德王이 <緣武>로 고쳐서 曲城 (臨河)郡 領縣으로 삼았다. 高麗初에 <安德>으로 고치고, 顯宗 9年(1018)에 安東에 속 하였다가, 恭讓王 2年(1390)에 監務를 처음 두었다. 朝鮮 太宗 3年(1394)에 松生縣과 합하였다가, 世宗 3年(1421)에 靑鳧(靑松)에 합병되었다.(三·麗·輿·文)
   ○ 지금의 慶尙北道 靑松郡 安德面.

원 문

6.2.　<野城郡>, 本【高句麗】<也尸忽郡>, [景德王]改名, 今<盈德郡>. 領縣二; <眞安縣>, 本【高句麗】<助欖縣>, [景德王]改名, 今<甫城府>; <積善縣>, 本【高句麗】<靑已縣>, [景德王]改名, 今<靑鳧縣>.

번 역

6.2.　<야성군>은 원래【고구려】의 <야시홀군>을 [경덕왕]이 개칭한 것이다. 지금의 <영덕군>이다. 이 군에 속한 현은 둘이다. <진안현>은 원래【고구려】의 <조람현>을 [경덕왕]이 개칭한 것이다. 지금의 <보성부>이다. [적선현]은 원래【고구려】의 <청이현>이었던 것을 [경덕왕]이 개칭한 것이다. 지금의 <청부현>이다.

변 천

6.2.　野城郡 - 본래 高句麗 尸也忽郡인데, 新羅가 <野城郡>으로 고쳤고, 高麗初에는 <盈德>으로 고쳤다. 顯宗 9年(1018)에는 禮州(寧海)로 屬하였다가 뒤에 監務를 두었고 또 縣令으로 고쳤다. 朝鮮 太宗 15年(1415)에는 땅이 大海에 맞닿아서 知縣事를 두었다가 뒤에 다시 縣令이 되었다.(三·麗·興·文)

　　ㅇ 1895년에 盈德郡으로 昇格하고, 1914년에 寧海郡 일대가 합병되었다.(增)

　　ㅇ 지금의 慶尙北道 盈德郡 盈德邑.

6.2.1.　眞安縣 - 본래 高句麗 助欖縣인데, 新羅가 <眞安縣>으로 고쳤고, 高麗初에 眞寶·眞安 두 縣을 合하여 甫城府(또는 載岩城)를 만들었다가, 顯宗 9年(1018)에는 禮州(寧海)에 소속시켰다. 뒤에 倭寇의 침탈로 居民이 거주하지 않았다. 朝鮮 太祖가 甫城監務를 두었고, 世宗이 靑鳧(靑松)와 合하여 <靑寶>라 하였다가, 얼마 안 있어 <眞寶>로 지명을 고쳐서 다시 縣監을 두었고, 成宗 5年(1474)에 縣人 琴孟誠이 縣監 申右同을 욕되게 하므로 <眞寶縣>을 없애고 靑松府에 소속시켰다가, 同 9年(1478)에

토착민들의 간절한 청으로 다시 復舊시켰다.(三・麗・輿・文)

○ 1895년에 眞寶郡으로 昇格되었다가, 1914년에 郡을 없애고 東面 및 北面은 英陽郡에 소속되고, 그 나머지 지역은 靑松郡에 합병되었다.(增)

○ 지금의 慶尙北道 靑松郡 眞寶面.

▶ 眞寶 — 1.3.1. 참조.

6.2.2. 積善縣 — 본래 高句麗 靑己縣인데, 新羅가 <積善>으로 고쳐서 野城(盈德)郡 領縣으로 삼았다. 高麗初에 䲪伊縣이 되었다가 <雲鳳>으로 고치고 禮州(寧海)에 속하였다. 朝鮮 太祖 3年(1394)에 <眞寶縣>에 합병되었다가, 世宗이 卽位하는 해에는 昭憲王后의 고향이라 하여 <靑寶郡>으로 昇格하였는데, 뒤에 眞寶는 갈라서 縣監을 두고 <松生縣>에 합병하여 <靑松>으로 지명을 고쳤으며, 世祖 때에 昇格하여 都護府가 되었다.(三・麗・輿・文)

○ 1895년에 靑松郡이 되었고, 1914년에 眞寶郡(東・北 두 面은 제외) 일대가 편입되었다.(增)

○ 지금의 慶尙北道 靑松郡.

원 문

6.3. <有隣郡>, 本【高句麗】<于尸郡>, [景德王]改名, 今<禮州>. 領縣一: <海阿縣>, 本【高句麗】<阿兮縣>, [景德王]改名, 今<淸河縣>.

번 역

6.3. <유린군>은 원래【고구려】의 <우시군>이었던 것을 [경덕왕]이 개칭한 것이다. 지금의 <예주>이다. 이 군에 속한 현은 하나이다. <해아현>은 원래【고구려】의 <아혜현>이었던 것을 [경덕왕]이 개칭한 것이다. 지금의 <청하현>이다.

변 천

6.3. 有鄰(隣)郡 – 본래 高句麗 于尸郡인데, 新羅 景德王이 <有隣郡>으로 고쳤다. 高麗 初에 <禮州>로 고치고, 顯宗 9年(1018)에 防禦使를 두었고, 高宗 46年(1259)에는 衛社 功臣 朴松庇의 고향이라 하여 德源 小都護府를 삼았다가 뒤에 昇格하여 禮州牧이 되 었다. 忠宣王 2年(1310)에 여러 牧을 폐지할 때 고쳐서 <寧海府>가 되었다가, 朝鮮 太祖 6年(1397)에 비로소 鎭을 두어서 兵馬使가 府使를 兼하게 하였고, 太宗 13年 (1413)에 고쳐서 都護府가 되었다.(三·麗·興·文)

○ 또 다른 지명은 丹陽으로 高麗 成宗 때 지은 것이다.(麗)

○ 1895년에 寧海郡이 되어 安東府 管轄이 되었다가, 1914년에 盈德郡에 합병되었다.(增)

○ 지금의 慶尙北道 盈德郡 寧海面.

6.3.1. 海阿縣 – 본래 高句麗 阿兮縣인데, 新羅 景德王이 <海阿>로 고쳐서 有隣(寧海)郡 領縣으로 삼았다. 高麗初에 <淸河>로 고치고, 顯宗 9年(1018)에 慶州에 편입되었고, 朝鮮 太祖 때에 監務를 두었다가 뒤에 縣監으로 고쳤다.(三·麗·興·文)

○ 1895년에 淸河郡으로 昇格되었고, 1914년에 4개郡(興海, 淸河, 延日, 長鬐)이 迎日 郡으로 합병되었다.(地)

○ 1931년 浦港面이 浦港邑으로 昇格되고, 1949년 浦港市로 승격되었다.(地)

○ 지금의 慶尙北道 浦港市 北區 淸河面.

원 문

6.4. <蔚珍郡>, 本【高句麗】<于珍也縣>, [景德王]改名, 今因之. 領縣一: <海曲 (一作西)縣>, 本【高句麗】<波且縣>, [景德王]改名, 今未詳.

번 역

6.4. <울진군>은 원래 【고구려】의 <우진야현>이었던 것을 [경덕왕]이 개칭한 것이다. 지금도 그대로 부른다. 이 군에 속한 현은 <해곡현> 하나이다. <해곡(또는 해서)현>은 원래 【고구려】의 <파차현>이었던 것을 [경덕왕]이 개칭한 것이다. 지금은 위치가 분명치 않다.

변 천

6.4. 蔚珍郡 ─ 본래 高句麗 于珍也(또는 古于伊)縣인데, 新羅 景德王이 <蔚珍>(또는 蔚津)으로 고쳐서 郡을 만들었다. 高麗 시대에는 강등하여 縣을 만들고 令을 두었는데, 朝鮮 시대에도 그대로 따랐다.(三・麗・輿・文)
  ○ 1895년에 蔚珍郡이 되고, 1914년에 平海郡 一圓이 합병되었다.(增)
  ○ 1963년 江原道 管轄에서 慶尙北道로 편입되었다.(地)
  ○ 지금의 慶尙北道 蔚珍郡.

6.4.1. 海曲縣 ─ 慶尙北道 蔚珍에 있는 지명으로 본래 高句麗 <波朝>(또는 波豐)縣인데, 新羅 景德王이 <海曲>(또는 海西)으로 고쳤다.(三・麗・輿・文)
  ○ 三國史記에는, 지금은 알 수 없는 지명이라 하였고, 輿地勝覽에는 蔚珍에 실려 있다.(文)
  ○ 지금의 慶尙北道 蔚珍郡 平海邑(?)

◇ 平海 ─ 본래 高句麗 斤乙於縣인데, 高麗初에 <平海>로 고치고, 顯宗 때에 禮州(寧海)로 屬하였다. 明宗 2年(1172)에 監務를 두었다가, 忠烈王 때에 縣人 僉議評理 黃瑞가 王을 따라서 元에 들어가 왕위에 오르는데 도운 공이 인정되어 昇格하여 郡이 되었고, 朝鮮 시대에도 그대로 따랐다.(三・麗・輿・文)
  ○ 1914년에 蔚珍郡에 합병되었다.(增)
  ○ 지금의 慶尙北道 蔚珍郡 平海邑.

원 문

> 6.5. <奈城郡{奈城郡}>, 本【高句麗】<奈生郡>, [景德王]改名, 今<寧越郡>. 領
> 縣三: <子春縣>, 本【高句麗】<乙阿旦縣>, [景德王]玫{改}名, 今<永春縣>; <白烏
> 縣>, 本【高句麗】<郁烏縣>, [景德王]玫{改}名, 今<平昌縣>; <酒泉縣>, 本【高句
> 麗】<酒淵縣>, [景德王]玫{改}名, 今因之.

번 역

6.5. <나성군>은 원래【고구려】의 <나생군>이었던 것을 [경덕왕]이 개칭한 것이다. 지금의 <영월군>이다. 이 군에 속한 현은 셋이다. <자춘현>은 원래【고구려】의 <을아단현>이었던 것을 [경덕왕]이 개칭한 것이다. 지금의 <영춘현>이다. <백오현>은 원래【고구려】의 <욱오현>이었던 것을 [경덕왕]이 개칭한 것이다. 지금의 <평창현>이다. <주천현>은 원래【고구려】의 <주연현>이었던 것을 [경덕왕]이 개칭한 것이다. 지금도 그대로 부른다.

변 천

6.5. 奈城郡 ― 본래 高句麗 奈生郡인데, 新羅 景德王이 <奈城郡>으로 고쳤다가, 高麗에 와서는 <寧越>로 고쳐서 原州에 편입시켰다. 恭愍王 21年(1372) 에 鄕人 延達麻實里 院使가 大明에 머무르며 고려에 功을 세웠으므로 昇格하여 郡이 되었고, 朝鮮 太宗 元年(1401)에 忠淸道에서 江原道로 옮겨 소속되었으며, 肅宗 24年(1698)에 府로 昇格하였다.(三·麗·輿·文)

　　○ 1895년에 고쳐서 寧越郡이 되었다.(增)

　　○ 지금의 江原道 寧越郡.

6.5.1. 子春縣 ― 본래 高句麗 乙阿旦縣인데, 新羅 景德王이 <子春>으로 고쳐서 奈城(堤川)郡 領縣으로 삼았다. 高麗가 다시 <永春>으로 고쳐서 原州에 屬하였고, 朝鮮 定

宗 元年(1399)에 忠淸道로 옮겨 소속되었고 監務를 처음 두었다가, 太宗 13年(1413)에 고쳐서 縣監이 되었다.(三·麗·輿·文)

○ 1895년에 永春郡이 되었다가, 1914년에 <丹陽郡>에 합병되었다.(增)

○ 지금의 忠淸北道 丹陽郡 永春面.

▶ 永春, 丹陽 — 5.2.2. 참조.

6.5.2. 白鳥縣 — 본래 高句麗 郁鳥(또는 于鳥)縣인데, 新羅 景德王이 <白鳥>로 고쳐서 奈城(寧越)郡 領縣으로 삼았다. 高麗에 와서는 <平昌>으로 고치고 原州에 屬하였다가, 忠烈王 25年(1299)에 縣令을 두었고, 禑王 13年(1387)에 寵宦 李信의 고향이라 하여 知郡事로 昇格하였다가 뒤에 강등하여 縣令이 되었고, 朝鮮 太祖 元年(1392)에 穆祖 孝妃의 고향이라 하여 다시 郡으로 昇格하였다.(三·麗·輿·文)

○ 또 다른 지명은 魯山이다.(麗)

○ 1895년 忠州府 平昌郡에서 1896년 江原道 平昌郡이 되었다.(地)

○ 지금의 江原道 平昌郡.

6.5.3. 酒泉縣 — 본래 高句麗 酒淵縣인데, 新羅 景德王이 <酒泉>으로 고쳐서 奈城(寧越)郡 領縣으로 삼았다. 高麗 顯宗 9年(1018)에 <原州>에 屬하였고, 朝鮮 시대에도 그대로 불렀다. 다른 이름은 <鶴城>이다(三·麗·輿·文)

○ 지금의 江原道 寧越郡 酒泉面.

원 문

6.6. <三陟郡>, 本【悉直國】, [婆娑王]世來降. [智證王]六年,【梁】<天監>四年, 爲州, 以[異斯夫]爲軍主, [景德王]改名, 今因之. 領縣四: <竹領縣>, 本【高句麗】<竹峴縣>, [景德王]改名, 今未詳; <滿卿(一作鄕.)縣>, 本【高句麗】<滿若縣>, [景德王]改名, 今未詳; <羽谿縣>, 本【高句麗】<羽谷縣>, [景德王]改名, 今因之; <海利縣>, 本【高句麗】<波利縣>, [景德王]改名, 今未詳.

번 역

6.6. <삼척군>은 원래 【실직국】으로 [파사왕] 때 항복하여 왔는데 [지증왕] 6년, 【양】 [천감] 4년에 주로 만들고 [이사부]를 군주로 삼았는데 [경덕왕]이 개칭한 것이다. 지금도 그대로 부른다. 이 군에 속한 현은 넷이다. <죽령현>은 원래 【고구려】의 <죽현현>이었던 것을 [경덕왕]이 개칭한 것이다. 지금은 위치가 분명치 않다. <만경(또는 만향)현>은 원래 【고구려】의 <만약현>이었던 것을 <경덕왕>이 개칭한 것이다. 지금은 위치가 분명치 않다. <우계현>은 원래 【고구려】의 <우곡현>이었던 것을 [경덕왕]이 개칭한 것이다. 지금도 그대로 부른다. <해리현>은 원래 【고구려】의 <파리현>이었던 것을 [경덕왕]이 개칭한 것이다. 지금은 위치가 분명치 않다.

변 천

6.6. 三陟郡 − 본래 悉直國인데, 新羅 婆娑王 때에 합병되었다. 智證王 5年(504)에 悉直州라 하여 軍主를 두었는데, 景德王이 <三陟>으로 고쳐서 郡을 만들었다. 高麗 成宗 14年(995)에 陟州團練使로 고치고, 顯宗 9年(1018)엔 降等하여 縣令이 되었다가, 禑王 3年(1377)에 知郡事로 昇格하였는데, 朝鮮 太祖 3年(1394)에 穆祖의 외가라 하여 府로 昇格하였다가, 太宗 13年(1413)에 고쳐서 都護府가 되었다.(三·麗·輿·文)

○ 또 다른 이름은 眞珠이다.(輿)

○ 1895년에 江陵府 소속에서, 1896년 江原道 소속의 三陟郡이 되었다.(地)

○ 1938년 三陟面이 邑으로, 1986년 市로 승격하고, 1995년 三陟市와 三陟郡을 통합하여 三陟市를 설치하였다.(地)

○ 지금의 江原道 三陟市.

6.6.1. 竹嶺縣 − 본래 高句麗 竹峴縣인데, 新羅 景德王이 <竹嶺>으로 고쳐서 三陟府 領縣으로 삼았다.(輿)

○ 三國史記에는 알 수 없는 지명이라 하였는데, 輿地勝覽에는 三陟 <沃原驛>라 하였고, 전하는 말에 의하면 沃原驛이 縣의 옛터라고 한다.(文)

　　　○ 지금의 江原道 三陟市.

6.6.2.　滿卿縣 - 江原道 三陟에 있는 지명으로 본래 高句麗 滿若縣인데, 新羅 景德王이
　　　<滿卿(滿鄕)縣>으로 고쳐서 三陟府 領縣으로 삼았다.(三·輿·文)
　　　○ 지금의 江原道 三陟市.

6.6.3.　羽谿縣 - 본래 高句麗 羽谷縣인데, 新羅 景德王이 <羽谿>로 고쳐서 三陟郡 領縣
　　　으로 삼았다. 高麗 顯宗 9年(1018) 戊午에 江陵에 편입되었다.(三·麗·文)
　　　○ 또 다른 지명은 玉堂이다.(麗)
　　　○ 지금의 江原道 江陵市 玉溪面.

6.6.4.　海利縣 - 江原道 三陟에 있는 지명으로 본래 高句麗 波利縣인데, 新羅 景德王이
　　　<海利>로 고쳐서 三陟府 領縣으로 만들었다.(三·輿·文)
　　　○ 三國史記에는 지금은 알 수 없는 지명이라 하였고, 輿地勝覽에는 三陟府에 실렸
　　　다.(文)
　　　○ 지금의 江原道 三陟市.

원 문

　　6.7.　<守城郡>, 本【高句麗】<㞷城郡>, [景德王]改名, 今<杆城縣>. 領縣二: <童
山縣>, 本【高句麗】<僧山縣>, [景德王]改名, 今<烈山縣>; <翼嶺縣>, 本【高句麗】
<翼峴縣>, [景德王]改名, 今因之.

번 역

　　6.7.　<수성군>은 원래【고구려】의 <수성군>이었던 것을 [경덕왕]이 개칭한 것이다.
지금의 <간성현>이다. 이 군에 속한 현은 둘이다. <동산현>은 원래【고구려】의 <승산

현>이었던 것을 [경덕왕]이 개칭한 것이다. 지금의 <열산현>이다. <익령현>은 원래 【고구려】의 <익현현>이었던 것을 [경덕왕]이 개칭한 것이다. 지금도 그대로 부른다.

변 천

6.7. 守城郡 – 본래 高句麗 㺇城(또는 加羅忽)郡인데, 新羅 景德王이 <守城>으로 고쳤다. 高麗初에 <杆城>으로 고쳐서 縣令을 두었다가 뒤에 昇格하여 郡이 되었고 高城을 함께 관할하게 하였는데, 恭愍王 元年(1352)에 다시 갈라서 두 郡이 되고, 朝鮮 시대에도 그대로 따랐다.(高·三·興)

○ 또 다른 지명은 水城이다.(麗)

○ 1895년에는 江陵府 所屬의 杆城郡이 되고, 1914년에 高城郡이 杆城郡에 편입되었다가, 1919년에는 다시 杆城郡(土城面·竹旺面은 제외)이 高城郡에 합병되었다.(地)

○ 지금의 江原道 高城郡 杆城邑.

6.7.1. 童山縣 – 본래 高句麗 僧山(또는 所勿達)縣인데, 新羅 景德王이 <童山>으로 고쳐서 守城(杆城)郡 領縣으로 삼았고, 高麗가 <烈山>으로 고쳐서 그대로 따랐다.(三·麗·興·文)

○ 또 다른 지명은 鳳山이다.(麗)

○ 지금의 江原道 高城郡 杆城邑.

▶ 杆城 –6.7. 참조.

6.7.2. 翼嶺縣 – 본래 高句麗 翼峴(또는 伴文)縣인데 新羅 景德王이 <翼嶺>으로 고쳐서 守城(杆城)郡 領縣으로 삼았다. 高麗 顯宗 9年(1018)에 縣令을 두었고, 高宗 8年(1221)에 거란병을 막은 공으로 襄州(陽州)防禦使로 昇格하였다가, 同 41年(1254)에 降等하여 縣이 되었고, 同 44年(1257)에는 적에게 항복하였으므로 또 강등하여 德寧監務가 되었다가, 元宗 元年(1260)에 다시 昇格하여 知襄州事가 되었다. 朝鮮 太祖 6年(1397)에는 임금의 외가라 하여 府로 昇格하였다가, 太宗 13年(1413)에 고쳐서 都護府가 되었고, 同 16年(1416)에 <襄陽>으로 고쳤다가, 正祖 7年(1783)에 縣으로 降等하였다가

뒤에 復舊하였다.(三·麗·興·文)

○ 1895년에 襄陽郡이 되었고, 1919년에 杆城郡 일부(竹旺面, 土城面)가 襄陽郡에 편입되었다.(地)

○ 지금의 江原道 襄陽郡.

원 문

6.8. <高城郡>, 本【高句麗】<達忽>, [眞興王]二十九年, 爲州, 置軍主, [景德王]改名, 今因之. 領縣二: <豢猳縣>, 本【高句麗】<猪迸穴縣>, [景德王]改名, 今因之; <偏嶮縣>, 本【高句麗】<平珍峴縣>, [景德王]改名, 今<雲巖縣>.

번 역

6.8. <고성군>은 원래【고구려】의 <달홀>로 [진흥왕] 29년에 주로 만들어 군주를 두었는데 [경덕왕]이 개칭한 것이다. 지금도 그대로 부른다. 이 군에 속한 현은 둘이다. <환가현>은 원래【고구려】의 <저수혈현>이었던 것을 [경덕왕]이 개칭한 것이다. 지금도 그대로 부른다. <편험현>은 원래【고구려】의 <평진현현>이었던 것을 [경덕왕]이 개칭한 것이다. 지금의 <운암현>이다.

변 천

6.8. 高城郡 ─ 본래 高句麗 達忽인데, 新羅 眞興王 29年(568)에 州를 만들어 軍主를 두었다가, 景德王이 <高城>으로 고쳐서 郡을 삼았다. 高麗 시대에는 縣令을 두었는데, 朝鮮 시대에도 그대로 따랐으며, 世宗 때에 昇格하여 郡이 되었다.(麗·三·興·文)

○ 또 다른 지명은 豊巖이다.(麗)

○ 1895년에 江陵府 管轄의 高城郡이 되었고, 1914년에는 杆城郡에 합병되었다가, 1919년에 杆城郡을 없애고 士城面·竹旺面은 襄陽郡에 편입하고, 그 나머지 지역은 高城郡에 합병하였다.(地)

○ 江原道 高城郡.

6.8.1. 豢猳縣 – 본래 高句麗 猪迋穴(또는 烏斯押)縣인데, 新羅 景德王이 <豢猳>로 고쳐서 高城郡 領縣으로 삼았다. 高麗 시대에도 그대로 따르다가, 文宗 때에 縣治를 陽村으로 옮겨서 海賊의 침입을 피하였다.(三‧麗‧輿‧文)

○ 지금의 江原道 高城郡.

6.8.2. 偏險縣 – 본래 高句麗 平珍峴縣(또는 平珍遷縣)인데, 新羅 景德王이 <偏險>으로 고쳐서 固城郡 領縣으로 삼았고, 高麗가 <雲巖>으로 고쳐서 通川에 편입하였다. (麗‧三‧輿‧文)

○ 지금의 江原道(북한) 通川郡.

▶ 通川 – 6.9. 참조.

원 문

6.9. <金壤郡>, 本【高句麗】<休壤郡>, [景德王]改名, 今因之. 領縣五: <習谿縣>, 本【高句麗】<習比谷縣>, [景德王]改名, 今<歙谷縣>; <隄上縣>, 本【高句麗】<吐上縣>, [景德王]改名, 今<碧山縣>; <臨道縣>, 本【高句麗】<道臨縣>, [景德王]改名, 今因之; <派川縣>, 本【高句麗】<改淵縣>, [景德王]改名, 今因之; <鶴浦縣>, 本【高句麗】<鵠浦縣>, [景德王]改名, 今因之.

번 역

6.9. <금양군>은 원래【고구려】의 <휴양군>이었던 것을 [경덕왕]이 개칭한 것이다. 지금도 그대로 부른다. 이 군에 속한 현은 다섯이다. <습계현>은 원래【고구려】의 <습비곡현>이었던 것을 [경덕왕]이 개칭한 것이다. 지금의 <흡곡현>이다. <제상현>은 원래【고구려】의 <토상현>이었던 것을 [경덕왕]이 개칭한 것이다. 지금의 <벽산현>이다.

<임도현>은 원래 【고구려】의 <도림현>이었던 것을 [경덕왕]이 개칭한 것이다. 지금도 그대로 부른다. <파천현>은 원래 【고구려】의 개연현이었던 것을 [경덕왕]이 개칭한 것이다. 지금도 그대로 부른다. <학포현>은 원래 【고구려】의 <곡포현>이었던 것을 [경덕왕]이 개칭한 것인데 지금도 그대로 부른다.

변 천

6.9. 金壤郡 − 본래 高句麗 休壤(또는 金惱)郡인데, 新羅 景德王이 <金壤>으로 고쳤다. 高麗初에 縣令을 두었다가, 忠烈王 11年(1285)에 <通州> 防禦使로 昇格하였다. 朝鮮 太宗 13年(1413)에 고쳐서 <通川郡>이 되었고, 英祖 38年(1762)에 縣으로 降等하였다가, 同 47年에 復舊하였다.(三·麗·輿·文)
  ㅇ 1910년에 歙谷郡을 通川郡에 합병하였다.(增)
  ㅇ 지금의 江原道(북한) 通川郡.

6.9.1. 習谿縣 − 본래 高句麗 習比谷(또는 習比呑)縣인데, 新羅 景德王이 <習谿>로 고쳐서 金壤(通川)郡 領縣으로 삼았다. 高麗가 <歙谷>으로 고쳐서 그대로 소속시켰다가, 高宗 35年(1248)에 縣令을 두었고, 朝鮮 시대에도 그대로 따랐다. 宣祖 29年(1596)에 <通川>에 편입되었다가, 同 31年에 復舊하여 縣이 되었다.(三·麗·輿·文)
  ㅇ 또 다른 지명은 鶴林이다.(麗)
  ㅇ 1895년에 歙谷郡이 되었다가, 1910년에 <通川郡>에 합병되었다.(增)
  ㅇ 지금의 江原道(북한) 通川郡.

6.9.2. 隄上縣 − 본래 高句麗 吐上縣인데, 新羅 景德王이 <隄上>으로 고쳐서 金壤(通川)郡 領縣으로 삼았고, 高麗 시대에는 碧山縣으로 고쳤다.(三·麗·輿·文)
  ㅇ 지금의 江原道(북한) 通川郡.

6.9.3. 臨道縣 − 본래 高句麗 道臨(또는 助乙浦)縣인데, 新羅 景德王이 <臨道>로 고쳐서 金壤(通川)郡 領縣으로 삼았고, 高麗 시대에도 그대로 따랐다.(麗·三·輿·文)

○ 지금의 江原道(북한) 通川郡.

6.9.4. 派川縣 － 본래 高句麗 改淵(또는 岐淵)縣인데, 新羅 景德王이 <派川>으로 고쳐서 金壤(通川)郡 領縣으로 삼았다. 高麗 顯宗 9年(1018)에 安邊府에 편입되었고, 朝鮮 시대에도 그대로 따랐다.(三·麗·輿·文)
○ 지금의 江原道(북한) 安邊郡.

6.9.5. 鶴浦縣 － 본래 高句麗 鵠浦(또는 古衣浦)縣인데, 新羅 景德王이 <鶴浦>로 고쳐서 金壤(通川)郡 領縣으로 삼았다. 高麗 顯宗 9年(1018)에 安邊府에 편입되었고, 朝鮮 시대에도 그대로 따랐다.(三·麗·輿·文)
○ 지금의 江原道(북한) 安邊郡.

三國史記 卷第 三十六

雜志 第 五

地理 三

원 문

7. <熊州>, 本【百濟】舊都.【唐】[高宗]遣[蘇定方]平之, 置<熊津>都督府.【(＋新)羅】[文武王]取其地有之, [神文王]改爲<熊川州>, 置都督, [景德王]十六年, 改名<熊州>. 今<分州{公州}>. 領縣二: <尼山縣>, 本【百濟】<熱也山縣>, [景德(＋王)]改名, 今因之; <淸音縣>, 本【百濟】<伐音支縣>, [景德王]改名, 今<新豐縣>.

번 역

7. <웅주>는 원래【백제】의 옛 서울이었다.【당】[고종]이 [소정방]을 보내 평정하여 <웅진도독부>를 두었고,【신라】[문무왕]이 그 지역을 빼앗아 차지하였으며, [신문왕]이 이를 <웅천주>로 고치고 도독을 두었으며, [경덕왕] 16년에 <웅주>로 개칭하였는데 지금의 <공주>이다. 이 주에 속한 현은 둘이다. <이산현>은 원래【백제】의 <열야산현>을 [경덕왕]이 개칭한 것이다. 지금도 그대로 부른다. [청음현]은 원래【백제】의 <벌음지현>을 [경덕왕]이 개칭한 것이다. 지금의 <신풍현>이다.

변 천

7. 熊州 - 百濟의 도읍 熊川인데, 文周王이 北漢山城에서 도읍을 옮겼다가 聖王에 이르러 또 南扶餘로 옮겼다. 唐이 蘇定方을 보내어 新羅 金庾信과 함께 협공하여 百濟를

멸망시키고 熊津都督府를 두고 군사를 남겨두었는데, 唐軍이 물러나고 新羅가 그 땅을 차지하였다. 神文王이 <熊川州>로 고쳐 都督을 두었고, 景德王은 <熊州>로 고쳤는데, 高麗 太祖 23年(940)에 <公州>로 고치고, 成宗 2年(983)에 12牧을 처음 설치할 때 州도 그 하나였다. 12年(993)에 12節度使를 배치할 때 安節軍이라 부르며 河南道에 屬하였다가, 顯宗 3年(1012)에 節度使를 폐지하고, 同 11年에는 降等하여 知州事가 되었는데, 忠惠王 後 2年(1341)에는 원나라 闊闊赤平章事의 妻 敬和翁主의 외가라 하여 牧으로 昇格하였다. 朝鮮 시대에도 그대로 부르다가, 世祖 때에 鎭을 두었는데, 仁祖 때에 강등하여 公山縣이 되었다가 곧바로 다시 昇格하였다. 顯宗 11年(1670)에 다시 縣으로 강등하였다가, 肅宗 5年(1679)에 復舊하였는데, 正祖 2年(1778)에 다시 縣으로 강등하였다가, 同 11年(1787)에 復舊하였다.(三 · 麗 · 輿 · 文)

○ 또 다른 지명은 懷道로 高麗 成宗 때 지은 것이다.(麗)

○ 1895년에 公州府가 되어 27郡을 거느렸다가, 1914년에 고쳐서 公州郡이 되었고, 陽也里面, 鳴灘面, 三岐面(老隱里 · 杏壇里 · 岐陽里 · 松潭里 · 鳳山里 · 坪村里 · 松峴里 · 禾玉里 · 星田洞 · 旺岩里 · 西斥所里 · 李山洞 · 道岑里 · 柳亭里 · 德岩里 · 柳溪里 · 道山洞 · 眞儀洞 · 宗村里 · 倉洞)은<燕岐郡>에 편입하고, 縣內面은 <大田郡>에 편입하고, 半灘面의 書院里와 正谷里 一部는 <扶餘郡>에 편입하였다.(增)

○ 1931년 公州面이 公州邑으로, 1986년 公州市로 승격하고, 1995년 公州市와 公州郡을 통합하여 公州市를 설치하였다.(地)

○ 지금의 忠淸南道 公州市.

7.0.1. 尼山縣 - 본래 百濟 熱也山縣인데, 新羅 景德王이 <尼山>으로 고쳐서 熊州 領縣으로 삼았다. 高麗 顯宗 9年(1018)에 公州에 속하였다가 뒤에 監務를 두었고, 朝鮮 太宗 13年(1413)에는 <石城>과 합하여 <尼城>이라 하다가, 同 15年에 다시 갈라서 縣監을 두었다. 英祖 52年(1776) 丙申에 다시 <尼城>으로 부르다가, 正祖 初에 <魯城>으로 고쳤다.(三 · 麗 · 輿 · 文)

○ 1895년에 魯城郡으로 昇格하여 公州府에 속하였다가, 1914년에는 郡을 없애고 素砂面은 <扶餘郡>에 편입하고, 그 나머지는 <論山郡>에 편입하였다.(增)

○ 1996년에 論山郡을 論山市로, 論山邑을 洞으로 분리하였다.(地)

○ 지금의 忠淸南道 論山市 魯城面.

7.0.2. 淸音縣 – 본래 百濟 伐音支(또는 武夫)縣인데, 新羅 景德王이 <淸音>으로 고쳐서
熊州(公州) 領縣으로 삼았다가, 高麗初에 <新豊>으로 고쳤고, 뒤에 公州에 속하였
다.(三·麗)

○ 지금의 忠淸南道 公州市 新豊面.

원 문

7.1.   <西原京>, [神文王]五年, 初置<西原小京>. [景德王]改名<西原京>, 今<淸州>.

번 역

7.1.   <서원경>은, [신문왕] 5년에 처음으로 <서원소경>을 설치하였으며 [경덕왕]이
<서원경>으로 개칭한 것이다. 지금의 <청주>이다.

변 천

7.1. 西原京 – 본래 百濟 上黨(또는 娘臂城, 娘子谷)縣인데, 新羅 神文王 5年(685)에 西原
小京을 처음 두었고, 景德王이 <西原京>으로 昇格시켰다. 高麗 太祖 25年(942)에 <淸
州>로 고쳤다가, 成宗 2年(983)에 12牧을 처음 설치하였는데, 州도 그 하나였다. 同
14年에 12節度使를 설치할 때 全節軍이라 하여 中原道에 속하였다가, 顯宗 3年(1012)
에 폐지하고 安撫使가 되었는데, 9州에 牧을 정할 때 州도 8牧의 하나였다. 朝鮮 시대
에도 그대로 부르다가, 世宗 31年(1449)에 觀察使로써 牧使를 兼하게 하였다가 얼마
뒤에 폐지하고, 世祖 때에는 鎭을 두었다. 燕山君 11年(1505)에 州의 백성이 宦官 李
公臣을 죽이므로 州를 폐지하고 땅을 갈라서 이웃 邑으로 나누어 소속하게 하였고,
中原道는 忠公道라 하였는데, 中宗 初年(1506)에 復舊하였다가, 孝宗 7年(1656)에 강등

하여 縣이 되었다. 顯宗 8年(1667)에 복구하고 肅宗 6年(1680)에 또 강등하여 縣이 되었다가, 同 15年(1689)에 또 복구하고, 英祖 7年(1731)에 다시 강등하여 縣이 되었다가, 同 16年(1740)에 다시 복구하고, 正祖 元年(1777)에 또 강등하여 縣이 되었다가, 同 10年(1786)에 복구하였다.(三・麗・輿・文)

○ 1895년에 淸州郡이 되었다가, 1914년에 靑川面이 <槐山郡>에 소속하고, 文義郡 일대와 淸安郡 일대가 편입되었다.

○ 1931년 淸州面이 邑으로, 1946년 府로 昇格되자, 淸州郡을 淸原郡으로 고치고, 1949년 淸州府를 淸州市로 고쳤다.(地)

○ 지금의 忠淸北道 淸州市.

원 문

7.2. <大麓郡>, 本【百濟】<大木岳郡>, [景德王]改名, 今<木州>. 領縣二: <馴雉縣>, 本【百濟】<甘買縣>, [景德王]改名, 今<豊歲縣>; <金池縣>, 本【百濟】<仇知縣>, [景德王]改名, 今<全義縣>.

번 역

7.2. <대록군>은 원래【백제】의 <대목악군>이었던 것을 [경덕왕]이 개칭한 것이다. 지금의 <목주>이다. 이 군에 속한 현은 둘이다. <순치현>은 원래【백제】의 <감매현>이었던 것을 [경덕왕]이 개칭한 것이다. 지금의 <풍세현>이다. <금지현>은 원래【백제】의 <구지현>이었던 것을 [경덕왕]이 개칭한 것이다. 지금의 <전의현>이다.

변 천

7.2. 大麓郡 − 본래 百濟 大木岳郡인데, 新羅 景德王이 <大麓郡>으로 고쳤다. 高麗 시대에 와서는 <木州>로 고쳐서 <淸州>에 속하였다가, 明宗 2年(1172)에 監務를 두었

고, 朝鮮 太宗 13年(1413)에 <木川>으로 고쳐서 縣監이 되었다.(三·麗·輿·文)

○ 또 다른 지명은 新定으로 高麗 成宗 때 지은 것이다.(麗)

○ 1895년에 郡으로 昇格하였다가, 1914년에 天安郡에 편입되었다.(增)

○ 지금의 忠淸南道 天安市 木川面.

▶ 天安 − 7.2.1. 참조.

7.2.1. 馴雉縣 − 본래 百濟 甘買縣인데, 新羅 景德王이 馴雉로 고쳐서 大麓(木川)郡 領縣으로 삼았고, 高麗初에 <豊歲>로 고치고, 顯宗 9年(1018)에 <天安>에 편입시켰다. 또 다른 이름은 梯川이다.(三·麗·輿·文)

○ 지금의 忠淸南道 天安市 豊歲面.

◇ 天安 − 高麗 太祖 13년(930)에 蛇山(稷山), 湯井(溫陽), 大木嶽(木川) 3邑의 땅을 떼어서 天安府를 만들고 都督을 두었다. 성종14년(995)에 懽州都團練使로 고쳤다가 穆宗 8년(1005)에 團練使를 廢止하고 옛이름으로 復舊하여 知府事가 되었다. 顯宗이 다시 <天安>으로 고치고 高宗 43년(1256)에 蒙古兵을 피하여 仙藏島로 들어갔다가 뒤에 다시 나왔다. 忠宣王 2년(1310)에 여러 牧과 府를 없애어 寧州로 고치었다가 恭愍王 11년(1362)에 天安府가 되었다. 朝鮮 太宗 13년(1413)에 寧山郡으로 고치었다가 동 16년(1416)에 다시 <天安>으로 고치었다.(三·麗·輿·文)

○ 1895년 公州府에서, 1896년 忠淸南道 소속의 天安郡으로 바꾸고, 1963년 天安郡을 天安市로 고쳤다.(地)

○ 지금의 忠淸南道 天安市.

7.2.2. 金池縣 − 본래 百濟 仇知縣인데, 新羅 景德王이 金地(또는 金池)로 고쳐서 大麓(木川)郡 領縣으로 삼았다. 高麗 때에는 <全義>로 고쳐 <淸州>에 속하였다가, 朝鮮 太祖 4年(1395)에 監務를 두었고, 太宗 13年(1413)에 縣監이 되었다가, 이듬해에 <燕岐>와 합쳐서 <全岐縣>이 되었는데, 同 16年(1416)에 각각 復舊하였다.(三·麗·輿·文)

○ 1895년에 全義郡으로 昇格하였다가, 1914년에는 燕岐郡에 합병하였다.(增)

○ 지금의 忠淸南道 燕岐郡 全義面.

▶ 燕岐− 7.12.1. 참조.

원 문

7.3. <嘉林郡>, 本【百濟】<加林郡>, [景德王]改加爲嘉, 今因之. 領縣二: <馬山縣>, 本【百濟】縣, [景德王]改州郡名, 及今並因之; <翰山縣>, 本【百濟】<大山縣>, [景德王]改名, 今<鴻山縣>.

번 역

7.3. <가림군>은 원래【백제】의 <가림군>이었던 것을【경덕왕】이 가(嘉)를 가(加)로 고쳤는데 지금도 그대로 부른다. 이 군에 속한 현은 둘이다. <마산현>은 원래【백제】의 현으로서 <경덕왕>이 주와 군의 명칭을 고친 것인데 지금도 모두 그대로 부른다. <한산현>은 원래【백제】의 <대산현>이었던 것을 [경덕왕]이 개칭한 것이다. 지금의 <홍산현>이다.

변 천

7.3. 嘉林郡 － 본래 百濟 加林郡인데, 新羅 景德王이 <嘉林>으로 고쳤다. 高麗 成宗 14年(995)에 林州刺史를 두었다가, 顯宗 9年(1018)에 嘉林으로 고치고, 忠肅王 2年(1315)에는 원나라 阿孛海平章事의 妻 趙氏의 고향이라 하여 知林州事로 昇格하였다. 朝鮮 太祖 3年(1394)에는 조정의 환관 陣漢龍의 請으로 昇格하여 府를 삼았다가, 太宗 元年(1401)에 復舊하였고, 同 3年에 다시 환관 朱允瑞의 請으로 昇格하여 府를 삼았다가, 다음해에 復舊하였고, 同 13年(1413)에 <林川>으로 고쳐서 郡이 되었다.(三·麗·興·文)

o 1914년에 扶餘郡에 합병되었다.(增)

o 忠淸南道 扶餘郡 林川面.

▶ 扶餘－ 7.7. 참조.

7.3.1. 馬山縣 － 본래 百濟 馬山縣인데, 新羅 시대에도 그대로 따르다가 嘉林(林川)郡 領

縣으로 삼았다. 高麗初에 <韓山>으로 고치고 그대로 소속되었다가, 明宗 5年(1175)에 監務를 두었고 鴻山을 함께 관할하였는데, 뒤에 昇格하여 知韓州事가 되었다가, 朝鮮 太宗 13年(1413)에 고쳐서 <韓山郡>이 되었다.(三·麗·輿·文)

○ 1914년에 舒川郡에 합병되었다.(增)

○ 지금의 忠淸南道 舒川郡 韓山面.

▶ 舒川 - 7.4. 참조.

7.3.2. 翰山縣 - 본래 百濟 大山縣인데, 新羅 景德王이 <翰山>으로 고쳐서 嘉林(林川)郡 領縣으로 삼았다. 高麗初에 <鴻山>으로 고치고 그대로 소속되었다가, 明宗 5年(1175)에는 韓山監務가 관할하게 하였고, 朝鮮 太宗 13年(1413)에 고쳐서 縣監이 되었다. (三·麗·輿·文)

○ 1895년에 鴻山郡이 되었고, 1914년에는 扶餘郡에 합병되었다.(增)

○ 지금의 忠淸南道 扶餘郡 鴻山面.

원 문

7.4. <西林郡>, 本【百濟】<舌林郡>, [景德王]改名, 今因之. 領縣二: <藍浦縣>, 本【百濟】<寺浦縣>, [景德王]改名, 今因之; <庇仁縣>, 本【百濟{高麗}】<比衆縣>, [景德王]改名, 今因之.

번 역

7.4. <서림군>은 원래【백제】의 <설림군>이었던 것을 [경덕왕]이 개칭한 것이다. 지금도 그대로 부른다. 이 군에 속한 현은 둘이다. <남포현>은 원래【백제】의 <사포현>이었던 것을 [경덕왕]이 개칭한 것이다. 지금도 그대로 부른다. <비인현>은 원래【백제】의 <비중현>이었던 것을 [경덕왕]이 개칭한 것이다. 지금도 그대로 부른다.

변 천

7.4. 西林郡 – 본래 百濟 舌林(또는 南陽)郡인데, 新羅 景德王이 <西林>으로 고쳤다. 高麗 시대에도 그대로 불렀다. 顯宗 9年(1018)에 <嘉林縣>에 속하였다가 뒤에 監務를 두었고, 忠肅王 元年(1314)에는 縣人 李彦忠이 忠宣王에게 공을 세웠다고 하여 知西州事로 昇格하였는데, 朝鮮 太宗 13年(1413)에 <舒川 郡>이 되었다.(三・麗・輿・文)
  ○ 1914년에 舒川, 韓山, 庇仁 3個郡이 통합하여 舒川郡으로 되었다.(地)
  ○ 지금의 忠清南道 舒川郡.

7.4.1. 藍浦縣 – 본래 百濟 寺浦縣인데, 新羅 景德王이 <藍浦>로 고쳐서 西林(舒川)郡 領縣으로 삼았다. 高麗 顯宗 9年(1018)에는 嘉林(林川)縣으로 속하였다가 뒤에 監務를 두었고, 禑王 6年(1380)에 倭寇의 侵入으로 백성들이 사방으로 흩어졌다가, 恭讓王 3年(1391)에 비로소 藍浦鎭을 두고 떠도는 백성들을 불러모았다. 朝鮮 太祖 6년(1397)에 兵馬使를 두어서 縣事를 兼하게 하다가, 世祖 11年(1466) 丙戌에 鎭을 없애고, 옛 지명 그대로 縣監이 되었다.(三・麗・輿・文)
  ○ 1895년에 藍浦郡으로 昇格하였다가, 1914년에 保寧, 藍浦, 鰲川의 3個郡이 통합하여 保寧郡으로 되었다.(地)
  ○ 1963년 大川面을 邑으로, 1986년 市로 昇格하고, 1995년 大川市와 保寧郡을 통합하여 保寧市를 설치하였다.(地)
  ○ 지금의 忠清南道 保寧市 藍浦面.
    ▶ 保寧 – 7.11.1. 참조.

7.4.2. 庇仁縣 – 본래 百濟 比衆縣인데, 新羅 景德王이 <庇仁>으로 고쳐서 西林(舒川)郡 領縣으로 삼았다. 高麗 시대에도 그대로 따르다가, 顯宗 9年(1018)에 嘉林(林川)縣으로 속하였고 뒤에 監務를 두었다가, 朝鮮 太宗 13년(1413)에 縣監이 되었다.(三・麗・輿・文)
  ○ 1895년에 庇仁郡으로 昇格되었다가, 1914년에는 舒川郡에 합병되었다.(增)
  ○ 지금의 忠清南道 舒川郡 庇仁面.

원 문

7.5. <伊山郡>, 本【百濟】<馬尸山郡>, [景德王]改名, 今因之. 領縣二: <目牛縣>, 本【百濟】<牛見縣>, [景德王]改名, 今未詳; <今武縣>, 本【百濟】<今勿縣>, [景德王]改名, 今<德豐縣>.

번 역

7.5. <이산군>은 원래【백제】의 <마시산군>이었던 것을 [경덕왕]이 개칭한 것이다. 지금도 그대로 부른다. 이 군에 속한 현은 둘이다. <목우현>은 원래【백제】의 <우견현>이었던 것을 [경덕왕]이 개칭한 것이다. 지금은 위치가 분명치 않다. <금무현>은 원래【백제】의 <금물현>이었던 것을 [경덕왕]이 개칭한 것이다. 지금의 <덕풍현>이다.

변 천

7.5. 伊山郡 − 본래 百濟 尸山郡인데, 新羅 景德王이 <伊山>으로 고쳐서 그대로 郡이 되었다가, 高麗 顯宗 9年(1018)에 運州로 속하였고 뒤에 監務를 두었다. 朝鮮 太宗 5年(1405)에 伊山은 거주민이 거의 없어서 <德豐・伊山> 두 縣을 합하여 <德山>으로 고쳤다가, 同 13年(1413)에 縣監이 되었고, 憲宗 13年(1847)에 昇格하여 郡이 되었다.(三・麗・輿・文)

○ 1914년에 禮山・大興・德山郡을 통합하여 禮山郡을 설치하였다.(地)

○ 지금의 忠淸南道 禮山郡 德山面.

▶ 禮山− 7.8.2. 참조. ▶ 德豐− 7.5.2. 참조.

7.5.1. 目牛縣 − 본래 百濟 牛見縣인데, 新羅 景德王이 <目牛>로 고쳐서 伊山郡 領縣으로 삼았다가, 高麗初에 <高丘>로 고치고, 顯宗 9年(1018)에 <洪州>에 속하였다가, 지금은 폐지되었다.(三・麗・輿・文)

○ 지금의 忠淸南道 洪城郡.

◇ 洪州 － 忠淸南道에 있는 지명으로 본래 高句麗 運州인데, 高麗 成宗 14年(995)에 團練使를 두었다가, 顯宗 3年(1012)에 知洪州事로 고치고 뒤에 <洪州>로 고쳤다. 恭愍王 7年(1358)에 王師 普愚의 故鄕이라 하여 牧으로 昇格하였다가, 同 17年(1368)에 知州事로 降等하고, 同 20年(1371)에 다시 牧이 되었다. 朝鮮 시대에 와서도 그대로 부르다가 世宗 때에는 鎭을 두고, 顯宗 때에는 <洪陽縣>으로 降等하였다가, 얼마 뒤에 다시 昇格하였다.(三·麗·輿·文)

o 다른 이름은 安平이니 高麗 成宗 때에 정한 것이다. 또 다른 이름은 海興이다.(麗)

o 1895년에 洪州府가 되어 22郡을 다스리다가, 1914년에 洪州郡을 廢止하여 笁方面·興口香面·化城面·上田面은 <靑陽郡>에 편입하고, 나머지는 <結城郡> 一圓과 <保寧郡> 靑所面(瓮岩里·陰村·陽村·靑村)을 통합하여 <洪城郡>이 되었다.(增)

o 지금의 忠淸南道 洪城郡 洪城邑.

7.5.2. 今武縣 － 德豐縣은 본래 百濟 今勿縣인데, 新羅 景德王이 <今武>로 고쳐서 伊山郡 領縣으로 삼았는데 高麗가 <德豐>으로 고치고, 顯宗 9年(1018)에 運州(洪州)로 속했다가, 明宗이 監務를 두었다. 朝鮮 太宗 5年(1405)에 伊山縣은 거주민이 거의 없어서 <德豐·伊山> 두 縣을 합하여 <德山>으로 고쳤다가, 同 13年(1413)에 縣監이 되었고, 憲宗 13年(1847)에 昇格하여 郡이 되었다 (三·麗·輿·文)

o 지금의 忠淸南道 禮山郡 德山面.

▶ 禮山－ 7.8.2. 참조. ▶ 伊山－ 7.5. 참조.

원 문

7.6. <槥城郡>, 本【百濟】<槥郡>, [景德王]改名, 今因之. 領縣三: <唐津縣>, 本【百濟】<伐首只縣>, [景德王]改名, 今因之; <餘邑縣>, 本【百濟】<餘村縣>, [景德王]改名, 今<餘美縣>; <新平縣>, 本【百濟】<沙平縣>, [景德王]改名, 今因之.

번 역

7.6. <혜성군>은 원래 【백제】의 <혜군>이었던 것을 [경덕왕]이 개칭한 것이다. 지금도 그대로 부른다. 이 군에 속한 현은 셋이다. <당진현>은 원래 【백제】의 <벌수지현>이었던 것을 [경덕왕]이 개칭한 것이다. 지금도 그대로 부른다. <여읍현>은 원래 【백제】의 <여촌현>이었던 것을 [경덕왕]이 개칭한 것이다. 지금의 <여미현>이다. <신평현>은 원래 【백제】의 <사평현>이었던 것을 [경덕왕]이 개칭한 것이다. 지금도 그대로 부른다.

변 천

7.6. 槥城郡 － 본래 百濟 槥(또는 櫖, 枑라고도 하는데 곧 皆非이다)郡인데, 新羅 景德王이 <槥城>으로 고쳤다. 高麗 顯宗 9年(998)에 運州(洪州)로 속하였다가 뒤에 監務를 두었고, 忠烈王 19年(1293)에는 縣人 卜奎가 거란병을 막는 데 공이 있다고 하여 縣令으로 昇格하였는데 뒤에 知事로 昇格하고, 朝鮮 太宗 13年(1413)에 <沔川>으로 고쳐서 郡이 되었다.(三·麗·文)
  ○ 1914년에 唐津·沔川郡을 唐津郡으로 통합하였다.(地)
  ○ 지금의 忠淸南道 唐津郡 沔川面.
  ▶ 唐津 － 7.6.1. 참조.

7.6.1. 唐津縣 － 본래 百濟 伐首只縣(또는 夫只郡)인데, 新羅 景德王이 <唐津>으로 고쳐서 槥城郡 領縣으로 삼았다. 高麗 顯宗 9年(1018)에는 運州(洪州)에 속하였다가, 睿宗 元年(1106)에 監務를 두었고, 朝鮮 太宗 13年(1413)에 縣監이 되었다.(三·麗·輿·文)
  ○ 世宗 9年(1427) 丁未 12月에 唐津城을 쌓았다.(實)
  ○ 1895년에 唐津郡으로 昇格하여 洪州府 管轄이 되었다가, 1914년에 沔川郡이 唐津郡에 편입되었다.(增)
  ○ 지금의 忠淸南道 唐津郡.

7.6.2. 餘邑縣 － 본래 百濟 餘村縣인데, 新羅 景德王이 <餘邑>으로 고쳐서 槥城(沔川)郡

領縣으로 삼았다가, 高麗初에 <餘美>로 고치고, 顯宗 9年(1018)에 運州(洪州)에 屬하였다가, 睿宗 元年(1106)에 監務를 두었다. 朝鮮 太宗 7年(1407)에 <貞海·餘美> 두 縣을 합병하여 <海美>로 고치고 貞海로 治所를 삼았다가, 同 13年(1413)에 지명 그대로 縣이 되었다.(三·麗·輿·文)

◇ 貞海 − 貞海縣은 세상에 전해오기를, 高麗 太祖 때에 夢熊驛吏 韓姓者가 큰 공이 있어서 大匡의 칭호를 내리고, 高丘縣(지금의 洪州)에 속한 땅을 떼어서 貞海縣을 두었고, 그 姓의 本貫을 삼았다고 한다. 顯宗 9年(1018) 에 運州(洪州)로 屬하였다가 뒤에 監務를 두었다. 朝鮮 太宗 7年(1407)에 <貞海·餘美> 두 縣을 합병하여 <海美>로 고치고 貞海로 治所를 삼았다가, 同 13年에 지명 그대로 縣이 되었다.(三·麗·輿·文)

o 1895년에 海美郡으로 昇格하였으나, 1914년 瑞山郡에 편입하였다.(地)

o 지금의 忠淸南道 瑞山市 海美面.

▶ 瑞山 − 7.13. 참조.

7.6.3. 新平縣 − 본래 百濟 沙平縣인데, 新羅 景德王이 <新平>으로 고쳐서 槥城(沔川)郡 領縣으로 삼았다. 高麗 顯宗 9年(1018)에 <洪州>에 속하였다.(三·麗·輿·文)

o 1895년에 沔川郡에 편입되었다가, 1914년 沔川郡이 唐津郡에 통합됨에 따라 唐津郡에 편입되었다.(名)

o 지금의 忠淸南道 唐津郡 新平面

원 문

7.7. <扶餘郡>, 本【百濟】<所夫里郡>, 【唐】將[蘇定方]與[庾信]平之. [文武王]十二年置摠管, [景德王]改名, 今因之. 領縣二: <石山縣>, 本【百濟】<珍惡山縣>, [景德王]改名, 今<石城縣>; <悅城縣>, 本【百濟】<悅已縣>, [景德王]改名, 今<定山縣>.

번 역

7.7. <부여군>은 원래 【백제】의 <소부리군>인데 【당나라】장군 [소정방]이 [유신]과 함께 이를 평정하였고, [문무왕] 12년에 총관을 두었으며, [경덕왕]이 <부여군>으로 개칭한 것이다. 지금도 그대로 부른다. 이 군에 속한 현은 둘이다. <석산현>은 원래 【백제】의 <진악산현>이었던 것을 [경덕왕]이 개칭한 것이다. 지금의 <석성현>이다. <열성현>은 원래 【백제】의 <열이현>이었던 것을 [경덕왕]이 개칭한 것이다. 지금의 <정산현>이다.

변 천

7.7. 扶餘郡 — 본래 百濟 所夫里(또는 泗沘)郡인데, 百濟 聖王이 熊川에서 도읍을 옮겨와 서 지명을 南扶餘라 하였다. 義慈王 때에 新羅가 金庾信을 보내서 당나라 장수 蘇定方과 함께 협공하여 百濟를 멸망시켰는데, 당나라 군사가 돌아간 뒤 新羅가 그 땅을 占領하여 文武王 12年(672)에 摠管을 두었다가, 景德王이 <扶餘>로 고쳐서 郡을 삼았다. 高麗 顯宗 9年(1018)에 <公州>에 속했다가, 明宗 2年(1172)에 監務를 두었고, 朝鮮 太宗 13年(1413)에 고쳐서 縣監이 되었다.(三·麗·輿)

  ○ 1895년에 扶餘郡으로 昇格하고, 1914년에 道城面의 九龍里와 公洞面의 琴江里는 <靑陽郡>에 편입하고, <林川郡> 일대, <鴻山郡> 일대와 <魯城郡> 素砂面과 <公州郡> 半灘面의 書院里와 正谷里 一部와 <石城郡>의 縣內面·北面·甑山面·碑堂面을 扶餘郡에 편입하였다.(增)

  ○ 지금의 忠淸南道 扶餘郡.

7.7.1. 石山顯 — 본래 百濟 珍惡山縣인데, 新羅 景德王이 <石山>으로 고쳐서 扶餘郡 領縣으로 삼았다. 高麗初에 <石城>으로 고치고, 顯宗 9年(1018)에 公州로 속하였다가, 明宗 2年 (1172)에 監務를 두었는데, 뒤에 폐지하고 <公州>로 다시 편입되었다가, 恭愍王 2年(1353)에 다시 갈라서 <扶餘>의 관할이 되었는데, 恭讓王이 縣을 다시 두었다. 朝鮮 太宗 14年(1414)에 <尼山>과 합하여 <尼城>이 되었다가, 同 15年에 古多津을 사람들이 오고 가는 중요한 나루터라 하여 다시 갈라서 縣監이 되었다.(三·麗·輿)

○ 1895년에 石城郡으로 昇格하였다가, 1914년에 郡을 폐지하고 院北面·定止面·三山面·甁村面·牛昆面은 <論山郡>에 편입하고, 縣內面·北面·曾山面·碑堂面은 <扶餘郡>에 편입하였다.(增)

○ 지금의 忠淸南道 扶餘郡 石城面.

▶ 尼山 ─ 7.0.1. 참조.

7.7.2. 悅城縣 ─ 본래 百濟 悅己(또는 豆陵, 尹城, 豆串)縣인데, 新羅 景德王이 <悅城>으로 고쳐서 扶餘郡 領縣으로 삼았다. 高麗初에 <定山>으로 고치고, 顯宗 9年(1018)에 公州에 속하였다가 뒤에 監務를 두었는데, 朝鮮 太宗 3年(1403)에 고쳐서 縣監이 되었다. (三·麗·輿)

○ 1895년에 定山郡이 되었다가, 1914년에 靑陽郡에 합병되었다.(增)

○ 지금의 忠淸南道 靑陽郡 定山面.

▶ 靑陽 ─ 7.8.1. 참조.

원 문

7.8. <任城郡>, 本【百濟】<任存城>, [景德王]改名, 今<大興郡>. 領縣二: <靑正縣>, 本【百濟】<古良夫里縣>, [景德王]改名, 今<靑陽縣>; <孤山縣>, 本【百濟】<烏山縣>, [景德王]改名, 今<禮山縣>.

번 역

7.8. <임성군>은 원래 【백제】의 <임존성>이었던 것을 [경덕왕]이 개칭한 것이다. 지금의 <대흥군>이다. 이 군에 속한 현은 둘이다. <청정현>은 원래 【백제】의 <고량부리현>이었던 것을 [경덕왕]이 개칭한 것이다. 지금의 <청양현>이다. <고산현>은 원래 【백제】의 <오산현>이었던 것을 [경덕왕]이 개칭한 것이다. 지금의 <예산현>이다.

변 천

7.8. 任城郡 - 본래 百濟 任存城(또는 今州)인데, 新羅 景德王이 <任城郡>으로 고쳤다. 高麗初에 <大興>으로 고쳐서, 顯宗 9年(1018)에 運州(洪州)에 속하였다가, 明宗 2年(1172)에 監務를 두었고, 朝鮮 太宗 7年(1407)에 郡으로 昇格하였다가, 同 13年(1413)에 다시 縣監이 되었다.(三·麗·輿·文)

o 1895년에 大興郡으로 昇格하였다가, 1914년에 禮山郡에 합병되었다.(增)

o 지금의 忠淸南道 禮山郡 大興面.

▶ 禮山 - 7.8.2. 참조.

7.8.1. 靑正縣 - 본래 百濟 古良夫里縣인데, 新羅 景德王이 <靑武(또는 靑正)>로 고쳐서 任城(大興)郡 領縣으로 삼았다. 高麗初에 <靑陽>으로 고치고, 顯宗 9年(1018)에는 天安府 관할에 속하였다가 뒤에 洪州로 옮겨 소속되었고, 朝鮮 太宗 13年(1413)에 옛 이름 그대로 縣監이 되었고, 顯宗 5年(1664)에 定山에 속하였다가, 同 15年에 復舊하였다.(三·麗·輿·文)

o 1895년에 靑陽郡이 되고, 1914년에 <扶餘郡> 일대(道成面·九龍面·公洞面·琴江面)와 <洪州郡> 일대(坌方面·興口香面·化城面·上田面)와 <定山郡> 일대가 편입되었다.(增)

o 지금의 忠淸南道 靑陽郡.

7.8.2. 孤山縣 - 본래 百濟 烏山縣인데, 新羅 景德王이 <孤山>으로 고쳐서 任城(大興)郡 領縣으로 삼았다. 高麗 太祖 2年(919)에 <禮山>으로 고치고, 顯宗 9年(1018)에는 天安府에 속하였다가 뒤에 監務를 두었고, 朝鮮 太宗 13年(1413)에 옛 이름 그대로 縣監이 되었다.(三·麗·輿·文)

o 1895년에 禮山郡으로 昇格하여 洪州府에 속하였다가, 1914년에 德山, 大興, 禮山 3個郡을 통합하여 禮山郡을 설치하였다.(地)

o 지금의 忠淸南道 禮山郡.

원 문

> 7.9. <黃山郡>, 本【百濟】<黃等也山郡>, [景德王]改名, 今<連山縣>. 領縣二: <鎮嶺縣>, 本【百濟】<眞峴縣>(眞一作貞.), [景德王]改名, 今<鎮岑縣>; <珍同縣{珍洞縣}>, 本【百濟】縣, [景德王]改州郡名, 及今並因之.

번 역

7.9. <황산군>은 원래 【백제】의 <황등야산군>이었던 것을 [경덕왕]이 개칭한 것이다. 지금의 <연산현>이다. 이 군에 속한 현은 둘이다. <진령현>은 원래 【백제】의 <진현현>(진(眞)을 정(貞)이라고도 함)이었던 것을 [경덕왕]이 개칭한 것이다. 지금의 <진잠현>이다. <진동현>은 원래 【백제】의 현으로서 [경덕왕]이 주군의 명칭을 개칭한 것이다. 지금도 그대로 부른다.

변 천

7.9. 黃山郡 - 본래 百濟 黃登也(또는 黃等也山)郡인데, 新羅 景德王이 <黃山郡>으로 고쳤다. 高麗初에 <連山>으로 고쳐서 縣이 되었고, 顯宗 9年(1018)에 公州에 속하였다가 뒤에 다시 監務를 두었다. 朝鮮 太宗 13年(1413)에 옛 이름 그대로 縣監이 되었다가, 仁祖 14年(1636)에 <尼城・恩津>과 合하여 <恩山縣>이 되어서 平川驛 서쪽에 두었다가, 孝宗 7年(1656)에 각각 復舊하였다.(三・麗・輿・文)
ㅇ 1895년 連山郡으로 昇格하여 公州府의 管轄이 되었다가, 1914년 恩津・魯城・連山縣과 石城縣의 일부가 통합하여 論山郡이 되었다.(地)
ㅇ 지금의 忠淸南道 論山市 連山面.

7.9.1. 鎮嶺縣 - 본래 百濟 眞峴(또는 貞峴)縣인데, 新羅 景德王이 <鎮嶺>으로 고쳐서 黃山(連山)郡 領縣으로 삼았다. 高麗初에 <鎮岑>으로 고치고, 顯宗 9年(1018)에 公州로 屬하였다가 뒤에 監務를 두었고, 朝鮮 太宗 13年(1413)에 옛 이름 그대로 고쳐서

縣監이 되었다가, 公州에 監營을 설치할 때 儒城 等 다섯 面을 떼어서 公州에 편입시
켰다.(三·麗·輿·文)

○ 1895년에 鎭岑郡으로 昇格하였다가, 1914년에 懷德郡, 鎭岑郡 일부를 통합하여 大
田郡으로 하고, 1931년 大田面을 邑으로, 다시 1935년에 府로 승격하고, 大田郡은
大德郡으로 바꾸었다. 1949년에 大田府는 大田市로, 1989년에 大田直轄市로, 1995
년에는 大田廣域市로 고쳤다.(地)

○ 1987년과 1989년에 大德郡의 鎭岑面 一圓이 편입되고, 1989년에 儒城區, 大德區
등을 新設하고, 1998년에 鎭岑1·2洞이 鎭岑洞으로 통합하였다.(地)

○ 지금의 大田廣域市 儒城區 鎭岑洞.

7.9.2. 珍同縣 — 본래 百濟 珍同(또는 珍洞)縣인데, 新羅가 黃山(連山)郡 領縣으로 삼았다.
뒤에 <進禮(錦山)縣>으로 옮겨 소속되었고, 恭讓王 2年(1390)에는 高山監務로 관할하
게 하였다가, 朝鮮 太祖 2年(1393)에 胎를 郡地에 奉安하고 昇格하여 知珍州事를 삼았
다가, 太宗 12年 (1412)에 <珍山>으로 고쳐서 郡이 되었다.(三·麗·輿)

○ 또 다른 지명은 玉溪이다.(麗).

○ 1896년에 忠淸南道 公州府의 錦山郡과 珍山郡이 全羅北道로 編入되었다가, 1914
년 珍山郡을 並合하여 <錦山郡>이라 하고, 10개 面(錦山面, 錦城面, 濟源面, 富利
面, 郡北面, 南一面, 南二面, 珍山面, 福壽面, 秋富面)으로 하였다(地).

○ 1963년에 全羅北道에서 忠淸南道로 編入되었다.(地)

○ 지금의 忠淸南道 錦山郡 珍山面.

▶ 進禮(錦山) — 8.4. 참조.

원 문

7.10. <比豊郡>, 本【百濟】<雨述郡>, [景德王]改名, 今<懷德郡>. 領縣二: <儒
城縣>, 本【百濟】<奴斯只縣{奴叱只縣}>, [景德王]改名, 今因之; <赤鳥縣>, 本【百
濟】<所比浦縣>, [景德王]改名, 今<德津縣>.

번 역

7.10. <비풍군>은 원래 【백제】의 <우술군>이었던 것을 [경덕왕]이 개칭한 것이다. 지금의 [회덕군]이다. 이 군에 속한 현은 둘이다. <유성현>은 원래 【백제】의 <노사지현>이었던 것을 [경덕왕]이 개칭한 것이다. 지금도 그대로 부른다. <적조현>은 원래 【백제】의 <소비포현>이었던 것을 [경덕왕]이 개칭한 것이다. 지금의 <덕진현>이다.

변 천

7.10. 比豊郡 － 본래 百濟 雨述(또는 朽淺)郡인데, 新羅 景德王이 <比豊郡>으로 고쳤다. 高麗初에 <懷德>으로 고치고, 顯宗 9年(1018)에 公州에 屬하였다가, 明宗 2年(1172)에 監務를 두었고, 朝鮮 太宗 13年(1413)에 옛 이름 그대로 고쳐서 縣監이 되었다. (三·麗·輿)
  ○ 1895년에 懷德郡이 되었다가, 1914년에 鎭岑郡 일대와 1914년에 懷德郡, 鎭岑郡 일부를 통합하여 大田郡으로 하였다.(增)
  ○ 지금의 大田廣域市 大德區 懷德洞.
    ▶ 大田廣域市 － 7.9.1. 참조.

7.10.1. 儒城縣 － 본래 百濟 奴斯只(또는 奴叱只)縣인데, 新羅 景德王이 <儒城>으로 고쳐서 比豊(懷德)郡 領縣으로 삼았다. 高麗는 옛 지명을 그대로 부르며 公州에 소속시켰는데, 조선 시대에도 그대로 따랐다.(三·麗·輿)
  ○ 지금의 大田廣域市 儒城區.

7.10.2. 赤鳥縣 － 본래 百濟 所比浦縣인데, 新羅 景德王이 <赤鳥>로 고쳐서 比豊郡 領縣이 되었다가, 高麗初에 <德津>으로 고쳐서 <公州>에 속하였다.(三·麗·文)
  ○ 지금의 忠淸南道 公州市.
    ▶ 公州 － 7. 참조.

원 문

7.11. <潔城郡>, 本【百濟】<結己郡>, [景德王]改名, 今因之. 領縣二: <新邑縣>, 本【百濟】<新村縣>, [景德王]改名, 今<保寧縣>; <新良縣>, 本【百濟】<沙尸良縣>, [景德王]改名, 今<黎陽縣>.

번 역

7.11. <결성군>은 원래【백제】의 <결기군>이었던 것을 [경덕왕]이 개칭한 것이다. 지금도 그대로 부른다. 이 군에 속한 현은 둘이다. <신읍현>은 원래【백제】의 <신촌현>이었던 것을 [경덕왕]이 개칭한 것이다. 지금의 <보령현>이다. <신량현>은 원래【백제】의 <사시량현>이었던 것을 [경덕왕]이 개칭한 것이다. 지금의 <여양현>이다.

변 천

7.11. 潔城郡 − 본래 百濟 結己郡인데, 新羅 景德王이 <潔城郡>으로 고쳤다. 高麗 顯宗 9年(1018)에 運州(洪州)로 속하였다가, 明宗 2年(1172)에 <結城>으로 지명을 고치고 監務를 두었다. 朝鮮 太宗 13年(1413)에 옛 이름 그대로 縣監이 되었고, 英祖 9年(1733)에 保寧에 합병되었다가, 同 12年에 復舊하여 縣이 되었다.(三・麗・輿・文)
  ○ 1895년에 結城郡이 되어 洪州府에 속하였다가, 1914년에 洪城郡에 합병되었다.(增)
  ○ 지금의 忠淸南道 洪城郡 結城面.
  ▶ 洪城 − 7.5.1. 참조.

7.11.1. 新邑縣 − 본래 百濟 新村(또는 沙村)縣인데, 新羅 景德王이 <新邑>으로 고쳐서 潔城(結城)郡 領縣으로 삼았다. 高麗初에 <保寧>으로 고치고, 顯宗 9年(1018)에 運州(洪州)로 속하였다가, 睿宗 元年(1106)에 監務를 두었고, 朝鮮 太宗 13年(1413)에 옛 이름 그대로 縣監을 두었다가, 孝宗 3年(1652)에 府로 昇格하였는데, 同 6年에 다시 降等하여 縣이 되었다.(三・麗・輿・文)

○ 1895년에 保寧郡으로 昇格하였다가, 1914년에 靑所面의 瓮岩里·陰村·陽村·靑村은 떼어서 <洪城郡>에 편입하고, <鰲川郡>(河南面의 烟島里·竹島里·開也島里와 河西面의 於靑島里는 제외) 일대와 <藍浦郡>을 保寧郡에 편입하였다.(實)

○ 1963년 大川面이 邑으로, 1986년 市로 昇格하고, 1995년 大川市와 保寧郡을 保寧市로 통합하였다.(地)

○ 지금의 忠淸南道 保寧市.

7.11.2. 新良縣 − 본래 百濟 沙尸良(또는 沙羅)縣인데, 新羅 景德王이 <新良>으로 고쳐서 潔城(結城)郡 領縣으로 삼았다. 高麗初에 <驪陽(또는 黎陽)>으로 고쳐서 監務를 두었다가, 顯宗 9年(1018)에 運州(洪州)로 속하였는데 지금은 폐지되었다.(輿)

○ 지금의 忠淸南道 洪城郡.

원 문

7.12. <燕山郡>, 本【百濟】<一牟山郡>, [景德王]改名, 今因之. 領縣二: <燕岐縣>, 本【百濟】<豆仍只縣>, [景德王]改名, 今因之; <昧谷縣>, 本【百濟】<未谷縣>, [景德王]改名, 今<懷仁縣>.

번 역

7.12. <연산군>은 원래 【백제】의 <일모산군>이었던 것을 [경덕왕]이 개칭한 것이다. 지금도 그대로 부른다. 이 군에 속한 현은 둘이다. <연기현>은 원래 【백제】의 <두잉지현>이었던 것을 [경덕왕]이 개칭한 것이다. 지금도 그대로 부른다. <매곡현>은 원래 【백제】의 <미곡현>이었던 것을 [경덕왕]이 개칭한 것이다. 지금의 <회인현>이다.

변 천

7.12. 燕山郡 － 본래 百濟 一牟山郡인데, 新羅 景德王이 <燕山>으로 고쳤다. 高麗에 와서는 淸州에 속하였다가, 明宗 2年(1172)에 監務를 두었고, 高宗 46年(1260)에는 衛社功臣 朴希實의 고향이라 하여 <文義縣>으로 昇格하고 令을 두었는데, 忠烈王 때에 嘉林(林川)에 합병되었다가 곧 復舊하였다. 朝鮮 시대에도 그대로 부르다가, 壬辰亂 때 倭寇의 약탈이 있은 뒤에는 淸州에 속하였다가, 宣祖 30年(1597)에 다시 縣이 되었다.(三・麗・輿・文)

  ○ 1895년에 文義郡으로 昇格하였다가, 1914년에 淸州郡에 합병되었다.(增)

  ○ 1931년 淸州面을 邑으로, 1946년 府로 昇格하고, 淸州郡을 淸原郡으로 고쳤다.(地)

  ○ 지금의 忠淸北道 淸原郡 文義面.

7.12.1. 燕岐縣 － 본래 百濟 豆仍只縣인데, 新羅 景德王이 <燕岐>로 고쳐서 燕山(文義)郡 領縣으로 삼았다. 高麗 顯宗 9年(1018)에는 <淸州>로 속하였고, 明宗 2년(1172)에 監務를 두었다가 뒤에 <木川>監務가 관할하게 하였다. 朝鮮 太宗 6年(1406)에 나누어서 각각 監務를 두었다가, 同 14年(1416)에는 <全義>에 합병되어 <全岐>라 불렸는데, 同 16년에 다시 갈라서 縣監을 두었고, 肅宗 6年(1680)에는 文義에 편입되었다가, 同 11년(1685)에 다시 縣이 되었다.(三・麗・輿・文)

  ○ 1895년에 燕岐郡으로 昇格하였고, 1914년에 全義郡 일대와 公州郡 陽也里面・鳴灘面, 三岐面의 老隱里・杏檀洞・岐陽洞・松潭洞・鳳山洞・坪村洞・松峴洞・禾玉洞・星田洞・旺岩里・西斤所里・李山洞・道岑里・柳亭里・德岩里・柳溪里・道山洞・眞儀洞・宗村洞・倉洞이 편입되었다.(增)

  ○ 지금의 忠淸南道 燕岐郡.

7.12.2. 昧谷縣 － 본래 百濟 未谷縣인데, 新羅 景德王이 <昧谷>으로 고쳐서 燕山郡 領縣으로 삼았다. 高麗初에 <懷仁>으로 고치고, 顯宗 9年(1018)에 淸州로 속하였다가 뒤에 懷德監務가 관할하게 하였고, 禑王 9年(1383)에 監務를 따로 두었다가, 朝鮮 太宗 13年(1413)에 옛 이름 그대로 縣監이 되었다.(三・麗・輿・文)

○ 1895년에 懷仁郡으로 昇格하였다가, 1914년에 報恩郡에 합병되면서 懷北面과 懷南面에 편입되었다.(名)

○ 지금의 忠淸北道 報恩郡 懷南面・懷北面.

원 문

7.13. <富城郡>, 本【百濟】<基郡>, [景德王]改名, 今因之. 領縣二: <蘇泰縣>, 本【百濟】<省大兮縣>, [景德王]改名, 今因之; <地育縣>, 本【百濟】<知六縣>, [景德王]改名, 今<北谷縣>.

번 역

7.13. <부성군>은 원래【백제】의 <기군>이었던 것을 [경덕왕]이 개칭한 것이다. 지금도 그대로 부른다. 이 군에 속한 현은 둘이다. <소태현>은 원래【백제】의 <성대혜현>이었던 것을 [경덕왕]이 개칭한 것이다. 지금도 그대로 부른다. <지육현>은 원래【백제】의 <지륙현>이었던 것을 [경덕왕]이 개칭한 것이다. 지금의 <북곡현>이다.

변 천

7.13. 富城郡 － 본래 百濟 基郡인데, 新羅 景德王이 <富城郡>으로 고쳤다. 高麗 시대에도 그대로 부르다가, 仁宗 22年(1144)에 降等하여 縣令을 두었고, 明宗 12年(1182)에 縣의 백성이 관리를 협박하여 잡아 가두었으므로 有司가 상소하여 官號를 박탈하였다. 忠烈王 10年(1284)에 邑人 鄭仁卿이 功이 있다고 하여 <瑞山>으로 고쳐서 知郡事로 昇格하였다가, 同 34年(1308)에 다시 瑞州牧으로 昇格하고, 忠宣王 2年(1310)에 옛 이름 그대로 강등하여 瑞寧府가 되었다가 뒤에 또 降等하여 知瑞州事가 되었다. 朝鮮 太宗 13年(1413)에 <瑞山>으로 다시 지명을 되찾아 郡이 되었다가, 肅宗 21年(1695)에 縣으로 降等하였는데, 同 39年(1713)에 復舊하고, 英祖 9年(1733)에 다시 降等

하여 縣이 되었다가, 同 18年(1742)에 復舊하고, 正祖 初年(1776)에 또 縣으로 昇格하였다가, 同 9年에 復舊하였다.(三·麗·輿·文)

○ 1914년에 瑞山, 泰安 두 郡과 海美縣을 통합하여 瑞山郡을 설치하였다.(地)

○ 1942년 瑞山面을 邑으로, 1989년 市로 昇格하고, 1995년 瑞山市와 瑞山郡을 瑞山 市로 통합하였다.(地)

○ 지금의 忠淸南道 瑞山市.

7.13.1. 蘇泰縣 - 본래 百濟 省大兮(또는 省大號)縣인데, 新羅 景德王이 <蘇泰(또는 蘇 州)>로 고쳐서 富城(瑞山)郡 領縣으로 삼았다. 高麗 시대에도 그대로 부르다가, 顯宗 9年(1018)에 運州(洪州)로 속하고, 忠烈王 때에는 郡人 宦官 李大順이 원나라에 들어 가 총애를 받으므로 <泰安>으로 고쳐서 知郡事로 昇格하였는데, 朝鮮 시대에도 그 대로 부르다가 <蓴城>이라 부르다가, 太宗 16年(1416)에 옛 治所로 돌아와서 郡이 되었다.(三·麗·輿·文)

○ 1895년에 泰安郡이 설치되었으나, 1914년에 瑞山郡에 통합되었다.(地)

○ 1973년에 泰安面을 邑으로 昇格하고, 1989년에 泰安邑, 安眠邑, 古南面, 南面, 近興 面, 所遠面, 遠北面, 梨園面을 관할로 하는 泰安郡을 설치하였다.(地)

○ 지금의 忠淸南道 泰安郡 泰安邑.

7.13.2. 地育縣 - 본래 百濟 知六縣인데, 新羅 景德王이 <地育>으로 고쳐서 富城(瑞山) 郡 領縣으로 삼았다. 高麗가 <地谷>으로 고쳐서 옛 그대로 소속시켰고, 朝鮮 시대에 도 그대로 따르다가 뒤에 폐지하고 <瑞山>에 합병되었다.(三·麗·輿·文)

○ 지금의 忠淸南道 瑞山市 地谷面.

원 문

7.14. <湯井郡>, 本【百濟】郡, <文武王>十一年, 【唐】[咸亨]二年, 爲州寘{置}摠 管. [咸亨]十二年, 廢州爲郡, [景德王]因之, 今<溫水郡>. 領縣二: <陰峯(一云陰岑)縣>,

本【百濟】<牙述縣>, [景德王]改名, 今<牙州>; <祁梁縣{祈梁縣}>, 本【百濟】<屈直縣>, [景德王]改名, 今<新昌縣>.

번 역

7.14. <탕정군>은 원래【백제】의 군이었는데 [문무왕] 11년, 【당】[함형] 2년에 주를 만들어 총관을 두었다가 [함형] 12년에 주를 폐지하여 군으로 만들었으며, [경덕왕]이 그 명칭대로 두었다. 지금의 <온수군>이다. 이 군에 속한 현은 둘이다. <음봉(또는 음잠)현>은 원래【백제】의 <아술현>이었던 것을 [경덕왕]이 개칭한 것이다. 지금의 <아주>이다. <기량현>은 원래【백제】의 <굴직현>이었던 것을 [경덕왕]이 개칭한 것이다. 지금의 <신창현>이다.

변 천

7.14. 湯井郡 ― 본래 百濟 湯井郡인데, 新羅 文武王이 州로 昇格시켜 摠管을 두었다가 뒤에 州를 없애고 郡을 삼았다. 高麗初에 <溫水郡>으로 고치고, 顯宗 9年(1018)에 天安府에 속하였다가, 明宗 2年(1172)에 縣으로 降等하여 監務를 두었다. 朝鮮 太宗 14年(1414)에는 新昌縣과 合하여 <溫昌>이라 하다가, 同 16年에 나누어서 <溫水縣>을 두었는데, 世宗 24年(1442)에 王이 溫水에 행차하여 <溫陽>으로 고치고 郡으로 昇格하였다.(三 · 麗 · 輿 · 文)

ㅇ 1914년에 牙山, 溫陽, 新昌 세 郡을 통합하여 牙山郡을 설치하였다.(地)

ㅇ 1941년 溫陽面을 邑으로, 1986년 市로 昇格하고, 牙山郡을 분리했다가 1995년 溫陽市와 牙山郡을 牙山市로 통합하였다.(地)

ㅇ 지금의 忠淸南道 牙山市 溫陽溫泉1 · 2 洞.

7.14.1. 陰峰(陰岑)縣 ― 본래 百濟 牙述(또는 迓述)縣인데, 新羅 景德王이 <陰峰(또는 陰岑)>으로 고쳐서 湯井(溫陽)郡 領縣으로 삼았다. 高麗初에 <仁州>로 고치고, 成宗 14年(995)에 刺史를 두었다가, 穆宗 8年(1005)에 刺史를 폐지하고, 顯宗 9年(1018)에 天

安에 속하였다가 뒤에 <牙州>로 고쳐서 監務를 두었다. 朝鮮 太宗 13年(1413)에 <牙山>으로 고치고 縣監이 되었다가, 世祖 4年(1459)에 縣을 없애고 溫陽·平澤·新昌 세 邑에 나누어 소속시켰다가, 同 11年(1466)에 復舊하였고, 燕山郡 11年(1505)에 京畿道로 옮겨 편입되었다가, 中宗初에 復舊하였다.(三·麗·輿·文)

○ 1895년에 牙山郡으로 昇格하였다가, 1914년에 牙山·溫陽·新昌 세 郡을 통합하여 牙山郡을 설치하였다.(地)

○ 1941년 溫陽面을 邑으로, 1986년 市로 昇格하고, 牙山郡을 분리했다가 1995년 溫陽市와 牙山郡을 牙山市로 통합하였다.(地)

○ 지금의 忠淸南道 牙山市 陰峰面.

7.14.2. 祈梁縣 – 百濟 屈直縣인데, 新羅 景德王이 <祈梁>으로 고쳐서 湯井(溫陽)郡 領縣으로 삼았다. 高麗初에 <新昌>으로 고치고, 顯宗 9年(1018)에 天安府에 屬했다가, 恭讓王 3年(1391)에 城을 縣의 서쪽 獐浦에 쌓고 인근 州縣의 조세를 거두어 배에 싣고 바다로 京師에 운반하였는데, 萬戶를 처음 두어 監務를 兼하게 하였다. 朝鮮 太祖 元年(1392)에 萬戶를 없애고, 太宗 14年(1414)에 溫水(溫陽)와 合하여 <溫昌>이라 하였다가, 同 16년에 다시 갈라서 옛 이름 그대로 縣監을 두었다.(三·麗·輿·文)

○ 1895년에 新昌郡으로 昇格하였다가, 1914년에 牙山郡에 합병되었다.(增)

○ 지금의 忠淸南道 牙山市 新昌面.

▶ 牙山 – 7.14.1. 참조.

원 문

8. <全州>, 本【百濟】<完山>, [眞興王]十六年, 爲州, 二十六年, 州廢. [神文王]五年, 復置<完山州>. [景德王]十六年改名, 今因之 領縣三: <杜城縣>, 本【百濟】<豆伊縣>, [景德王]改名, 今<伊城縣>; <金溝縣>, 本【百濟】<仇知只山縣>, [景德王]改名, 今因之; <高山縣>, 本【百濟】縣, [景德王]改州郡名, 及今因之.

번 역

8. <전주>는 원래 【백제】의 <완산>인데 [진흥왕] 16년에 주로 만들었고, 26년에 주가 폐지되었다가 [신문왕] 5년에 다시 <완산주>를 설치하였으며, [경덕왕] 16년에 <전주>로 개칭한 것이다. 지금도 그대로 부른다. 이 주에 속한 현은 셋이다. <두성현>은 원래 【백제】의 <두이현>이었던 것을 [경덕왕]이 개칭한 것이다. 지금의 <이성현>이다. <금구현>은 원래 【백제】의 <구지지산현>이었던 것을 [경덕왕]이 개칭한 것이다. 지금도 그대로 부른다. <고산현>은 원래 【백제】의 현으로서 [경덕왕]이 주군의 명칭을 고친 것인데 지금도 그대로 부른다.

변 천

8. 全州 – 본래 百濟 完山(또는 比斯伐, 比自火)인데, 新羅 眞興王 16年(555, 百濟 威德王 20年)에 <完山州>라 부르다가, 同 26年(565)에 州를 폐지하고, 太宗 武烈王 6年(百濟 義慈王 19年; 659)에 당나라 장수 蘇定方과 함께 百濟를 멸망시키고, 드디어 그 땅을 차지하였다. 孝恭王 때에 甄萱이 이곳에 도읍을 정하고 나라 이름을 <後百濟>라 하였다. 高麗 太祖 19年(936)에 빼앗아서 安南都護府로 고쳤다가, 同 23年(940)에 다시 <全州>라 불렀고, 成宗 12年(993)에는 承化節度安撫使라 부르다가, 同 14年에 13州 節度使를 둘 때에 順義軍이라 부르며 江南道에 소속시켰다. 顯宗 9年(1018)에는 <安南大都護府>로 昇格하였다가, 同 13年(1022)에 <全州牧>으로 고치고, 恭愍王 4年(1355)에는 원나라 사신 埜思不花를 가두었다 하여 部曲으로 강등하였다가, 同 5年에 다시 <完山府>가 되었다. 朝鮮 太祖 元年(1392)에는 임금의 고향이라 하여 完山留守府로 昇格하였다가, 太宗 3年(1405)에 <全州>로 고쳐서 府尹이 되었고, 世祖 때에는 鎭을 두었다.(三·麗·輿·文)

   ○ 또 다른 지명은 莞山으로 高麗 成宗 때 지은 것이다. 甄城이라고도 한다.(麗)

   ○ 1895년에 全州府가 되어 20郡을 거느렸다가, 1914년에 全州郡으로 되고 高山郡 일대가 편입되었다.(增)

   ○ 1931 全州面이 邑으로, 1935년 府로 昇格되어 분리되자, 全州郡이 完州郡으로 고

쳐지고, 1949년 全州府가 全州市로 되었다.(地)

○ 1930년 完州郡의 上關面 중 9個里가, 1940년 伊東面 중 4個里, 助村面 중 1個里가, 1957년 草浦面, 雨田面 一圓, 助村, 龍進, 上關面 일부가, 1973년 龍進面 山亭里 中 일부가, 1983년 上關面 大聖里, 色長里 일원과 龍進面 山亭里 중 815번지가, 1987년 助村邑이, 1989년 龍進面 山亭里, 今上里와 九耳面 中仁里, 龍伏里, 石九里, 院堂里 가, 1990년 伊西面 上林里, 中里가 全州市에 편입되었다.(地)

○ 지금의 全羅北道 全州市.

8.0.1. 杜城縣 − 본래 百濟 豆伊(또는 往武)縣인데, 新羅 景德王이 <杜城>으로 고쳐서 全州에 소속시켰다. 高麗는 <伊城>으로 고쳐서 옛 그대로 소속시켰다.(三·麗·輿· 文)

○ 지금의 全羅北道 全州市.

8.0.2. 金溝縣 − 본래 百濟 仇知只山縣인데, 新羅 景德王이 <金溝>로 고쳐서 全州領縣 으로 삼았다. 高麗 毅宗 24年(1170)에 李義方의 외가라 하여 縣令官으로 昇格하였고, 朝鮮 시대에도 옛 지명을 그대로 사용하여 縣이 되었다.(三·麗·輿·文)

○ 또 다른 지명은 鳳山이다.(麗)

○ 1895년에 金溝郡으로 昇格하였으며 全州府의 管轄이 되었다가, 1914년에 金堤郡 에 합병되었다.(增)

○ 지금의 金堤市 金溝面.

▶ 金堤 − 8.7. 참조.

8.0.3. 高山縣 − 본래 百濟 <高山(또는 難等良)縣>인데, 新羅 때에는 全州에 속하였다. 高麗 顯宗 9年(1018)에도 옛 그대로 소속되었다가, 뒤에 監務를 두어서 <珍同>을 함 께 관할하게 하였고, 恭讓王 3年(1391)에는 <雲梯>를 함께 관할하게 하였는데, 朝鮮 太祖 元年(1392)에 다시 가르고 뒤에 縣監으로 고쳤다.(三·麗·輿·文)

○ 1895년에 高山郡이 되어 全州府에 속하였다가, 1914년에 郡을 없애고 <全州郡> 에 합병되었다.(增)

o 1931 全州面이 邑으로, 1935년 府로 昇格되어 분리되자, 全州郡이 完州郡으로 고쳐지고, 1949년 全州府가 全州市로 되었다.(地)

o 지금의 全羅北道 完州郡 高山面.

▶ 完州 - 8. 참조.

원 문

8.1. <南原小京,> 本【百濟】<古龍郡>,【新羅】幷之. [神文王]五年, 初置小京, [景德王]十六年, 置<南原小京>, 今<南原府>.

번 역

8.1. <남원소경>은 원래【백제】의 <고룡군>이었는데【신라】가 이를 병합하였다. [신문왕] 5년에 처음으로 <소경>을 설치하였고 [경덕왕] 16년에 <남원소경>을 설치하였다. 지금의 <남원부>이다.

변 천

8.1. 南原小京 - 본래 百濟 古龍郡인데, 後漢 建安 治世에 帶方郡이 되었고, 曹魏 때에는 南帶方郡이 되었다. 唐 高宗이 蘇定方을 보내서 百濟를 멸망시키고는 劉仁軌를 檢校帶方州刺史로 삼았다가, 얼마 뒤에 新羅 文武王이 그 땅을 차지하고, 神文王 4年(684)에 小京을 만들었다가, 景德王 16年(757)에 南原小京으로 고쳤다. 高麗 太祖 23年(940)에 南原府로 고쳤다가, 忠宣王 2年(1310)에 帶方郡이 되었고, 뒤에 다시 南原郡으로 고쳤다가, 恭愍王 9年(1360) 에는 昇格하여 南原府가 되었다. 朝鮮 太宗 13年(1413)에 옛 지명 그대로 都護府가 되었고, 世祖 때에는 비로소 鎭을 두고, 英祖 15年(1739)에는 강등하여 一新縣이 되었다가, 同 16年에 復舊하였다.(三 · 麗 · 輿 · 文)

o 또 다른 지명은 龍城이다.(麗)

○ 1895년에 南原府가 되어 15郡을 거느렸다가, 1914년에는 郡이 되었다.(增)

○ 1931년 南原面을 邑으로, 1981년 市로 昇格하고 南原郡에서 분리했다가, 1995년 南原시와 南原郡을 통합하여 南原市를 설치하였다.(地)

○ 지금의 全羅北道 南原市.

원 문

8.2. <大山郡>, 本【百濟】<大尸山郡>, [景德王]改名, 今<泰山郡>. 領縣三: <井邑縣>, 本【百濟】<井村>, [景德王]改名, 今因之; <斌城縣>, 本【百濟】<賓屈縣>, [景德王]改名, 今<仁義縣>; <野西縣>, 本【百濟】<也西伊縣>, [景德王]改名, 今<巨野縣>.

번 역

8.2. <대산군>은 원래 【백제】의 <대시산군>이었던 것을 [경덕왕]이 개칭한 것이다. 지금의 <태산군>이다. 이 군에 속한 현은 셋이다. <정읍현>은 원래 【백제】의 <정촌>이었던 것을 [경덕왕]이 개칭한 것이다. 지금도 그대로 부른다. <빈성현>은 원래 【백제】의 <빈굴현>이었던 것을 [경덕왕]이 개칭한 것이다. 지금의 <인의현>이다. <야서현>은 원래 【백제】의 <야서이현>이었던 것을 [경덕왕]이 개칭한 것이다. 지금의 <거야현>이다.

변 천

8.2. 大山郡 - 太山(또는 大山, 泰山)郡은 본래 百濟 大尸山郡인데, 新羅 景德王이 <太山>으로 고쳤다가 高麗에 와서는 古阜郡에 屬하였고, 뒤에 監務를 두어서 仁義縣을 함께 관할하게 하였다. 顯宗 10年(1019)에 監務를 각각 두었다가, 恭愍王 3年(1304)에 縣人 원나라 사신 林蒙古不花가 나라에 공을 세웠다 하여 郡으로 昇格하였다. 朝鮮 太宗 9

年(1409)에 泰山과 仁義를 합하여 하나의 縣으로 만들고 <泰仁>으로 고쳐서 治所를
居山驛으로 옮겼다.(三·麗·輿·文)

o 1895년에 泰仁郡으로 昇格하였다가, 1914년에 井邑郡에 합병되었다.(增)

o 지금의 全羅北道 井邑市 泰仁面

   ▶ 仁義 — 8.2.2. 참조.

8.2.1. 井邑縣 — 본래 百濟 井村縣인데, 新羅 景德王이 <井邑>으로 고쳐서 大山(泰仁)郡
領縣으로 삼았다. 高麗에서는 古阜에 속하였고 뒤에 監務를 두었다가, 朝鮮 시대에
縣監을 두었다.(三·麗·輿·文)

o 1895년에 井邑郡으로 昇格하였고, 1914년에 古阜郡(白山面·巨麻面·德林面은 제
외) 15個面과 泰仁郡 18個面을 병합하여 井邑郡을 설치하였다.(地)

o 1930년 井邑面을 井州面으로 고치고, 1931년 井州面을 邑으로, 1981년 市로 昇格
하고, 1995년 井州市와 井邑郡을 井邑市로 통합하였다.(地)

o 지금의 全羅北道 井邑市 .

8.2.2. 斌城縣 — 본래 百濟 賓屈(또는 賦城, 斌城)縣인데, 新羅 景德王이 斌城으로 고쳐서
太山郡 領縣으로 삼았다. 高麗 시대에는 <仁義>로 고쳐서 古阜로 속하였고 大山監
務가 함께 관할하게 하였다가, 朝鮮 太宗 9年(1409) 에 泰山과 합하여 <泰仁>이 되
었다. 즉 仁義는 泰仁의 옛 이름이다.(三·麗·文)

o 1895년에 泰仁郡으로 昇格하였다가, 1914년에 井邑郡에 합병되었다.(增)

o 지금의 全羅北道 井邑市 泰仁面.

   ▶ 泰山 — 8.2. 참조.

8.2.3. 野西縣 — 본래 百濟 也西伊縣인데, 新羅 景德王이 野西로 고쳐 大山(泰仁)郡 領縣
으로 삼았다. 高麗 시대에는 <巨野>로 고쳐서 全州 屬縣이 되었다가, 뒤에 金堤郡으
로 속하였고, 뒤에 다시 <金溝>에 속하였다.(三·麗·輿·文)

o 지금의 全羅北道 金堤市 金溝面.

   ▶ 金堤 — 8.7. 參照.

원 문

8.3. <古阜郡>, 本【百濟】<古眇夫里郡{古沙夫里郡}>, [景德王]改名, 今因之. 領縣三: <扶寧縣>, 本【百濟】<皆火縣>, [景德王]改名, 今因之; <喜安縣>, 本【百濟】<欣良買縣>, [景德王]改名, 今<保安縣>; <尙質縣>, 本【百濟】<上柒縣>, [景德王]改名, 今因之.

번 역

8.3. <고부군>은 원래【백제】의 <고묘부리군>이었던 것을 [경덕왕]이 개칭한 것이다. 지금도 그대로 부른다. 이 군에 속한 현은 셋이다. <부령현>은 원래【백제】의 <개화현>이었던 것을 [경덕왕]이 개칭한 것이다. 지금도 그대로 부른다. <희안현>은 원래【백제】의 <흔량매현>이었던 것을 [경덕왕]이 개칭한 것이다. 지금의 <보안현>이다. <상질현>은 원래【백제】의 <상칠현>이었던 것을 [경덕왕]이 개칭한 것이다. 지금도 그대로 부른다.

변 천

8.3. 古阜郡 - 본래 百濟 古沙夫里郡인데, 新羅 景德王이 <古阜>로 고쳤다. 高麗 太祖 19年(936)에는 <瀛州>라 부르며 觀察使를 두었다가, 光宗 2年(956) 에 安南都護府로 고치고, 顯宗 10年(1019)에는 다시 <古阜郡>이라 하였는데, 忠烈王 때에 靈光郡에 합병되었다가 얼마 뒤에 復舊하였고, 朝鮮 시대에도 그대로 불렀다.(三·麗·興·文)
  ○ 1914년에 古阜郡의 지역을 나누어 白山面·巨麻面·德林面은 <扶安郡>에 편입시키고, 그 나머지 일대는 <井邑郡>에 합병되었다.(地)
  ○ 지금의 全羅北道 井邑市 古阜面.
  ▶ 井邑 - 8.2.1. 참조.

8.3.1. 扶寧縣 - 본래 百濟 皆火縣(또는 戒發縣)인데, 新羅 景德王이 <扶寧>으로 고쳐서

古阜郡에 소속시켰다. 高麗 시대에도 그대로 소속되었다가, 뒤에 監務를 두고 <保安>을 함께 관할하게 하였다가, 禑王 10年(1384)에 監務를 각각 두었다. 保安縣은 본래 百濟 欣良買縣인데, 新羅 景德王이 <喜安>으로 고쳐서 古阜에 소속시켰는데, 高麗가 <保安>으로 고치고 옛 그대로 소속시켰다가 뒤에 扶寧縣監이 함께 관할하게 하였고, 禑王 10年(1384)에 監務를 각각 두었다. 朝鮮 太宗 14年 (1414)에는 <保安>을 다시 <扶寧>에 합병하였다가, 同 15年에 다시 나누었다가 8月에 또 합하였다가 다음해 7月에 또 가르더니 11月에 다시 두 縣을 合하여 <扶安>으로 고쳤다. 다음해에는 興德鎭을 폐지하고 本縣으로 옮겨서 <扶安鎭>이라 부르며 兵馬使가 判事를 兼하게 하였다가, 世宗 5年(1423)에 옛 지명 그대로 僉節制使가 되었다가 뒤에 다시 縣監으로 고쳤다.(三·麗·輿·文)

○ 1895년에 扶安郡으로 昇格하고, 1914년에 古阜郡의 白山面·巨麻面·德林縣이 편입되었다.(增)

○ 지금의 全羅北道 扶安郡.

8.3.2. 喜安縣 - 본래 百濟 欣良買縣인데 新羅 景德王이 <喜安>으로 고쳐서 古阜에 편입시켰다. 高麗 시대에도 <保安>으로 고쳐서 그대로 소속되었다가 뒤에 扶寧縣監이 함께 관할하게 하였다가, 禑王 12年(1386)에 監務를 각각 두었다.(三·麗·輿·文). 朝鮮 太宗 14年 (1414)에는 <保安>을 다시 <扶寧>에 합병하였다가, 同 15年에 다시 나누었다가 8月에 또 합하였다가 다음해 7月에 또 가르더니 11月에 다시 두 縣을 合하여 <扶安>으로 고쳤다. 다음해에는 興德鎭을 폐지하고 本縣으로 옮겨서 <扶安鎭>이라 부르며 兵馬使가 判事를 兼하게 하였다가, 世宗 5年(1423)에 옛 지명 그대로 僉節制使가 되었다가 뒤에 다시 縣監으로 고쳤다.(三·麗·輿·文)

○ 또 다른 지명은 浪州이다.(麗)

○ 1895에 옛 이름 그대로 扶安郡으로 昇格하고, 1914년에 古阜郡의 白山面·巨麻面·德林縣이 편입되었다.(增)

○ 지금의 全羅北道 扶安郡.

▶ 扶寧 - 8.3.2. 참조.

8.3.3. 尙質縣 – 본래 百濟 上柒縣인데, 新羅 景德王이 <尙質>로 고쳐서 古阜郡에 편입
시켰다. 高麗 시대에도 그대로 소속되었다가 뒤에 章德(또는 昌德)으로 고쳐서 監務
를 두어 高敞을 함께 관할하게 하였는데, 忠宣王이 卽位함에 嫌名律(忠宣王의 諱璋
임)을 避하여 <興德>으로 고쳤고, 朝鮮 太祖 元年 (1392)에 다시 갈랐다가 뒤에 옛
지명 그대로 縣監이 되었다.(三·麗·興·文)

 ○ 1895년에 興德郡으로 昇格하여 全州府에 屬했다가, 1914년에 高敞郡에 합병되었
다.(增)

 ○ 지금의 全羅北道 高敞郡 興德面.

  ▶ 高敞 – 9.7.2. 참조.

원 문

8.4. <進禮郡>, 本【百濟】<進仍乙郡>, [景德王]改名, 今因之 領縣三: <伊城縣>,
本【百濟】<豆尸伊縣>, [景德王]改名, 今<富利縣>; <淸渠縣>, 本【百濟】<勿居縣>,
[景德王]改名, 今因之; <丹川縣>, 本【百濟】<赤川縣>, [景德王]改名, 今<朱溪縣>.

번 역

8.4. <진례군>은 원래 【백제】의 <진잉을군>이었던 것을 [경덕왕]이 개칭한 것이다.
지금도 그대로 부른다. 이 군에 속한 현은 셋이다. <이성현>은 원래 【백제】의 <두시이
현>이었던 것을 [경덕왕]이 개칭한 것이다. 지금의 <부리현>이다. <청거현>은 원래
【백제】의 [물거현]이었던 것을 [경덕왕]이 개칭한 것이다. 지금도 그대로 부른다. <단천
현>은 원래 【백제】의 <적천현>이었던 것을 [경덕왕]이 개칭한 것이다. 지금의 <주계현>
이다.

변 천

8.4. 進禮郡 – 본래 百濟 進乃(또는 進仍乙)郡인데, 新羅 景德王이 <進禮>로 고쳤다. 高

麗가 강등하여 縣令官을 만들었고, 忠烈王 31年(1305)에 縣人 金侁이 원나라에 부임하여 遼陽行省參政이 되어서 나라에 공을 세우므로 知錦州事로 知錦州事를 삼았으며, 朝鮮 太宗 13年(1415)에 <錦山>으로 고쳐서 郡이 되었다.(三·麗·輿·文)

○ 1896년 忠淸南道 公州府의 <錦山郡>과 <珍山郡>이 全羅北道로 編入되고, 1914년 珍山郡을 竝合하여 10개 面(錦山·錦城·濟源·富利·郡北·南一·南二·珍山·福壽·秋富面)으로 하는 <錦山郡>을 설치하였다. 1963년 관할을 全羅北道에서 忠淸南道로 옮겼다.(地)

○ 지금의 忠淸南道 錦山郡.

8.4.1. 伊城縣 − 본래 百濟 豆尸伊縣인데, 新羅 景德王이 <伊城>으로 고쳐서 進禮郡(錦山)에 소속시켰는데, 高麗는 <富利>로 고치고 그대로 편입시켰으며, 明宗 5年 (1175)에는 監務를 두었다.(三·麗·輿·文)

○ 지금의 忠淸南道 錦山郡 富利面

8.4.2. 淸渠縣 − 본래 百濟 勿居縣인데, 新羅 景德王이 <淸渠>로 고쳐서 進禮(錦山)郡에 편입시켰다. 高麗 시대에도 그대로 따르다가, 忠宣王 5年(1313)에 <龍潭縣>으로 고쳐서 슈을 두었고, 朝鮮 시대에도 그대로 따랐다.(三·麗·輿·文)

○ 또 다른 지명은 王川이다.(麗)

○ 1895년에 龍潭郡으로 昇格하였다가, 1914년에는 鎭安郡에 합병되었다.(增)

○ 지금의 全羅北道 鎭安郡 龍潭面.

▶ 鎭安 − 8.10.1. 참조.

8.4.3. 丹川縣 − 본래 百濟 赤川縣인데, 新羅 景德王이 <丹川>으로 고쳐서 進禮(錦山)郡에 편입시켰는데, 高麗가 <朱溪>로 고쳐서 예전 그대로 소속시켰으며, 明宗 6年 (1176)에 茂豊監務가 함께 관할하게 하였다. 恭讓王 3年(1391)에 <茂豊·朱溪> 두 縣을 합하여 그대로 소속시켰는데, 朝鮮 太宗 14年(1414)에 두 縣의 지명을 따서 <茂朱>로 고치고 縣監을 두어 <朱溪>를 治所로 삼았다. 顯宗 15年(1674)에 錦山의 安城·橫川 두 縣을 떼어서 합병하고 府로 昇格하였다.(三·麗·輿·文)

ㅇ 1895년에 茂朱郡으로 昇格하였다.(增)

ㅇ 지금의 全羅北道 茂朱郡.

▶ 茂豊 −1.5.4. 참조.

원 문

8.5.　<德殷郡>, 本【百濟】<德近郡>. [景德王]改名, 今<德恩郡>. 領縣三: <市津縣>, 本【百濟】<加知奈縣>, [景德王]改名, 今因之; <礪良縣{礪陽縣}>, 本【百濟】<只良肖縣>, [景德王]改名, 今因之; <雲梯縣>, 本【百濟】<只伐只縣{只失只縣}>, [景德王]改名, 今因之.

번 역

8.5. <덕은군>은 원래【백제】의 <덕근군>이었던 것을 [경덕왕]이 개칭한 것이다. 지금의 <덕은군>이다. 이 군에 속한 현은 셋이다. <시진현>은 원래【백제】의 <가지나현>이었던 것을 [경덕왕]이 개칭한 것이다. 지금도 그대로 부른다. <여량현>은 원래【백제】의 <지량초현>이었던 것을 [경덕왕]이 개칭한 것이다. 지금도 그대로 부른다. <운제현>은 원래【백제】의 <지벌지현>이었던 것을 [경덕왕]이 개칭한 것이다. 지금도 그대로 부른다.

변 천

8.5. 德殷郡 − 본래 百濟 德近郡인데, 新羅 景德王이 <德殷郡>으로 고쳤다. 高麗初에 <德恩>으로 고쳤으며, 顯宗 9年(1018)에 公州에 속하였다. 朝鮮 太宗 6年(1406)에 <市津縣>과 합하여 監務를 두었다가, 世宗 元年(1419)에 <德恩·市津> 두 현을 합한 <恩津>으로 고쳐서 縣監이 되었다. 仁祖 24年(1646)에 尼城·連山과 합하여 하나의 縣이 되었다가, 孝宗 7年(1656)에 다시 나누었다.(三·麗·輿·文)

○ 1895년에 恩津郡으로 되었고, 1914년에 論山郡에 합병되었다.(增)
○ 지금의 忠淸南道 論山市 恩津面
　▶ 市津 −8.5.1. 참조.　▶ 論山 − 7.0.1. 참조.

8.5.1. 市津縣 − 본래 百濟 加知奈(또는 加乙乃, 薪浦)縣인데 新羅 景德王이 市津으로 고쳐서 德恩(恩津)郡 領縣으로 삼았다. 高麗 顯宗 9年(1018)에 公州에 屬하고 朝鮮 太祖 6年(1397)에 <德恩>과 합하여 監務를 두었는데, 世宗 元年(1419)에 <德恩·市津>의 두 縣을 합하여 <恩津>으로 고쳤다.(三·麗·輿·文)
○ 1895년에 恩津郡으로 고치고, 1914년에 論山郡에 합병되었다.(增)
○ 지금의 忠淸南道 論山市 恩津面.
　▶ 德恩 − 8.5. 참조.

8.5.2. 礪良(陽)縣 − 百濟 只良肖縣을 新羅 景德王이 <礪良(또는 礪陽)>으로 고쳐서 德恩(恩津)郡 領縣으로 삼았다. 高麗初에 옛 이름 그대로 불렀고, 顯宗 9年(1018)에 全州에 속하였다가, 恭讓王 3年(1391)에는 <朗山>을 함께 관할하게 하고, 또 公村·皮堤 勸農使를 兼하였다가, 朝鮮 太宗 元年(1401)에 <礪良·朗山> 두 縣의 지명을 따서 <礪山>이 되었다. 世宗 18年(1436)에는 元敬王后 閔氏의 외가라 하여 昇格하여 郡이 되어 忠淸道로 옮겨 편입되었는데, 同 26年(1444)에 全羅道로 다시 소속되었고, 肅宗 25年(1699)에 府로 昇格하였다.(三·麗·輿·文) (三·麗·輿)
○ 1895년에 礪山郡으로 되어 全州府에 속하였다가, 1914년에 益山郡에 합병되었다.(增)
○ 지금의 全羅北道 益山市 礪山面과 朗山面.

8.5.3. 雲梯縣 − 본래 百濟 只伐只(또는 只夫只)縣인데, 新羅 景德王이 <雲梯>로 고쳐서 德殷(恩津)郡 領縣으로 삼았다. 高麗初에 <全州>에 속하였다가, 朝鮮 太祖 元年(1392)에 高山에 속하였고, 지금의 지명은 <雲山>이다.(三·麗·輿·文)
○ 1914년 高山郡을 통합하여 全州郡을 설치하고, 1935년 全州郡을 完州郡으로 바꾸었다.(地)

○ 지금의 全羅北道 完州郡 高山面.

원 문

8.6. <臨陂郡>, 本【百濟】<屎山郡>, [景德王]改名, 今因之. 領縣三: <咸悅縣>, 本【百濟】<甘勿阿縣>, [景德王]改名, 今因之; <沃溝縣>, 本【百濟】<馬西良縣>, [景德王]改名, 今因之; <澮尾縣>, 本【百濟】<夫夫里縣>, [景德王]改名, 今因之.

번 역

8.6. <임피군>은 원래【백제】의 <시산군>이었던 것을 [경덕왕]이 개칭한 것이다. 지금도 그대로 부른다. 이 군에 속한 현은 셋이다. <함열현>은 원래【백제】의 <감물아현>이었던 것을 [경덕왕]이 개칭한 것이다. 지금도 그대로 부른다. <옥구현>은 원래【백제】의 <마서량현>이었던 것을 [경덕왕]이 개칭한 것이다. 지금도 그대로 부른다. <회미현>은 원래【백제】의 <부부리현>이었던 것을 [경덕왕]이 개칭한 것이다. 지금도 그대로 부른다.

변 천

8.6. 臨陂郡 - 본래 百濟 屎山(또는 陂山, 忻文, 所島, 失烏出)縣인데, 新羅 景德王이 <臨陂>로 고쳐서 郡을 삼았다. 高麗 시대에는 降等하여 縣을 만들었고 令을 두었는데, 朝鮮 시대에도 그대로 따랐다.(三·麗·輿·文)

○ 1895년에 臨陂郡으로 昇格하였다가, 1914년에 臨陂郡과 咸悅郡의 일부 및 古群山列島, 扶安郡의 飛雁島, 忠南의 於靑島를 통합하여 沃溝郡이 되었다. 1949년 群山府를 群山市로 바꾸고, 1995년 沃溝郡과 群山市를 통합하여 群山市를 설치하였다.(地)

○ 지금의 全羅北道 群山市 臨陂面.

▶ 群山 - 8.6.2. 참조.

8.6.1. 咸悅縣 – 본래 百濟 甘勿阿縣인데, 新羅 景德王이 <咸悅>로 고쳐서 臨陂郡 領縣
으로 삼았다. 高麗初에는 全州로 屬하였다가, 明宗 6年(1176)에 監務를 두었는데, 朝
鮮 太宗 9年(1409)에 龍安과 合하여 <安悅縣>이라 하다가, 同 16年(1416)에 각각 復
舊하였다.(三·麗·輿·文)

 ○ 또 다른 지명은 咸羅이다.(麗)

 ○ 1895년에 咸悅郡으로 昇格하였다가, 1914년에 郡의 南二面 內의 馬浦里·上黔
  里·下黔里는 <沃溝郡>에 편입되고, 그 나머지 일대는 <益山郡>에 편입되었다.
  (增)

 ○ 지금의 全羅北道 益山市 咸悅邑.

   ▶ 益山 – 8.9. 참조.

8.6.2. 沃溝縣 – 全羅北道에 있는 지명으로 본래 百濟 馬西良縣인데, 新羅 景德王이 <沃
溝>로 고쳐서 <臨陂郡>에 소속시켰다. 高麗 시대에도 그대로 따랐는데, 朝鮮 太祖
6年(1397)에 鎭을 두어서 兵馬使가 縣事를 兼하게 하였다가, 世宗 5年(1423)에 兵馬使
를 고쳐서 僉節制使라 하였다가 뒤에 縣監으로 고쳤다.(三·麗·輿·文)

 ○ 1895년에 沃溝郡으로 昇格하고, 1906년 沃溝郡을 沃溝府로 바꾸고, 1910년 群山府
  를 創設하고서, 沃溝府를 沃溝郡으로 바꾸었다.(地).
 ○ 1914년에 臨陂郡과 咸悅郡의 일부 및 古群山列島, 扶安郡의 飛雁島, 忠南의 於靑島
  를 통합하여 沃溝郡으로 하고, 1949년 群山府를 群山市로 바꾸고, 1995년 沃溝郡과
  群山市를 통합하여 群山市를 설치하였다.(地)
 ○ 지금의 全羅北道 群山市 沃溝邑.

8.6.3. 澮尾縣 – 본래 百濟 夫夫里(또는 連江)縣인데, 新羅 景德王이 <澮尾>로 고쳐서
臨陂郡에 소속시켰다. 高麗 시대에도 그대로 따랐고 朝鮮 太宗 3年(1403)에 <沃溝>
에 屬하였다.(輿)

 ○ 지금의 全羅北道 群山市 澮縣面.

   ▶ 群山 – 8.6.2. 참조.

원 문

8.7. <金堤郡>, 本【百濟】<碧骨縣>, [景德王]改名, 今因之. 領縣四: <萬項縣{萬頃縣}>, 本【百濟】<豆乃山縣>, [景德王]改名, 今因之; <平皋縣>, 本【百濟】<首冬山縣>, [景德王]改名, 今因之; <利城縣>, 本【百濟】<乃利阿縣>, [景德王]改名, 今因之; <武邑縣>, 本【百濟】<武斤村縣>, [景德王]改名, 今<富潤縣>.

번 역

8.7. <김제군>은 원래【백제】의 <벽골현>이었던 것을 [경덕왕]이 개칭한 것이다. 지금도 그대로 부른다. 이 군에 속한 현은 넷이다. <만경현>은 원래【백제】의 <두내산현>이었던 것을 [경덕왕]이 개칭한 것이다. 지금도 그대로 부른다. <평고현>은 원래【백제】의 <수동산현>이었던 것을 [경덕왕]이 개칭한 것이다. 지금도 그대로 부른다. <이성현>은 원래【백제】의 <내리아현>이었던 것을 [경덕왕]이 개칭한 것이다. 지금도 그대로 부른다. <무읍현>은 원래【백제】의 <무근촌현>이었던 것을 [경덕왕]이 개칭한 것이다. 지금의 <부윤현>이다.

변 천

8.7. 金堤郡 - 본래 百濟 碧骨縣인데, 新羅 景德王이 <金堤郡>으로 고쳤다. 高麗初에 全州에 屬한 縣이 되었고, 仁宗 21年(1143)에 縣令을 두었다가, 朝鮮 太宗 3年(1403)에는 명나라 환관 韓帖木兒의 請으로 昇格하여 郡이 되었다.(三·麗·輿·文)

○ 1895년에 全州府 管轄이 되었다가, 1914년에 金堤·萬頃·金溝 세 郡을 합병하여 金堤郡을 두었다.(地)

○ 1931년 金堤面을 邑으로, 1989년 市로 昇格하고, 1995년 金堤市와 金堤郡을 통합하여 金堤市를 설치하였다.(地)

○ 지금의 全羅北道 金堤市.

8.7.1. 萬頃縣 — 본래 百濟 豆乃山縣인데, 新羅 景德王이 <萬頃>으로 고쳐서 金堤郡 領
縣으로 삼았다. 高麗 시대에는 臨陂에 소속시켰고, 睿宗 元年(1106)에 監務를 두었다
가 뒤에 縣令으로 昇格하였다. 朝鮮 시대에도 그대로 따르다가, 光海主 12年(1620)에
기근으로 거주민이 모두 흩어져 없으므로 縣을 폐지하고 金堤에 屬하였다가, 同 14年
(1622)에 全州에 屬하였고, 仁祖 15年(1637)에 다시 縣을 두었다. (三·麗·輿·文)
　○ 1895년에 옛 지명 그대로 郡으로 昇格하였다가 1914년에 金堤郡에 합병되었다.(增)
　○ 지금의 全羅北道 金堤市 萬頃邑.
　　▶ 金堤 — 8.7. 참조.

8.7.2. 平皐縣 — 본래 百濟 首冬山縣인데, 新羅 景德王이 <平皐>로 고쳐서 <金堤>에
소속시켰다. 高麗初에 全州에 속한 縣이 되었다가 뒤에 다시 그대로 소속되었다.
(三·麗·輿·文)
　○ 지금의 全羅北道 金堤市.
　　▶ 金堤 — 8.7. 참조.

8.7.3. 利城縣 — 본래 百濟 乃利阿縣인데, 新羅 景德王이 利城으로 고쳐서 <金堤郡> 領
縣으로 삼았는데, 高麗初에는 <全州>에 屬하였다.(三·麗·輿·文)
　○ 지금의 全羅北道 全州市.

8.7.4. 武邑縣 — 본래 百濟 武斤村縣인데, 新羅 景德王이 <武邑>으로 고쳐서 金堤郡 領
縣으로 삼았는데, 高麗가 <富潤>으로 고쳐서 臨陂에 소속시켰다가, 뒤에 <萬頃>으
로 옮겨 소속시켰다.(三·麗·輿·文)
　○ 지금의 全羅北道 金堤市 萬頃邑.
　　▶ 金堤 — 8.7. 참조.

원 문

8.8. <淳化郡(淳一作湻.)>, 本【百濟】<道實郡>, [景德王]改名, 今<淳昌縣>. 領
縣二: <磧城縣>, 本【百濟】<礫坪縣>, [景德王]改名, 今因之; <九皐縣>, 本【百
濟】<堗坪縣>, [景德王]改名, 今因之.

번 역

8.8. <순화군>(순(淳)을 정(湻)으로도 쓴다.)은 원래【백제】의 <도실군>이었던 것을
[경덕왕]이 개칭한 것이다. 지금의 <순창현>이다. 이 군에 속한 현은 둘이다. <적성현>
은 원래【백제】의 <역평현>이었던 것을 [경덕왕]이 개칭한 것이다. 지금도 그대로 부른
다. <구고현>은 원래【백제】의 <돌평현>이었던 것을 [경덕왕]이 개칭한 것이다. 지금도
그대로 부른다.

변 천

8.8. 淳(湻)化郡 － 본래 百濟 道實郡인데, 新羅 景德王이 <淳化>(또는 湻化)郡으로 고쳤
다. 高麗 시대에 와서 <淳昌>으로 고치고 南原府에 屬하였다가, 明宗 5年(1175)에 監
務를 두었고, 忠肅王 元年(1314)에는 승려 國統 丁午의 고향이라 하여 郡으로 昇格하
였는데, 朝鮮 시대에도 그대로 따랐다.(三·麗·文·輿)
o 또 다른 지명은 玉川 혹은 烏山이다.(麗)
o 1895년 淳昌郡이 되고, 1914년에 任實郡 靈溪面과 南原郡 大山面 일부가 淳昌郡에
편입되었다. 1979년 淳昌面을 邑으로 昇格하였다.(地)
o 지금의 全羅北道 淳昌郡 淳昌邑.

8.8.1. 磧城縣 － 본래 百濟의 <礫坪縣>인데 新羅 景德王이 赤城(硴(磧)城)으로 고치고,
淳(湻)化郡 領縣으로 삼았다. 高麗初에 南原府에 속하다가 뒤에 淳昌郡에 속하였다.
(三·麗·文·輿)

○ 지금의 全羅北道 淳昌郡 赤城面.

8.8.2. 九皐縣 – 본래 百濟 堗坪(또는 淚坪)縣인데, 新羅 景德王이 <九皐>로 고쳐서 淳化(淳昌)郡 領縣으로 삼았다. 高麗初에는 南原府에 속하였고, 恭愍王 3年(1354)에는 縣人 원나라 사신 蒙古不花가 나라에 공을 세웠다 하여 郡으로 昇格하였다가, 朝鮮 太祖 3年(1394)에 <任實>에 편입되었다.(三·麗·輿)

○ 지금의 全羅北道 任實郡 靑雄面 九皐里.

▶ 任實 – 8.11. 참조.

원 문

8.9. <金馬郡>, 本【百濟】<金馬渚郡>, [景德王]改名, 今因之. 領縣三: <沃野縣>, 本【百濟】<所力只縣>, [景德王]改名, 今因之; <野山縣>, 本【百濟】<閼也山縣>, [景德王]改名, 今<朗山縣>; <紆洲縣{汚州縣}>, 本【百濟】<于召渚縣>, [景德王]改名, 今<紆州>.

번 역

8.9. <금마군>은 원래【백제】의 <금마저군>이었던 것을 [경덕왕]이 개칭한 것이다. 지금도 그대로 부른다. 이 군에 속한 현은 셋이다. <옥야현>은 원래【백제】의 <소력지현>이었던 것을 [경덕왕]이 개칭한 것이다. 지금도 그대로 부른다. <야산현>은 원래【백제】의 <알야산현>이었던 것을 [경덕왕]이 개칭한 것이다. 지금의 <낭산현>이다. <우주현>은 원래【백제】의 <우소저현>이었던 것을 [경덕왕]이 개칭한 것이다. 지금의 <우주>이다.

변 천

8.9. 金馬郡 – 본래 馬韓國(箕子의 41代孫 箕準이 衛滿의 亂을 피하여 바다를 건너 남으

로 와서 韓地에 이르러 馬韓이라 하였다.)인데 百濟 始祖 溫祖王이 이를 따르고, 그 뒤에는 金馬渚라 했다. 신라 景德王(與地勝覽에는 神文王이라 했다.)이 <金馬郡>이 라 고치고, 高麗初에는 全州에 속하였다. 忠惠王 5년(1344)에 元順帝의 皇后 奇氏 외 가의 故鄕이라 하여 益州로 昇格하고, 朝鮮 太宗 13년(1413)에는 <益山郡>이 되었다. 鄭麟趾 地理志에는 "彌勒山城이 있고 또 後朝鮮 武王 및 妃의 陵이 있다."고 하였다 (三·麗·與)

○ 1914년에 <礪山郡>, <益山郡>, <龍安郡>, <咸悅郡>(南二面의 馬浦里, 上董里 下董里 제외)을 통합하여 <益山郡>을 두었다.(地)

○ 1931년 益山面을 邑으로 昇格하고 그 뒤 益山邑을 裡里邑으로 고쳤다. 1947 裡里 邑을 府로 昇格하고 益山郡에서 분리하고, 1949년 裡里府를 裡里市로 고치고, 1995 년 裡里市와 益山郡을 益山市로 통합하였다.(地)

○ 지금의 全羅北道 益山市(金馬面).

8.9.1. 沃野縣 - 본래 百濟 所力支縣인데, 新羅 景德王이 <玉野>로 고쳐서 金馬(益山)郡 領縣으로 삼았다. 高麗初에는 <全州>에 속하였고, 明宗 6年(1176)에 監務를 두었다 가 뒤에 다시 옛 그대로 속하였다. (三·麗·文·與)

○ 지금의 全羅北道 全州市.

▶ 全州 - 8. 참조.

8.9.2. 野山縣 - 본래 百濟의 <闕也山縣>인데 新羅 景德王이 <野山>으로 고쳐서 金馬 (益山)郡 屬縣이 되었다가, 高麗에 <朗山>으로 고쳐서 全州에 속하였다. 恭讓王 3년 (1391)에 礪良縣監務로 겸임하다가 朝鮮 定宗 3년(1401)에 <礪良·朗山> 두 縣의 이 름을 따서 <礪山縣>으로 하였다. 世宗 18년(1436)에 元敬王后 閔氏의 外家 故鄕이라 하여 昇格하여 郡이 되고, 忠淸道로 옮겼다가 世宗 26년(1444)에 全羅道로 다시 옮겼 다. 肅宗 25년(1699)에 府로 승격하였다.(三·麗·與·文)

○ 1914년에 <礪山郡>, <益山郡>, <龍安郡>, <咸悅郡>(南二面의 馬浦里, 上董里 下董里 제외)을 통합하여 <益山郡>을 설치하였다.(地)

○ 지금의 全羅北道 益山市 礪山面, 朗山面.

▶ 礪良 – 8.5.2. 참조. ▶ 益山 – 8.9. 참조.

8.9.3. 紆洲縣 – 본래 百濟 干召渚縣인데, 新羅 景德王이 <紆州>로 고쳐서 金馬(益山)郡
屬縣으로 삼았는데, 高麗初에는 全州에 속하였다. 文獻備考에는 紆洲로 기록되어 있
다.(三·麗·文·興)
　○ 지금의 全羅北道 全州市.
　　▶ 全州 – 8. 참조.

원 문

8.10. <壁谿郡>, 本【百濟】<伯伊(一作海)郡>, [景德王]改名, 今<長溪縣>. 領縣
二: <鎭安縣>, 本【百濟】<難珍阿縣>, [景德王]改名, 今因之; <高澤縣>, 本【百濟】
<雨坪縣>, [景德王]改名, 今<長氷縣{長水縣}>.

번 역

8.10. <벽계군>은 원래 【백제】의 <백이(또는 해(海))군>이었던 것을 [경덕왕]이 개칭
한 것이다. 지금의 <장계현>이다. 이 군에 속한 현은 둘이다. <진안현>은 원래 【백제】의
<난진아현>이었던 것을 [경덕왕]이 개칭한 것이다. 지금도 그대로 부른다. <고택현>은
원래 【백제】의 <우평현>이었던 것을 [경덕왕]이 개칭한 것이다. 지금의 <장수현>이다.

변 천

8.10. 壁谿郡 – 본래 百濟 伯海(또는 伯伊)郡인데, 新羅 景德王이 <壁谿郡>으로 고쳤다.
高麗 시대에 <長溪>로 고쳐서 南原府에 屬하였다가 뒤에 <長水>로 옮겨 소속되었
다. 또 다른 지명은 <長世>이다.(三·麗·文·興)
　○ 지금의 全羅北道 長水郡 長溪面.

▶ 長水 - 8.10.2. 참조.

8.10.1. 鎭安縣 - 본래 百濟 珍阿(또는 月良)縣인데, 新羅 景德王이 <鎭安>으로 고쳐서 長溪(長水 屬縣)郡 領縣으로 삼았다. 高麗初에 全州로 속하였고 뒤에 監務를 두었다가, 恭讓王 3年(1391)에는 馬靈縣을 함께 관할하였고, 朝鮮 太宗 13年(1413)에 縣監으로 고쳐서 그대로 소속시켰다.(三ㆍ麗ㆍ文ㆍ輿)
  ○ 1895년에 鎭安郡으로 昇格하고, 1914년에는 龍潭郡 일대가 편입되었다.(增)
  ○ 지금의 全羅北道 鎭安郡.

8.10.2. 高澤縣 - 본래 百濟 雨坪縣인데, 新羅 景德王이 <高澤>으로 고쳐서 壁谿(長水郡 屬縣)郡 領縣으로 삼았다. 高麗 시대에 와서 <長水>로 고쳐서 南原에 속하였고, 恭讓王 3年(1391)에 長溪(壁谿)에 관할되었다가, 朝鮮 太祖 元年(1392)에 다시 갈라서 <長水縣>이 되었고, 長溪 監務를 함께 관할하였다가, 太宗 13年(1413)에 옛 지명 그대로 縣監으로 고쳤다.(三ㆍ麗ㆍ文ㆍ輿)
  ○ 1895년에 옛 지명 그대로 長水郡이 되었다.(增)
  ○ 지금의 全羅北道 長水郡.

원 문

8.11. <任實郡>, 本【百濟】郡, [景德王]改州郡名, 及今並因之. 領縣二: <馬靈縣>, 本【百濟】<馬突縣>, [景德王]改名, 今因之; <青雄縣>, 本【百濟】<居斯勿縣>, [景德王]改名, 今<巨寧縣>.

번 역

8.11. <임실군>은 원래【백제】의 군으로서 [경덕왕]이 주와 군의 명칭을 고친 것인데 지금도 그대로 부른다. 이 군에 속한 현은 둘이다. <마령현>은 원래【백제】의 <마돌현>

이었던 것을 [경덕왕]이 개칭한 것이다. 지금도 그대로 부른다. <청웅현>은 원래【백제】의 <거사물현>이었던 것을 [경덕왕]이 개칭한 것이다. 지금의 <거령현>이다.

변 천

8.11. 任實郡 − 본래 百濟 <任實郡>인데, 新羅가 옛 지명을 그대로 불렀다. 高麗 시대에는 南原에 속하였다가, 明宗 2年(1172)에 監務를 두었고, 朝鮮 太宗 13年(1413)에 옛 지명 그대로 縣監으로 고쳤다.(三·麗·輿·文)
   o 1895년에 任實郡으로 昇格하였고, 1914년에 靈溪面은 <淳昌郡>에 편입하고, <南原郡>의 只沙面과 德古面의 西村·東里·上後里·下後里·次後里·上里·上新村을 합병하였다.(增)
   o 지금의 全羅北道 任實郡.

8.11.1. 馬靈縣 − 본래 百濟 馬突(또는 馬珍, 馬等良)縣인데, 新羅 景德王이 <馬靈>으로 고쳐서 任實郡 領縣으로 삼았다. 高麗初에는 全州에 속하였다가 뒤에는 鎭安 監務가 관할하게 하였고, 朝鮮 太宗 13年(1413)에는 <鎭安>에 편입되었다.(三·麗·輿·文)
   o 또 다른 지명은 穎川이다.(輿·文)
   o 지금의 全羅北道 鎭安郡 馬靈面.
   ▶ 鎭安 −8.10.1. 참조.

8.11.2. 靑雄縣 − 본래 百濟의 <居斯勿縣>인데, 新羅 景德王이 <靑雄縣>으로 고쳐서 任實郡 領縣으로 삼았다. 高麗에서는 <巨寧縣>(또는 巨寧)으로 고쳐서 南原府에 소속시켰다. 또 다른 지명은 寧城이다.(三·麗·輿·文)
   o 지금의 全羅北道 任實郡 靑雄面.
   ▶ 任實 −8.11. 참조.

원 문

9. <武州>, 本【百濟】地, [神文王]六年, 爲<武珍州>. [景德王]改爲<武州>, 今 <光州>. 領縣三: <玄雄縣>, 本【百濟】<未冬夫里縣>, [景德王]改名, 今<南平郡>; <龍山縣>, 本【百濟】<伏龍縣>, [景德王]改名, 今復故; <祁陽縣{祈陽縣}>, 本【百 濟】<屈支縣>, [景德王]改名, 今<昌平縣>.

번 역

9. <무주>는 원래【백제】의 땅인데 [신문왕] 6년에 <무진주>로 만들었고 [경덕왕]이 <무주>로 개칭한 것으로서 지금의 <광주>이다. 이 주에 속한 현은 셋이다. <현웅현> 은 원래【백제】의 <미동부리현>이었던 것을 [경덕왕]이 개칭한 것이다. 지금의 <남평군> 이다. <용산현>은 원래【백제】의 <복룡현>이었던 것을 [경덕왕]이 개칭한 것이다. 지금 은 옛 명칭으로 회복되었다. <기양현>은 원래【백제】의 <굴지현>이었던 것을 [경덕왕] 이 개칭한 것이다. 지금의 <창평현>이다.

변 천

9. 武州 — 본래 百濟 武珍州(또는 奴只)인데, 新羅가 百濟를 차지하고는 都督을 두었다 가, 景德王 16年(757)에 <武州>로 고쳤다. 眞聖女王 6年(892)에 甄萱이 기습 점거하고 後百濟라 부르다가 곧 全州로 옮기고, 弓裔가 高麗 太祖로서 精騎太監을 삼아 舟師를 거느리고 州의 境界를 정할 때에 城主 甄萱의 사위 池萱은 굳게 성을 지키며 항복하 지 않았는데, 太祖 19年(936)에 神釰을 討滅하고, 23年(940)에 <光州>로 고쳤다. 成宗 14年(995)에는 降等하여 刺史가 되었고, 뒤에 또 降等하여 海陽縣令官이 되고, 高宗 46年(1259)에 功臣 金仁俊의 외가라 하여 知翼州事로 昇格하였다가, 뒤에 또 昇格하 여 <光州牧>이 되고, 忠宣王 2年(1310)에는 降等하여 <化平府>가 되었다가, 恭愍王 11年(1362)에는 惠宗의 諱 武字를 避하여 <茂珍府>로 고쳤는데, 22年(1373)에 다시 <光州牧>이 되었다. 朝鮮 시대에도 그대로 부르다가, 世宗 12年(1430)에 邑人 盧興俊

이 牧使 辛保安을 毆打하므로 興俊을 곤장형에 처하고는 멀리 귀양보내고 州로 降等하여 <茂珍郡>이 되었다가, 文宗 元年(1451)에 復舊하고, 成宗 12年(1480)에는 判官 禹允公이 잘못 쏜 화살에 맞아 죽으므로 朝廷에서는 邑人의 所爲인가 의심하여 縣으로 降等하고 <光山>이라 불렀다. 燕山郡 7年(1501)에 다시 州로 復舊하였고, 仁祖 2年(1624)에 縣으로 또 降等하였다가, 12年(1634)에 州로 다시 昇格하였다.(三·麗·興·文)

○ 또 다른 지명은 翼陽이다.(麗)

○ 1895년에 光州郡으로 昇格하여 羅州府 管轄이 되었다가, 1914년에는 葛田面·大峙面은 <潭陽郡>으로, 所旨面內의 松下里는 <羅州郡>으로 편입하고, 咸平郡 烏山面을 합병하였다.(增)

○ 1914년 光州面을 신설하여, 1931년 邑으로, 1935년 府로 昇格하자, 光州郡을 光山郡으로 바꾸고, 1949년 光州府를 光州市로 바꾸었다.(地)

○ 1955년 光山郡의 瑞坊·孝池·極樂面과 石谷面 일부(花岩·淸風·望月·長燈·雲亭里)가, 1957년 光山郡 大村·芝山·西倉面과 潭陽郡 南面의 일부가 光州市에 편입되고, 1986년 光州市가 光州直轄市로 昇格하고, 1988년 光山郡의 9個面이 光州直轄市에 편입되고, 1995년 光州直轄市를 光州廣域市로 바꾸었다.(地)

○ 지금의 光州廣域市.

9.0.1. 玄雄縣 - 본래 百濟 未冬夫里縣인데, 新羅 景德王이 <玄雄>으로 고쳐서 武州(光州)의 領縣으로 삼았다. 高麗가 <南平>(또는 永平)으로 고쳐서 羅州에 편입하고, 明宗 2年(1172)에 監務를 두었다가, 恭讓王 2年(1390)에 和順監務가 관할하게 하였는데, 朝鮮 太祖 3年(1394)에 監務를 따로 두었다가 뒤에 옛 지명 그대로 縣監으로 고쳤다.(三·麗·興·文)

○ 1895년에 南平郡으로 昇格하여 羅州府에 속하였다가, 1914년에는 羅州郡에 합병되었다.(增)

○ 1929년 羅州, 羅新 두 面을 倂合하여 羅州面을 두고, 1931년 羅州面을 邑으로 昇格하고, 1981년 羅州邑 一圓과 榮山浦邑 一圓을 統合하여 錦城市로 昇格하여 分離하고서, 1986년 錦城市를 羅州市로 바꾸었다.(地)

○ 지금의 全羅南道 羅州市 南平邑.

▶ 羅州 - 9.11. 참조.

9.0.2. 龍山縣 - 본래 百濟 伏龍(또는 盃龍)縣인데, 新羅 景德王이 <龍山>으로 고쳐서 武州(光州) 領縣으로 삼았다. 高麗가 <伏龍>으로 다시 부르며 羅州에 소속시켰는데, 朝鮮 시대에도 그대로 따랐다.(三·麗·興·文)

○ 지금의 全羅南道 羅州市.

9.0.3. 祁(祈)陽縣 - 본래 百濟 屈支縣인데, 新羅 景德王이 <祈陽>으로 고쳐서 武州(光州) 領縣으로 삼았는데, 高麗가 <昌平>(또는 鳴平)으로 고쳐서 羅州에 소속시켰다. 전하는 바에 의하면, 縣吏 卓自寶가 남쪽 도적의 무리를 막아낸 공이 있으므로 昇格 하여 縣令이 되었다고 하며, 恭讓王 3年(1391)에 長平甲卿勸農使를 兼하게 하였는데, 朝鮮 시대에도 그대로 따르다가, 成宗 5年(1474)에 縣人 姜九淵이 縣令 全順道를 능욕 하므로 縣을 없애고 光州에 편입시켰다가, 同 10年(1479)에 復舊하였다.(三·麗·興·文)

○ 1895년에 昌平郡으로 고쳤고, 1914년에 昌平郡 一圓과 長城郡 甲鄕面, 光州郡 葛 田面, 大峙面이 潭陽郡에 편입되었다.(地)

○ 지금의 全羅南道 潭陽郡 昌平面.

▶ 潭陽 - 9.3. 참조.

원 문

9.1. <分嶺郡>, 本【百濟】<分嵯郡{分沙郡}>, [景德王]改名, 今<樂安郡>. 領縣 四: <忠烈縣>, 本【百濟】<助助禮縣>, [景德王]改名, 今<南陽縣>; <兆陽縣>, 本【百濟】<冬老縣>, [景德王]改名, 今因之; <薑原縣>, 本【百濟】<豆肹縣>, [景德王]改名, 今<荳原縣>; <栢舟縣>, 本【百濟】<比史縣>, [景德王]改名, 今<泰江縣>.

번 역

9.1. <분령군>은 원래 【백제】의 <분차군>이었던 것을 [경덕왕]이 개칭한 것이다. 지금의 <낙안군>이다. 이 군에 속한 현은 넷이다. <충렬현>은 원래 【백제】의 <조조례현>이었던 것을 [경덕왕]이 개칭한 것이다. 지금의 <남양현>이다. <조양현>은 원래 【백제】의 <동로현>이었던 것을 [경덕왕]이 개칭한 것이다. 지금도 그대로 부른다. <강원현>은 원래 【백제】의 <두힐현>이었던 것을 [경덕왕]이 개칭한 것이다. 지금의 <두원현>이다. <백주현>은 원래 【백제】의 <비사현>이었던 것을 [경덕왕]이 개칭한 것이다. 지금의 <태강현>이다.

변 천

9.1. 分嶺郡 - 본래 百濟 分嵯(또는 分沙)郡인데, 新羅 景德王이 <分嶺郡>으로 고쳤다. 高麗가 <樂安>(또는 岳陽)으로 고쳐서 羅州에 소속시켰고, 明宗 2年(1172)에 監務를 두었다가 뒤에 知州事가 되어 郡으로 昇格하였다. 朝鮮 시대에도 그대로 부르다가, 中宗 10年(1515)에 그 郡人 중 親母를 죽인 자가 있으므로 강등하여 縣이 되었다가 뒤에 復舊하였고, 明宗 10年(1555)에 또 縣으로 강등하였다가, 宣祖 8年(1576)에 復舊하였다.(三·麗·輿·文)

　○ 1908년에 樂安郡을 없애고 順天·寶城의 두 郡에 나누어 편입되었다.(增)

　○ 지금의 全羅南道 順天市 樂安面.

　▶ 順天 - 9.8. 참조.

9.1.1. 忠烈縣 - 본래 百濟 助助禮縣인데, 新羅 景德王이 <忠烈>로 고쳐서 分嶺(樂安)郡 領縣으로 삼았다. 高麗가 <南陽>으로 고쳐서 <寶城郡>에 편입시켰다가, 朝鮮 世宗 23年(1441)에 <興陽縣>으로 다시 편입하였다.(三·麗·輿·文)

　○ 世宗 23년(1441)에 長興府의 豆原縣과 道陽縣, 寶城郡 일부(泰江縣, 南陽縣, 豊安縣, 道化縣)을 통폐합하여 興陽縣이라 개칭하였다가, 1914년 高興郡에 통합되었다.(地)

　○ 全羅南道 高興郡 南陽面.

9.1.2. 兆陽縣 - 본래 百濟 冬老縣인데, 新羅 景德王이 <兆陽>으로 고쳐서 分嶺(樂安)郡 領縣으로 삼았다. 高麗에 와서는 <寶城>에 속하였다가, 朝鮮 太祖 4年(1395)에 高興 郡으로 속하였는데, 世宗 23年(1441)에 寶城郡으로 다시 편입되었다.(三·麗·興·文)
○ 지금의 全羅南道 長興郡 長東面 朝陽里(?).

9.1.3. 薑原縣 - 본래 百濟 豆肹縣인데, 新羅 景德王이 <薑原(또는 竹軍)>으로 고쳐서 分嶺(樂安)郡 領縣으로 삼았다. 뒤에 高麗가 <荳原>으로 고쳐서 寶城에 편입하였다 가, 高麗 仁宗 21年(1143)에 監務를 두었고, 뒤에는 長興府에 속하였는데, 朝鮮 世宗 때에 <興陽>에 속하였다.(三·麗·興·文)
○ 지금의 全羅南道 高興郡 豆原面.

9.1.4. 栢舟縣 - 본래 百濟 比史縣인데, 新羅 景德王이 柏舟로 고쳐서 分嶺(樂安)郡 領縣 으로 삼았다. 高麗 시대에 <泰江>으로 고쳐서 寶城에 屬하였다가, 朝鮮 世宗 23年 (1441)에 <興陽>으로 옮겨 소속되었다.(三·麗·興·文)
○ 지금의 全羅南道 高興郡 東江面(?).

원 문

9.2. <寶城郡>, 本【百濟】<伏忽郡>, [景德王]改名, 今因之. 領縣四: <代勞縣>, 本【百濟】<馬斯良縣>, [景德王]改名, 今<會寧縣>; <季水縣>, 本【百濟】<季川縣>, [景德王]改名, 今<長澤縣>; <烏兒縣>, 本【百濟】<烏次縣>, [景德王]改名, 今<定 安縣>; <馬邑縣>, 本【百濟】<高馬旀知縣>, [景德王]改名, 今<遂寧縣>.

번 역

9.2. <보성군>은 원래 【백제】의 <복홀군>이었던 것을 [경덕왕]이 개칭한 것이다. 지 금도 그대로 부른다. 이 군에 속한 현은 넷이다. <대로현>은 원래 【백제】의 <마사량현>

이었던 것을 [경덕왕]이 개칭한 것이다. 지금의 <회령현>이다. <계수현>은 원래 【백제】의 <계천현>이었던 것을 [경덕왕]이 개칭한 것이다. 지금의 <장택현>이다. <오아현>은 원래 【백제】의 <오차현>이었던 것을 [경덕왕]이 개칭한 것이다. 지금의 <정안현>이다. <마읍현>은 원래 【백제】의 <고마며지현>이었던 것을 [경덕왕]이 개칭한 것이다. 지금의 <수령현>이다.

변 천

9.2. 寶城郡 － 본래 百濟 伏忽郡인데, 新羅 景德王이 <寶城>으로 고쳤다. 高麗 成宗 14年(995)에 貝州刺史라 부르다가 뒤에 다시 寶城으로 고쳤고, 朝鮮 시대에도 그대로 불렀다.(三·麗·輿·文)

○ 또 다른 지명은 山陽이다.(麗)

○ 1908년에는 樂安郡의 古上面(古上, 古下), 南面(南上, 南下)이 寶城郡에 편입되고, 1914년에 長興郡의 熊峙面, 會寧面, 泉浦面이 편입되었다.(地)

○ 지금의 全羅南道 寶城郡.

9.2.1. 代勞縣 － 본래 百濟 馬斯良縣인데, 新羅 景德王이 <代勞>로 고쳐서 寶城郡 領縣으로 삼았는데, 高麗가 <會寧>으로 고쳐 그대로 소속시켰다가, 뒤에 長興에 편입하였다.(三·麗·輿·文)

○1914년 長興郡의 雄峙面, 會寧面, 泉浦面이 寶城郡에 편입되었다.(地)

○ 지금의 全羅南道 寶城郡 會泉面 會寧里.

9.2.2. 季水縣 －본래 百濟 季川縣인데, 新羅 景德王이 <季水>로 고쳐서 寶城縣 領縣으로 삼았다. 高麗 시대에는 <長澤>으로 고쳐서 그대로 소속되었다가, 뒤에 長興에 편입되었다.(三·麗·輿·文)

○ 지금의 全羅南道 長興郡.

9.2.3. 烏兒縣 － 본래 百濟 烏次縣인데, 新羅 景德王이 <烏兒>로 고쳐서 寶城郡 領縣으

로 삼았다. 高麗初에는 <定安>으로 고쳐서 靈巖에 속하였다가, 仁宗 때에 恭睿太后 任氏의 고향이라 하여 知長興府事로 昇格하였고, 元宗 6年(1265)에 또 昇格하여 <懷州牧>이 되고, 忠宣王 2年(1310)에 다시 降等하여 <長興府>가 되었는데, 뒤에 倭寇의 약탈로 거주민이 內地로 이주하여 그 땅이 비었다. 朝鮮 太祖 元年(1392; 文獻備考에는 恭讓王이라 함)에 遂寧縣 中寧山에 城을 쌓고 治所를 삼았다가, 太宗 13年(1413)에 옛 지명 그대로 都護府가 되었고, 다음해에 城이 좁아서 다시 遂寧縣의 옛 터로 治所를 옮겼다가, 世祖 때에 鎭을 두었다.(三·麗·輿·文)

○ 또 다른 지명은 定州로 高麗 成宗 때 지은 것이다. 冠山이라고도 한다.(麗)

○ 1895년에 長興郡으로 고치고, 1914년에 會寧面·浦泉面·熊峙面은 寶城郡에 편입 되었다.(增)

○ 지금의 全羅南道 長興郡.

9.2.4. 馬邑縣 - 본래 百濟 高馬旀知縣인데, 新羅 景德王이 <馬邑>으로 고쳐서 寶城縣 領縣으로 삼았다. 高麗가 <遂寧>으로 고쳐서 그대로 소속시켰다가 다시 없애고 長興府治가 되었다.(三·麗·輿·文)

○ 지금의 全羅南道 長興郡.

원 문

9.3. <秋成郡>, 本【百濟】<秋子兮郡>, [景德王]改名, 今<潭陽郡>. 領縣二: <王菓縣{玉菓縣}>, 本【百濟】<菓支縣{果兮縣}>, [景德王]改名, 今因之; <栗原縣>, 本【百濟】<栗支縣>, [景德王]改名, 今<原栗縣>.

번 역

9.3. <추성군>은 원래【백제】의 <추자혜군>이었던 것을 [경덕왕]이 개칭한 것이다. 지금의 <담양군>이다. 이 군에 속한 현은 둘이다. <옥과현>은 원래【백제】의 <과지현>

이었던 것을 [경덕왕]이 개칭한 것이다. 지금도 그대로 부른다. <율원현>은 원래 【백제】의 <율지현>이었던 것을 [경덕왕]이 개칭한 것이다. 지금의 <원률현>이다.

변 천

9.3. 秋成郡 － 본래 百濟 秋子兮郡인데, 新羅 景德王이 <秋成郡>으로 고쳤다. 高麗 成宗 14年(995)에 潭州都團練使를 삼았다가 뒤에 <潭陽>으로 고쳐서 羅州에 속하였고, 明宗 2年(1172)에 監務를 두었고, 恭讓王 3年(1391)에는 栗原縣을 함께 관할하게 하였다. 朝鮮 太祖 4年(1395)에는 國師 祖丘의 본래 고향이라 하여 郡으로 昇格하였다가, 定宗 元年(1399)에는 왕비 金氏의 외가라 하여 府로 昇格하였고, 太宗 13年(1413)에는 이전 지명 그대로 都護府使가 되었다. 英祖 4年(1728)에 縣으로 강등하였다가, 同 14年(1738)에 復舊하였고, 同 38年(1762)에 또 縣으로 降等하였다가, 同 48年(1772) 復舊하였다.(三·麗·輿·文)

○ 1895년에 南原府 管轄이 되었고,1908년에는 <玉果郡>을 없애고 그 一部가 편입되었는데, 1914년에는 <昌平郡>의 郡內面·古縣內面·內南面·外南面·西面·北面·長南面·東西面·長北面·德面·大面·加面과 <長城郡>의 甲鄕面과 光州郡의 葛田面·大峙面이 편입되었다.(增)

○ 지금의 全羅南道 潭陽郡.

9.3.1. 玉菓(玉果)縣 － 본래 百濟 果支(또는 果兮)縣인데, 新羅 景德王이 <玉果>로 고쳐 秋成(潭陽)郡 領縣으로 삼았다. 高麗初에 寶城에 속하였고, 明宗 2年(1172)에 監務를 두었다가, 朝鮮初에는 옛 지명 그대로 縣이 되었다.(三·麗·輿·文)

○ 1895년에 玉果郡으로 昇格하였다가, 1908년에 郡을 없애고 潭陽·昌平에 나누어 소속시켰다가, 1919년에 옛 玉果郡 一圓과, 求禮郡이 古達面 一圓이 谷城郡에 편입되었다.(地)

○ 지금의 全羅南道 谷城郡 玉果面.

▶ 谷城 － 9.9. 참조.

9.3.2. 栗原縣 － 본래 百濟 栗支縣인데, 新羅 景德王이 <栗原>으로 고쳐서 秋成(潭陽)郡 領縣으로 삼았다. 高麗 시대에는 <原栗>로 고쳐서 羅州에 속하였고, 朝鮮 太祖 때에 潭陽에 屬하였다.(三·麗·輿·文)

　○ 지금의 全羅南道 潭陽郡 錦城面 原栗里.

　　▶ 潭陽 － 9.3. 참조.

원 문

9.4. <靈巖郡>, 本【百濟】<月奈郡>, [景德王]改名, 今因之.

번 역

9.4. <영암군>은 원래【백제】의 <월나군>이었던 것을 [경덕왕]이 개칭한 것이다. 지금도 그대로 부른다.

변 천

9.4. 靈巖郡 － 본래 百濟 月奈郡인데, 新羅 景德王이 <靈巖>으로 고쳤다. 高麗 成宗 14年(995)에 朗州安南都護府로 고쳤다가, 顯宗 9年(1018)에 다시 강등하여 靈巖郡이 되었고, 朝鮮 시대에도 그대로 불렀다.(三·麗·輿·文)

　○ 지금의 全羅南道 靈巖郡.

원 문

9.5. <潘南郡>, 本【百濟】<半奈夫里縣>, [景德王]改名, 今因之. 領縣二: <野老縣>, 本【百濟】<阿老谷縣>, [景德王]改名, 今<安老縣>; <昆湄縣>, 本【百濟】<古彌縣>, [景德王]改名, 今因之.

번 역

9.5. <반남군>은 원래 【백제】의 <반나부리현>이었던 것을 [경덕왕]이 개칭한 것이다. 지금도 그대로 부른다. 이 군에 속한 현은 둘이다. <야로현>은 원래 【백제】의 <아로곡현>이었던 것을 [경덕왕]이 개칭한 것이다. 지금의 <안로현>이다. <곤미현>은 원래 【백제】의 <고미현>이었던 것을 [경덕왕]이 개칭한 것이다. 지금도 그대로 부른다.

변 천

9.5. 潘南郡 － 본래 百濟 半奈夫里縣인데, 新羅 景德王이 <潘南郡>으로 고쳤다. 高麗 시대에는 降等하여 縣을 삼아 <羅州>에 屬하였고, 朝鮮 시대에도 그대로 불렀다. (三·麗·輿·文)

　○ 지금의 全羅南道 羅州市 潘南面.

　○ 半那縣 － 본래 <半那{半奈}夫里>로 帶方州 여섯 縣의 하나이다. 지금의 全羅南道 <羅州>에 소속된 縣인 潘南廢縣이 百濟 시대의 <半那夫里>로 추측된다.(文)

9.5.1. 野老縣 － 본래 百濟 阿老谷縣인데, 新羅 景德王이 <野老>로 고쳐서 <潘南郡> 領縣으로 삼았는데, 高麗 시대에 <安老>로 고쳐서 <羅州>에 속하였고, 朝鮮 시대에도 그대로 불렀다.(輿·文)

　○ 全羅南道 羅州市 老安面.

9.5.2. 昆湄縣 － 全羅南道 靈巖郡의 서쪽 30里에 있는 지명으로 본래 百濟 古彌縣인데, 新羅 景德王이 <昆湄>로 고쳐서 靈巖에 소속시켰고, 高麗 시대와 朝鮮 시대에도 그대로 불렀다.(三·麗·輿·文)

　○ 珍島縣의 거주민들이 倭亂 때문에 이 縣에 임시로 옮겨 와 있으며 珍島縣이라 부르다가, 뒤에 本土로 다시 돌아갔다.(文)

　○ 지금의 全羅南道 靈巖郡.

원 문

9.6. <岾城郡>, 本【百濟】<古尸伊縣>, [景德王]改名, 今<長城郡>. 領縣二: <珍原縣>, 本【百濟】<丘斯珍芳縣{丘斯珍兮縣}>, [景德王]改名, 今因之; <森溪縣>, 本【百濟】<所非芳縣{所非兮縣}>, [景德王]改名, 今因之.

번 역

9.6. <갑성군>은 원래【백제】의 <고시이현>이었던 것을 [경덕왕]이 개칭한 것이다. 지금의 <장성군>이다. 이 군에 속한 현은 둘이다. <진원현>은 원래【백제】의 <구사진혜현>이었던 것을 [경덕왕]이 개칭한 것이다. 지금도 그대로 부른다. <삼계현>은 원래【백제】의 <소비혜현>이었던 것을 [경덕왕]이 개칭한 것이다. 지금도 그대로 부른다.

변 천

9.6. 岾城郡 − 본래 百濟 古尸伊縣인데, 新羅 景德王이 <岾城>으로 고쳐서 郡을 삼았다. 高麗 시대에 <長城>으로 고쳐서 靈光에 속하였고, 明宗 2年(1172)에 監務를 두었다가 朝鮮 시대에는 縣監으로 고쳤다. 宣祖 30年(1597)에는 倭亂 뒤에 本縣 및 <珍原>이 모두 극히 쇠퇴하였기 때문에 합하여 하나의 邑으로 만들고, 治所를 聖子山 밑으로 옮겼는데 本縣과 옛 治所와의 거리가 20里요, 南으로 珍原의 옛 治所와의 거리도 20里였다. 孝宗 6年(1655)에 昇格하여 府가 되었다.(三·麗·輿·文)

ㅇ 1895년에 옛 지명 그대로 長城郡으로 昇格하였다가, 1914년에 甲鄕面은 潭陽郡에 편입되고, 咸平郡 大和面과 靈光郡의 外東面·內東面·縣內面·森南面·森北面·外西面이 長城郡에 편입되었다.(增)

ㅇ 지금의 全羅南道 長城郡.

9.6.1. 珍原縣 − 본래 百濟 丘斯珍兮縣인데, 新羅 景德王이 <珍原>으로 고쳐서 岾城(長城)郡 領縣으로 삼았다. 高麗 시대에는 羅州로 옮겨 소속되었고, 明宗 2年(1172)에 監

務를 두었다. 朝鮮 시대에도 그대로 부르다가 뒤에 縣監으로 고쳤는데, 宣祖 33年 (1600)에 長城으로 편입되었다.(三·麗·輿·文)

　○ 지금의 全羅南道 長城郡 珍原面.

9.6.2.　森溪縣 − 본래 百濟 所非兮(또는 所乙夫里)縣인데, 新羅 景德王이 <森溪>로 고쳐서 岬城(長城)郡 領縣으로 삼았다. 高麗에는 靈光에 屬하였다.(三·麗·輿·文)

　○ 지금의 全羅南道 長城郡 森溪面.

원 문

9.7.　<武靈郡>, 本【百濟】<武尸伊郡>, [景德王]改名, 今<靈光郡>. 領縣三: <長沙縣>, 本【百濟】<上老縣>, [景德王]改名, 今因之; <高敞縣>, 本【百濟】<毛良夫里縣>, [景德王]改名, 今因之; <茂松縣>, 本【百濟】<松彌知縣>, [景德王]改名, 今因之.

번 역

9.7.　<무령군>은 원래【백제】의 <무시이군>이었던 것을 [경덕왕]이 개칭한 것이다. 지금의 <영광군>이다. 이 군에 속한 현은 셋이다. <장사현>은 원래【백제】의 <상로현>이었던 것을 [경덕왕]이 개칭한 것이다. 지금도 그대로 부른다. <고창현>은 원래【백제】의 <모량부리현>이었던 것을 [경덕왕]이 개칭한 것이다. 지금도 그대로 부른다. <무송현>은 원래【백제】의 <송미지현>이었던 것을 [경덕왕]이 개칭한 것이다. 지금도 그대로 부른다.

변 천

9.7.　武靈郡 − 본래 百濟 武尸伊郡인데, 新羅 景德王이 <武靈郡>으로 고쳤다. 高麗 시

대에 와서 <靈光(또는 靜州)>으로 고치고, 朝鮮 시대에도 그대로 부르다가, 仁祖 7年
(1629)에 縣으로 강등하였는데, 同 16年(1638)에 復舊하였고, 英祖 31年(1755)에 또 縣
으로 강등하였다가, 同 40年(1764)에 復舊하였다.(三·麗·輿·文)

○ 1895년에 全州府 管轄이 되었다가, 1914년에는 外東面·內東面·縣內面·森南
面·森北面·外西面이 <長城郡>에 편입되고, 智島郡의 蝟島面·洛月面을 합병하
였다.(增)

○ 지금의 全羅南道 靈光郡.

9.7.1. 長沙縣 – 長沙縣은 본래 百濟 上老縣인데, 新羅 景德王이 長沙로 고쳐서 武靈(靈
光)郡 領縣으로 삼았는데, 高麗 시대에도 그대로 부르다가 뒤에 監務를 두어서 茂松
을 함께 관할하게 하였다. 朝鮮 太宗 17年(1417)에 茂松·長沙 두 縣을 합하여 <茂
長>으로 고쳐서 그대로 鎭을 두었고, 兵馬使가 縣事를 兼하게 하였는데, 世宗 5年
(1423)에 兵馬使를 고쳐서 僉節制使를 만들었다가 뒤에 縣監으로 고쳤다.(三·麗·
輿·文)

○ 1895년에 茂長郡으로 昇格하여, 1906년에 全羅北道 소속이 되고, 1914년에 高敞郡
에 합병되었다.(增)

○ 지금의 全羅北道 高敞郡 茂長面.
▶ 茂松 – 9.7.3. 참조.

9.7.2. 高敞縣 – 본래 百濟 毛良夫里縣인데, 新羅 景德王이 <高敞>으로 고쳐서 武靈(靈
光)郡 領縣으로 삼았다. 高麗 시대에는 古阜에 屬하였다가, 뒤에 갈라서 尙質(興德) 監
務가 관할하게 하였는데, 朝鮮 太宗 元年(1401)에는 두 縣에 監務를 각각 두었고, 뒤
에 이전 지명 그대로 縣監을 두었다.(三·麗·輿·文)

○ 1906년에 高敞郡이 되어 全北으로 옮겨 소속되어 全州府의 管轄이 되었는데, 1914
년에 <茂長郡> 일대와 <興德郡> 일대를 합병하였다.(增)

○ 지금의 全羅北道 高敞郡.

9.7.3. 茂松縣 – 본래 百濟 松彌知縣인데 新羅 景德王이 <茂松>으로 고쳐서 武靈(靈光)

郡 領縣으로 삼았는데, 高麗 시대에도 그대로 부르다가 뒤에 長沙脅務가 관할하게 하였다. 朝鮮 太宗 17年(1417)에 茂松·長沙 두 縣을 합하여 <茂長>으로 고쳐서 그대로 鎭을 두었고, 兵馬使가 縣事를 兼하게 하였는데, 世宗 5年(1423)에 兵馬使를 고쳐서 僉節制使를 만들었다가 뒤에 縣監으로 고쳤다.(三·麗·輿·文)

o 1895년에 茂長郡으로 昇格하고, 1906년에 全羅北道로 소속이 되고, 1914년에 高敞郡에 합병되었다.(增)

o 지금의 全羅北道 高敞郡 茂長面.

▶ 長沙 - 9.7.1. 참조.

원 문

9.8. <昇平郡{昇州郡}>, 本【百濟】<歃平郡{沙平郡/武平郡}>, [景德王]改名, 今因之(一云<昇州>.). 領縣三: <海邑縣>, 本【百濟】<猿村縣>, [景德王]改名, 今<麗水縣>; <晞陽縣>, 本【百濟】<馬老縣>, [景德王]改名, 今<光陽縣>; <廬山縣>, 本【百濟】<突山縣>, [景德王]改名, 今復故.

번 역

9.8. <승평군>은 원래【백제】의 <감평군>이었던 것을 [경덕왕]이 개칭한 것이다. 지금도 그대로 부른다. (또는 <승주>) 이 군에 속한 현은 셋이다. <해읍현>은 원래【백제】의 <원촌현>이었던 것을 [경덕왕]이 개칭한 것이다. 지금의 <여수현>이다. <희양현>은 원래【백제】의 <마로현>이었던 것을 [경덕왕]이 개칭한 것이다. 지금의 <광양현>이다. <여산현>은 원래【백제】의 <돌산현>이었던 것을 [경덕왕]이 개칭한 것이다. 지금은 옛 명칭으로 회복되었다.

변 천

9.8. 昇平郡 – 본래 百濟 欲平(또는 沙平, 武平)郡인데, 地形이 낮고 움푹 꺼졌으며 평평하기 때문에 생긴 이름이다. 新羅 景德王이 <昇平>으로 고쳤다. 高麗 成宗 14年(995)에 <昇州>(또는 昇化) 兗海軍節度使라 하였다가, 靖宗 2年(1036)에 昇平郡이 되었고, 忠宣王 元年(1309)에 昇州牧으로 昇格하였다가, 同 2年 庚戌에 <順天>으로 고쳐서 府로 降等하였다. 朝鮮 시대에 와서도 그대로 부르다가, 太宗 13年(1413)에 이전 이름 그대로 都護府가 되었고, 世祖 때에 비로소 鎭을 두었는데, 孝宗 때에 降等하여 縣이 되었다가 곧바로 復舊하였고, 正祖 10年(1786)에 또 降等하여 縣이 되었다가, 다음해에 다시 復舊하였다.(三・麗・輿・文)

○ 1895년에 順天郡으로 하였고, 1909년에는 樂安郡의 7個面과 谷城郡의 詠歸, 痲田面이 편입되었다.(地)

○ 1949년 昇州郡으로 고치고, 順天邑과 道沙面, 海龍面 一部(旺之, 照禮, 蓮香)를 통합하여 順天市로 昇格하고, 1995년 昇州郡과 順天市를 통합하여 順天市로 하였다.(地)

○ 지금의 全羅南道 順天市 (昇州邑).

9.8.1. 海邑縣 – 본래 百濟 猿村(또는 猿平)縣인데, 新羅 景德王 16年(757)에 <海邑縣>으로 고쳐서 順天에 소속시켰다. 高麗 太祖 23年(940)에 <麗水>로 고치고, 忠定王 10年(1358) 戊戌(恭愍王 7年에 해당함)에 縣令을 두었고, 朝鮮 太祖 5年(1396) 丙子에 順天으로 다시 소속되었다.(三・麗・輿・文)

○ 1896년 突山郡, 1897년에 麗水郡을 신설하고, 1914년에 突山郡을 폐지하고 麗水郡이 10개 면을 관할하였다. 1949년에 麗水邑을 麗水市로 승격하고, 麗水郡을 麗川郡으로 바꾸었다.(地)

○ 1976년 全羅南道 麗川地區出張所를 설치하고, 1986년 全羅南道 麗川地區出張所를 麗川市로 昇格하고, 1998년 麗水市, 麗川市, 麗川郡을 통합하여 麗水市를 설치하였다.(地)

○ 지금의 全羅南道 麗水市.

9.8.2. 晞陽縣 – 본래 百濟 馬老縣인데, 新羅 景德王이 <晞陽縣>으로 고쳐서 昇平(順天) 郡에 편입하였다. 高麗 시대에 <光陽>으로 고치고 그대로 屬하였다가 뒤에 監務를 두었고, 朝鮮 太宗 13年(1413)에 이전 지명 그대로 縣監으로 昇格하였다.(三 · 麗 · 興 · 文)

o 1895년에 南原府 光陽郡으로 되고, 1914년에 突山郡(今湖, 太仁, 吉湖, 松獐)의 여러 섬이 骨若面에 편입되었다.(地)

o 1949년 光陽面을 邑으로 昇格하고, 1986년 全羅南道 光陽地區出張所를 설치하고, 1989년 光陽地區出張所를 東光陽市로 승격하고 분리하였다. 1995년 東光陽市와 光陽郡을 통합하여 光陽市를 설치하였다.(地)

o 지금의 全羅南道 光陽市.

9.8.3. 廬山縣 – 본래 百濟 突山縣인데, 新羅 景德王 16年(744)에 <廬山>으로 고쳐서 昇平(順天)郡 領縣으로 삼았는데, 高麗 시대에 <突山>으로 고쳤다. 顯宗 9年(1018)에는 順天에 속하였고, 朝鮮 成宗 19年(1488)에는 鎭을 두었다가 뒤에 폐지하였다.(三 · 麗 · 興 · 文)

o 1895년에 突山郡을 두었는데, 1914년에 郡을 없애고 斗南面 · 南面 · 華盖面 · 玉井面(樟島의 內白日里 · 外白日里는 제외) · 三山面, 太仁面內의 猫島가 麗水郡에 편입되고, 太仁面(猫島는 제외)이 光陽郡에 편입되고, 錦山面 · 蓬萊面 · 玉井面 · 樟島의 內白日里 · 外白日里가 高興에 편입되었다.(增)

o 지금의 全羅南道 麗水市 突山邑.

원 문

9.9. <谷城郡>, 本 【百濟】<欲乃郡>, [景德王]改名, 今因之. 領縣三: <富有縣>, 本 【百濟】<遁支縣>, [景德王]改名, 今因之; <求禮縣>, 本 【百濟】<仇次禮縣>, [景德王]改名, 今因之; <同福縣>, 本 【百濟】<豆夫只縣>, [景德王]改名, 今因之.

번 역

9.9. <곡성군>은 원래 【백제】의 <욕내군>이었던 것을 [경덕왕]이 개칭한 것이다. 지금도 그대로 부른다. 이 군에 속한 현은 셋이다. <부유현>은 원래 【백제】의 <둔지현>이었던 것을 [경덕왕]이 개칭한 것이다. 지금도 그대로 부른다. <구례현>은 원래 【백제】의 <구차례현>이었던 것을 [경덕왕]이 개칭한 것이다. 지금도 그대로 부른다. <동복현>은 원래 【백제】의 <두부지현>이었던 것을 [경덕왕]이 개칭한 것이다. 지금도 그대로 부른다.

변 천

9.9. 谷城郡 － 본래 百濟 欲乃郡인데, 新羅 景德王이 <谷城>으로 고쳤다. 高麗初에 昇平(順天)郡 屬郡이 되었다가 뒤에는 羅州로 옮겨 소속되었고, 明宗 2年(1172)에 監務를 두었다가, 朝鮮 시대에는 縣監으로 고쳤고, 宣祖 30年(1597) 倭亂 뒤에는 南原으로 편입되었다가, 光海君 元年(1609)에 다시 縣을 두었다.(三·麗·輿·文)
ㅇ 또 다른 지명은 浴川이다.(麗)
ㅇ 1895년에는 옛 지명 그대로 谷城郡으로 昇格하여 南原府의 管轄이 되었고, 1914년에는 昌平郡의 玉山面·水面·立面·兼面·火面·只面과 求禮郡 古達面을 합병하였다.(增)
ㅇ 지금의 全羅南道 谷城郡.

9.9.1. 富有縣 － 본래 百濟 遁支縣인데, 新羅 景德王이 <富有>로 고쳐서 谷城 領縣으로 삼았고, 高麗初에는 順天으로 屬하였다.(三·麗·輿·文)
ㅇ 지금의 全羅南道 順天市.

9.9.2. 求禮縣 － 본래 百濟 仇次禮縣인데, 新羅 景德王이 <求禮>로 고쳐서 谷城郡 領縣으로 삼았다. 高麗初에는 南原府로 속하였고, 仁宗 21年(1143)에 監務를 두었다. 朝鮮 太宗 13年(1413)에 옛 지명 그대로 縣監으로 고쳤다가, 燕山君 5年(1499)에 縣의 백성

중 裵日·文彬 等이 거짓으로 불길한 예언을 퍼뜨려 逆謀를 꾀하다가 죽임을 당하므로 縣을 폐지하고, 部曲을 만들어서 南原에 편입시켰다가, 中宗 2年(1507)에 다시 縣이 되었다.(三·麗·興·文)

○ 또 다른 지명은 鳳城이다.(麗)

○ 1895년에 求禮郡으로 昇格하여 南原府의 管轄로 되었다가, 1906년에 全南으로 바뀌고, 1914년에 古達面은 谷城郡에 편입되었다.(增)

○ 지금의 全羅南道 求禮郡.

9.9.3. 同福縣 − 본래 百濟 豆夫只縣인데, 新羅 景德王이 <同福>으로 고쳐서 谷城郡 領縣으로 삼았다. 高麗初에 寶城에 屬하였다가, 뒤에 僧侶 琰祖의 고향이라 하여 監務로 昇格하였다. 朝鮮 太祖 3年(1394)에 和順에 편입되었다가, 太宗 5年(1405)에는 和順에 합병되어 <福順>이라 부르다가, 同 16年(1416)에 각각 復舊하고 옛 지명 그대로 縣監이 되었다. 孝宗 6年(1655)에 다시 <和順>에 편입되었다가, 顯宗 5年(1664)에 復舊하였다.(三·麗·興·文)

○ 1895년에 同福郡으로 昇格하였다가, 1914년에 郡을 폐지하고 <和順郡>에 합병되었다.(增)

○ 지금의 全羅南道 和順郡 同福面.

원 문

9.10. <陵城郡>, 本【百濟】<尒陵夫里郡>, [景德王]改名, 今因之. 領縣二: <富里縣>, 本【百濟】<波夫里郡>, [景德王]改名, 今<福城縣>; <汝湄縣>, 本【百濟】<仍利阿縣>, [景德王]改名, 今<和順縣>.

번 역

9.10. <능성군>은 원래【백제】의 <이릉부리군>이었던 것을 [경덕왕]이 개칭한 것이

다. 지금도 그대로 부른다. 이 군에 속한 현은 둘이다. <부리현>은 원래 【백제】의 <파부리군>이었던 것을 [경덕왕]이 개칭한 것이다. 지금의 <복성현>이다. <여미현>은 원래 【백제】의 <잉리아현>이었던 것을 [경덕왕]이 개칭한 것이다. 지금의 <화순현>이다.

변 천

9.10. 陵城郡 − 본래 百濟 尒陵夫里(또는 竹樹夫里, 仁夫里)郡인데, 新羅 景德王이 <綾城>(또는 陵城)으로 고쳤다. 高麗初에 羅州에 屬하였다가, 仁宗 21年(1143)에 縣令을 두었고, 朝鮮 太宗 16年(1418)에 <和順縣>과 합하여 <順城縣>이라 하다가, 얼마 뒤에 각각 復舊하였고, 仁祖 10年(1632)에 <綾州>로 고쳤다.(三・麗・輿・文)

    ○ 1895년에 綾州郡으로 昇格하였다가, 1908년에 和順郡을 없애고 합병하였는데, 1914년에는 도리어 和順郡에 합병되었다.(增)

    ○ 全羅南道 和順郡 綾州面.

9.10.1. 富里縣 − 본래 百濟 波夫里郡인데, 新羅 景德王이 <富里>로 고쳐서 綾城(綾州)郡 領縣으로 삼았다. 高麗 시대에는 <福城>으로 고쳐서 寶城에 편입시켰다.(三・麗・輿・文)

    ○ 지금의 全羅南道 寶城郡 福內面.

9.10.2. 汝湄縣 −본래 百濟 仍利阿縣인데, 新羅 景德王이 <汝湄>(또는 汝濱, 海濱)로 고쳐서 綾城郡 領縣으로 삼았다. 高麗初에 <和順>으로 고쳐서 羅州로 屬하였다가 뒤에 綾城으로 다시 屬하였고, 恭讓王 2年(1390)에 監務를 두어서 南平縣을 함께 관할하게 하였다. 朝鮮 太祖 3年(1394)에 갈라서 두 縣을 만들었고, 同福 監務가 관할하게 하다가, 太宗 5年(1405)에 同福을 없애고 本縣에 합병하여 <和順> 監務라 부르다가, 同 18年에 각각 복구하여 옛 지명 그대로 縣監이 되었다. 宣祖 17年(1584)에 綾城에 屬하였다가, 光海君 3年(1611)에 復舊하였다.(三・麗・輿・文)

    ○ 1895년에 和順郡으로 고쳤고, 1908년에 郡을 없애고 <綾州>에 합병되었다가, 1914년에 다시 同福郡 일대와 綾州郡 일대를 합병하였다.(增)

○ 지금의 全羅南道 和順郡.

원 문

9.11. <錦山郡>, 本【百濟】<發羅郡{廢羅州}>, [景德王]改名, 今<羅州牧>. 領縣三: <會津縣>, 本【百濟】<豆肹縣>, [景德王]改名, 今因之; <鐵冶縣>, 本【百濟】<實於山縣>, [景德王]改名, 今因之; <艅艎縣>, 本【百濟】<水川縣>, [景德王]改名, 今因之.

번 역

9.11. <금산군>은 원래【백제】의 <발라군>이었던 것을 [경덕왕]이 개칭한 것이다. 지금의 <나주목>이다. 이 군에 속한 현은 셋이다. <회진현>은 원래【백제】의 <두힐현>이었던 것을 [경덕왕]이 개칭한 것이다. 지금도 그대로 부른다. <철야현>은 원래【백제】의 <실어산현>이었던 것을 [경덕왕]이 개칭한 것이다. 지금도 그대로 부른다. <여황현>은 원래【백제】의 <수천현>이었던 것을 [경덕왕]이 개칭한 것이다. 지금도 그대로 부른다.

변 천

9.11. 錦山郡 – 본래 百濟 發羅郡인데, 新羅 景德王이 <錦山>(또는 錦城)郡으로 고쳤다. 新羅 末期에 甄萱이 後百濟王이라 스스로 부르며 그 땅을 차지하였다가 얼마 뒤에 郡人이 後高句麗王 弓裔에게 충심으로 따르니, 弓裔가 高麗 太祖에 命令하여 精騎大監으로 삼아 海軍을 거느리고 공격하여 빼앗아서 <羅州>로 고쳤다. 高麗 成宗 14年(995)에 10道를 처음 定할 때에 鎭海軍節度使로 부르며 海陽道에 속하였다가, 顯宗 元年(1010)에 王이 거란병을 避하여 남쪽으로 피신할 때 여기에 이르러 열흘을 머무르고 거란병이 패배하여 돌아갔으므로, 王이 이에 도읍으로 돌아가서 同 9年에 昇格하

여 牧을 삼았다. 朝鮮 시대에도 그대로 부르다가, 世祖 때에는 鎭을 두었고, 仁祖 때에는 降等하여 <錦城縣>이 되었다가, 뒤에 또 다시 昇格하여 州가 되었고, 英祖 9年(1733)에 다시 縣으로 강등하였다가, 同 13年에 復舊하였다.(三‧麗‧輿‧文)

ㅇ 또 다른 지명은 通義‧錦城으로 高麗 光宗 때 지은 것이다.(麗)

ㅇ 1895년에 羅州府가 되어 16郡을 管轄하였다가, 1914년에 南平郡 일대와 咸平郡의 章本面‧赤良面‧艅艎面과 所旨面의 松綠里‧松下里를 합병하였다.(增)

ㅇ 1929년 羅州面을 羅州邑으로 昇格하고, 1937년 榮山面을 榮山浦邑으로 昇格하고, 1981년 羅州邑 一圓과 榮山浦邑 一圓을 통합하여 錦城市로 昇格하고 분리하였다. 1986년 錦城市를 羅州市로 고치고, 1995년 羅州郡과 羅州市를 통합하여 羅州市로 하였다.(地)

ㅇ 지금의 全羅南道 羅州市.

9.11.1. 會津縣 ‒ 본래 百濟 豆肹縣인데, 新羅 景德王이 <會津>으로 고쳐서 羅州에 소속시켰다. 高麗와 朝鮮 시대에도 그대로 불렀다.(三‧麗‧輿)

ㅇ 지금의 全羅南道 羅州市.

9.11.2. 鐵冶縣 ‒ 본래 百濟 實於山縣인데, 新羅 景德王이 <鐵冶>로 고쳐서 羅州에 편입시켰다. 高麗 시대에도 그대로 따르다가 뒤에 <綾城縣>으로 편입되었고, 朝鮮 太宗 13年(1413)에 또 <南平>으로 옮겨 편입되었다.(三‧麗‧輿‧文)

ㅇ 지금의 全羅南道 羅州市 南平邑.

9.11.3. 艅艎縣 ‒ 본래 百濟 水川(또는 水入伊)縣인데, 新羅 景德王이 艅餘(高麗史에는 艅艎이라고 함)로 고쳐서 羅州에 편입하였고, 高麗 및 朝鮮 시대에도 모두 그대로 불렀다.(增‧輿‧料‧文)

ㅇ 지금의 全羅南道 羅州市.

원 문

9.12. <陽武郡>, 本【百濟】<道武郡>, [景德王]改名, 今<道康郡>. 領縣四: <固(一作同.)安縣>, 本【百濟】<古西伊縣>, [景德王]改名, 今<竹山縣>; <耽津縣>, 本【百濟】<冬音縣>, [景德王]改名, 今因之; <浸溟縣>, 本【百濟】<塞琴縣>, [景德王]改名, 今<海南縣>; <黃原縣>, 本【百濟】<黃述縣>, [景德王]改名, 今因之.

번 역

9.12. <양무군>은 원래 【백제】의 <도무군>이었던 것을 [경덕왕]이 개칭한 것이다. 지금의 <도강군>이다. 이 군에 속한 현은 넷이다. <고(동(同)으로도 쓴다.)안현>은 원래 【백제】의 <고서이현>이었던 것을 [경덕왕]이 개칭한 것이다. 지금의 <죽산현>이다. <탐진현>은 원래 【백제】의 <동음현>이었던 것을 [경덕왕]이 개칭한 것이다. 지금도 그대로 부른다. <침명현>은 원래 【백제】의 <새금현>이었던 것을 [경덕왕]이 개칭한 것이다. 지금의 <해남현>이다. <황원현>은 원래 【백제】의 <황술현>이었던 것을 [경덕왕]이 개칭한 것이다. 지금도 그대로 부른다.

변 천

9.12. 陽武郡 - 본래 百濟 道武郡인데, 新羅 景德王이 <陽武郡>으로 고쳤다. 高麗 시대에는 <道康>으로 고쳐 靈巖에 속하였다가, 明宗 2年(1172)에 監務를 두었고, 朝鮮 太祖 때에 縣治로 兵營을 만들고, 朝鮮 太宗 17年(1417)에 兵馬節制使營을 옮겨서 道康의 옛 治所에 두고 <道康·耽津> 두 縣을 합하여 <康津>으로 고치고 <耽津>으로 治所를 삼았는데, 世宗 6年(1424)에 道康을 松溪로 옮겼다가, 成宗 6年(1475)에 耽津의 옛 治所로 돌아왔다.(三·麗·輿·文)

　○ 1895년에 康津郡이 되어 羅州府의 管轄이 되었고, 1914년에는 白道面內의 月城里·項里·萬樹里·佐日里·金塘里·內峰里·東里·中山里·防築里·南村里를 海南郡에 편입하고, 莞島郡 郡內面의 加牛島를 합병하였다.(增)

○ 지금의 全羅南道 康津郡.

▶ 耽津 － 9.12.2. 참조.

9.12.1. 固(同)安縣 － 본래 百濟 古西伊縣인데, 新羅 景德王이 <固安>(또는 同安)으로 고쳐서 陽武(康津)郡 領縣으로 삼았는데, 高麗 시대에는 <竹山>으로 고쳐서 靈巖에 屬하였고, 朝鮮 시대에는 <海南>에 속하였다. 그 땅에 古城이 있는데, 사방의 둘레가 2,640尺이다.(興・文)

○ 지금의 全羅南道 海南郡.

▶ 海南 － 9.12.3. 참조.

9.12.2. 耽津縣 － 본래 百濟 冬音縣인데, 新羅 景德王이 <耽津>으로 고쳐서 陽武郡 領縣으로 삼았는데, 高麗가 靈巖으로 옮겨 편입시켰다가, 뒤에 다시 長興으로 편입시켰다. 朝鮮 太宗 17年(1417)에 兵馬節制使營을 옮겨서 <道康>의 옛 治所에 두고 道康・耽津 두 縣을 합하여 <康津>으로 고치고 <耽津>으로 治所를 삼았는데, 世宗 6年(1424)에 <道康>을 松溪로 옮겼다가, 成宗 6年(1475)에 <耽津>의 옛 治所로 돌아왔다.(三・麗・興・文)

○ 1895년에 康津郡이 되어 羅州府의 管轄이 되었고, 1914년에는 白道面內의 月城里・項里・萬樹里・佐日里・金塘里・內峰里・東里・中山里・防築里・南村里는 海南郡에 편입하고, 莞島郡 郡內面의 加牛島를 합병하였다.(增)

○ 지금의 全羅南道 康津郡.

▶ 道康 － 9.12. 참조.

9.12.3. 浸溟縣 － 본래 百濟 塞琴縣인데, 新羅 景德王이 <浸溟>(또는 投溟)으로 고쳐서 陽武(康津)郡 領縣으로 삼았다. 高麗 시대에는 <海南>으로 고쳐서 靈巖에 屬하였고, 朝鮮 太宗 9年(1409)에는 珍島縣과 合하여 <珍海縣>이라 하다가, 同 12年에 邑治를 靈巖屬縣 玉山으로 옮기고, 世宗 19年(1437)에는 다시 갈라서 <海南>縣監이 되었다.(三・麗・興・文)

○ 1895년에 海南郡으로 昇格하였다가, 1914년에 莞島郡 甫吉面의 三馬島와 康津郡

과 白道面의 月城里・項里・萬樹里・左日里・金塘里・內峰里・東里・中山里・防築里・南村里를 합병하였다.(增)

ㅇ 1955년 海南面이 邑으로 승격하였다.(地)

ㅇ 지금의 全羅南道 海南郡.

9.12.4. 黃原縣 - 본래 百濟 黃述縣인데, 新羅 景德王이 <黃原>으로 고쳐서 陽武(康津) 郡 領縣으로 삼았는데, 高麗 시대에는 靈巖에 屬하였다가, 뒤에 <海南>으로 편입되었다.(三・麗・輿・文)

ㅇ 지금의 全羅南道 海南郡.

▶ 海南 - 9.12.3. 참조.

원 문

9.13. <務安郡>, 本【百濟】<勿阿兮郡>, [景德王]改名, 今因之. 領縣四: <咸豐縣>, 本【百濟】<屈乃縣>, [景德王]改名, 今因之; <多岐縣>, 本【百濟】<多只縣>, [景德王]改名, 今<车平縣>; <海際縣>, 本【百濟】<道際縣>, [景德王]改名, 今因之; <珍島縣>, 本【百濟】<因珍鳥郡{因珍島郡}>, [景德王]改名, 今因之.

번 역

9.13. <무안군>은 원래【백제】의 <물아혜군>이었던 것을 [경덕왕]이 개칭한 것이다. 지금도 그대로 부른다. 이 군에 속한 현은 넷이다. <함풍현>은 원래【백제】의 <굴내현>이었던 것을 [경덕왕]이 개칭한 것이다. 지금도 그대로 부른다. <다기현>은 원래【백제】의 <다지현>이었던 것을 [경덕왕]이 개칭한 것이다. 지금의 <모평현>이다. <해제현>은 원래【백제】의 [도제현]이었던 것을 [경덕왕]이 개칭한 것이다. 지금도 그대로 부른다. <진도현>은 원래【백제】의 <인진도군>이었던 것을 [경덕왕]이 개칭한 것이다. 지금도 그대로 부른다.

변 천

9.13. 務安郡 － 본래 百濟 勿阿兮(또는 勿奈兮, 水入)郡인데, 新羅 景德王이 <務安>으로 고쳤다. 高麗 惠宗 元年(944)에 勿良(高麗史에 勿良이라고 기록되어 있음)郡으로 고쳤고, 成宗 10年(991)에 다시 <務安>이라 불러 羅州에 屬하였는데, 明宗 2年(1172)에 監務를 두었고, 恭讓王 3年(1391)에 城山極浦勤農防禦使를 兼하였다가, 朝鮮初에 縣監으로 고쳤다.(三・麗・輿・文)

○ 1895년에 務安郡으로 昇格하고, 얼마 후 다시 昇格하여 府가 되었다가, 1903년에 다시 郡이 되고, 1914년에 莞島郡 八禽面・珍島郡 都草面・智島郡(古群山面・蝟島面・洛月面는 제외) 一圓, 木浦府의 三鄉面・一老面・二老面・朴谷面・一西面・二西面・石津面・外邑面・玄化面・多慶面・海際面・珍下山面 및 府內面의 木浦府에 屬하지 아니한 地域을 합병하였다.(增)

○ 지금의 全羅南道 務安郡.

9.13.1. 咸豐縣 － 본래 百濟 屈乃縣으로 新羅 景德王이 <咸豐>으로 고쳐서 務安郡 領縣으로 삼았는데, 高麗에 와서는 靈光에 屬하였다가, 明宗 때에 監務를 두고, 恭讓王 3年(1391)에 永豐・多景・海際・防禦使를 兼하게 하였다. 朝鮮 太宗 9年(1409)에 <咸豐・车平> 두 縣의 지명을 합하여 <咸平>으로 고쳤다.(三・麗・輿・文)

○ 咸豐의 다른 지명은 箕城이요, 车平의 다른 지명은 车陽이다.(麗)

○ 1895년에 咸平郡으로 昇格하고, 1914년에 章本面・赤良面・艅艎面은 떼어서 <羅州郡>에, 烏山面은 <光州郡>에, 大化面은 長城郡에 편입되었다. 木浦府의 金剛面・進禮面・佐村面・嚴多面・新老面을 합병하였다.(增)

○ 지금의 全羅南道 咸平郡.

▶ 车平 － 9.13.2. 참조.

9.13.2. 多岐縣 － 车平縣은 본래 百濟 多只縣인데, 新羅 景德王이 <多岐>로 고쳐서 務安郡 領縣으로 삼았다. 高麗 시대에 <车平>으로 고쳐서 靈光에 屬하였다가, 朝鮮 太宗 9年(1409) 己丑에 <咸豐・车平> 두 縣의 지명을 합하여 <咸平>으로 고쳤다.

(三·麗·興·文)

○ 1895년에 咸平郡으로 昇格하고, 1914년에 章本面·赤良面·艍艎面은 떼어서 <羅州郡>에, 烏山面은 <光州郡>에, 大化面은 長城郡에 편입되었다. 木浦府의 金剛面·進禮面·佐村面·嚴多面·新老面이 합병되었다.(增)

○ 지금의 全羅南道 咸平郡.

▶ 咸豊 - 9.13.1. 참조.

9.13.3. 海際縣 - 본래 百濟 道際(또는 陰海, 大峰)縣인데, 新羅 景德王이 <海際>로 고쳐서 務安郡 屬縣으로 삼았다. 高麗 때에 靈光에 屬하였다가, 朝鮮 太祖 元年(1392)에 咸豊으로 옮겨 편입되었다.(三·麗·興·文)

○ 1914년 章本, 赤良, 赤艎 3개 面이 羅州郡에, 島山面이 光州郡에, 多慶과 <海際面>이 務安郡에 각각 편입되었다.(地)

○ 지금의 全羅南道 務安郡 海際面.

▶ 務安 - 9.13. 참조.

9.13.4. 珍島縣 - 본래 百濟 因珍島郡인데, 新羅 景德王이 <珍島>로 고쳐서 務安郡 領縣으로 삼았다. 高麗 시대에는 羅州에 屬하였다가 뒤에 縣令을 두었고, 忠定王 때에는 倭寇 때문에 內地로 세 번이나 옮겨서 海南縣 10里 지역까지 왔다가, 朝鮮 太宗 9年(1409)에 海南郡과 合하여 <海珍郡>이라 하다가, 世宗 19年(1437)에 다시 갈라서 각각 두었다.(三·麗·興·文)

○ 1895년 珍島郡으로 되고, 1914년에 都草面이 務安郡에 편입되었다.(增)

○ 지금의 全羅南道 珍島郡.

원 문

9.14. <牢山郡>, 本【百濟】<徒山縣>, [景德王]改名, 今<嘉興縣>. 領縣一: <瞻耽縣>, 本【百濟】<買仇里縣>, [景德王]改名, 今<臨淮縣>.

번 역

9.14.   <노산군>은 원래【백제】의 <도산현>이었던 것을 [경덕왕]이 개칭한 것이다. 지금의 <가흥현>이다. 이 군에 속한 현은 <첨탐현> 하나이다. <첨탐현>은 원래【백제】의 <매구리현>이었던 것을 [경덕왕]이 개칭한 것이다. 지금의 <임회현>이다.

변 천

9.14. 牟山郡 − 본래 百濟 徒山(또는 猿山)縣인데, 新羅 景德王이 <牟山縣>으로 고쳤고, 高麗 시대에는 <嘉興>으로 고쳐서 珍島에 속하였다.(三・麗・輿・文)
　　 ○ 지금은 全羅南道 珍島郡.

9.14.1. 瞻肬縣 − 본래 百濟 買仇里縣인데, 新羅 景德王이 <瞻肬縣>으로 고쳐서 牟山(嘉興)郡 領縣으로 삼았는데, 高麗 시대에는 <臨淮>로 고쳐서 珍島에 속하였다.(三・麗・輿・文)
　　 ○ 지금의 全羅南道 珍島郡 臨淮面.

원 문

9.15.   <壓海郡>, 本【百濟】<阿次山縣>, [景德王]改名, 今因之. 領縣三: <碣島縣>, 本【百濟】<阿老縣>, [景德王]改名, 今<六昌縣>; <鹽海縣>, 本【百濟】<古祿只縣>, [景德王]改名, 今<臨淄縣>; <安波縣>, 本【百濟】<居知山縣>(居一作屈.), [景德王]改名, 今<長山縣>.

번 역

9.15.   <압해군>은 원래【백제】의 <아차산현>이었던 것을 [경덕왕]이 개칭한 것이다. 지금도 그대로 부른다. 이 군에 속한 현은 셋이다. <갈도현>은 원래【백제】의 <아로현>

이었던 것을 [경덕왕]이 개칭한 것이다. 지금의 <육창현>이다. <염해현>은 원래 【백제】의 <고록지현>이었던 것을 [경덕왕]이 개칭한 것이다. 지금의 <임치현>이다. <안파현>은 원래 【백제】의 <거지산현>(거(居)를 굴(屈)로도 쓴다.)이었던 것을 [경덕왕]이 개칭한 것이다. 지금의 <장산현>이다.

변 천

9.15. 壓海郡 — 百濟 때에는 阿次山郡이었던 것을 新羅 景德王이 <壓海>(또는 押海)郡으로 고쳤다. 高麗初에 靈光에 屬하였다가 뒤에 다시 羅州로 속하였고, 그 뒤에 倭寇에게 땅을 빼앗기고 羅州 南浦에 임시로 治所를 옮겼다가 뒤에 <壓海縣>이 되었다. (三·麗·輿·文)

　o 지금의 全羅南道 新安郡 押海面.

9.15.1. 碣島縣 — 본래 百濟 阿老(또는 葛覃, 加位, 谷野)縣인데, 新羅 景德王이 <碣島>로 고쳐서 壓海(羅州)郡 領縣으로 삼았다가, 高麗 시대에 <陸昌>으로 고쳐서 靈光에 속하였다.(三·麗·輿·文)

　o 지금의 全羅南道 靈光郡.

9.15.2. 鹽海縣 — 본래 百濟 古祿只(또는 開要)縣인데, 新羅 景德王이 <鹽海>로 고쳐서 壓海(羅州)郡 領縣으로 삼았는데, 高麗 시대에는 <臨淄>로 고쳐서 靈光에 속하였다가, 뒤에 咸平으로 편입되었다.(三·麗·輿·文)

　o 지금의 全羅南道 靈光郡 鹽山面(?).

9.15.3. 安波縣 — 百濟때에는 居知山(또는 屈知山)縣이라 하다가, 新羅 景德王이 <安波>로 고쳐서 壓海(羅州領縣)郡 領縣으로 삼았다. 高麗가 <長山>(또는 安陵)으로 고쳐서 羅州에 속하였다가, 뒤에 倭寇에게 땅을 빼앗기므로 이 섬에 임시로 옮겨왔다가 縣이 되었다.(三·麗·輿·文)

　o 1914년 智島, 莞島, 珍島의 3개 郡에 속한 일부 섬을 통합하여 20개 面으로 務安郡

설치하고, 1969년 務安郡을 분리하여 新安郡(智島·荏子·慈恩·飛禽·都草·黑
山·荷衣·長山·安佐·岩泰·押海面)을 설치하였다.(地)

○ 지금의 全羅南道 新安郡 長山面.

三國史記 卷第 三十七

雜志 第 六

地理 四 - 【高句麗】·【百濟】

원 문

10. 【高句麗】

按『通典』云: "[朱蒙]以【漢】[建昭]二年, 自【北扶餘】東南行, 渡<普述水>, 至<紇升骨城>居焉. 號曰【句麗】, 以[高]爲氏." 古記云: "[朱蒙]自【扶餘】逃難, 至<卒本>." 則<紇升骨城>·<卒本>, 似一處也. 『漢書志』云: "<遼東郡>距<洛陽>三千六百里, 屬縣有<無慮>, 則『周禮』【北鎭】<醫巫閭山>也, 【大遼】於其下置<醫州>. <玄菟郡>, 距<洛陽>東北四千里, 所屬三縣, 【高句麗】是其一焉." 則所謂[朱蒙]所都<紇升骨城>·<卒本>者, 蓋【漢】<玄菟郡>之界, 【大遼國】<東京>之西, 『漢志』所謂<玄菟>屬縣, 【高句麗】是歟. 昔【大遼】未亡時, 【遼】帝在<燕京>, 則吾人朝聘者, 過<東京>涉<遼水>, 一兩日行至<醫州>, 以向<燕薊>, 故知其然也. 自[朱蒙]立都<紇升骨城>, 歷四十年, [孺留王]二十二年, 移都<國內城>.(或云<尉耶巖城{尉那巖城}>, 或云<不而城>.), 按『漢書』: "<樂浪郡>屬縣, 有<不而>," 又<總章>二年, 英國公[李勣]奉勅, 以【高句麗】諸城, 置都督府及州縣. 『目錄』云: "<鴨綠>以北已降城十一, 其一<國內城>, 從<平壤>至此十七驛." 則此城亦在北朝境內, 但不知其何所耳. 都<國內>, 歷四百二十五年, [長壽王]十五年, 移都<平壤>. 歷一百五十六年, [平原王]二十八年, 移都<長安城>. 歷八十三年, [寶藏王]二十七年而滅(古人記錄, 自始祖[朱蒙], 王{至}[寶藏王], 歷年丁寧織悉若此, 而或云: "[故國原王]十三年, 移居<平壤>東<黃城>, 城在今西京東<木覓山>中." 不可知其然否.) <平壤城>似今西京, 而<浿水>

則<大同江>是也. 何以知之『唐書』云: "<平壤城>, 【漢】<樂浪郡>也, 隨山屈繚爲郛,
南涯<浿水>." 又『志』云: "<登州>東北海行, 南傍海壖過<浿江>口<椒島>, 得<新
羅>西北." 又【隋】[煬帝]東征詔曰: "<滄海>道軍, 舟艫千里, 高帆電逝, 巨艦雲飛, 橫
絶<浿江>, 遙造<平壤>." 以此言之, 今<大同江>爲<浿水>, 明矣. 則西京之爲<平
壤>, 亦可知矣. 『唐書』云: "<平壤城>亦謂<長安>." 而古記云: "自<平壤>移<長
安>." 則二城同異遠近, 則不可知矣. 【高句麗】始居【中國】北地, 則漸東遷于<浿水>
之側. 【渤海】人[武藝]曰: "昔【高句麗】盛時, 士三十萬, 抗【唐】爲敵." 則可謂地勝而
兵强. 至于季末, 君臣昏虐失道, 大【唐】再出師,【新羅】援肋{助}, 討平之. 其地多入
【渤海】·【鞨鞨】,【新羅】亦得其南境, 以置 <漢>·<朔>·<溟>三州及其郡縣, 以備
九州焉.

번 역

10.【고구려】

「통전」에는 "[주몽]이【한나라】[건소] 2년에【북부여】에서 동남방으로 나와서 <보술
수>를 건너 <흘승골성>에 이르러 자리를 잡고 국호를【구려】라 하고 성씨를 <고>라고
하였다."고 기록되어 있으며, 『고기』에는 "[주몽]이【부여】에서 난을 피하여 <졸본>에 이
르렀다."고 기록되어 있으니, <흘승골성>과 <졸본>은 같은 지방인 듯하다. 「한서지」에
는 "<요동군>은 <낙양>과의 거리가 3천 6백 리이며, 이에 속한 현으로서 <무려현>이
있었으니, 바로『주례』에 이른바【북진】의 <의무려산>이며,【대요】때는 그 아래쪽에 <의
주>를 설치하였다. <현토군>은 <낙양>과 동북으로 4천리 떨어져 있었고, 이에 속한 현은
셋이다.【고구려】가 그 중의 하나이다."고 기록되어 있으니, 즉 [주몽]이 도읍을 정한 곳이
라고 하는 <흘승골>과 <졸본>이란 지방은 아마도【한나라】<현토군>의 경내이고,【대
요국】<동경>의 서쪽인 듯하며, 「한서지」에 이른바 <현토군>의 속현으로서의【고구려】가
바로 그것이 아닌가 싶다. 옛날【대요】가 멸망하기 이전에 [요제]가 <연경>에 있었으므
로, 우리 사신들이 <동경>을 지나 <요수>를 건너 하루 이틀 사이에 <의주>에 당도하
여, <연계>로 향하였기 때문에 「한서지」의 기록이 옳다는 것을 알 수 있다. [주몽]이
<흘승골성>에 도읍을 정한 때로부터 40년이 지나서 [유류왕] 22년에 도읍을 <국내성(또

는 위나암성, 불이성)>으로 옮겼다. 「한서」에는 "<낙랑군>에 속한 현으로 <불이현>이 있다."고 기록되어 있고, [총장] 2년에 영국공 [이적]이 칙명에 의하여 【고구려】의 모든 성에 도독부와 주현을 설치하였다. 「목록」에는 "<압록강> 이북에서 이미 항복한 성이 열하나인데 그 중 하나가 <국내성>이며, <평양>에서 <국내성>까지는 17개의 역이 있었다."고 기록되어 있으니, 이 성도 역시 【북조(北朝)】 경내에 있었으나 다만 어느 곳인지를 알 수 없을 뿐이다. (【고구려】는) <국내성>에 도읍한지 425년이 지난 [장수왕] 15년에 <평양>으로 서울을 옮겼으며, <평양>에서 156년이 지난 [평원왕] 28년에 <장안성>으로 서울을 옮겼으며, <장안성>에서 83년이 지난 [보장왕] 27년에 멸망하였다.(옛 사람들의 기록에는 시조 [주몽]으로부터 [보장왕]에 이르기까지의 연대가 이와 같이 분명하고 상세하다. 그러나 혹자는 "[고국원왕] 13년에 평양 동쪽 <황성>으로 옮겼는데, 그 성은 지금 <서경>의 동쪽 <목멱산> 가운데 있었다."고 말하니, 어느 말이 옳은지를 알 수 없다.) <평양성>은 지금의 <서경>인 듯하고, <패수>는 바로 <대동강>이다. 어떻게 이를 알 수 있는가? 「당서」에는 "<평양성>은 【한나라】의 <낙랑군>으로서 산굽이를 따라 성을 둘러쌓았고 남으로 <패수>가 놓였다."고 기록되어 있으며, 또한 「한지」에는 "<등주>에서 동북쪽 바닷길로 나서서 남쪽으로 해변을 끼고 <패강> 어귀에 있는 <초도>를 지나면 【신라】의 서북 지방에 도달할 수 있다."고 기록되어 있고, 또한 【수나라】[양제]의 동방 정벌 조서에는 "<창해> 방면 군사는 선박이 천 리에 뻗쳤는데, 높직한 돛은 번개같이 달리고 커다란 전함들은 구름같이 날아서 <패강>을 횡단하여 멀리 <평양>에 다다랐다."는 기록이 있으니, 이렇게 보면 지금의 <대동강>이 <패수>인 것이 명백하며, <서경>이 <평양>이라는 것도 또한 알 수 있다.

「당서」에는 "<평양성>도 <장안>이라고도 불렀다."고 기록되어 있고, 『고기』에는 "<평양>에서 <장안>으로 옮겼다."고 되어 있으니, 두 성이 동일한 것인가, 아니면 얼마나 떨어져 있었는가에 대해서는 알 수가 없다. 【고구려】는 처음에 【중국】 북부 지역에 있다가 점점 동방의 <패수> 옆으로 이동하였다. 【발해】 사람 [무예]는 "옛날 【고구려】의 전성 시대에는 군사 30만으로 【당】과 대적하였다."고 말하였으니, 【고구려】의 지세가 유리하고 군사가 강성하였다고 할 수 있다. 그러나 【고구려】 말기에 이르러 임금과 신하가 우매하고 포학하여 각자가 자신의 도리를 다하지 못하자, 【당】이 다시 군사를 출동시키고, 【신라】가 이를 도와 그들을 쳐서 평정했던 것이다. 그 지역의 대부분이 【발해】와 【말갈】에 편입되고, 【신라】에서도 그 남쪽 지방을 차지하여, <한주>, <삭주>, <명주>의 3주와 군현을 두어 아홉 주를 설치하였다.

원 문

10.1. <漢山州>

<國原城>(一云<未乙省>, 一云<託長城{亂長城}>), <南川縣>(一云<南買>), <駒城>(一云<滅烏>), <仍斤內郡>, <述川郡>(一云<省知買>), <骨乃斤縣>, <楊根縣>(一云<去斯斬{未斯斬}>), <今勿內郡>(一云<萬弩>), <道西縣>(一云<都盆{都蓋}>), <仍忽>, <皆次山郡>, <奴音竹縣>, <奈兮忽>, <伏忽{沙伏忽}>, <蛇山縣>, <買忽>(一云<水城>), <唐城郡>, <上忽>(一云<車忽>), <釜山縣>(一云<松村活達{松材活達}>), <栗木郡>(一云<冬斯肹{肹冬斯}>), <仍伐奴縣>, <齊次巴衣縣>, <買召忽縣>(一云<彌鄒忽>), <獐項口縣>(一云<古斯也忽次{古斯也衣次}>), <主夫吐郡>, <首尒忽>, <黔浦縣>, <童子忽縣>(一云<仇斯波衣>), <平淮押縣>(一云<別史波衣>, 淮一作唯), <北漢山郡>(一云<平壤>), <骨衣內縣>, <王逢縣>(一云<皆伯>([漢氏] 美女迎 [安臧王]之地, 故名<王迎>), <買省郡{買省縣}>(一云<馬忽>), <七重縣>(一云<難隱別>), <波害平史縣>(一云<額□{額蓬}>), <泉井口縣>(一云<於乙買串>), <述尒忽縣>(一云<首泥忽>), <達乙省縣>([漢氏]美女, 於高山頭點烽火, 迎 [安臧王] 之處, 故後名<高烽>), <臂城郡>(一云<馬忽>), <內乙買>(一云<內尒米>), <鐵圓郡>(一云<毛乙冬非>), <梁骨縣>, <僧梁縣>(一云<非勿>), <功木達>(一云<熊閃山>), <夫如郡>, <於斯內縣>(一云<斧壤>), <烏斯含達{烏斯含達}>, <阿珍押縣>(一云<窮嶽>), <所邑豆縣>, <伊珍買縣>, <牛岑郡>(一云<牛嶺>, 一云<首知衣>), <獐項縣>(一云<古斯也忽次>), <長淺城縣{郡}>(一云<耶耶>, 一云<夜牙>), <麻田淺縣>(一云<泥沙波忽>), <扶蘇岬>, <若只頭耻縣{若只頭恥縣}>(一云<朔頭>, 一云<衣頭{夜頭}>), <屈於押{屈於岬}>(一云<紅西{西江}>), <冬比忽>, <德勿縣>, <津臨城縣>(一云<烏阿忽>), <穴口郡>(一云<甲比古次>), <冬音奈縣>(一云<休陰>), <高木根縣>(一云<達乙斬>), <首知縣>(一云<新知>), <大谷

郡>(一云<多知忽>), <水谷城縣>(一云<買旦忽>), <十谷縣>(一云<德頓忽>), <冬音忽>(一云<豉鹽城>), <刀臘縣>(一云<雉嶽城>), <五谷郡>(一云<于次云忽>), <內米忽>(一云<池城>, 一云<長池{長城}>), <漢城郡>(一云<漢忽>, 一云<息城>, 一云<乃忽>), <鵂鶹城>(一云<租波衣>, 一云<鵂巖郡>), <獐塞縣>(一云<古所於>), <冬忽>(一云<于冬於忽>), <今達>(一云<薪達>, 一云<息達>), <仇乙峴>(一云<屈遷>, 今<豐州>), <闕口>(今<儒州>) <栗口>(一云<栗川>, 今<殷栗縣>) <長淵>(今因之), <麻耕伊>(今<青松縣>), <楊岳>(今<安嶽郡>), <板麻串>(今<嘉禾縣>), <熊閑伊>(今<水寧縣>), <甕遷>(今<甕津縣>), <付珍伊>(今<永康縣>), <鵠島>(今<白嶺鎭{白翎鎭}>), <升山>(今<信州>), <加火押>, <夫斯波衣縣>(一云<仇史峴>).

번 역

10.1. 한산주

<국원성>(또는 <미을성>, <탁장성>), <남천현>(또는 <남매>), <구성>(또는 <멸오>), <잉근내군>, <술천군>(또는 <성지매>), <골내근현>, <양근현>(또는 <거사참>), <금물내군>(또는 <만노>), <도서현>(또는 <도분>), <잉홀>, <개차산군>, <노음죽현>, <나혜홀>, <사복홀>, <사산현>, <매홀(또는 <수성>), <당성군>, <상홀>(또는 <차홀>), <부산현>(또는 <송촌활달>), <율목군>(또는 <동사힐>), <잉벌노현>, <제차파의현>, <매소홀현>(또는 <미추홀>), <장항구현>(또는 <고사야홀차>), <주부토군>, <수이홀>, <검포현>, <동자홀현>(또는 <구사파의>), <평회압현>(또는 <별사파의>, 회(淮)를 유(唯)로도 쓴다.), <북한산군>(또는 <평양>), <골의내현>, <왕봉현>(또는 <개백>, 漢氏 미녀가 [안장왕]을 맞던 곳이라 하여 <왕영>으로 불렀다.), <매성군>(또는 <마홀>), <칠중현>(또는 <난은별>), <파해평사현>(또는 <액봉>), <천정구현>(또는 <어을매곳>), <술이홀현>(또는 <수니홀>), <달을성현>(漢氏 미녀가 높은 산마루에서 봉화를 놓고 [안장왕]을 맞던 곳이라 하여 후일에 <고봉>이라고 불렀다.), <비성군>(또는 <마홀>), <내을매>(또는 <내이미>), <철원군>(또는 <모을동비>), <양골현>, <승량현>(또는 <비물>), <공목달>(또는 <웅섬산>), <부여군>, <어사내현>(또는 <부양>), <오사

함달>, <아진압현>(또는 <궁악>), <소읍두현>, <이진매현>, <우잠군>(또는 <우령>, <수지의>), <장항현>(또는 <고사야홀차>), <장천성현>(또는 <야야>, <야아>), <마전천현>(또는 <이사파홀>), <부소갑>, <약지두치현>(또는 <삭두>, <의두>), <굴어압>(또는 <홍서>), <동비홀>, <덕물현>, <진림성현>(또는 <오아홀>), <혈구군>(또는 <갑비고차>), <동음나현>(또는 <휴음>), <고목근현>(또는 <달을참>), <수지현>(또는 <신지>), <대곡군>(또는 <다지홀>), <수곡성현>(또는 <매단홀>), <십곡현>(또는 <덕돈홀>), <동음홀>(또는 <고염성>), <도랍현>(또는 <치악성>), <오곡군>(또는 <우차운홀>), <내미홀>(또는 <지성>, <장지>), <한성군>(또는 <한홀>, <식성>, <내홀>), <휴류성>(또는 <조파의>, <휴암군>), <장새현>(또는 <고소어>), <동홀>(또는 <우동어홀>), <금달>(또는 <신달>, <식달>), <구을현>(또는 <굴천>, 지금의 <풍주>), <궐구>(지금의 <유주>), <율구>(또는 <율천>, 지금의 <은률현>), <장연>(지금도 그대로 부른다.) <마경이>(지금의 <청송현>이다.), <양악>(지금의 <안악군>), <판마곶>(지금의 <가화현>), <웅한이>(지금의 <수녕현>), <옹천>(지금의 <옹진현>), <부진이>(지금의 <영강현>), <곡도>(지금의 <백령진>), <승산>(지금의 <신주>), <가화압>, <부사파의현>(또는 <구사현>).

변 천

10.1. 漢山州 - 京畿道 廣州市의 옛 이름.
   ▶ 廣州 - 4. 참조.

10.1.1. 國原城 - 忠淸北道 忠州市의 옛 이름.
   ▶ 忠州 - 4.1. 참조.

10.1.2. 南川縣 - 京畿道 利川市의 옛 이름.
   ▶ 利川 - 4.0.1. 참조.

10.1.3. 駒城 - 京畿道 龍仁市 駒城邑의 옛 이름.
   ▶ 龍仁 - 4.0.2. 참조.

10.1.4. 仍斤內郡 — 忠淸北道 槐山郡의 옛 이름.

▶ 槐山 −4.2. 참조.

10.1.5. 述川郡 — 京畿道 驪州郡의 옛 이름.

▶ 驪州 − 4.3. 참조.

10.1.6. 骨乃斤縣 — 京畿道 驪州郡의 옛 이름.

▶ 驪州 − 4.3.1. 참조.

10.1.7. 楊根縣 — 京畿道 楊平郡의 옛 이름.

▶ 楊根 − 4.3.2. 참조.

10.1.8. 今勿奴郡 — 忠淸北道 鎭川郡의 옛 이름.

▶ 鎭川 − 4.4. 참조.

10.1.9. 道西縣 — 忠淸北道 槐山郡 道安面의 옛 이름.

▶ 道安 − 4.4.1. 참조.

10.1.10. 仍忽 — 忠淸北道 陰城郡의 옛 이름.

▶ 陰城 − 4.4.2. 참조.

10.1.11. 皆次山郡 — 京畿道 安城市 竹山面의 옛 이름.

▶ 竹山 − 4.5. 참조.

10.1.12. 奴音竹縣 — 忠淸北道 陰城郡 陰竹의 옛 이름.

▶ 陰竹 − 4.5.1. 참조.

10.1.13. 奈兮忽 − 京畿道 安城市의 옛 이름.

▶ 安城 – 4.6. 참조.

10.1.14. 沙伏忽 – 京畿道 安城市 陽城面의 옛 이름.
▶ 陽城 – 4.6.1. 참조.

10.1.15. 蛇山縣 – 忠淸南道 天安市 稷山邑의 옛 이름.
▶ 稷山 – 4.6.2. 참조.

10.1.16. 買忽 – 京畿道 水原市의 옛 이름.
▶ 水原 – 4.7. 참조.

10.1.17. 唐城郡 – 京畿道 華城市 南陽洞의 옛 이름.
▶ 南陽 – 4.8. 참조.

10.1.18. 上忽 – 京畿道 水原市 龍城의 옛 이름.
▶ 龍城 – 4.8.1. 참조.

10.1.19. 釜山縣 – 京畿道 平澤市 振威面의 옛 이름.
▶ 振威 – 4.8.2. 참조.

10.1.20. 栗木郡 – 京畿道 果川市의 옛 이름.
▶ 果川 – 4.9. 참조.

10.1.21. 仍伐奴縣 – 京畿道 始興市의 옛 이름.
▶ 始興 – 4.9.1. 참조.

10.1.22. 齊次巴衣縣 – 京畿道 金浦市 陽川의 옛 이름.
▶ 陽川 – 4.9.2. 참조.

○ 지금의 京畿道 金浦市.

10.1.23. 買召忽縣 - 仁川廣域市의 옛 이름.
　　▶ 仁川 - 4.9.3. 참조.

10.1.24. 獐項口縣 - 京畿道 安山市의 옛 이름.
　　▶ 安山 - 4.10. 참조.

10.1.25. 主夫吐縣 - 仁川廣域市 富平區의 옛 이름.
　　▶ 富平 - 4.11. 참조.

10.1.26. 首尒忽 - 京畿道 金浦市 通津面의 옛 이름.
　　▶ 通津 - 4.11.1. 참조.

10.1.27. 黔浦縣 - 京畿道 金浦市의 옛 이름.
　　▶ 金浦 - 4.11.2. 참조.

10.1.28. 童子忽縣 - 京畿道 金浦市 通津面의 옛 이름.
　　▶ 通津 - 4.11.1. 참조.

10.1.29. 平淮押縣 -京畿道 金浦市 通津面의 옛 이름.
　　▶ 通津 - 4.11.1. 참조.

10.1.30. 北漢山郡 - 서울특별시의 옛 이름.
　　▶ 서울 - 4.12. 참조.

10.1.31. 骨衣內縣 - 京畿道 楊洲 豐壤의 옛 이름.
　　▶ 豐壤 - 4.12.1. 참조.

10.1.32. 王逢縣 － 京畿道 高陽市의 옛 이름.
▶ 高陽 － 4.12.2. 참조.

10.1.33. 買省縣 － 京畿道 楊州郡의 옛 이름.
▶ 楊州 － 4.13. 참조.

10.1.34. 七重縣 － 京畿道 坡州市 積城面의 옛 이름.
▶ 積城 － 4.13.1. 참조.

10.1.35. 波害平史縣(坡害平史縣) － 京畿道 坡州市(坡平面)의 옛 이름.
▶ 坡州 － 4.13.2. 참조.

10.1.36. 泉井口縣 － 京畿道 坡州市 交河邑의 옛 이름.
▶ 交河 － 4.14. 참조.

10.1.37. 述尒忽縣 － 京畿道 坡州市의 옛 이름.
▶ 坡州 － 4.14.1. 참조.

10.1.38. 達乙省縣 － 京畿道 高陽市의 옛 이름.
▶ 高陽 － 4.14.2. 참조.

10.1.39. 臂城郡(馬忽) － 京畿道 抱川郡의 옛 이름.
▶ 抱川 －4.15. 참조.

10.1.40. 內乙買 － 京畿道 楊州 沙川의 옛 이름.
▶ 沙川 － 4.15.1. 참조.

10.1.41. 鐵圓郡 － 江原道 鐵原郡의 옛 이름.

▶ 鐵原 - 4.16. 참조.

10.1.42. 梁骨縣 - 京畿道 抱川郡 永中面 永平里의 옛 이름.
　　　▶ 永平 - 4.15.2. 참조.

10.1.43. 僧梁縣 - 江原道(북한) 鐵原郡 朔寧里의 옛 이름.
　　　▶ 朔寧 - 4.16.1. 참조.

10.1.44. 功木達 - 京畿道 漣川郡의 옛 이름.
　　　▶ 漣川 - 4.16.2. 참조.

10.1.45. 夫如郡 - 江原道 鐵原郡 金化邑의 옛 이름.
　　　▶ 金化 - 4.17. 참조.

10.1.46. 於斯內縣 - 江原道(북한) 平康郡의 옛 이름.
　　　▶ 平康 - 4.17.1. 참조.

10.1.47. 烏斯含達 - 黃海北道 兎山郡의 옛 이름.
　　　▶ 兎山 - 4.18. 참조.

10.1.48. 阿珍押縣 - 江原道(북한) 鐵原郡 安峽面의 옛 이름.
　　　▶ 安峽 - 4.18.1. 참조.

10.1.49. 所邑豆縣 - 江原道(북한) 鐵原郡 朔寧里의 옛 이름.
　　　▶ 朔寧 - 4.18.2. 참조.

10.1.50. 伊珍買縣 - 江原道(북한) 伊川郡의 옛 이름.
　　　▶ 伊川 - 4.18.3. 참조.

10.1.51. 牛岑郡 – 黃海北道 金川郡 牛峰의 옛 이름.
　　　▶ 牛峯 – 4.19. 참조.

10.1.52. 獐項縣 – 開城直轄市 長豊郡 臨江里의 옛 이름.
　　　▶ 臨江 – 4.19.1. 참조.

10.1.53. 長淺城縣 – 京畿道 坡州市 長湍面의 옛 이름.
　　　▶ 長湍 – 4.19.2. 참조.

10.1.54. 麻田淺縣 – 京畿道 漣川郡 麻田里의 옛 이름.
　　　▶ 麻田 – 4.19.3. 참조.

10.1.55. 扶蘇岬縣 – 開城直轄市의 옛 이름.
　　　▶ 開城 – 4.20./4.21. 참조.

10.1.56. 若只頭耻縣 – 京畿道 長湍面 松林의 옛 이름.
　　　▶ 松林 – 4.20.1. 참조.

10.1.57. 屈於押 – 黃海南道 金川郡의 옛 이름.
　　　▶ 金川 – 4.20. 참조.

10.1.58. 冬比忽 – 開城直轄市의 옛 이름.
　　　▶ 開城 – 4.20/4.21. 참조.

10.1.59. 德勿縣 – 開城直轄市 開豊郡 옛 이름.
　　　▶ 開豊 – 4.21.1. 참조.

10.1.60. 津臨城縣 – 京畿道 臨津의 옛 이름.

▶ 臨津 — 4.21.2. 참조.

○ 지금의 京畿道 坡州市 長湍面

10.1.61. 穴口郡 — 仁川廣域市 江華郡의 옛 이름.

▶ 江華 — 4.22. 참조.

10.1.62. 冬音奈縣 — 仁川廣域市 江華郡 河陰의 옛 이름.

▶ 河陰 — 4.22.1. 참조.

10.1.63. 高木根縣 — 仁川廣域市 江華郡 喬桐面의 옛 이름.

▶ 喬(橋)桐 — 4.22.2. 참조.

10.1.64. 首知縣 — 仁川廣域市 江華郡 鎭江의 옛 이름.

▶ 鎭江 — 4.22.3. 참조.

10.1.65. 大谷郡 — 黃海北道 平山郡의 옛 이름.

▶ 平山 — 4.23. 참조.

10.1.66. 水谷城縣 — 黃海北道 新溪郡의 옛 이름.

▶ 新溪 — 4.23.1. 참조.

10.1.67. 十谷縣(十谷城縣) — 黃海北道 谷山郡의 옛 이름.

▶ 谷山 — 4.23.2. 참조.

10.1.68. 冬音忽 — 黃海南道 延安郡의 옛 이름.

▶ 延安 — 4.24. 참조.

10.1.69. 刀臘縣 — 黃海南道 白川郡의 옛 이름.

▶ 白川 - 4.24.1. 참조.

10.1.70. 五谷郡 - 黃海北道 瑞興郡의 옛 이름.
　　▶ 瑞興 - 4.28. 참조.

10.1.71. 內米忽 - 黃海南道 海州市의 옛 이름.
　　▶ 海州 - 4.25. 참조.

10.1.72. 漢城(息城)郡 - 黃海南道 載寧郡의 옛 이름.
　　▶ 載寧 - 4.26. 참조.

10.1.73. 鵂鶹城 - 黃海北道 鳳山郡의 옛 이름.
　　▶ 鳳山 - 4.27. 참조.

10.1.74. 獐塞縣 - 黃海北道 遂安郡의 옛 이름.
　　▶ 遂安 - 4.28.1. 참조.

10.1.75. 冬忽 - 黃海北道 黃州郡의 옛 이름.
　　▶ 黃州 - 4.29. 참조.

10.1.76. 今達(息達) - 平壤特別市 祥原郡의 옛 이름.
　　▶ 祥原 - 4.29.1. 참조.

10.1.77. 仇乙峴 - 黃海南道 豊川의 옛 이름.
　　◇ 豊川 - 黃海道에 있는 지명으로 본래 高句麗 仇乙(또는 屈遷)縣인데, 高麗初에 <豊州>로 고쳤다. 成宗 14年(995)에 都護府로 昇格하고, 顯宗 9年(1018)에 防禦使를 두었다. 朝鮮 太祖 6年(1397)에 鎭을 처음 두어 兵馬使가 知州事를 兼하게 하였다. 太宗 13年(1413)에 <豊川>으로 고쳤다가 殷栗縣을 합쳐서 豊栗郡이라 불렀는데, 얼

마 뒤에 없애고 각각 復舊하였다. 世宗 5年(1423)에는 兵馬使를 고쳐서 僉節制使라
하였다가, 睿宗 元年(1469)에는 中宮의 外祖鄕이라 하여 都護府로 昇格하였다.(三·
麗·興·文)

○ 또 다른 지명은 西河로 高麗 成宗 때 지은 것이다.(麗)

○ 1895년에 이전 지명 그대로 豊川郡으로 하다가, 뒤에 폐지하여 松禾郡에 합쳤다.
(增)

○ 지금의 黃海南道 延安郡 豊川里.

10.1.78. 闕口 — 黃海南道 信川郡 文化의 옛 이름.

◇ 文化 — 본래 檀君때 唐藏京이요, 高句麗 闕口縣인데, 高麗初에 <儒州>로 고치
고, 高麗 顯宗 9年(1018)에는 豊州(豊川)에 소속시켰다. 睿宗 元年(1106)에 監務를 처
음 두었고, 高宗 46年(1259)에는 衛社功臣 柳璥의 고향이라 하여 <文化>縣令官으
로 昇格시켰다. 朝鮮 시대에도 그대로 따르다가 縣을 삼았는데, 中宗 15年(1520)에
지금의 治所로 옮기니 옛 치소와의 거리가 北으로 30里 떨어진 곳이었다. 光海主
10年(1618)에 柳潤에게 文化府使의 직책을 내려 다스렸다고 하나, 혹자는 그 때에
는 府로 昇格하였다가 뒤에 다시 강등하였지는 알 수 없다고 한다.(三·麗·興·
文)

○ 또 다른 지명은 始寧으로, 高麗 成宗 때 지은 것이다.(麗)

○ 1895년에 郡으로 昇格하였다가 뒤에 信川에 편입되었다.(增)

○ 지금의 黃海南道 信川郡과 安岳郡의 일부 지방.

10.1.79. 栗口 — 본래 高句麗 栗口(또는 栗川)縣인데, 高麗初에 <殷栗>로 고치고, 顯宗 9
年(1018)에 豊州(豊川)로 편입시켰다. 朝鮮 太祖 5年(1396)에 監務를 두었고, 太宗 14年
(1414)에 豊川에 합병하여 <豊栗>이라 하다가 뒤에 復舊하였고, 이전 지명 그대로
縣監이 되었다가, 顯宗 4年(1663)에 長連으로 편입되었다가, 同 11年에 復舊하였고, 肅
宗 14年(1688)에 文化로 편입되었다가, 同 16年에 復舊하였다.(三·麗·興·文)

○ 1895년에 이전 지명 그대로 郡으로 고쳤다.(增)

○ 지금의 黃海南道 殷栗郡.

10.1.80. 長淵郡 - 본래 高句麗 長淵(또는 長潭)이다. 新羅·高麗가 모두 옛 지명을 그대로 사용하였고, 高麗 顯宗 9年(1018)에 瓮津에 屬하였다가, 睿宗 元年(1106)에 監務를 처음 두었다. 朝鮮 太祖 元年(1392)에 萬戶를 두어서 監務를 兼하게 하였다가, 太宗 2年(1402)에 鎭을 두어서 兵馬使가 判懸事를 兼하게 하였고, 뒤에 永康縣과 合하여 <淵康>이라 하였는데, 얼마 뒤에 각각 復舊하였고, 뒤에 兵馬使를 고쳐서 僉節制使라 하였다. 世宗 5年(1423)에 다시 縣監으로 고치고, 光海主 때에는 다시 <長淵>으로 고쳐서 府가 되었고, 英祖 40年(1764)에는 강등하여 縣이 되었다.(三·麗·輿·文)

ㅇ 1895년에 이전 지명 그대로 郡으로 고쳤고, 1910년에 康翎郡을 합쳤다.(增)

ㅇ 지금의 黃海南道 長淵郡.

10.1.81. 麻耕伊 - 黃海南道 松禾郡의 옛 이름.

◇ 松禾 - 黃海道에 있는 지명으로 靑松·嘉禾 두 縣의 지명을 합친 것이다. 靑松縣은 본래 高句麗 麻耕伊인데 高麗初에 <靑松>으로 고쳤다가, 高麗 顯宗 9年(1018)에 豊州(豊川)로 소속시켰다가, 睿宗 元年(1106)에 監務를 다시 두었다. <嘉禾縣>은 본래 高句麗 板麻串인데 高麗初에 <嘉禾>로 고쳤다가, 高麗 顯宗 9年(1018)에 豊州로 소속시켰다. 睿宗 元年(1106)에 監務를 두어서 永康監務가 함께 관할하게 하였는데, 朝鮮 太宗 8年(1409)에 靑松을 嘉禾에 합병하여 <松禾>로 지명을 고치고 縣監을 두었다.(三·麗·輿·文)

ㅇ 1895년에 이전 지명 그대로 松禾郡으로 昇格하였다.(增)

ㅇ 지금의 黃海南道 과일군, 松禾郡과 三泉郡 一部.

10.1.82. 楊岳 - 黃海南道 安岳郡의 옛 이름.

◇ 安岳 - 黃海道에 있는 지명으로 본래 高句麗 楊岳郡인데, 高麗初에 安岳으로 고치고, 高麗 顯宗 9年(1018)에 豊州(豊川)에 편입시켰다. 睿宗 元年(1106)에 監務를 두었고, 忠穆王 4年(1348)에 昇格하여 知郡事가 되었는데, 朝鮮 시대에도 그대로 따랐다. 中宗 때에 邑을 지금의 治所로 옮겼는데 옛 治所와의 거리가 북쪽으로 13里 떨어진 곳이었다. 宣祖 32年(1599)에 강등하여 縣이 되었다가, 同 41년에 復舊하여 郡이 되었다.(三·麗·輿·文)

○ 또 다른 지명은 楊山이다.(麗)

○ 지금의 黃海南道 安岳郡.

10.1.83. 板麻 – 黃海南道 松禾郡의　　이름.

▶ 松禾 – 10.1.81. 참조.

10.1.84. 熊閑伊 – 黃海南道 松禾郡의 남　　있는 永寧의 옛 이름.

◇ 永寧 – 黃海南道 松禾의 남쪽 30里에 있는 지명으로 본래 高句麗 熊閑伊인데, 高麗初에 <永寧>으로 고치고, 高麗 顯宗 9年(1018)에 豊州(豊川)로 편입시켰다. 뒤에 <信川>으로 옮겨 소속되었고, 朝鮮 太祖 5年(1396)에 松禾로 다시 옮겨왔다가, 太宗 8年(1410)에 폐지하여 直村이 되었다.(三·麗·輿·文)

10.1.85. 甕遷 – 黃海南道 瓮津郡의 옛 이름.

◇ 甕津 – 黃海道에 있는 지명으로 본래 高句麗 甕遷인데, 高麗初에 甕津으로 고치고, 高麗 顯宗 9年(1018) 戊午에 縣令을 두었다. 朝鮮 太祖 6年(1397) 丁丑에 鎭을 두었고, 兵馬使가 判縣事를 兼하게 하였다가, 世宗 5年(1423) 癸卯에 僉節制使로 고치고, 뒤에 다시 縣令이 되었는데, 肅宗 45年(1719) 己亥에 所非을 합병하여 府를 삼고, 水營을 設置하였다.(三·麗·輿·文)

○ 1895년에 康翎으로 편입되었다가, 1910년에 다시 康翎을 폐지하고 합쳐서 郡이 되었다.(增)

○ 지금의 黃海南道 瓮津郡.

10.1.86. 付珍伊 – 黃海南道 康翎郡의 옛 이름.

◇ 康翎 – 黃海道에 있는 지명으로 <永康縣>과 <白翎縣>의 지명을 합친 것이다. 永康縣은 본래 高句麗 付珍伊인데 高麗初에 <永康>으로 고치고, 高麗 顯宗 9年(1018)에 甕津에 소속되었다가, 睿宗 元年(1106)에 監務를 두고, 嘉禾縣을 함께 관할하게 하였다. 朝鮮 太宗 14年(1414)에 長淵과 합병하여 淵康이라 부르다가, 얼마 뒤에 다시 이전으로 회복하였다. 白翎島는 본래 高句麗 鵠島인데 高麗가 白翎으로 고

쳐서 鎭을 삼았다가, 高麗 顯宗 9年(1018)에 鎭將을 두었고, 恭愍王 6年(1357)에는 水路가 험난하다 하여 육지로 나와서 文化縣 東村加乙山에 임시로 옮겨왔다가, 곧 땅이 좁아서 鎭將을 폐지하고 文化縣 管內에 속하였는데, 恭讓王 2年(1390)에 直村 이 되었다. 朝鮮 世宗 10年(1428)에 永康·白翎을 합하여 <康翎縣>을 만들고, 海州 牛峴 以南의 땅을 갈라서 합치고 縣治를 蛇川으로 옮겨서 鎭을 두고 僉節制使가 判縣事를 兼하게 하였다. 뒤에 고쳐서 縣監이 되고(옛 永康縣治는 지금의 長淵郡 金洞驛임), 仁祖 15年(1637)에 海州로 편입되었다가 곧 復舊하였고, 孝宗 4年(1653) 에 甕津으로 편입되었다가, 同 9年에 復舊하고, 顯宗 7年(1666)에 縣治를 高腰淵村 으로 옮겼다.(三·麗·輿·文)

○ 1895년에는 康翎郡으로 昇格하여 海州府의 管轄이 되었다가, 1910년에 郡을 폐지 하고 長淵(梅泉野錄에는 甕津이라 함)에 합병되었다.(增)

○ 지금의 黃海南道 康翎郡.

10.1.87. 鵠島 - 白翎島의 옛 이름.

○ 지금의 仁川廣域市 甕津郡 白翎面.

10.1.88. 升山 - 黃海南道 信川郡의 옛 이름.

◇ 信川 - 黃海南道에 있는 지명으로 본래 高句麗 升山郡인데 高麗가 信州로 고쳤 다. 成宗 14年(995)에 防禦使를 두었다가, 顯宗初에 防禦使를 폐지하고 黃州에 속하 였는데 뒤에 監務를 두었다. 朝鮮 太宗 13年(1413)에 이전 지명 그대로 信川縣監이 되었다가, 睿宗 元年(1469)에 조정의 환관 鄭同의 고향이라 하여 郡으로 昇格하였 다.(三·麗·輿·文)

○ 또 다른 지명은 信安으로 高麗 成宗 所定 때 지은 것이다.(麗)

○ 지금의 黃海南道 信川郡.

10.1.89. 加火押 - 平壤特別市 中和郡의 옛 이름.

▶ 中和 - 4.29.2. 참조.

10.1.90. 夫斯波衣縣 – 平壤特別市 中和郡 松峴의 옛 이름.

▶ 松峴 – 4.29.3. 참조.

원 문

10.2. <牛首州> (首一作頭. 一云<首次若>, 一云<烏根乃>).

<伐力川縣{伐力州縣}>, <橫川縣>(一云<於斯買>), <峴縣{砥峴縣}>, <平原郡>(<北原>), <奈吐郡>(一云<大提{大堤}>), <沙熱伊縣>, <赤山縣>, <斤平郡>(一云<並平>), <深川縣>(一云<伏斯買>), <楊口郡>(一云<要隱忽次>), <猪足縣>(一云<烏斯逈>), <壬岐縣{王岐縣/玉岐縣}>(一云<皆次丁>), <三峴縣>(一云<密波兮>), <狌川郡>(一云<也尸買>), <大楊管郡>(一云<馬斤押>), <買谷縣>, <古斯馬縣>, <及伐山郡>, <伊伐支縣>(一云<自伐支>), <藪狌川縣>(一云<藪川>), <文峴縣>(一云<斤尸波兮>), <母城郡>(一云<也次忽>), <冬斯忽>, <水入縣>(一云<買伊縣>), <客連郡>(客一作各 一云<加兮牙>), <赤木縣>(一云<沙非斤乙>), <管述縣>, <猪闌峴縣>(一云<烏生波衣>, 一云<猪守>), <淺城郡>(一云<比烈忽>), <原谷縣>(一云<首乙呑>), <菁達縣>(一云<昔達>), <薩寒縣>, <加支達縣>, <於支呑>(一云<翼谷>), <買尸達>, <泉井郡>(一云<於乙買>), <夫斯達縣>, <東墟縣>(一云<加知斤>), <奈生郡>, <乙阿旦縣>, <于烏縣>(一云<郁烏>), <酒淵縣>.

번 역

10.2. 우수주(수(首)를 두(頭)로 쓰기도 하며 <수차약> 또는 <오근내>라고도 한다.)

<벌력천현>, <횡천현>(또는 <어사매>), <지현현>, <평원군>(<북원>), <나토군>(또는 <대제>), <사열이현>, <적산현>, <근평군>(또는 <병평>), <심천현>(또는 <복사매>), <양구군>(또는 <요은홀차>), <저족현>(또는 <오사형>), <옥기현>(또는 <개차정>), <삼현현>(또는 <밀파혜>), <성천군>(또는 <야시매>), <대양관군>(또는 <마근압>), <매곡현>, <고사마현>, <급벌산군>, <이벌지현>(또는 <자벌지>), <수성천

현>(또는 <수천>), <문현현>(또는 <근시파혜>), <모성군>(또는 <야차홀>), <동사홀>, <수입현>(또는 <매이현>), <객련군>(객(客)을 각(各)으로도 쓰며 <가혜아>라고도 한다.), <적목현>(또는 <사비근을>), <관술현>, <저란현현>(또는 <오생파의>, <저수>), <천성군>(또는 <비열홀>), <경곡현>(또는 <수을탄>), <청달현>(또는 <석달>), <살한현>, <가지달현>, <어지탄>(또는 <익곡>), <매시달>, <천정군>(또는 <어을매>), <부사달현>, <동허현>(또는 <가지근>), <나생군>, <을아단현>, <우오현>(또는 <욱오>), <주연현>.

변 천

10.2. 牛首州(牛首) — 江原道 春川市의 옛 이름.
　▶ 春川 — 5. 참조.

10.2.1. 伐力川縣 — 江原道 洪川郡의 옛 이름.
　▶ 洪川 — 5.0.1. 참조.

10.2.2. 橫川縣 — 江原道 橫城郡의 옛 이름.
　▶ 橫城 — 5.0.2. 참조.

10.2.3. 砥峴縣 — 京畿道 砥平의 옛 이름.
　▶ 砥平 — 5.0.3. 참조.
　○ 지금의 京畿道 楊平郡 砥堤面 砥平里.

10.2.4. 平原郡 — 江原道 原州市의 옛 이름.
　▶ 原州 — 5.1 참조.

10.2.5. 奈吐郡 — 忠淸北道 堤川市의 옛 이름.
　▶ 堤川 — 5.2 참조.

10.2.6. 沙熱伊縣 － 忠淸北道 堤川市 淸風面의 옛 이름.
▶ 淸風 － 5.2.1. 참조.

10.2.7. 赤山縣 － 忠淸北道 丹陽郡 赤城面의 옛 이름.
▶ 丹陽 － 5.2.2. 참조.

10.2.8. 斤平郡 － 京畿道 加平郡의 옛 이름.
▶ 加平 － 5.5. 참조.

10.2.9. 深川縣 － 京畿道 加平郡 朝宗의 옛 이름.
▶ 朝宗 － 5.5.1. 참조.

10.2.10. 楊口郡 － 江原道 楊口郡의 옛 이름.
▶ 楊口 － 5.6. 참조.

10.2.11. 猪足縣 － 江原道 麟蹄郡의 옛 이름.
▶ 麟蹄 － 5.6.1. 참조.

10.2.12. 玉岐縣 － 江原道 麟蹄郡 瑞和面의 옛 이름.
▶ 瑞和 － 5.6.2. 참조.

10.2.13. 三峴縣 － 지금의 江原道 楊口郡 方山面.
▶ 方山 － 5.6.3. 참조.

10.2.14. 狌川郡 － 江原道 華川郡의 옛 이름.
▶ 華川 － 5.7. 참조.

10.2.15. 大楊菅郡 － 江原道(북한) 淮陽郡 長陽의 옛 이름.

▶ 淮陽 — 5.8. 참조. ▶ 長陽 — 5.8. 참조.

10.2.16. 買谷縣 — 慶尙北道 安東市 禮安面의 옛 이름.
　　　　▶ 禮安 — 5.3.1. 참조.

10.2.17. 古斯馬縣 — 慶尙北道 奉化郡의 옛 이름.
　　　　▶ 奉化 — 5.3.2. 참조.

10.2.18. 及伐山郡 — 慶尙北道 榮州市 順興面의 옛 이름.
　　　　▶ 順興 — 5.4. 참조.

10.2.19. 伊伐支縣 — 慶尙北道 榮州市 順興面 鄰豐의 옛 이름.
　　　　▶ 鄰豐 — 5.4.1. 참조.

10.2.20. 藪狌川縣 — 江原道(북한) 金剛郡 和川里의 옛 이름.
　　　　▶ 和(化)川 — 5.8.1. 참조.

10.2.21. 文峴縣 — 江原道 淮陽郡 文登里의 옛 이름.
　　　　▶ 文登 — 5.8.2. 참조.

10.2.22. 母城郡 — 江原道(북한) 金化郡의 옛 이름.
　　　　▶ 金化 — 5.9. 참조.

10.2.23. 冬斯忽 — 江原道 金城郡 岐城의 옛 이름.
　　　　▶ 岐城 — 5.10. 참조.
　　　○ 지금의 江原道(북한) 昌道郡 岐城里.

10.2.24. 水入縣 — 江原道(북한) 金城 通溝의 옛 이름.

▶ 通溝(口) − 5.10.1. 참조.

ο 지금의 江原道(북한) 昌道郡.

10.2.25. 客連郡 − 江原道(북한) 淮陽郡의 옛 이름.

▶ 淮陽 − 5.11. 참조.

10.2.26. 赤木縣(赤木鎭) − 江原道(북한) 淮陽郡 嵐谷의 옛 이름.

▶ 嵐谷 − 5.11.1. 참조.

10.2.27. 管述縣 − 江原道(북한) 淮陽郡 軼雲의 옛 이름.

▶ 軼雲 − 5.11.2. 참조.

10.2.28. 猪蘭峴縣(猪守峴縣) − 江原道(북한) 淮陽郡 狶嶺의 옛 이름.

▶ 狶嶺 − 5.11.3. 참조.

10.2.29. 淺城郡 − 江原道(북한) 安邊郡의 옛 이름.

▶ 安邊 − 5.12. 참조.

10.2.30. 㝆谷縣 − 江原道(북한) 安邊郡 瑞谷의 옛 이름.

▶ 瑞谷 − 5.12.1. 참조.

10.2.31. 菁(昔)達縣 − 江原道 蘭山의 옛 이름.

▶ 蘭山 − 5.12.2. 참조.

10.2.32. 薩寒縣 − 江原道(북한) 安邊郡 桑陰里의 옛 이름.

▶ 霜陰 − 5.12.3. 참조.

10.2.33. 加支達縣 − 江原道(북한) 安邊郡 文山의 옛 이름.

▶ 文山 ― 5.12.4. 참조.

10.2.34. 於支呑 ― 江原道(북한) 安邊郡 翼谷의 옛 이름.
　　　　　▶ 翼谷 ― 5.12.5. 참조.

10.2.35. 買戶達 ― 江原道(북한) 元山市 蒜山의 옛 이름.
　　　　　▶ 蒜山 ― 5.13.1. 참조.

10.2.36. 泉井郡 ― 江原道(북한) 元山市 德源洞의 옛 이름.
　　　　　▶ 德源 ― 5.13. 참조.

10.2.37. 夫斯達縣 ― 江原道(북한) 元山市 松山의 옛 이름.
　　　　　▶ 松山 ― 5.13.2. 참조.

10.2.38. 東墟縣 ― 江原道(북한) 元山市 幽居의 옛 이름.
　　　　　▶ 幽居 ― 5.13.3. 참조.

10.2.39. 奈生郡 ― 江原道 寧越郡의 옛 이름.
　　　　　▶ 寧越 ― 6.5. 참조.

10.2.40. 乙阿旦縣 ― 忠淸北道 丹楊郡 永春面의 옛 이름.
　　　　　▶ 永春 ― 6.5.1. 참조, 丹陽 ― 5.2.2. 참조.

10.2.41. 于烏縣 ― 江原道 平昌郡의 옛 이름.
　　　　　▶ 平昌 ― 6.5.2. 참조.

10.2.42. 酒淵縣 ― 江原道 寧越郡 酒泉面의 옛 이름.
　　　　　▶ 酒泉 ― 6.5.3. 참조.

원 문

10.3. <何瑟羅州> (一云<河西良>, 一云<河西>).
<乃買縣>, <東吐縣>, <支山縣>, <穴山縣>, <迲城郡>(一云<加阿忽>), <僧山縣>(一云<所勿達>), <翼峴縣>(一云<伊文縣>), <達忽>, <猪迲穴縣>(一云<烏斯押{鳥斯押}>), <平珍峴縣>(一云<平珍波衣>), <道臨縣>(一云<助乙浦>), <休壤郡>(一云<金惱>), <習比谷>(一作呑), <吐上縣>, <岐淵縣>, <鵠浦縣>(一云<古衣浦>), <竹峴縣>(一云<奈生於>), <滿若縣>(一云<沔兮>), <波利縣>, <于珍也郡>, <波且縣>(一云<波豊>), <也尸忽郡>, <助攬郡>(一云<才攬>), <青己縣>, <屈火縣{屈大縣}>, <伊火兮縣>, <于尸郡{于市郡}>, <阿兮縣>, <悉直郡>(一云<史直>), <羽谷縣>.

번 역

10.3. 하슬라주(또는 <하서량>, <하서>)
<내매현>, <동토현>, <지산현>, <혈산현>, <수성현>(또는 <가아홀>), <승산현>(또는 <소물달>), <익현현>(또는 <이문현>), <달홀>, <저수혈현>(또는 <오사압>), <평진현현>(또는 <평진파의>), <도림현>(또는 <조을포>), <휴양군>(또는 <금뇌>), <습비곡>(또는 <탄>), <토상현>, <기연현>, <곡포현>(또는 <고의포>), <죽현현>(또는 <나생어>), <만약현>(또는 <면혜>), <파리현>, <우진야군>, <파차현>(또는 <파풍>), <야시홀군>, <조람군>(또는 <재람>), <청기현>, <굴화현>, <이화혜현>, <우시군>, <아혜현>, <실직군>(또는 <사직>), <우곡현>.

변 천

10.3. 瑟羅州 - 江原道 江陵市의 옛 이름.
▶ 江陵 - 6. 참조.

10.3.1. 乃買縣 - 江原道 旌善郡의 옛 이름.
▶ 旌善 - 6.0.1. 참조.

10.3.2. 東吐縣 - 江原道 江陵市 楝隄의 옛 이름.
○ 楝(楝)隄 - 江原道에 있는 지명으로 三國史記에는 그 위치를 알 수 없다고 하였다. 楝隄縣이라고도 한다.
▶ 楝隄 - 6.02. 참조.

10.3.3. 支山縣 - 江原道 江陵市 連谷面의 옛 이름.
▶ 連谷 - 6.0.3. 참조.

10.3.4. 穴山縣 - 江原道 襄陽郡 縣南面 銅山里의 옛 이름.
▶ 洞山 - 6.0.4. 참조.

10.3.5. 迃城縣 - 江原道 高城郡 杆城邑의 옛 이름.
▶ 杆城 - 6.7. 참조.

10.3.6. 僧山縣- 江原道 高城郡 高城邑 烈山의 옛 이름.
▶ 烈山 - 6.7.1. 참조.

10.3.7. 翼峴縣 - 江原道 襄陽郡의 옛 이름.
▶ 襄陽 - 6.7.2. 참조.

10.3.8. 達忽 - 江原道 高城郡 高城邑의 옛 이름.
▶ 高城 - 6.8. 참조.

10.3.9. 猪迀穴縣 - 江原道 高城郡 豢猨의 옛 이름.
▶ 豢猨 - 6.8.1. 참조.

10.3.10. 平珍峴縣 － 江原道(북한) 通川郡 雲巖의 옛 이름.
▶ 雲巖 － 6.8.2. 참조.

10.3.11. 道臨縣 － 江原道 通川郡 臨道의 옛 이름.
▶ 臨道 － 6.9.3. 참조.

10.3.12. 休壤郡 － 江原道 通川郡의 옛 이름.
▶ 通川 － 6.9. 참조.

10.3.13. 習比谷 － 江原道 通川郡 歙谷의 옛 이름.
▶ 歙谷 － 6.9.1. 참조.

10.3.14. 吐上縣 － 江原道 通川郡 碧山의 옛 이름.
▶ 碧山 － 6.9.2. 참조.

10.3.15. 岐淵縣 － 江原道 安邊郡 派川의 옛 이름.
▶ 派川 － 6.9.4. 참조.

10.3.16. 鵠浦縣 － 江原道 安邊郡 鶴浦의 옛 이름.
▶ 鶴浦 － 6.9.5. 참조.

10.3.17. 竹峴縣 － 江原道 三陟市 竹嶺의 옛 이름.
▶ 竹嶺 － 6.6.1. 참조.

10.3.18. 滿若縣 － 江原道 三陟市 滿若의 옛 이름.
▶ 滿若 － 6.6.2. 참조.

10.3.19. 波利縣 － 江原道 三陟市 海利의 옛 이름.

▶ 海利 — 6.6.4. 참조.

10.3.20. 于珍也郡 — 江原道 蔚珍郡의 옛 이름.
▶ 蔚珍 — 6.4. 참조.

10.3.21. 波且(豊)縣 — 江原道 蔚珍郡 海曲의 옛 이름.
▶ 海曲 — 6.4.1. 참조.

10.3.22. 也尸忽郡 — 慶尙北道 盈德郡의 옛 이름.
▶ 盈德 — 6.2. 참조.

10.3.23. 助攬郡 — 慶尙北道 靑松郡 眞寶面의 옛 이름.
▶ 眞寶 — 6.2.1. 참조.

10.3.24. 靑己縣 — 慶尙北道 靑松郡의 옛 이름.
▶ 靑松 — 6.1.1. 참조.

10.3.25. 屈火縣 — 慶尙北道 安東市 臨河面의 옛 이름.
▶ 臨河 — 6.1. 참조.

10.3.26. 伊火兮縣 — 慶尙北道 靑松郡 安德面의 옛 이름.
▶ 安德 — 6.1.1. 참조.

10.3.27. 于尸郡 — 慶尙北道 盈德郡 寧海面의 옛 이름.
▶ 寧海 — 6.3. 참조.

10.3.28. 阿兮縣 — 慶尙北道 浦港市 北區 淸河面의 옛 이름.
▶ 淸河 — 6.3.1. 참조.

10.3.29. 悉直郡 - 江原道 三陟市의 옛 이름.

  ▶ 三陟 - 6.6. 참조.

10.3.30. 羽谷縣 - 江原道 江陵市 玉溪面의 옛 이름.

  ▶ 羽(玉)谿 - 6.6.3. 참조.

원 문

10.4. 右【高句麗】州郡縣, 共一百六十四, 其【新羅】改名及今名, 見『新羅志』.

번 역

10.4. 이상은 【고구려】의 주, 군, 현인데 모두 164개소이다. 【신라】에서 개칭한 것과 지금의 명칭은 「신라(지리)지」에 실려 있다.

원 문

11. 【百濟】

『後漢書』云: "【三韓】凡七十八國, 【百濟】是其一國焉." 『北史』云: "【百濟】東極【新羅】, 西南俱限大海, 北際<漢江>, 其都曰<居拔城>, 又云<固麻城>, 其外更有<五方城>." 『通典』云: "【百濟】南接【新羅】, 北距【高麗{高句麗}】, 西限大海." 『舊唐書』云: "【百濟】, 【扶餘】之別種, 東北【新羅】, 西渡海至【越州】, 南渡海至【倭】, 北【高麗{高句麗}】, 其王所居, 有東西兩城." 『新唐書』云: "【百濟】西界【越州】, 南【倭】, 皆踰海, 北【高麗】." 按古典記: "[東明王]第三子[溫祚], 以【前漢】[鴻嘉]三年癸卯, 自<卒本扶餘> 至<慰禮城>, 立都稱王, 歷三百八十九年, 至十三世[近肖古王], 取【高句麗】南<平壤>, 都<漢城>, 歷一百五年. 至二十二世[文周王]移都<熊川>, 歷六十三年. 至二十六世[聖王]移都<所夫里>, 國號【南扶餘】, 至三十一世[義慈王], 歷年一百二十二. 至【唐】[顯慶]五年, 是[義慈王]在位二十年, 【新羅】[庚信]與【唐】[蘇定方]討平之. 舊有五部, 分統三十七郡, 二百城, 七十六萬戶.【唐】以其地. 分置<熊津>·<馬韓>·<東明>等五都督府, 仍以其酋長爲都督府刺史. 未幾, 【新羅】盡幷其地, 置<熊>·<全>·<武>三州及諸郡縣, 與【高句麗】南境及【新羅】舊地, 爲九州."

번 역

11.【백제】

「후한서」에는 "【삼한】은 대략 78개 나라였는데, 【백제】가 바로 그 가운데의 하나였다."고 기록되어 있다. 「북사」에는 "【백제】가 동쪽으로는 【신라】에 닿았고, 서쪽과 남쪽은 모두 큰 바다와 닿았으며, 북쪽은 <한강>에 접하였고, 수도는 <거발성> 또는 <고마성>이라 하였으며, 그 밖에 다시 <오방성>이 있었다."고 기록되어 있다. 「통전」에는 "【백제】는, 남쪽으로는 【신라】에 닿았고, 북쪽으로는 【고구려】에 이르며, 서쪽으로는 큰 바다를 경계로 하였다."고 기록되어 있다. 「구당서」에는 "【백제】는 【부여】의 또 다른 종족으로서 동북쪽에 【신라】가 있으며, 서쪽으로 바다를 건너면 【월주】에 이르고, 남쪽으로 바다를 건너면 【왜】에 이르며, 북쪽에 【고구려】가 있고, 그 나라 왕이 있는 곳에 동서의 두 성이 있었다."고 기록되어 있다. 「신당서」에는 "【백제】의 서쪽 경계는 【월주】이며, 남쪽은 【왜】인데, 모두 바다를 사이에 두고 있으며 북쪽은 【고구려】이다."고 기록되어 있다. 고대의 기록에는 "[동명왕]의 셋째 아들 [온조]가 【전한】[홍가] 3년 계묘에 <졸본부여>에서 <위례성>에 도착하여 도읍을 세우고 왕이 되었다. 이로부터 389년이 지난 13대 [근초고왕]에 이르러 【고구려】의 <남평양>을 빼앗고 <한성>에 도읍을 정하여 105년을 지냈으며, 22대 [문주왕]에 이르러 도읍을 <웅천>으로 옮겨 63년을 지냈다. 26대 [성왕]에 이르러 도읍을 <소부리>로 옮기고 국호를 【남부여】라 하였는데, 31대 [의자왕]에 이르기까지 122년을 지냈다. 【당】[현경] 5년은 바로 [의자왕] 20년이었는데, 이 때 【신라】[유신]이 【당】의 [소정방]과 함께 【백제】를 쳐서 평정하였다. 옛날 【백제】에는 5부가 있어 37개 군, 2백개 성, 76만 호를 나누어 통솔했다. 그 후 【당】은 그 지역에 <웅진>, <마한>, <동명> 등 다섯 개의 도독부를 설치하고, 그 곳 추장들을 도독부자사로 삼았으나 얼마 되지 않아 【신라】가 그 지역을 모두 차지하여, <웅주>, <전주>, <무주>의 3주와 여러 군현을 설치하였으니, 【신라】는 【백제】의 이 땅과 【고구려】의 남쪽 지역, 그리고 【신라】의 본토를 합하여 9주를 만들었다."고 기록되어 있다.

원 문

11.1 <熊川州> (一云<熊津>.).
　<熱也山縣>, <伐音支縣>, <西原>(一云<臂城>, 一云<子谷>), <大木岳郡>, <其買縣{甘買縣}>(一云<林川>), <仇知縣>, <加林郡>, <馬山縣>, <大山縣>, <舌林郡{舌林縣}>, <寺浦縣>, <比衆縣>, <馬尸山郡>, <牛見縣>, <今勿縣>, <構郡{橰郡}>, <伐首只縣>, <餘村縣>, <沙平縣>, <所夫里郡>(一云<泗沘>), <珍惡山縣>, <悅已縣{悅己縣}>(一云<豆陵尹城>, 一云<豆串城>, 一云<尹城>), <任存城>, <古良夫里縣>, <烏山縣>, <黃等也山郡>, <眞峴縣>(一云<貞峴>), <珍洞縣>, <雨述郡>, <奴斯只縣>, <所比浦縣>, <結已郡>, <新材縣{新村縣}>, <沙尸良縣>, <一牟山郡>, <豆仍只縣>, <未谷縣>, <基郡>, <省大兮縣>, <知六縣>, <湯井郡>, <牙述縣>, <屈旨縣>(一云<屈直>).

번 역

11.1. <웅천주>(또는 <웅진>)
　<열야산현>, <벌음지현>, <서원>(또는 <비성>, <자곡>), <대목악군>, <기매현>(또는 <임천>), <구지현>, <가림군>, <마산현>, <대산현>, <설림군>, <사포현>, <비중현>, <마시산군>, <우견현>, <금물현>, <구군>, <벌수지현>, <여촌현>, <사평현>, <소부리군>(또는 <사비>), <진악산현>, <열이현>(또는 <두릉윤성>, <두곶성>, <윤성>), <임존성>, <고량부리현>, <오산현>, <황등야산군>, <진현현>(또는 <정현>), <진동현>, <우술군>, <노사지현>, <소비포현>, <결이군>, <신촌현>, <사시량현>, <일모산군>, <두잉지현>, <미곡현>, <기군>, <성대혜현>, <지륙현>, <탕정군>, <아

술현>, <굴지현>(또는 <굴직>).

변 천

11.1. 熊川州 – 忠淸南道 公州市의 옛 이름.
▶ 公州 – 7. 참조.

11.1.1. 熱也山縣 – 忠淸南道 論山市 魯城面의 옛 이름.
▶ 魯城 – 7.0.1. 참조.

11.1.2. 伐音支縣 – 忠淸南道 公州市 新豊面의 옛 이름.
▶ 新豊 – 7.0.2. 참조.

11.1.3. 西原京 – 忠淸北道 淸州市의 옛 이름.
▶ 淸州 – 7.1. 참조.

11.1.4. 大木岳郡 – 忠淸南道 天安市 木川面의 옛 이름.
▶ 木川 –7.2. 참조.

11.1.5. 甘(其)買縣 – 忠淸南道 天安市 豊歲面의 옛 이름.
▶ 豊歲 – 7.2.1. 참조.

11.1.6. 仇知縣 – 忠淸南道 燕岐郡 全義面의 옛 이름.
▶ 全義 – 7.2.2. 참조.

11.1.7. 加林郡 – 忠淸南道 扶餘郡 林川面의 옛 이름.
▶ 林川 – 7.3. 참조.

11.1.8. 馬山縣 － 忠淸南道 舒川郡 韓山面의 옛 이름.
▶ 韓山 － 7.3.1. 참조.

11.1.9. 大山縣 － 忠淸南道 扶餘郡 鴻山面의 옛 이름.
▶ 鴻山 － 7.3.2. 참조.

11.1.10. 舌林郡 － 忠淸南道 舒川郡의 옛 이름.
▶ 舒川 － 7.4. 참조.

11.1.11. 寺浦縣 － 忠淸南道 保寧市 藍浦面의 옛 이름.
▶ 藍浦 － 7.4.1. 참조.

11.1.12. 比衆縣 － 忠淸南道 舒川郡 庇仁面의 옛 이름.
▶ 庇仁 － 7.4.2. 참조.

11.1.13. 馬尸山郡 － 忠淸南道 禮山郡 德山面의 옛 이름.
▶ 德山 － 7.5. 참조.

11.1.14. 牛見縣 － 忠淸南道 洪城郡 高丘의 옛 이름.
▶ 高丘 － 7.5.1. 참조.

11.1.15. 今勿縣 － 忠淸南道 禮山郡 德山面의 옛 이름.
▶ 德山 － 7.5.2. 참조.

11.1.16. 槥郡 － 忠淸南道 唐津郡 沔川面의 옛 이름.
▶ 沔川 － 7.6. 참조.

11.1.17. 伐首只縣 － 忠淸南道 唐津郡의 옛 이름.

▶ 唐津 — 7.6.1. 참조.

11.1.18. 餘村縣 — 忠淸南道 瑞山市 海美面의 옛 이름.
　▶ 海美 — 7.6.2. 참조.

11.1.19. 沙平縣 — 忠淸南道 唐津郡 新平面의 옛 이름.
　▶ 新平 — 7.6.3. 참조.

11.1.20. 所夫里縣(泗沘) — 忠淸南道 扶餘郡의 옛 이름.
　▶ 扶餘 — 7.7. 참조.

11.1.21. 珍惡山郡 — 忠淸南道 扶餘郡 石城面의 옛 이름.
　▶ 石城 — 7.7.1. 참조.

11.1.22. 悅己縣 — 忠淸南道 靑陽郡 定山面의 옛 이름.
　▶ 定山 — 7.7.2. 참조.

11.1.23. 任存城 — 忠淸南道 禮山郡 大興面의 옛 이름.
　▶ 大興 — 7.8. 참조.

11.1.24. 古良夫里縣 — 忠淸南道 靑陽郡의 옛 이름.
　▶ 靑陽 — 7.8.1. 참조.

11.1.25. 烏山縣 — 忠淸南道 禮山郡의 옛 이름.
　▶ 禮山 — 7.8.2. 참조.

11.1.26. 黃等也山郡 — 忠淸南道 論山市 連山面의 옛 이름.
　▶ 連山 — 7.9. 참조.

11.1.27. 眞(貞)峴縣 - 大田廣域市 儒城區 鎭岑洞의 옛 이름.
　　▶ 鎭岑 - 7.9.1. 참조.

11.1.28. 珍洞縣 - 忠淸南道 錦山郡 珍山面의 옛 이름.
　　▶ 珍山 - 7.9.2. 참조.

11.1.29. 雨述郡 - 大田廣域市 大德區 懷德洞의 옛 이름.
　　▶ 懷德 - 7.10. 참조.

11.1.30. 奴斯只縣 - 大田廣域市 儒城區의 옛 이름.
　　▶ 儒城 - 7.10.1. 참조.

11.1.31. 所比浦縣 - 忠淸南道 公州市 德津의 옛 이름.
　　▶ 德津 - 7.10.2. 참조.

11.1.32. 結已郡 - 忠淸南道 洪城郡 結城面의 옛 이름.
　　▶ 結城 - 7.11. 참조.

11.1.33. 新村(材)縣 - 忠淸南道 保寧市의 옛 이름.
　　▶ 保寧 - 7.11.1. 참조.

11.1.34. 沙尸良縣 - 忠淸南道 洪城郡 驪陽의 옛 이름.
　　▶ 驪陽 - 7.11.2. 참조.

11.1.35. 一牟山郡 - 忠淸北道 淸原郡 文義面의 옛 이름.
　　▶ 文義 - 7.12. 참조.

11.1.36. 豆仍只縣 - 忠淸南道 燕岐郡의 옛 이름.

▶ 燕岐 - 7.12.1. 참조.

11.1.37. 未谷縣 - 忠淸北道 報恩郡 懷仁의 옛 이름.

▶ 懷仁 - 7.12.2. 참조.

○ 지금의 忠淸北道 報恩郡 懷南面·懷北面.

11.1.38. 基郡 - 忠淸南道 瑞山市의 옛 이름.

▶ 瑞山 - 7.13. 참조.

11.1.39. 省大兮縣 - 忠淸南道 泰安郡 泰安邑의 옛 이름.

▶ 泰安 - 7.13.1. 참조.

11.1.40. 知六縣 - 忠淸南道 瑞山市 地谷面의 옛 이름.

▶ 地谷 - 7.13.2. 참조.

11.1.41. 湯井郡 - 忠淸南道 溫陽의 옛 이름.

▶ 溫陽 - 7.14. 참조.

○ 지금의 忠淸南道 牙山市 溫陽溫泉洞.

11.1.42. 牙述縣 - 忠淸南道 牙山市 陰峰面의 옛 이름.

▶ 陰峰 - 7.14.1. 참조.

11.1.43. 屈旨(直)縣 - 忠淸南道 牙山市 新昌面의 옛 이름.

▶ 新昌 - 7.14.2. 참조.

원 문

11.2.　<完山> (一云<比斯伐>, 一云<比自火>).
　　<豆伊縣>(一云<往武>), <仇智山縣>, <高山縣>, <南原>(一云<古龍郡>), <大尸山郡>, <井村縣>, <賓屈縣>, <也西伊縣>, <古沙夫里郡>, <皆火縣>, <欣良買縣>, <上柒縣>, <進乃郡>(一云<進仍乙>), <豆尸伊縣>(一云<富尸伊>), <勿居縣>, <赤川縣>, <德近郡>, <加知奈縣>(一云<加乙乃>), <只良肖縣>, <共伐共縣>, <屎山郡>(一云<折文{忻文}>), <甘勿阿縣>, <馬西良縣>, <夫夫里縣>, <碧骨郡>, <豆乃山縣>, <首冬山縣>, <乃利阿縣>, <武斤縣>, <道實郡>, <礫坪縣>, <埃坪縣{埃平縣}>, <金馬渚郡>, <所力只縣>, <閼也山縣>, <干召渚縣>, <伯海郡>(一云<伯伊>), <難珍阿縣>, <雨坪縣>, <任實郡>, <馬突縣>(一云<馬珍>), <居斯勿縣>.

번 역

11.2.　<완산>(또는 <비사벌>, <비자화>).
　　<두이현>(또는 <왕무>), <구지산현>, <고산현>, <남원>(또는 <고룡군>), <대시산군>, <정촌현>, <빈굴현>, <야서이현>, <고사부리군>, <개화현>, <흔량매현>, <상칠현>, <진내군>(또는 <진잉을>), <두시이현>(또는 <부시이>), <물거현>, <적천현>, <덕근군>, <가지나현>(또는 <가을내>), <지량초현>, <공벌공현>, <시산군>(또는 <절문>), <감물아현>, <마서량현>, <부부리현>, <벽골군>, <두내산현>, <수동산현>, <내리아현>, <무근현>, <도실군>, <역평현>, <돌평현>, <금마저군>, <소력지현>, <알야산현>, <간소저현>, <백해군>(또는 <백이>), <난진아현>, <우평현>, <임실군>, <마돌현>(또는 <마진>), <거사물현>.

변 천

11.2.　完山(州) - 全羅北道 全州市의 옛 이름.

▶ 全州 – 8. 참조.

11.2.1. 豆伊縣 – 全羅北道 全州 伊城의 옛 이름.
    ▶ 伊城 – 8.0.1. 참조.

11.2.2. 仇智山縣 – 全羅北道 金提市 金溝面의 옛 이름.
    ▶ 金溝 – 8.0.2. 참조.

11.2.3. 高山縣 – 全羅北道 完州郡 高山面 의 옛 이름.
    ▶ 高山 – 8.0.3 참조.

11.2.4. 南原 – 全羅北道 南原市의 옛 이름.
    ▶ 南原 – 8.1. 참조.

11.2.5. 大尸山縣 – 全羅北道 井邑市 泰仁面의 옛 이름.
    ▶ 泰仁 – 8.2. 참조.

11.2.6. 井村縣 – 全羅北道 井邑市의 옛 이름.
    ▶ 井邑 – 8.2.1. 참조.

11.2.7. 賓屈縣 – 全羅北道 井邑市 泰仁面의 옛 이름.
    ▶ 泰仁 – 8.2. 참조.

11.2.8. 也西伊縣 – 全羅北道 金堤市 巨野의 옛 이름.
    ▶ 巨野 – 8.2.3. 참조.
    ○ 지금의 全羅北道 金提市 金溝面.

11.2.9. 古沙夫里郡 – 全羅北道 井邑市 古阜面의 옛 이름.

▶ 古阜 - 8.3. 참조.

11.2.10. 皆火縣 - 全羅北道 扶安郡의 옛 이름.
▶ 扶安 - 8.3.1. 참조.

11.2.11. 欣良買縣 - 全羅北道 扶安郡의 옛 이름.
▶ 保安 - 8.3.2. 참조.

11.2.12. 上漆縣 - 全羅北道 高敞郡 興德面의 옛 이름.
▶ 興德 - 8.3.3. 참조.

11.2.13. 進乃郡 - 忠淸南道 錦山郡의 옛 이름.
▶ 錦山 - 8.4. 참조.

11.2.14. 豆尸伊縣 - 忠淸南道 錦山郡 富利面의 옛 이름.
▶ 富利 - 8.4.1. 참조.

11.2.15. 勿居縣 - 全羅北道 鎭安郡 龍潭面의 옛 이름.
▶ 龍潭 - 8.4.2. 참조.

11.2.16. 赤川縣 - 全羅北道 茂朱郡의 옛 이름.
▶ 茂朱 - 8.4.3. 참조.

11.2.17. 德近郡 - 忠淸南道 論山市 恩津面의 옛 이름.
▶ 恩津 - 8.5. 참조.

11.2.18. 加知奈縣 - 忠淸南道 論山市 恩津面의 옛 이름.
▶ 恩津 - 8.5. 참조. ▶ 市津 - 8.5.1. 참조.

11.2.19. 只良肖縣 — 全羅北道 益山市 礪山面의 옛 이름.
  ▶ 礪山 — 8.5.2. 참조.

11.2.20. 共伐共縣(只伐只)(?) — 全羅北道 完州郡 高山面의 옛 이름.
  ▶ 只伐只 — 8.5.3. 참조.

11.2.21. 屎山郡 — 全羅北道 群山市 臨陂面의 옛 지명.
  ▶ 臨陂 — 8.6. 참조.

11.2.22. 甘勿阿縣 — 全羅北道 益山市 咸悅邑의 옛 이름.
  ▶ 咸悅 — 8.6.1. 참조.

11.2.23. 馬西良縣 — 全羅北道 群山市 沃溝邑의 옛 이름.
  ▶ 沃溝 — 8.6.2. 참조.

11.2.24. 夫夫里縣 — 全羅北道 群山市 澮尾의 옛 이름.
  ▶ 澮尾 — 8.6.3. 참조.
  ○ 지금의 全羅北道 群山市 澮縣面.

11.2.25. 碧骨縣 — 全羅北道 金堤市의 옛 이름.
  ▶ 金堤 — 8.7. 참조.

11.2.26. 豆乃山縣 — 全羅北道 金堤市 萬頃邑의 옛 이름.
  ▶ 萬頃 — 8.7.1. 참조.

11.2.27. 首冬山縣 — 全羅北道 金堤市 平皐의 옛 이름.
  ▶ 平皐 — 8.7.2. 참조.

11.2.28. 乃利阿縣 – 全羅北道 全州市 利城의 옛 이름.
　　　▶ 利城 – 8.7.3. 참조.

11.2.29. 武斤(武斤村)縣 – 全羅北道 金堤市 萬頃邑 富潤의 옛 이름.
　　　▶ 富潤 – 8.7.4. 참조.

11.2.30. 道實郡 – 全羅北道 淳昌郡 淳昌邑의 옛 이름.
　　　▶ 淳昌 – 8.8. 참조.

11.2.31. 礫坪縣 – 全羅北道 淳昌郡 赤城面의 옛 이름.
　　　▶ 赤城 – 8.8.1. 참조.

11.2.32. 堗坪縣 – 全羅北道 任實郡 靑雄面 九皐里의 옛 이름.
　　　▶ 九皐 – 8.8.2. 참조.

11.2.33. 金馬渚郡 – 全羅北道 益山市 金馬面의 옛 이름.
　　　▶ 金馬 – 8.9. 참조.

11.2.34. 所力只縣 – 全羅北道 全州 沃野의 옛 이름.
　　　▶ 沃野 – 8.9.1. 참조.
　　ㅇ 지금은 全羅北道 全州市에 속함.

11.2.35. 閼也山縣 – 全羅北道 益山市 礪山面의 옛 이름.
　　　▶ 礪山 – 8.9.2. 참조.

11.2.36. 于召渚縣 – 全羅北道 全州 紆州의 옛 이름.
　　　▶ 紆州 – 8.9.3. 참조.
　　ㅇ 지금은 全羅北道 全州市에 속함.

11.2.37. 伯海郡 — 全羅北道 長水郡 長溪面의 옛 이름.

▶ 長溪 — 8.10. 참조.

11.2.37. 難珍阿縣 — 全羅北道 鎭安郡의 옛 이름.

▶ 鎭安 — 8.10.1. 참조.

11.2.38. 雨坪縣 — 全羅北道 長水郡의 옛 이름.

▶ 長水 — 8.10.2. 참조.

11.2.39. 任實郡 — 全羅北道 任實郡의 옛 이름.

▶ 任實 — 8.11. 참조.

11.2.40. 馬突縣 — 全羅北道 鎭安郡 馬靈面의 옛 이름.

▶ 馬靈 — 8.11.1. 참조.

11.2.41. 居斯勿縣 — 全羅北道 任實郡 靑雄面의 옛 이름.

▶ 靑雄 — 8.11.2. 참조.

원 문

11.3. <武珍州> (一云<奴只>).

<未冬夫里縣>, <伏龍縣>, <屈支縣>, <分嵯郡>(一云<夫沙>), <助助禮縣>, <冬老縣>, <豆肹縣>, <比史縣>, <伏忽郡>, <馬斯良縣>, <季川縣>, <烏次縣>, <古馬彌知縣>, <秋子兮郡>, <菓支縣>(一云<菓兮>), <栗支縣>, <月奈郡>, <半奈夫里縣>, <阿老谷縣>, <古彌縣>, <古尸伊縣>, <丘斯珍兮縣>, <所非兮縣>, <武尸伊郡>, <上老縣>, <毛良夫里縣>, <松彌知縣>, <欲平郡{歃平郡}>(一云<武平>), <猿村縣>, <馬老縣>, <突山縣>, <欲乃郡>, <遁支縣>, <仇次禮縣>, <豆

夫只縣>, <尒陵夫里郡>(一云<竹樹夫里>, 一云<仁夫里>.), <波夫里郡>, <仍利阿縣>(一云<海濱>), <發羅郡{廢羅州}>, <豆肹縣>, <實於山縣>, <水川縣>(一云<水入伊>), <道武郡>, <古西伊縣>, <冬音縣>, <塞琴縣>(一云<捉濱{投濱}>), <黃述縣>, <勿阿兮郡>, <屈乃縣>, <多只縣>, <道𣇭縣{道際縣}>(一云<陰海>), <因珍島郡>(海道也), <徒山縣>(海島也. 或云<猿山>), <買仇里縣>(海島也.), <阿次山郡>, <葛草縣>(一云<何老>, 一云<谷野>), <古祿只縣>(一云<開要>), <居知山縣>(一云<安陵>), <奈已郡>.

번 역

11.3. <무진주>(또는 <노지>).

<미동부리현>, <복룡현>, <굴지현>, <분차군>(또는 <부사>), <조조례현>, <동로현>, <두힐현>, <비사현>, <복흘군>, <마사량현>, <계천현>, <오차현>, <고마미지현>, <추자혜군>, <과지현>(또는 <과혜>), <율지현>, <월나군>, <반나부리현>, <아로곡현>, <고미현>, <고시이현>, <구사진혜현>, <소비혜현>, <무시이군>, <상로현>, <모량부리현>, <송미지현>, <삽평군>(또는 <무평>), <원촌현>, <마로현>, <돌산현>, <욕내군>, <둔지현>, <구차례현>, <두부지현>, <이릉부리군>(또는 <죽수부리>, <인부리>), <파부리군>, <잉리아현>(또는 <해빈>), <발라군>, <두힐현>, <실어산현>, <수천현>(또는 <수입>), <도무군>, <고서이현>, <동음현>, <새금현>(또는 <착빈>), <황술현>, <물아혜군>, <굴내현>, <다지현>, <도제현>(또는 <음해>), <인진도군>(바다 섬), <도산현>(바다 섬, <원산>이라고도 함), <매구리현>(바다 섬), <아차산군><갈초현>(또는 <하로>, <곡야>), <고록지현>(또는 <개요>), <거지산현>(또는 <안릉>), <나이군>.

변 천

11.3. 武珍州 — 光州廣域市의 옛 이름.

▶ 光州 — 9. 참조.

11.3.1. 未冬夫里縣 － 全羅南道 羅州市 南平邑의 옛 이름.
　　　▶ 南平 － 9.0.1. 참조.

11.3.2. 伏龍縣 － 全羅南道 羅州市 伏龍의 옛 이름.
　　　▶ 伏龍 － 9.0.2. 참조.

11.3.3. 屈支縣 －全羅南道 潭陽郡 昌平面의 옛 이름.
　　　▶ 昌平 － 9.0.3. 참조.

11.3.4. 分嵯郡 － 全羅南道 順天市 樂安面의 옛 이름.
　　　▶ 樂安 － 9.1. 참조.

11.3.5. 助助禮縣 － 全羅南道 高興郡 南陽面의 옛 이름.
　　　▶ 南陽 － 9.1.1. 참조.

11.3.6. 冬老縣 － 全羅南道 寶城郡 兆陽의 옛 이름.
　　　▶ 兆陽 － 9.1.2. 참조.
　　○ 지금의 全羅南道 長興郡 長東面 朝陽里(?)

11.3.7. 豆肹縣 － 全羅南道 高興郡 豆原面의 옛 이름.
　　　▶ 豆原 － 9.1.3. 참조.

11.3.8. 比史縣 － 全羅南道 高興郡 東江面의 옛 이름.
　　　▶ 泰江 － 9.1.4. 참조.

11.3.9. 伏忽郡 － 全羅南道 寶城郡의 옛 이름.
　　　▶ 寶城 － 9.2. 참조.

11.3.10. 馬斯良縣 － 全羅北道 寶城郡 會泉面 會寧里의 옛 이름.
▶ 會寧 － 9.2.1. 참조.

11.3.11. 季川縣 － 全羅南道 長興郡 長澤의 옛 이름.
▶ 長澤 － 9.2.2. 참조.

11.3.12. 烏次縣 － 全羅南道 長興郡의 옛 이름.
▶ 長興 － 9.2.3. 참조.

11.3.13. 古馬彌知縣 － 全羅南道 長興郡 遂寧의 옛 이름.
▶ 遂寧 － 9.2.4. 참조.

11.3.14. 秋子兮縣 － 全羅南道 潭陽郡의 옛 이름.
▶ 潭陽 － 9.3. 참조.

11.3.15. 菓支縣 － 全羅南道 谷城郡 玉果面의 옛 이름.
▶ 玉果 － 9.3.1. 참조.

11.3.16. 栗支縣 － 全羅南道 潭陽郡 錦城面 原栗里의 옛 이름.
▶ 原栗 － 9.3.2. 참조.

11.3.17. 月奈縣 － 全羅南道 靈巖郡의 옛 이름.
▶ 靈巖 － 9.4. 참조.

11.3.18. 半奈夫里縣(半那縣) － 全羅南道 羅州市 潘南面의 옛 이름.
▶ 潘南 － 9.5. 참조.

11.3.19. 阿老谷縣 － 全羅南道 羅州市 老安面의 옛 이름.

▶ 老安 - 9.5.1. 참조.

11.3.20. 古彌縣 - 全羅南道 靈巖郡 昆湄의 옛 이름.
　　▶ 昆湄 - 9.5.2. 참조.
　ㅇ 지금의 全羅南道 靈巖郡 昆一(二)始(終)面.

11.3.21. 古尸伊縣 - 全羅南道 長城郡의 옛 이름.
　　▶ 長城 - 9.6. 참조.

11.3.22. 丘斯珍兮縣 - 全羅南道 長城郡 珍原面의 옛 이름.
　　▶ 珍原 - 9.6.1. 참조.

11.3.23. 所非兮縣 - 全羅南道 長城郡 森溪面의 옛 이름,
　　▶ 森溪 - 9.6.2. 참조,

11.3.24. 武尸伊郡 - 全羅南道 靈光郡의 옛 이름.
　　▶ 靈光 - 9.7. 참조.

11.3.25. 上老縣 - 全羅北道 高敞郡 茂長面의 옛 이름.
　　▶ 茂長 - 9.7.1. 참조.

11.3.26. 毛良夫里縣 - 全羅北道 高敞郡의 옛 이름.
　　▶ 高敞 - 9.7.2. 참조.

11.3.27. 松彌知縣 - 全羅南道 高敞郡 茂長面의 옛 이름.
　　▶ 茂松 - 9.7.3. 참조.

11.3.28. 欲平郡 - 全羅南道 順天市(昇州邑)의 옛 이름.

▶ 順天 - 9.8. 참조.

11.3.29. 猿村縣 - 全羅南道 麗水市의 옛 이름.

▶ 麗水 - 9.8.1. 참조.

11.3.30. 馬老縣 - 全羅南道 光陽市의 옛 이름.

▶ 光陽 - 9.8.2. 참조.

11.3.31. 突山縣 - 全羅南道 麗水市 突山邑의 옛 이름.

▶ 突山 - 9.8.3. 참조.

11.3.32. 欲乃郡 - 全羅南道 谷城郡의 옛 이름.

▶ 谷城 - 9.9. 참조.

11.3.33. 遁支縣 - 全羅南道 順天市 富有의 옛 이름.

▶ 富有 - 9.9.1. 참조.

11.3.34. 仇次禮縣 - 全羅南道 求禮郡의 옛 이름.

▶ 求禮 - 9.9.2. 참조.

11.3.35. 豆夫只縣 - 全羅南道 和順郡 同福面의 옛 이름.

▶ 同福 - 9.9.3. 참조.

11.3.36. 尒陵夫里郡 - 全羅南道 和順郡 綾州面의 옛 이름.

▶ 綾州 - 9.10. 참조.

11.3.37. 波夫里郡 - 全羅南道 寶城郡 福內面의 옛 이름.

▶ 福城 - 9.10.1. 참조.

11.3.38. 仍利阿縣 – 全羅南道 和順郡의 옛 이름.
▶ 和順 – 9.10.2. 참조.

11.3.39. 發羅郡 – 全羅南道 羅州市의 옛 이름.
▶ 羅州 – 9.11. 참조.

11.3.40. 豆肹縣 – 全羅南道 羅州 會津의 옛 이름.
▶ 會津 – 9.11.1. 참조.

11.3.41. 實於山縣 – 全羅南道 羅州市 南平邑 鐵冶의 옛 이름.
▶ 鐵冶 – 9.11.2. 참조.

11.3.42. 水川縣 – 全羅南道 羅州市 艅艎의 옛 이름.
▶ 艅艎 – 9.11.3. 참조.

11.3.43. 道武郡 – 全羅南道 康津郡의 옛 이름.
▶ 康津 – 9.12. 참조.

11.3.44. 古西伊縣 – 全羅南道 海南郡 竹山의 옛 이름.
▶ 竹山 – 9.12.1. 참조.

11.3.45. 冬音縣 – 全羅南道 康津郡의 옛 이름.
▶ 耽津 – 9.12.2. 참조.

11.3.46. 塞琴縣 – 全羅南道 海南郡의 옛 이름.
▶ 海南 – 9.12.3. 참조.

11.3.47. 黃述縣 – 全羅南道 海南郡 黃山面의 옛 이름.

▶ 黃山 － 9.12.4. 참조.

11.3.48. 勿阿兮郡 － 全羅南道 務安郡의 옛 이름.
▶ 務安 － 9.13. 참조.

11.3.49. 屈乃縣 － 全羅南道 咸平郡의 옛 이름.
▶ 咸豊 － 9.13.1. 참조.

11.3.50. 多只縣 － 全羅南道 咸平郡의 옛 이름.
▶ 车平 － 9.13.2. 참조.

11.3.51. 道際縣 － 全羅南道 務安郡 海際面의 옛 이름.
▶ 海際 － 9.13.3. 참조.

11.3.52. 因珍島郡 － 全羅南道 珍島郡의 옛 이름.
▶ 珍島 － 9.13.4. 참조.

11.3.53. 徒山縣 － 全羅南道 珍島郡 嘉興의 옛 이름.
　○ 본래 <抽山>으로 帶方州 여섯 縣 중의 하나이다. 지금의 全羅南道 珍島 소속의 없어진 <嘉興縣>이 百濟 때의 徒山이라 추측되는데, 이것은 唐人이 그 옛 지명을 따른 것이요, 抽山은 그 또 다른 지명이다. 마치 安市城이라는 그 옛 지명을 따르면서 또 다른 지명인 安守忽을 기록한 것과 같다.(文)
▶ 嘉興 － 9.14. 참조.
　○ 지금은 全羅南道 珍島郡.

11.3.54. 買仇里縣 － 全羅南道 珍島郡 臨淮面의 옛 이름.
▶ 臨淮 － 9.14.1. 참조.

11.3.55. 阿次山郡 – 全羅南道 新安郡 押海面의 옛 이름.

▶ 押海 – 9.15. 참조.

11.3.56. 葛草縣 – 全羅南道 靈光郡 陸昌의 옛 이름.

▶ 陸昌 – 9.15.1. 참조.

11.3.57. 古綠只縣 – 全羅南道 靈光郡 臨淄의 옛 이름.

▶ 臨淄 – 9.15.2. 참조.

11.3.58. 居知山縣 – 全羅南道 新安郡 長山面의 옛 이름.

▶ 長山 – 9.15.3. 참조.

11.3.59. 奈已郡 – 慶尙北道 榮州市의 옛이름.

▶ 榮州 – 5.3. 참조.

＊이곳은 百濟의 故地가 아니라 高句麗의 故地다.

원 문

11.4. 右【百濟】州郡縣, 共一百四十七, 其【新羅】改名及今名, 見『新羅志』.

번 역

11.4. 이상 【백제】의 주, 군, 현은 모두 147개소이다. 【신라】에서 개칭한 것과 지금의 명칭들은 「신라(지리)지」에 실려 있다.

원 문

12.0 三國有名未詳地分.

<調駿鄕> <神鶴村> <翔鷺村> <對仙宮> <鳳庭村> <飛龍村> <飼龍鄕>
<接仙鄕> <敬仁鄕> <好禮鄕> <積善鄕> <守義鄕> <斷金鄕> <海豐鄕>
<北溟鄕> <麗金成> <接靈鄕> <河淸鄕> <江寧鄕> <咸寧鄕> <馴雉鄕>
<建節鄕> <救民鄕> <鐵山鄕> <金川鄕> <睦仁鄕> <靈池鄕> <永安鄕>
<武安鄕> <富平鄕> <穀成鄕> <密雲鄕> <宜祿鄕> <利人鄕> <賞仁鄕>
<封德鄕> <歸德鄕> <永豐鄕> <律功鄕> <龍橋鄕> <臨川鄕> <海洲成>
<江陵鄕> <鐵求鄕> <江南鄕> <河東鄕> <激瀾鄕> <露均成> <永壽成>
<寶劍成> <岳陽成> <萬壽成> <濯錦成> <河曲成> <岳南成> <推畔成>
<進錦成> <澗水成> <傍海成> <萬年鄕> <飮仁鄕> <通路鄕> <懷信鄕>
<江西鄕> <利上鄕> <抱忠鄕> <連嘉鄕> <天露鄕> <漢寧成> <會昌宮>
<邀仙宮> <北海通> <鹽池通> <東海通> <海南通> <北傜通> <末康成>
<脣氣成> <奉天成> <妥定成> <萊遠城> <萊津成> <乾門驛> <坤門驛>
<坎門驛> <艮門驛> <兌門驛> <大岵城> <岱山郡> <枯彌縣> <北隈郡>
<非惱城> <瓢川縣> <皐夷島> <泉 州> <冷井縣> <慰禮城> <比只國>
<南新縣> <腰車城> <沙道城> <骨火國> <馬頭柵> <槐谷城> <長峰鎭>
<獨山城> <活開城> <芼老城> <廣石城> <坐羅城> <狐鳴城> <刀耶城>
<狐山城> <臨海鎭> <長嶺鎭> <牛山城> <波里彌城> <實珍城> <德骨城>
<大林城> <伐音城> <槞山城> <多伐國> <近邑城> <靳弩城> <椵岑城>
<党項城> <石吐城> <富山城> <阿旦城> <缶羅城> <耳山城> <甘勿城>
<桐岑城> <骨平城>[骨爭] <達咸城> <西谷城> <勿伐城> <小陁城>
<畏石城> <泉山城> <雍岑城> <獨母城> <缶谷城> <西單城> <獼猴城>
<櫻岑城> <岐岑城> <旗懸城> <穴柵城> <蛙山城> <濕 水> <龍 馬>
<猪 岳> <㪋 山> <直 朋> <達 伐> <朶 山> <木出島> <狗 壤>
<大 丘> <沙 峴> <熊 谷> <風 島> <斧 峴> <狼 山> <叢 山>
<安北河> <泊灼城> <蓋馬國> <句茶國> <華麗城> <藻那國> <赤烽鎭>

<檀廬城> <加尸城> <石　城> <水口城> <卑奢城> <蓋牟城> <沙卑城>
<牛山城> <道薩城> <白嵒城> <建安城> <蒼嵒城> <辱夷城> <松讓國>
<荇人國> <橫　山> <白水山> <迦葉原> <東牟河> <優渤水> <淹淲水>
(<蓋斯水>) <沸流水> <薩　水> <毛屯谷> <鶻　嶺> <龍　山> <鶻　川>
<涼　谷> <箕　山> <長屋澤> <易　山> <礪　津> <尉中林> <烏　骨>
<沙勿澤> <貴湍水> <安　地> <薩賀水> <矛　川> <馬　嶺> <鶴盤嶺>
<馬邑山> <王骨嶺> <豆　谷> <骨句川> <理勿林> <車廻谷> <曷思水>
<椽那部> <北溟山> <閔中原> <慕　本> <闕　山> <倭　山> <蠶支落>
<平儒原> <狗山瀨> <坐　原> <質　山> <故國谷> <左勿村> <故國原>
<裴　嶺> <酒桶村> <巨　谷> <靑木谷> <杜訥河> <柴　原> <箕　丘>
<中　川> <海　谷> <西　川> <鵠　林> <烏　川> <水室村> <思收村>
<烽　山> <候　山> <美　川> <斷熊谷> <馬首山> <長　城> <磨米山>
<銀　山> <後　黃> <嬰留山> <小獸林> <禿　山> <武厲邏> <大斧峴>
<馬首城> <甁山柵> <普述水> <烽　峴> <禿山柵> <狗川柵> <走壤城>
<石頭城> <高木城> <圓山城> <錦峴城> <大豆山城> <牛谷城> <橫　岳>
<犬牙城> <赤峴城> <沙道城> <德安城> <寒　泉> <釜　山> <石　川>
<狗　原> <八押城> <關彌城> <石峴城> <雙峴城> <沙口城> <斗　谷>
<耳山城> <牛鳴谷> <沙井城> <馬浦村> <長嶺城> <加弗城> <葦　川>
<狐　山> <穴　城> <獨山城> <金峴城> <角山城> <松山城> <赤嵒城>
<生草原> <馬川城> <沈　峴> <眞都城> <高鬱府> <葛　嶺> <支羅城>
(<周留城>) <大山柵> <郁里河> <崇　山> <張吐野> <絶影山> <淸　津>
<遺鳳島> <大　陸> <汧　隴> <鳧栖島> <鳳　澤> <龍　丘> <連城原>
<浮雲島> <天馬山> <海濱島> <堅中島> <玉　塞> <連　峯> <叢　林>
<升天島> <乘黃島> <八駿山> <絶群山> <求麟島> <負圖島> <吐景山>
<河精島> <遊氣山> <平　原> <大　澤> <騏驎澤> <躡景山> <金　穴>
<蘭　池> <西極山> <浦陽丘> <鐵伽山> <桃　林> <石礫山> <瑞驎苑>
<麓　苑> <沙　苑> <風達郡> <日上郡>

[總章{總章}]二年二月, 前司空兼太子大師{太師}[英國公][李勣]等, 奏稱"奉 勅【高麗{高句麗}】諸城, 堪置都督府及州郡者, 宜共[男生]商量准擬, 奏聞件狀如前." 勅:"依奏, 其州郡應須隷屬, 宜委<遼東>道安撫使兼右相[劉仁軌]." 遂便穩分割, 仍摠▣{ /隷}<安東>都護府.

번 역

12.0. 위치가 분명하지 않고, 이름만 남아 있는 삼국시대의 지명

<조준향(調駿鄉)>	<신학촌(神鶴村)>	<상란촌(翔鸞村)>	<대선궁(對仙宮)>
<봉정촌(鳳庭村)>	<비룡촌(飛龍村)>	<사룡향(飼龍鄉)>	<접선향(接仙鄉)>
<경인향(敬仁鄉)>	<호례향(好禮鄉)>	∴<적선향(積善鄉)>	<수의향(守義鄉)>
<단금향(斷金鄉)>	∴<해풍향(海豐鄉)>	<북명향(北溟鄉)>	<여금성(麗金成)>
<접령향(接靈鄉)>	<하청향(河清鄉)>	<강녕향(江寧鄉)>	∴<함녕향(咸寧鄉)>
<순치향(馴雉鄉)>	<건절향(建節鄉)>	<구민향(救民鄉)>	<철산향(鐵山鄉)>
<금천향(金川鄉)>	<목인향(睦仁鄉)>	<영지향(靈池鄉)>	<영안향(永安鄉)>
<무안향(武安鄉)>	∴<부평향(富平鄉)>	<곡성향(穀成鄉)>	<밀운향(密雲鄉)>
<의록향(宜祿鄉)>	<이인향(利人鄉)>	<상인향(賞仁鄉)>	<봉덕향(封德鄉)>
<귀덕향(歸德鄉)>	∴<영풍향(永豐鄉)>	<율공향(律功鄉)>	<용교향(龍橋鄉)>
<임천향(臨川鄉)>	<해주성(海洲成)>	<강릉향(江陵鄉)>	<철구향(鐵求鄉)>
<강남향(江南鄉)>	<하동향(河東鄉)>	<격란향(激瀾鄉)>	<노균성(露均成)>
<영수성(永壽成)>	<보검성(寶劍成)>	<악양성(岳陽成)>	<만수성(萬壽成)>
<탁금성(濯錦成)>	<하곡성(河曲成)>	<악남성(岳南成)>	<추반성(推畔成)>
<진금성(進錦成)>	<간수성(澗水成)>	<방해성(傍海成)>	∴<만년향(萬年鄉)>
<음인향(飲仁鄉)>	<통로향(通路鄉)>	<회신향(懷信鄉)>	∴<강서향(江西鄉)>
<이상향(利上鄉)>	<포충향(抱忠鄉)>	<연가향(連嘉鄉)>	<천로향(天露鄉)>
<한녕성(漢寧成)>	<회창궁(會昌宮)>	<요선궁(邀仙宮)>	<북해통(北海通)>
<염지통(鹽池通)>	<동해통(東海通)>	<해남통(海南通)>	<북요통(北徭通)>
<말강성(末康成)>	<순기성(脣氣成)>	<봉천성(奉天成)>	<방정성(妾定成)>

<내원성(萊遠城)>　　　　<내진성(萊津成)>　　　　<건문역(乾門驛)>　　　　<곤문역(坤門驛)>

<감문역(坎門驛)>　　　　<간문역(艮門驛)>　　　　<태문역(兌門驛)>　　　　<대호성(大岵城)>

<대산군(岱山郡)>　　　　<고미현(枯彌縣)>　　　　<북외군(北隈郡)>　　　　<비뇌성(非惱城)>

<표천현(瓢川縣)>　　　　<고이도(皐夷島)>　　　　<천　주(泉　州)>　　　　<냉정현(冷井縣)>

<위례성(慰禮城)>　∴<비지국(比只國)>　　　　<남신현(南新縣)>　　　　<요거성(腰車城)>

<사도성(沙道城)>　　　　<골화국(骨火國)>　　　　<마두책(馬頭柵)>　　　　<괴곡성(槐谷城)>

<장봉진(長峰鎭)>　　　　<독산성(獨山城)>　　　　<활개성(活開城)>　　　　<모로성(茅老城)>

<광석성(廣石城)>　　　　<좌라성(坐羅城)>　　　　<호명성(狐鳴城)>　　　　<도야성(刀耶城)>

<호산성(狐山城)>　　　　<임해진(臨海鎭)>　　　　<장령진(長嶺鎭)>　　　　<우산성(牛山城)>

<파리미성(波里彌城)>　<실진성(實珍城)>　　　　<덕골성(德骨城)>　　　　<대림성(大林城)>

<벌음성(伐音城)>　　　　<주산성(槏山城)>　∴<다벌국(多伐國)>　　　　<근암성(近嵒城)>

<근노성(斳弩城)>　　　　<가잠성(椵岑城)>　　　　<당항성(党項城)>　　　　<석토성(石吐城)>

<부산성(富山城)>　　　　<아단성(阿旦城)>　　　　<부라성(缶羅城)>　　　　<이산성(耳山城)>

<감물성(甘勿城)>　　　　<동잠성(桐岑城)>　　　　<골평성(골쟁)(骨平城[骨爭])>

<달함성(達咸城)>　　　　<서곡성(西谷城)>　　　　<물벌성(勿伐城)>　　　　<소타성(小陁城)>

<외석성(畏石城)>　　　　<천산성(泉山城)>　　　　<옹잠성(雍岑城)>　　　　<독모성(獨母城)>

<부곡성(缶谷城)>　　　　<서단성(西單城)>　　　　<미후성(彌猴城)>　　　　<앵잠성(櫻岑城)>

<기잠성(岐岑城)>　　　　<기현성(旗懸城)>　　　　<혈책성(穴柵城)>　　　　<와산성(蛙山城)>

<습　수(濕　水)>　　　　<용　마(龍　馬)>　　　　<저　악(猪　岳)>　　　　<병　산(瘢　山)>

<직　붕(直　朋)>　　　　<달　벌(達　伐)>　　　　<타　산(朵　山)>　　　　<목출도(木出島)>

<구　양(狗　壤)>　　　　<대　구(大　丘)>　　　　<사　현(沙　峴)>　　　　<웅　곡(熊　谷)>

<풍　도(風　島)>　　　　<부　현(斧　峴)>　　　　<낭　산(狼　山)>　　　　<총　산(叢　山)>

<안북하(安北河)>　　　　<박작성(泊灼城)>　　　　<개마국(蓋馬國)>　∴<구다국(句茶國)>

<화려성(華麗城)>　　　　<조나국(藻那國)>　　　　<적봉진(赤烽鎭)>　　　　<단려성(檀廬城)>

<가시성(加尸城)>　∴<석　성(石　城)>　　　　<수구성(水口城)>　　　　<비창성(卑奢城)>

<개모성(蓋牟城)>　　　　<사비성(沙卑城)>　　　　<우산성(牛山城)>　　　　<도살성(道薩城)>

<백암성(白嵒城)>　　　　<건안성(建安城)>　　　　<창암성(蒼嵒城)>　　　　<욕이성(辱夷城)>

<송양국(松讓國)>　∴<행인국(荇人國)>　∴<횡　산(橫　山)>　　　　<백수산(白水山)>

<가섭원(迦葉原)>　　　<동모하(東牟河)>　　　<우발수(優渤水)>

<엄표(또는 개사)수(淹㴲(蓋斯)水)>　　　<비류수(沸流水)>　　　<살 수(薩　水)>

<모둔곡(毛屯谷)>　　　<골 령(鶻　嶺)>　　　<용 산(龍 山)>　　　<골 천(鶻 川)>

<양 곡(涼 谷)>　　　<기 산(箕 山)>　　　<장옥택(長屋澤)>　　　<역 산(易 山)>

<여 진(礪 津)>　　　<위중림(尉中林)>　　　<오 골(烏 骨)>　　　<사물택(沙勿澤)>

<귀단수(貴湍水)>　　　<안 지(安 地)>　　　<살하수(薩賀水)>　　　<모 천(矛 川)>

<마 령(馬 嶺)>　　　<학반령(鶴盤嶺)>　　　<마읍산(馬邑山)>　　　<왕골령(王骨嶺)>

<두 곡(豆 谷)>　　　<골구천(骨句川)>　　　<이물림(理勿林)>　　　<거회곡(車廻谷)>

<갈사수(曷思水)>　　　<연야부(椽那部)>　　　<북명산(北溟山)>　　　<민중원(閔中原)>

<모 본(慕 本)>　　　<계 산(罽 山)>　　　<왜 산(倭 山)>　　　<잠지락(蠶支落)>

<평유원(平儒原)>　　　<구산뢰(狗山瀨)>　　　<좌 원(坐 原)>　　　<질 산(質 山)>

<고국곡(故國谷)>　　　<좌물촌(左勿村)>　　　<고국원(故國原)>　　　<배 령(裴 嶺)>

<주통촌(酒桶村)>　　　<거 곡(巨 谷)>　　　<청목곡(青木谷)>　　　<두눌하(杜訥河)>

<시 원(柴 原)>　　　<기 구(箕 丘)>　　　<중 천(中 川)>　　　<해 곡(海 谷)>

<서 천(西 川)>　　　<곡 림(鵠 林)>　　　∴<오 천(烏 川)>　　　<수실촌(水室村)>

<사수촌(思收村)>　　　<봉 산(烽 山)>　　　<후 산(候 山)>　　　<미 천(美 川)>

<단웅곡(斷熊谷)>　　　<마수산(馬首山)>　　　<장 성(長 城)>　　　<마미산(磨米山)>

∴<은 산(銀 山)>　　　<후 황(後 黃)>　　　<영류산(嬰留山)>　　　<소수림(小獸林)>

<독 산(禿 山)>　　　<무려라(武厲邏)>　　　<대부현(大斧峴)>　　　<마수성(馬首城)>

<병산책(瓶山柵)>　　　<보술수(普述水)>　　　<봉 현(烽 峴)>　　　<독산책(禿山柵)>

<구천책(狗川柵)>　　　<주양성(走壤城)>　　　<석두성(石頭城)>　　　<고목성(高木城)>

<원산성(圓山城)>　　　<금현성(錦峴城)>　　　∴<대두산성(大豆山城)>　　　<우곡성(牛谷城)>

<횡 악(橫 岳)>　　　<견아성(犬牙城)>　　　<적현성(赤峴城)>　　　<사도성(沙道城)>

<덕안성(德安城)>　　　<한 천(寒 泉)>　　　<부 산(釜 山)>　　　<석 천(石 川)>

<구 원(狗 原)>　　　<팔압성(八押城)>　　　<관미성(關彌城)>　　　<석현성(石峴城)>

<쌍현성(雙峴城)>　　　<사구성(沙口城)>　　　<두 곡(斗 谷)>　　　<이산성(耳山城)>

<우명곡(牛鳴谷)>　　　<사정성(沙井城)>　　　<마포촌(馬浦村)>　　　<장령성(長嶺城)>

<가불성(加弗城)>　　　<위 천(葦 川)>　　　<호 산(狐 山)>　　　<혈 성(穴 城)>

<독산성(獨山城)>	<금현성(金峴城)>	<각산성(角山城)>	<송산성(松山城)>
<적암성(赤嵒城)>	<생초원(生草原)>	<마천성(馬川城)>	<침 현(沈 峴)>
<진도성(眞都城)>	<고울부(高鬱府)>	<갈 령(葛 嶺)>	
<지라(주류)성(支羅(周留)城)>		<대산책(大山柵)>	<욱리아(郁里河)>
<숭 산(崇 山)>	<장토야(張吐野)>	<절영산(絶影山)>	<청 진(清 津)>
<유봉도(遺鳳島)>	<대 거(大 陆)>	<견 롱(汧 隴)>	<부서도(鳧栖島)>
<봉 택(鳳 澤)>	<용 구(龍 丘)>	<연성원(連城原)>	<부운도(浮雲島)>
<천마산(天馬山)>	<해빈도(海濱島)>	<학중도(壑中島)>	<옥 새(玉 塞)>
<연 봉(連 峯)>	<총 림(叢 林)>	<승천도(升天島)>	<승황도(乘黃島)>
<팔준산(八駿山)>	<절군산(絶群山)>	<구린도(求麟島)>	<부도도(負圖島)>
<토경산(吐景山)>	<하정도(河精島)>	<유기산(遊氣山)>	<평 원(平 原)>
<대 택(大 澤)>	<기린택(騏驎澤)>	<섭경산(躡景山)>	<금 혈(金 穴)>
<난 지(蘭 池)>	<서극산(西極山)>	<포양구(浦陽丘)>	<철가산(鐵伽山)>
<도 림(桃 林)>	<석력산(石礫山)>	<서린원(瑞驎苑)>	<녹 원(麓 苑)>
<사 원(沙 苑)>	<풍달군(風達郡)>	<일상군(日上郡)>	

[총장] 2년 2월, 전 사공겸태자태사영국공 [이적] 등이 (【당】[고종]에게) 아뢰어 말하기를 "【고구려】의 모든 성에 도독부 및 주, 군을 설치하는 건은, 마땅히 [남생]과 함께 토의 작성하여 상주하라는 칙명을 받들었기에, 이상과 같은 문건을 상주합니다."고 하니, ([고종]이) 칙명을 내려 "주청에 의해서 그 주군은 모름지기 (중국에) 예속시켜야 하겠으므로 <요동>도안무사겸우상 [유인궤]에게 위임하라."고 하였다. 마침내 그 지역을 적당히 분할하여 모두 <안동>도호부에 예속시켰다.

변 천

12.0.1. 積善鄕 – 慶尙北道 靑松郡의 옛 이름.
　　　▶ 靑松 – 6.2.2. 참조.

12.0.2. 海豐鄕 － 1) 開城直轄市 開豐의 옛 이름(?)

　　　　　　　　　 2) 忠淸南道 洪城의 옛 이름(?)

　▶ 豐德 － 4.21.1. 참조.　▶ 洪城 － 7.5.1. 참조.

12.0.3. 咸寧鄕 － 慶尙北道 尙州市 咸昌의 옛 이름(?).

　▶ 咸昌 － 1.9. 참조.

12.0.4. 富平鄕 － 江原道 鐵原郡 金化의 옛 이름(?).

　▶ 金化 － 4.17. 참조.

12.0.5. 永豐鄕 － 全羅南道 咸平의 서쪽 10里에 있는 지명으로 예전에는 羅州에 屬하였는데, 朝鮮 太祖 元年(1392)에 가까운 곳에 편입하여 <咸平>에 屬하였다.(輿)

　▶ 咸平 － 9.13.1. 참조.

12.0.6. 萬年鄕 － 平安北道 龜城市의 옛 이름(?)

　◇ 龜城 － 平安北道에 있는 지명으로 본래 高句麗 <萬年郡>인데, 高麗 成宗 12年(993)에 平章事 徐熙에게 命하여 군사를 거느리고 나아가 女眞을 몰아내고 龜州라 부르며 城을 쌓았다. 高麗 顯宗 9年(1018)에 防禦使가 되었고, 高宗 3年(1216)에 거란병이 침입하여 약탈할 때에 州人이 항거하여 수많은 적의 목을 베고 사로잡았으며, 同 18年(1231)에 몽고군이 來侵하여 兵馬使 朴犀가 온 힘을 다하여 적을 막다가 힘이 다하였으나 오히려 항복하지 않았으므로, 그 功으로 昇格하여 定遠大都護府가 되었다. 뒤에 都護府가 되고, 또 定州牧으로 고쳐 州治를 馬山南으로 옮겼다. 朝鮮 世祖 2年(1456)에 옛 龜州가 군사상 요충지이며, 定州에서 멀리 떨어져 있다고 하여 龜城郡을 따로 만들고, 閭延·茂昌 두 邑을 폐지하여 그 백성을 龜城郡으로 옮겼는데, 同 13년 丁亥에 昇格하여 都護府가 되었고 鎭을 두었다.(三·麗·輿·文)

　○ 1895년에 郡이 되어 義州府 管轄이 되었다가, 1914년에 府를 없애고 定州觀察府에 편입하였다.(增)

12.0.7. 江西鄕 − 黃海北道 兎山郡의 옛 이름.
▶ 兎山郡 − 4.18. 참조.

12.0.8. 比只國 − 新羅 婆娑王 29年(108)에 군사를 보내어 比只國·多伐國·草人國을 토벌하여 합병하였다.(文)

12.0.9. 多伐國 − 新羅 婆娑王 29年(108)에 군사를 보내어 比只國·多伐國·草人國을 토벌하여 합병하였다.(文)

12.0.10. 句茶國 − 高句麗 本紀에 "大武神王 9年(26) 겨울철 10月에 王이 蓋馬國을 직접 정벌하여 그 王을 죽이고 그 땅을 郡縣으로 삼았는데, 12月에 句茶國이 듣고 害가 미칠까 두려워하여 모든 백성이 와서 항복하였다."고 전한다.(文)

12.0.11. 石城縣 − 忠淸南道 扶餘郡 石城面(?)
▶ 石城縣 − 7.7.1. 참조.

12.0.12. 荇人國 − 平安北道 寧邊 太伯山 동남쪽에 있는 지명으로 高句麗 始祖 6年(紀元前 32)에 烏伊扶芬奴를 보내어 토벌하여 빼앗았다고 하나 지금 그 땅의 위치는 알 수 없다.(輿)

12.0.13. 橫山 − 全羅南道 羅州 水多所.
◇ 水多所 − 옛 지명은 水墮로 일명 橫山인데, 全羅南道 羅州 서쪽 25里에 있다.(輿)

12.0.14. 烏川 − 慶尙北道 迎日의 옛 이름(?)
○ 지금의 慶尙北道 浦項市 南區 烏川邑
▶ 迎日郡 − 2.11.4. 참조.

12.0.15. 銀山 − 慶尙南道 咸安郡 漆原의 옛 이름.

▶ 漆原 - 2.2.1. 참조.

12.0.16. 大豆山城 - 본래 非達忽으로 鴨綠江 以北의 항복하지 않은 11개 城 중의 하나

12.0.17. 釜山 - 京畿道 振威의 옛 이름.
　　▶ 振威 - 4.8.2. 참조.

12.0.18. 穴城 - 본래 甲忽인데, 鴨綠江 以北을 쳐서 얻은 3城 중의 하나

12.0.19. 平原 - 江原道 原州의 옛 이름.
　　▶ 原州 - 5.1. 참조.

원 문

12.1.　<鴨淥水>以北, 未降十一城
　<北扶餘城州>, 本<助利非西>; <節城>, 本<蕪子忽{燕子忽}>; <豐夫城>, 本<肖巴忽{肖巳忽}>; <新城州>, 本<仇次忽>(或云<敦城>); <桃城{桃城}>, 本<波尸忽>; <大豆山城>, 本<非達忽>; <遼東城州>, 本<烏列忽{鳥列忽}>; <屋城州>; <白石城>; <多伐嶽州>; <安市城>, 舊<安寸忽{安十忽}>(或云<丸都城>).

번 역

12.1.　<압록강(鴨淥水)> 이북의 항복하지 않은 11개 성
　본래 <조리비서(助利非西)>였던 <북부여성주(北扶餘城州)>; 본래 <무자홀(蕪子忽{燕子忽})>이었던 <절성(節城)>; 본래 <초파홀(肖巴忽{肖巳忽})>이었던 <풍부성(豐夫城)>; 본래 <구차홀(仇次忽)>(또는 <돈성>(敦城))이었던 <신성주(新城州)>; 본래 <파시홀(波尸忽)>이었던 <도성(桃城{桃城})>; 본래 <비달홀(非達忽)>이었던 <대두산성(大豆山城)>;

본래 <오열홀(烏列忽{鳥列忽})>이었던 <요동성주(遼東城州)> ; <옥성주(屋城州)> ; <백석성(白石城)> ; <다벌악주(多伐嶽州)> ; 옛날 <안시홀(安寸忽){安十忽}>(또는 <환도성>(丸都城))이었던 안시성(安市城).

변 천

12.1.1. 北夫餘城州 — 본래 助利比西, 지금의 中國 吉林省 長春 부근.

12.1.2. 節城 — 본래 蕪子忽.

12.1.3. 豐夫城 — 본래 肖巴忽.

12.1.4. 新城州 — 본래 仇次忽이며, 9都督府의 하나. 敦城이라고도 부르며, 盛京志에 "唐太宗이 高麗를 정벌할 때 李勣이 遼城을 쳐서 빼앗은 것과 蘇定方이 新城에 이르러 크게 무찔렀다는 것이 모두 이 곳으로 지금의 廣寧縣 안에 있다."고 하였다.(文)

12.1.5. 桃城 — 본래 波尸忽.

12.1.6. 大豆山城 — 본래 非達忽.

12.1.7. 遼東城州 — 본래 烏列忽. 盛京志에 말하기를, "지금의 遼陽州城 동남쪽 가장자리에 있으며, 흔히 高麗營이라고도 하는데, 新城·遼城까지가 모두 9都督府 중에 들어갔으니, 뒤에 모두 降伏한 것이다."고 하였다.(文)
지금의 中國 遼寧省 遼陽地方.

12.1.8. 屋城州 — 鴨綠江 이북의 항복하지 않은 11개 城 중의 하나.

12.1.9. 白石城 — 鴨綠江 이북의 항복하지 않은 11개 城 중의 하나. 盛京志에 "高句麗 白

崖城이 渤海의 白岩城이 되었는데, 지금은 遼陽州城 동쪽의 57里에 있는 石城山에 옛 성터가 있다."고 기록되어 있다. 이것이 白石城으로 추측된다.(文)

12.1.10. 多伐嶽州 − 鴨綠江 이북의 항복하지 않은 11개 城 중의 하나.

12.1.11. 安市城 − 平安南道 龍岡 烏石山에 있는 지명으로 縣治와 5里 떨어진 곳에 위치하고 있다. 험난하고 견고한 石城으로 주위가 12,580尺이다. 성 안에 10개의 샘물이 있어서 합류하고 군량을 저장하는 창고가 있는데, 세상 사람들이 이 城을 唐太宗의 첫 정벌에 함락되지 않은 곳이라 한다.(文)

○ 大明一統志에 "安市廢縣은 盖州衛의 동북쪽 70里에 있는 곳으로 漢이 설치하였다. 唐太宗이 공격하였으나 함락시키지 못하였고, 薛仁貴가 흰옷을 입고 오른 성이 바로 이 곳이다. 渤海가 鐵州를 두었고, 金이 湯池縣으로 고쳐서 盖州에 소속시켰는데, 元이 폐지하였다."고 기록되어 있다. 그러므로 이곳을(烏石山城) 安市라 하는 것은 옳지 못하며, 陳嘉猷도 역시 사람들의 떠도는 말에 의하여 詩를 지은 것이다. 혹은 따로 또 하나의 安市城인지도 모를 일이다.(輿)

○ 본래 安寸忽인데, 鴨綠江 이북의 항복하지 않은 11개 城 중의 하나.(文)

원 문

12.2. <鴨淥水>以北, 已降城十一
<椋嵒城>; <木底城{木氐城}>; <藪口城>; <南蘇城>; <甘勿主城>, 本<甘勿伊忽>; <㱛田谷城{凌田谷城//麥田谷城}>; <心岳城>, 本<居尸押>; <國內州>(一云 <不耐>, 或云<尉那嵒城>.); <屑夫婁城{屑夫婁城}>, 本<肖利巴利忽>; <朽岳城{杅岳城}, 本<骨尸押>; <橴木城>.

번 역

12.2. <압록강(鴨淥水)> 이북의 항복한 11개 성

<양암성(椋嵒城)>; <목저성(木底城)>; <수구성(藪口城)>; <남소성(南蘇城)>; 본래 <감물이홀(甘勿伊忽)>이었던 <감물주성(甘勿主城)>; <능전곡성(菱田谷城)>; 본래 <거시압(居尸押)>이었던 <심악성(心岳城)>; <국내주(國內州)>(또는 <불내(不耐)>, <위나암성(尉那嵒城)>); 본래 <초리파리홀(肖利巴利忽)>이었던 <설부루성(屑夫婁城)>; 본래 <골시압(骨尸押)>이었던 <후악성(朽岳城)>; <자목성(橾木城)>.

변 천

12.2.1. 椋嵒城 － 平安南道 陽德의 옛 이름.

12.2.2. 木底城 － 지금의 金州(中國 遼寧省 大連市 위쪽) 땅에 있다.(文)

○ 金州 － 중국의 漢나라 때에는 玄菟郡에 속하였는데, 唐에서는 奉天省에 金州를 두었고, 宋은 蘇州로 고치고, 明은 金州衛로 삼았고, 淸은 縣을 두고, 奉天府에 속했다. 지금은 奉天 東邊道에 속하니, 遼東半島의 南端 金州半島에 있다.(辭)

12.2.3. 藪口城 － 鴨綠江 이북의 항복한 11개 城 중의 하나.

12.2.4. 南蘇城 － 지금의 金州 땅에 있다.(文)

12.2.5. 甘勿主城 － 본래 甘勿伊忽.

12.2.6. 菱田谷城 － 鴨綠江 이북의 항복한 11개 城 중의 하나.

12.2.7. 心岳城 － 본래 居尸押.

12.2.8. 國內州 - 不耐 또는 尉那品城. 지금의 江原道 金化郡(옛 通溝) 方面.

12.2.9. 屑夫婁城 - 본래 肖利巴利忽.

12.2.10. 朽岳城 - 본래 骨尸押.

12.2.11. 橻木城 - 鴨綠江 이북의 항복한 11개 성 중의 하나.

원 문

12.3. <鴨淥{水}>以北, 逃城七
  <鉛城>, 本<乃勿忽>; <面岳城>; <牙岳城>, 本<皆尸押忽>; <鷲岳城>, 本<甘彌忽>; <積利城>, 本<赤里忽>; <木銀城>, 本<召尸忽>; <梨山城>, 本<加尸達忽>.

번 역

12.3. <압록강(鴨淥{水})> 이북의 도망한 7개 성
  본래 <내물홀(乃勿忽)>이었던 <연성(鉛城)>; <면악성(面岳城)>; 본래 <개시압홀(皆尸押忽)>이었던 <아악성(牙岳城)>; 본래 <감미홀(甘彌忽)>이었던 <취악성(鷲岳城)>; 본래 <적리홀(積利城)>이었던 <적리성(積利城)>; 본래 <소시홀(召尸忽)>이었던 <목은성(木銀城)>; 본래 <가시달홀(加尸達忽)>이었던 <이산성(梨山城)>.

변 천

12.3.1. 鉛城 - 본래 乃勿忽.

12.3.2. 面岳城 － 鴨綠江 이북의 도망한 7개 城 중의 하나.

12.3.3. 牙岳城 － 본래 皆尸押忽.

12.3.4. 鷲岳城 － 본래 甘彌忽.

12.3.5. 積利城 － 본래 赤里忽.

12.3.6. 木銀城 － 본래 召尸忽.

12.3.7. 梨山城 － 본래 加尸達忽.

원 문

12.4. <鴨淥>以北, 打得城三
<穴城>, 本<甲忽>; <銀城>, 本<折忽{拆忽}>; <似城>, 本<史忽>.

번 역

12.4. <압록강> 이북에 정복한 3개 성
원래 <갑홀(甲忽)>이었던 <혈성(穴城)>; 원래 <절홀(折忽)>이었던 <은성(銀城)>; 원래 <사홀(史忽)>이었던 <사성(似城)>.

변 천

12.4.1. 穴城 － 본래 甲忽.

12.4.2. 銀城 - 본래 折忽.

12.4.3. 似城 - 본래 史忽.

원 문

12.5. 都督府一十三縣
<嵎夷縣>; <神丘縣>; <尹城縣>, 本<悅已>; <麟德縣>, 本<古良夫里>; <散昆縣>, 本<新村>; <安遠縣>, 本<仇尸波知>; <賓汶縣>, 本<比勿>; <歸化縣>, 本<麻斯良>; <邁羅縣>; <甘蓋縣>, 本<古莫夫里>; <奈西縣>, 本<奈西兮>; <得安縣>, 本<德近支>; <龍山縣>, 本<古麻山{古麻古}>.

번 역

12.5. 도독부(都督府)의 13개 현
<우이현(嵎夷縣)>; <신구현(神丘縣)>; 본래 <열이(悅已)>였던 <윤성현(尹城縣)>; 본래 <고량부리(古良夫里)>였던 <인덕현(麟德縣)>; 본래 <신촌(新村)>이었던 <산곤현(散昆縣)>; 본래 <구시파지(仇尸波知)>였던 <안원현(安遠縣)>; 본래 <비물(比勿)>이었던 <빈문현(賓汶縣)>; 본래 <마사량(麻斯良)>이었던 <귀화현(歸化縣)>; <매라현>; 본래 <고막부리(古莫夫里)>였던 <감개현(甘蓋縣)>; 본래 <나서혜(奈西兮)>였던 <나서현(奈西縣)>; 본래 <덕근지(德近支)>였던 <득안현(得安縣)>; 본래 <고마산(古麻山{古麻古})>이었던 <용산현(龍山縣)>.

변 천

12.5.1. 嵎夷縣 - 都督府 13개 縣 중의 하나이다.

12.5.2. 神丘縣 − 都督府 13개 縣 중의 하나이다.

12.5.3. 尹城縣 − 본래 悅己로 지금의 忠淸南道 定山縣인데, 三國志에 말하기를 "百濟 시대에는 지명을 悅己라 하였고 豆陵尹城이라고도 불렸다."고 하였다.(文)
　○ 지금은 靑陽郡에 속함.

12.5.4. 麟德縣 − 본래 古良夫里인데, 지금의 忠淸南道 靑陽縣이다.

12.5.5. 散昆縣 − 본래 新村인데, 지금의 忠淸南道 保寧縣이다.(文)

12.5.6. 安遠縣 − 본래 仇尸波知.

12.5.7. 賓汶縣 − 본래 比勿인데, 賓復縣의 다른 이름이다.

12.5.8. 歸化縣 − 본래 麻斯良.

12.5.9. 邁羅縣 − 都督府 13개 縣 중의 하나이다.

12.5.10. 甘蓋縣 − 본래 古莫夫里.

12.5.11. 奈西縣 − 본래 奈西兮.

12.5.12. 得安縣 − 본래 德近支인데, 지금의 忠靑南道 恩律縣으로 百濟 시대의 地名은 得近支이다.(文)

12.5.13. 龍山縣 − 본래 麻山인데, 지금의 忠靑南道 藍浦縣이 百濟 시대의 馬山으로 추측된다. 麻와 馬가 곱이 같고, 九龍山이 邑의 鎭山이기 때문이다.(文)
　○ 그러나 馬山은 韓山의 옛 지명이요 藍浦의 옛 지명이 아니기 때문에, 文獻備考의

고증이 잘못된 것으로 추측된다.

원 문

12.6. <東明州> 四縣
<熊津縣>, 本<熊津村{熊津材}>; <鹵辛縣>, 本<阿老谷>; <久遲縣>, 本<仇知>;
<富林縣>, 本<伐音村>.

번 역

12.6. <동명주(東明州)>의 4개 현

본래 <웅진촌(熊津村)>이었던 <웅진현(熊津縣)>; 본래 <아로곡(阿老谷)>이었던 <노신현(鹵辛縣)>; 본래 <구지(仇知)>였던 <구지현(久遲縣)>; 본래 <벌음촌(伐音村)>이었던 <부림현(富林縣)>.

변 천

12.6. 東明州 − 熊津(公州)·久遲(全義)·富林(新豊) 等 4개의 屬縣이 있었다고 하나 그 위치를 알 수 없다.
   ○ 扶餘가 아닌가 생각된다.

12.6.1. 熊津縣 − 본래 熊津村, 지금의 忠淸南道 公州의 百濟 시대의 지명이 熊津이다.
   (文)

12.6.2. 鹵辛縣 − 본래 阿老谷.

12.6.3. 久遲縣 − 본래 仇知로, 지금의 忠淸南道 全義의 百濟 시대 지명이 仇知이다.(文)

12.6.4. 富林縣 - 본래 伐音村, 지금의 忠淸南道 폐지된 新豊縣이 公州의 屬縣인데 百濟
시대의 지명이 伐音支이다.(文)

원 문

12.7. <支潯州>九縣

<已汶縣>, 本<今勿>; <支潯縣>, 本<只彡村>; <馬津縣>, 本<孤山>; <子來
縣>, 本<夫首只>; <解禮縣>, 本<皆利伊>; <古魯縣>, 本<古麻只>; <平夷縣>,
本<知留>; <珊瑚縣>, 本<沙好薩>; <隆化縣>, 本<居斯勿>.

번 역

12.7. <지심주(支潯州)>의 9개 현

본래 <금물(今勿)>이었던 <이문현(已汶縣)>; 본래 <지삼촌(只彡村)>이었던 <지심현
(支潯縣)>; 본래 <고산(孤山)>이었던 <마진현(馬津縣)>; 본래 <부수지(夫首只)>였던 <자
래현(子來縣)>; 본래 <개리이(皆利伊)>이었던 <해례현(解禮縣)>; 본래 <고마지(古麻只)>
였던 <고로현(古魯縣)>; 본래 <지류(知留)>였던 <평이현(平夷縣)>; 본래 <사호살(沙好
薩)>이었던 <산호현(珊瑚縣)>; 본래 <거사물(居斯勿)>이었던 <융화현(隆化縣)>.

변 천

12.7. 支潯州 - 그 위치를 알 수 없으나, 已汶(德山)·馬津(禮山)·夫首只(唐津) 等 9개 縣
이 屬하였다.

12.7.1. 已汶縣 - 본래 今勿인데, 지금의 忠淸南道 德山(현재 忠南 禮山郡 德山面)縣의
옛 이름이다.

12.7.2. 支潯縣 - 본래 只彡村.

12.7.3. 馬津縣 - 본래 孤山인데, 지금의 忠淸南道 禮山縣이 百濟時代에는 烏山이었고, 新羅가 孤山으로 고쳤는데, 옛 지명을 따라서 지은 듯하다. 烏와 孤의 音이 역시 비슷한 데가 있다.(文)

12.7.4. 子來縣 - 본래 夫首只.

12.7.5. 解禮縣 - 본래 皆利伊.

12.7.6. 古魯縣 - 본래 古麻只.

12.7.7. 平夷縣 - 본래 知留.

12.7.8. 珊瑚縣 - 본래 沙好薩.

12.7.9. 隆化縣 - 본래 居斯勿인데, 지금의 全羅北道의 폐지된 居寧縣이 南原에 屬하였는데, 百濟時代에는 居斯勿이 아닌가 한다.(文)

원 문

12.8.　<魯山州>六縣
<魯山縣>, 本<甘勿阿>; <唐山縣>, 本<仇知只山>; <淳遲縣>, 本<豆尸>; <支牟縣>, 本<只馬馬知>; <烏蠶縣{烏蠶縣}>, 本<馬知沙>; <阿錯縣>, 本<源村{原村}>.

번 역

12.8. <노산주(魯山州)>의 6개 현

본래 <감물아(甘勿阿)>였던 <노산현(魯山縣)>; 본래 <구지지산(仇知只山)>이었던 <당산현(唐山縣)>; 본래 <두시(豆尸)>였던 <순지현(淳遲縣)>; 본래 <지마마지(只馬馬知)>였던 <지모현(支牟縣)>; 본래 <마지사(馬知沙)>였던 <오잠현(烏蠶縣)>; 본래 <원촌(源村)>이었던 <아착현(阿錯縣)>.

변 천

12.8. 魯山州 - 魯山縣으로 지금의 全羅北道 咸悅(현재 益山市 咸悅邑)이다. 魯山·唐山·淳遲·支牟·烏蠶·阿錯 6개 縣이 있었다.

12.8.1. 魯山縣 - 본래 甘勿阿인데, 지금의 全羅北道 咸悅(현재 益山市 咸悅邑)縣이다.(文)

12.8.2. 唐山縣 - 본래 仇知只山인데, 지금의 全羅北道 金溝(현재 全北 金堤市 金溝面)縣이다.(文)

12.8.3. 淳遲縣 - 본래 豆尸인데, 지금의 全羅北道 廢縣(현재 忠南 錦山郡 富利面)이 百濟時代의 豆尸伊古이 아닌가 한다.(文)

12.8.4. 支牟縣 - 본래 只馬馬只.

12.8.5. 烏蠶縣 - 본래 馬知沙.

12.8.6. 阿錯縣 - 본래 源村.

원 문

12.9. <古四州>, 本<古沙夫里>, 五縣
<平倭縣>, 本<古沙夫村>; <帶山縣>, 本<大尸山>; <辟城縣>, 本<辟骨>; <佐
贊縣>, 本<上杜>; <淳车縣>, 本<豆奈只>.

번 역

12.9. 본래 <고사부리(古沙夫里)>였던 <고사주(古四州)>의 5개 현

본래 <고사부촌(古沙夫村)>이었던 <평왜현(平倭縣)>; 본래 <대시산(大尸山)>이었던
<대산현(帶山縣)>; 본래 <벽골(辟骨)>이었던 <벽성현(辟城縣)>; 본래 <상두(上杜)>였던
<좌찬현(佐贊縣)>; 본래 <두나지(豆奈只)>였던 <순모현(淳车縣)>.

변 천

12.9. 古四州 - 본래 古沙夫里인데, 平倭(古阜)縣 · 帶山縣(泰仁) · 辟城縣(金堤) · 佐贊縣 ·
淳车縣 5개 縣을 거느렸다.

12.9.1. 平倭縣 - 본래 古沙夫里村인데, 지금의 全羅北道 古阜(현재 井邑市 古阜面)郡이
百濟時代의 古沙夫里이다.(文)

12.9.2. 帶山縣 - 본래 大尸山인데, 지금의 全羅北道 泰仁(현재 井邑市 泰仁面)이 百濟時
代의 大尸山이다.(文)

12.9.3. 辟城縣 - 본래 辟骨인데, 지금의 全羅北道 金堤郡(현재 金堤市)이 百濟時代의 碧
骨인데, 辟과 碧이 음이 같으므로 이곳을 가리키는 것이 아닌가 생각된다.(文)

12.9.4. 佐贊縣 - 본래 上杜.

12.9.5. 淳牟縣 – 본래 豆奈只.

원 문

12.10. <沙泮州>, 本<號尸伊城>, 四縣
<牟支縣>, 本<號尸伊村>; <無割縣>, 本<毛良夫里>; <佐魯縣>, 本<上老>;
<多支縣>, 本<夫只>.

번 역

12.10. 본래 <호시이성(號尸伊城)>이었던 <사반주(沙泮州)>의 4개 현

본래 <호시이촌(號尸伊村)>이었던 <모지현(牟支縣)>; 본래 <모량부리(毛良夫里)>였던 <무할현(無割縣)>; 본래 <상로(上老)>였던 <좌로현(佐魯縣)>; 본래 <부지(夫只)>였던 <다지현(多支縣)>.

변 천

12.10. 沙泮州 – 본래 號尸伊城인데, 牟支(長城)·無割(高敞)·佐魯·多只 4개 縣을 거느렸다.

12.10.1. 牟支縣 – 본래 號尸伊村인데, 지금의 全羅南道 長城府(현재 長城郡)가 百濟時代의 古尸伊縣으로, 號와 古가 음이 서로 비슷하고 尸伊가 음이 서로 같으므로 이곳이 아닌가 한다.(文)

12.10.2. 無割縣 – 본래 毛良夫里인데, 지금의 全羅北道 高敞縣(현재 高敞郡)이 다.(文)

12.10.3. 佐魯縣 – 본래 上老.

12.10.4. 多只縣 - 본래 夫只.

원 문

12.11. <帶方州>, 本< 竹軍城>, 六縣
　　<至留縣>, 本<知留>; <軍那縣>, 本<屈奈>; <徒山縣>, 本<抽山>; <半那縣>,
本<半奈夫里>; <竹軍縣>, 本<豆肹>; <布賢縣>, 本<巴老彌>.

번 역

12.11. 본래 <죽군성(竹軍城)>이었던 <대방주(帶方州)>의 6개 현

　　본래 <지류(知留)>였던 <지류현(至留縣)>; 본래 <굴나(屈奈)>였던 <군나현(軍那縣)>;
본래 <추산(抽山)>이었던 <도산현(徒山縣)>; 본래 <반나부리(半奈夫里)>였던 <반나현
(半那縣)>; 본래 <두힐(豆肹)>이었던 <죽군현(竹軍縣)>; 본래 <파로미(<巴老彌)>였던
<포현현(布賢縣)>.

변 천

12.11. 帶方州 - 본래 竹軍城인데, 至留·軍那(咸平)·徒山(嘉興)·平那(潘南)·竹軍(荳
原)·布賢의 6개 縣을 거느렸다.

12.11.1. 至留縣 - 본래 知留.

12.11.2. 軍那縣 - 본래 屈奈인데, 全羅南道 咸平縣(현재 咸平郡)이 百濟時代의 屈乃인데,
乃와 奈가 음이 서로 같으므로 이곳이 아닌가 생각된다.(文)

12.11.3. 徒山縣 - 11.3.53. 參照

12.11.4. 半那縣 − 본래 半那夫里(半奈夫里)로, 지금의 全羅南道 羅州의 潘南縣(현재 羅州市 潘南面)이 百濟 시대의 半那夫里로 추측된다.(文)

▶ 潘南郡 − 9.5. 參照

12.11.5. 竹軍縣 − 본래 百濟 豆肹顯인데, 新羅 景德王이 <蘆原(또는 竹軍)>으로 고쳐서 分嶺(樂安)郡 領縣으로 삼았다. 뒤에 高麗가 <荳原>으로 고쳐서 寶城에 편입시켰다가, 高麗 仁宗 21年(1143)에 監務를 두었고, 뒤에는 長興府에 속하였는데, 朝鮮 世宗 때에 <興陽>에 속하였다.(三 · 麗 · 興 · 文)

○ 지금의 全羅南道 高興郡 豆原面.

▶ 豆原 − 9.1.3. 참조.

12.11.6. 布賢縣 − 본래 巴老彌.

원 문

12.12. <分嵯州>, 本<波知城>, 四縣
<貴旦縣>, 本<仇斯珍兮>; <首原縣>, 本<買省坪>; <皐西縣{阜西縣}>, 本<秋子兮>; <軍支縣>.

번 역

12.12. 원래 <파지성(波知城)>이었던 <분차주(分嵯州)>의 4개 현
원래 <구사진혜(仇斯珍兮)>였던 <귀단현(貴旦縣)>; 원래 <매성평(買省坪)>이었던 <수원현(首原縣)>; 원래 <추자혜(秋子兮)>였던 <고서현(皐西縣)>; <군지현(軍支縣)>.

변 천

12.12. 分嵯州 - 본래 波知城으로 貴旦(珍原)·首原·皐西(潭陽)·軍支(樂安) 4개 縣을 거느렸다. 지금의 全羅南道 樂安(지금은 順天에 속함)郡이 百濟時代의 分嵯郡인데, 당나라 사람이 郡으로 昇格시켜서 州를 만들고 옛 지명을 따른 것이 徒山과 같은 例일 것이다. 分嵯는 分沙라고도 하므로, 지금의 樂安郡 북쪽 5里에 있는 分沙峴이 그 곳이라 여겨진다.(文)

12.12.1. 貴旦縣 - 본래 仇斯珍兮로, 지금의 全羅南道 長城의 珍原縣(현재 長城郡 珍原面)이 百濟 때의 丘斯珍兮인데, 仇와 丘가 음이 서로 같으므로 이곳이 아닌가 추측된다.(文)

12.12.2. 首原縣 - 본래 買省坪.

12.12.3. 皐西縣 - 본래 秋子兮로, 지금의 全羅南道 潭陽府(현재 潭陽郡)가 百濟 때의 秋子兮이다.(文)

12.12.4. 軍支縣 - 全羅南道 樂安郡 남쪽 25里에 軍知部曲古蹟이 있는데, 支와 知가 음이 같으므로 이곳을 가리키는 것이 아닌가 여겨진다.(文)

원 문

12.13. [賈耽]『古今郡國志』云: "【渤海國】<南海>·<鴨淥>·<扶餘>·<柵城> 四府, 並是【高句麗】舊地也, 自【新羅】<泉井郡>至<柵城府>, 凡三十九驛."

번 역

12.13. [가탐(賈耽)]의 「고금군국지(古今郡國志)」에는 "【발해국】의 <남해(南海)>·<압

록(鴨淥)>·<부여(扶餘)>·<책성(柵城)> 등 4개 부(府)는 모두【고구려】의 옛 땅이었으며,【신라】의 <천정군(泉井郡)>으로부터 <책성부(柵城府)>에 이르기까지 모두 39개의 역(驛)이 있었다.”고 기록되어 있다.

인용문헌 해설

1. 경상도지리지(慶尙道地理志) 〈1책·사본〉

경재(敬齋) 하연(河演)이 경상감사로 있을 때 영을 내려, 도내 각 읍의 연혁과 각 지방의 풍물·명소·풍습 등을 낱낱이 조사하여 1452년에 편찬한 책이다.

2. 고려사(高麗史) 〈139권 100책·인본〉

조선 태조가 개국 후, 정도전(鄭道傳)·정총(鄭摠)에게 어명을 내려, 고려역대실록을 참고하여 편찬하였으나 매우 조잡하여, 다시 태종이 유신(儒臣)에게 명하여 교정을 시켰지만 완성되지 않았다. 세종 때 왕명으로 사국(史局)을 열어 정인지(鄭麟趾)·김종서(金宗瑞) 등이 개찬(改撰)하여 1454년(단종 2년)에 간행하였다. 고려시대의 근본 사료(史料)에 의거하여 왕의 세가(世家) 46권, 지(志) 39권, 연표(年表) 2권, 열전(列傳) 80권, 목록 2권으로 저술하여, 고려시대를 연구하는 데 귀중한 자료가 되고 있다.

3. 대동수경(大東水經)

조선 정조 때의 실학자 정약용(1762~1836)의 전집인 『정다산전서(鄭茶山全書)』의 지리집(地理集) 속에 들어 있는 지리서(地理書)이다. 『정다산전서』는 1960년 문헌편찬위원회(文獻編纂委員會)에서 『여유당전서(與猶堂全書)』에 법령집의 하나인 민보의(民堡議)를 첨가하여 국판 상·중·하·보유(補遺) 4권으로 영인한 책이다. 이 책은 저자가 경학의 전면적 검토와 정치·경제·법제·역사·지리·의약·기용(器用)·언어 등에 이르기까지 고증(考證)·규명함에 온 정력을 기울여 정리·체계화한 것으로, 우리나라 역사·문화 특히 근세사 연구에 중요한 자료이다.

4. 대동지명사전(大東地名辭典)

육당 최남선(六堂崔南善)이 1930년에 지은 책으로 우리나라 지명의 옛 이름, 위치, 연혁
등을 가나다 순으로 조사·기록하였다.

5. 대한강역고(大韓疆域考) 〈9권 2책·인본〉

한국의 지리를 여러 지역별로 상론하고, 그 윤곽을 그린 책이다. 조선 순조 때 정약용
(丁若鏞)이 지은 『강역고(疆域考)』 10권을 장지연(張志淵)이 1903년에 증보한 것으로 권초
(卷初)에 지도를 넣었고, 조선고(朝鮮考)·삼한총고(三韓總考)·졸본고(卒本考)·옥저고(沃
沮考)·발해고(渤海考)·도로연혁고(道路沿革考)·서북로연혁고(西北路沿革考)·패수변(浿
水辨)·백두산정계비고(白頭山定界碑考) 등이 수록되어 있다.

6. 동국여지승람(東國輿地勝覽)

각 도의 지리·풍속 등 특별한 사실을 기록한 책으로 성종(成宗) 때(1481) 왕명에 의하
여 노사신(盧思愼) 등이 편찬한 지리서이다. 각 지방의 풍속·전설·누정(樓亭)·불우(佛
宇)·고적(古蹟)·제영(題詠) 등의 조(條)에는 역대 명가의 시와 기문(記文)이 풍부하게 수
집되어 있어서 지리학과 한문학 자료집으로 중요하다. 1432년(세종 14년)『신찬팔도지리지
(新撰八道地理志)』가 완성되어 사관(史館)에 비치되었고, 1481년(성종 12년)에 『여지승람
(輿地勝覽)』 50권을 완성, 1486년(성종 17년)에 이를 다시 정정하여 『동국여지승람』이라는
이름으로 35권을 발간하고, 1499년(연산군 5년)에 개수, 1530년(중종 25년)에 이행(李荇) 등
이 증보하여『신증동국여지승람』을 55권 25책으로 간행하였다. 해방 후 1958년 고전간행
회편 국판 1,016면의 영인본을 동국문화사에서 간행하였다.

7. 동국통감(東國通鑑) 〈56권 28책·인본〉

신라초부터 고려말까지의 역사를 편년체(編年體)로 기록한 책이다. 세조 때 시작하여 성
종 때(1484) 서거정·정효향 등이 어명에 의해 편찬하였다. 신라 시조 박혁거세로부터 고
구려·백제·고려말 공양왕까지 1400년간 국토의 이합(離合)·성쇠(盛衰)·명교(名敎)·절

의(節義)·난적(亂賊)·간유(奸諛) 등의 사적을 중국 사마광(司馬光)의 『자치통감(資治通鑑)』을 본받아 『삼국사기』·『삼국유사』 등의 자료를 참조하여 기술하였다.

8. 동사강목(東史綱目) 〈20권 20책·사본〉

조선 숙종(肅宗) 때(1758년) 안정복(安鼎福)이 기자(箕子) 때부터 고려 말까지의 사적을 적은 책이다. 주자(朱子)의 『통감강목(通鑑綱目)』을 본받아 한국과 중국의 역사를 참고하여 아이들의 교과서용으로 편찬하였다. 첫권에 서문·목록(目錄)·범례(凡例)·전수도(傳受圖)·관직도(官職圖) 등을 싣고, 부록에 고이(考異)·괴설(怪說)·잡설(雜說)·지리강역고정(地理疆域考正)과 분야(分野) 등을 수록하였다. 1915년 조선고서간행회에서 4책으로 간행하였다.

9. 동환록(東寰錄) 〈4권 1책·필사본〉

1859년(哲宗 10년)에 윤정기(尹廷琦, 정약용의 외손)가 우리나라의 지리·역사와 기타 많은 사항을 사전식으로 엮은 책이다. 이 책에는 방역(方域)·총목(總目)·역대제국(歷代諸國)·강역(疆域)·팔도주현(八道州縣)·방언(方言)·악부(樂府)·압수외지(鴨水外地) 등이 수록되어 있다. 위로 삼한·한사군시대부터 아래로 삼국·고려·조선의 순으로 고사·인물 기타 모든 사물의 해제(解題)를 체계적으로 고증하여 서술한 것이다. 특히 방언 항목에서는 고사(古史)에 나오는 '거서간(居西干)'·'마립간(麻立干)'·'차차웅(次次雄)' 등의 고어를 해석하고, '나록(羅錄: 벼)'·'가남아(假男兒: 시집가지 않은 여자)' 등의 영·호남 방언을 열거·설명하였다.

10. 문헌비고(文獻備考) 〈250권 50책·인본〉

우리나라 상고 때부터 대한제국 말기에 이르기까지의 문물 제도를 분류·정리한 책으로 약칭 『문헌비고』라 한다. 처음은 1770년(영조 46년)에 홍봉한 등이 왕명에 의해 『동국문헌비고』 100권을 편찬하였고, 이후 1782년(정조6년)에 왕명으로 이만운에 의하여 『증보동국문헌비고』 146권이 편성되었으나 출판하지 못하고, 1903년(광무 7년)에 특별히 찬집청(撰集廳)을 두고 박용대 등 30여 명의 문사에게 명하여 이를 보수하게 하여, 1908년(융희

2년)에 『증보문헌비고』라 하여 250권을 간행하였다. 1957년 동국문화사에서 상·중·하로 이 책을 영인하였다.

11. 사원(辭源) 〈전 2권〉

중국어 사전이다. 단어·숙어의 주석 외에 내외의 주요 地名·人名·年號·書名·動植物名·科學用語 등이 수록되어 있어, 백과사전적 의미를 띤다. 정편(正編)은 육이규(陸爾奎) 등이 편찬, 1915년 상해의 상무인서관(商務印書館)에서 간행하였고, 속편은 방의(方毅) 등이 편찬하여 1931년에 간행하였다.

12. 삼국사기(三國史記) 〈50권·인본〉

고구려·백제·신라의 3국 역사책이다. 중국 사마천(司馬遷)의 『사기(史記)』를 본떠 쓴 것으로 고려 인종 때 왕명을 받고 김부식(金富軾) 등이 고기(古記)·유적(遺籍) 혹은 중국의 제사(諸史)에서 뽑아 편찬·간행하였다. 고려 시대의 간행본은 이미 없어지고, 조선 시대에 와서 1393년~1394년(태조 2~3년)에 진의귀(陳義貴)·김거두(金居斗)가 개간(改刊), 1512년 이계복(李繼福)이 다시 개간, 이후 목판 또는 활자로 수차 간행되었으며, 본기(本記)·연표(年表)·지류(志類)·열전(列傳)의 순으로 편찬되어 있다. 옥산서원(玉山書院) 소장본을 영인한 동경대학간본·광문회간본·조선학회간본 등이 일제 때 나왔다. 1956년에는 연세대학교 동방학연구소에서 『삼국사기색인』이 간행되었고, 이병도(李丙燾)의 역주본(譯註本)이 일부 출간되었으며, 김종권(金種權)의 완역본(完譯本)이 있다.

13. 삼국유사(三國遺事) 〈5권·인본〉

고려 충렬왕 때의 명승(名僧), 보각국사(普覺國師) 일연(一然)이 저술한 사서(史書)이다. 원판은 전하지 않고, 1512년(중종 7년) 재간(再刊)한 것이 전해진다. 신라·고구려·백제 삼국의 유사(遺事)를 모아 삼국의 연표(年表)와 더불어 기이(奇異)·흥법(興法)·의해(義解)·신주(神呪)·감통(感通)·피은(避隱)·효선(孝善)의 항목으로 기록되었는데, 불교에 관한 기록이 비교적 많다. 삼국 외에 단군조선·기자조선·위만조선·삼한·사군·낙랑·

대방·말갈·발해·부여·후백제·가락 등에 관한 기록도 실려 있다. 이 책은 삼국사기에 빠진 고기(古記)를 원형대로 모아 기록한 데 특징이 있다. 단군신화를 비롯하여 고대의 신화·전설·민속·사회·고어휘·성씨록·지명기원·사상·신앙·일사(逸事) 등에 대한 기록이 수록되어 있다. 여기에 인용된 서적은 당시의 전적(典籍)을 고증하는 데 좋은 자료가 된다. 특히 향가 14수가 실려 있어 국문학 연구에 귀중한 자료가 되고 있다. 일제 시대 원형의 크기로 영인(影印)한 고전간행회본과 조선사학회본, 동경 제국대학 문과대학 사지총서본(史誌叢書本), 계명구락부 간본(啓明俱樂部刊本) 외에 광복 후의 삼중당(三中堂) 발행본이 있으며 번역본도 몇 가지 있다.

14. 세종실록지리지(世宗實錄地理志) 〈8권〉

『세종실록』163권 중에 수록되어 있는 지리지이다. 1454년〈단종 2년〉 정인지(鄭麟趾) 등에 의하여 편찬되었다. 각 도(道)의 연혁·고적·물산(物産)·지세 등이 상세하게 기록되어 있으며, 그 후에 나온 『동국여지승람』의 연원이 되었다. 1938년 중추원(中樞院)에서 『교정세종실록지리지』라는 이름으로 간행하였다.

15. 여암전서(旅庵全書)

조선 영조 때의 실학자인 여암(旅庵) 신경준(申景濬)이 1770년 경에 지은 책이다. 1939년 위당 정인보 선생이 『여암전서』를 간행하였는데, 신경준의 저작을 다 싣지는 못하였으나, 지리에 관한 글들은 대부분 실리게 되었다. 이후 1976년에 경인문화사에서는 1910년에 후손들이 간행한 『여암유고』와, 정인보 선생이 간행한 『여암전서』, 그밖에 여암 저술의 대부분을 합하여 『여암전서』를 간행하였다.

16. 여유당전서(與猶堂全書)

조선 정조 때의 실학자 다산(茶山) 정약용(丁若鏞)의 전집이다. 자찬묘지명(自撰墓地銘) 집중본(集中本)의 목차는 경집(經集) 232권, 문집(文集) 267권으로 되어 있는데, 여기에서 빠진 민보의(民堡議) 3권, 풍수집의(風水集議) 3권, 문헌비고간오(文獻備考刊誤) 3권을 더하면 문집은 276권이 된다. 도합 508권의 대저서이다. 1936년 신조선사(新朝鮮社)에서 정인보·안재홍이 교열하여 『여유당전서(與猶堂全書)』 활자본 전질(全帙) 154권 67책을 간행하였다. 그러나 편찬체재는 원고본과 다르고 제1 시문집(詩文集) 25권 12책, 제2 경집(經集) 48권 24책, 제3 예집(禮集) 24권 12책, 제4 악집(樂集) 4권 2책, 제5 정법집(政法集) 39권 19책, 제6 지리집(地理集) 8권 4책, 제7 의학집(醫學集) 6권 3책으로 되어 있다. 그 뒤 1960년에 문헌편찬위원회에서 민보의(民堡義)를 추가하여 『정다산전서』라 하여 영인하였다.

17. 위암유고(韋庵遺稿)

조선 말기 위암 장지연(張志淵)의 유고집으로, 경북 칠곡군에 있는 증손 소장(所藏)의 원본을 바탕으로 1956년 국사편찬위원회에서 편찬·간행하였다.

18. 조선왕조실록(朝鮮王朝實錄)

조선 태조 때부터 철종에 이르기까지 25대 472년 간의 역사적 사실을 편년체(編年體)로 기술한 기록이다. 실록을 편찬한 것은 조선 왕조에서 처음인데, 이 실록은 조선시대 역사 연구에 반드시 필요한 사적이지만, 궁정(宮廷) 중심의 사건 기록이어서 지방의 실정을 단적으로 나타내지 못하는 흠이 있다. 조선 끝 왕인 고종과 순종의 실록은 편찬되지 못하고 있다가 일제 때 일본인의 지시로 이왕직(창경원 안에 있는 박물관)에서 만들었기 때문에 믿을 수 없는 부분이 많아 『조선왕조실록』이라 하면 일반적으로 철종(哲宗)때까지의 실록을 의미한다. 현재 완전히 남아 있는 실록은 서울대학교 중앙도서관에 보관되어 있는 정족산본(鼎足山本)과 태백산본뿐이다. 그 후 1929년부터 1932년까지 4년 동안 경성제국대학에서 태백산본을 저본(底本)으로 하여 실록 전체를 영인한 일이 있다. 광복 후 정음사(正音社)에서 간행에 착수하다가 중단되었고, 1955년부터 1958년까지 4년 동안 국사편찬위원회에서 태백산본을 8분의 1로 축쇄·영인하여 국배판(菊倍版) 양장본(洋裝本) 48책으로 간행하여 국내 각 도서관은 물론 구미 각국의 중요한 대학도서관에 반포하였다. 1953년이래 일본 학습원 동방문화연구소에서 영인본으로 축쇄·간행하였다.

19. 조선지지자료(朝鮮地誌資料)

1902년 조선총독부에서 『한국지리풍속지총서』라는 제목으로 300권을 편찬하였는데, 이 중 제4권이 『조선지지자료』로서 당시 조선의 지리에 관한 각종 통계를 도표로 나타내고 있다. 서울 경인문화사에서 간행되었다.

20. 한국지명연혁고(韓國地名沿革考)

권상로(勸相老) 편찬으로 1961년 동국문화사에서 간행하였다. 『지명변천사전』이라고도 하며, 우리나라 지명의 변천을 여러 고문헌에서 시대순으로 옮긴 것이다. 부록으로 역대 지명 연혁일람표, 각 시대의 행정구역표, 국명의 이칭(異稱), 8도의 이명(異名) 등이 수록되어 있다.

21. 해동역사(海東繹史) 〈85권 · 사본〉

단군에서 고려 시대까지의 역사서이다. 원래 사본(寫本)이던 것을 고서간행회에서 양장본 4책으로 간행했고, 또 광문회(光文會)에서 6책으로 간행한 것이 있다. 조선 정조 때 한치윤(韓致奫)이 저술한 것으로 총 85권 중, 속편 『지리고』 15권은 조카 한진서(韓鎭書)가 보충하여 완성하였다. 우리나라 여러 역사서는 물론, 중국과 일본의 역사서 545종에서 한국에 관한 기사를 뽑아 편술하였다. 제1~16권은 세기(世紀)로 단군에서 고려조까지를 편년체로 기록하고, 제17권은 성력지(星曆志), 제18~21권은 예지(禮志), 제22권은 악지(樂志), 제23권은 병지(兵志), 제24권은 형지(刑志), 제25권은 식화지(食貨志), 제26~27권은 물산지(物產志), 제28권은 풍속지(風俗志), 제29권은 궁실지(宮室志), 제30~31권은 관씨지(官氏志), 제32권은 석지(釋志), 제33~41권은 교빙지(交聘志), 42~59권은 예문지(藝文志), 제60권은 숙신씨고(肅愼氏考), 제61~66권은 비어고(備禦考), 제67~70권은 인물고(人物考)로 되어 있고, 속편 15권은 지리고(地理考)만으로 되어 있다.

부 록

時代別 行政區域 地名 變遷表

■ 特別市・廣域市

現 在 (2003)	日 帝 (1914)	朝 鮮	高 麗	南 北 國	三 國	
서울特別市	京城府	漢城府 (→京城府)	楊州	漢陽郡	南平壤城 (北漢山郡 本 伯濟國)	高句麗
東萊區 (釜山市) 機張郡(邑) (東平洞)	東萊郡 (釜山府) 機張面 東平面	東萊縣(郡) (→東萊府) 機張縣(郡) 東平縣(東萊)	東萊縣 機張縣 東平縣	東萊縣 機張縣 東平縣	居漆山郡 (萇山國, 萊山國) 中火良谷縣 火鰿縣	新羅
釜山廣域市						
大邱市 壽城區 壽城洞 達城郡 玄豊面 達城郡 河濱面 達城郡 花園邑 東 區 解顔洞	大邱府 壽城面(達城) 玄豊面(達城) 河濱面(達城) 花園面(達城) 解顔面(達城)	大丘郡 壽城縣 玄豊縣 河濱縣 大丘郡 解顔縣(大邱)	大丘縣 壽城郡 玄豊縣 河濱縣 花園縣 解顔縣	大丘縣 壽昌郡(嘉昌) 玄驍縣 河濱縣 花園縣 解顔縣	達句火縣(達弗城) 渭火郡(上村昌郡) 推良火縣(推三火) 多斯只縣(沓只) 古火縣 雉省火縣(美里)	新羅
大邱廣域市						
富平區 桂陽區 	富川郡 桂陽面 仁川府	富平府(郡) 仁川郡	樹州(→桂陽, 吉州, 富平) 黃魚縣 仁州 (→ 慶源府)	長堤郡 邵城縣	主夫吐郡 買召忽郡 (彌鄒忽, 慶原買召)	高句麗
仁川廣域市						
江華郡 江華邑 河岾面 喬桐面	江華郡	江華府(郡) 喬桐縣(郡)	江華縣 鎭江縣 河陰縣 喬桐縣	海口縣 守鎭縣 冱陰縣(江陰) 喬桐縣	穴口郡(甲比古次) 首智縣(新知) 冬音奈縣(芽陰) 高木根縣 (戴雲島, 高林, 達乙新)	高句麗
甕津郡 白翎島			白翎津		鵠島	
光州廣域市	光州郡	武珍郡	海陽縣	武州	武珍州(奴只)	百濟
儒城區 鎭岑洞 大德區 懷德洞 儒城區	鎭岑面 大田郡 儒城面	鎭岑縣(郡) 懷德縣(郡) 儒城縣	鎭岑縣 懷德縣 儒城縣	鎭嶺縣 比豊郡 儒城縣	眞峴縣(貞峴) 雨述縣(朽淺) 奴斯只縣(奴叱只縣)	百濟
大田廣域市						
蔚山市 蔚州郡 彦陽邑	蔚山郡 彦陽面	蔚山郡 彦陽縣(郡)	蔚州 巘陽縣	河曲縣(河西) 東津縣 虞風縣 巘陽縣	屈阿火縣 栗木浦 于火縣 居知火縣	新羅
蔚山廣域市						

■ 京 畿 道

現　在 (2003)		日 帝 (1914)	朝　鮮	高　麗	南北國	三　國 (高句麗)
水原市		水原郡	水原府(郡) 龍城縣(水原) 雙阜縣(水原)	水州 龍城縣 雙阜縣 貞松縣 廣德縣	水城郡 車城縣	買忽郡 上忽縣(車忽)
南陽洞(華城市)			南陽府(郡)	唐城郡 載陽郡	唐恩郡	唐城郡
安城市	竹山面 安城邑 陽城面	安城郡 陽城面	竹山縣(郡) 安城郡 陽城縣(郡)	竹州郡 安城郡 陽城縣	介山郡 白城郡 赤城縣	皆次山郡 奈兮忽 沙伏忽(百濟時)
	果川市		果川縣(郡)	果州	栗津郡	栗木郡(冬斯肹)
	安山市	始興郡	安山郡	安山郡	獐口郡	獐項口縣(斯也忽次)
	始興市		衿川縣(郡)	衿州(黔州)	穀壤縣	仍伐奴郡
高陽市	高陽洞 幸州洞	高陽郡	高陽縣(郡)	高烽縣 幸州縣(德陽) 富原縣 荒調縣 (注葉里)	高烽縣(高峰) 遇王縣(王逢)	達乙省縣 皆伯縣
龍仁市	駒城邑 陽智面	龍仁郡	龍仁縣(郡) 陽智縣(郡)	龍駒縣 陽村部曲	巨桼縣	駒城縣(滅烏)
金浦市	(서울시 陽川區) 金浦邑 通津面	金浦郡 通津面	陽川縣(郡) 金浦縣(郡) 通津縣(郡)	陽川縣 金浦縣 通津縣 守安縣 童城縣	孔巖縣 金浦縣 分津縣 戌城縣 童城縣	濟次巴衣縣 黔浦縣 平淮押縣 (平唯押, 北史城, 別史波兒) 首爾忽 童子忽縣(幢山縣)
	利川市	利川郡	利川府(郡) 陰竹縣(郡)	利川郡 陰竹縣	黃武縣 陰竹縣	南川縣(南買) 奴音竹縣
	驪州郡	驪州郡	驪州牧(郡) (驪興府)	黃驪縣 川寧縣	黃驍縣 沂川郡(沂川)	骨乃斤縣 述川縣(省知買)
坡州市	坡州邑	坡州郡	坡州牧(郡)	瑞原縣	峰城縣	述爾忽城 (述彌忽, 首泥忽)
	坡平面 交河面	坡平面	交河縣(郡)	坡平縣 交河郡 深嶽縣 石淺鄕	坡平縣 交河郡	坡害平史縣(額蓬) 泉井口縣 (屈火郡, 於乙買串)
	積城面	積城面 (漣川郡)	積城縣(郡)	積城縣	重城縣	七重城(灘隱別, 那邪城)

現　在 (2003)		日　帝 (1914)	朝　鮮	高　麗	南 北 國	三　國 (高句麗)
坡州市	長湍面	長湍郡	長湍縣(郡) (長臨, 臨湍)	湍州縣 臨江縣 臨津縣 松林縣	長湍縣 臨江縣 臨津縣 如熊縣	長淺城縣(耶耶, 夜牙) 獐項縣(古斯也忽次) 津臨縣(烏斯忽) 若豆恥縣 (之熊, 朔頭, 衣頭)
漣川郡	漣川邑 嵋山面 麻田里	漣川郡 嵋山面	漣川縣(郡) 麻田縣(郡)	漳州縣(獐州) 麻田縣	功成縣 臨端縣	功木達縣 (熊閃山, 工木達) 麻田淺縣(泥沙波忽)
	平澤市 振威面	振威郡 (→平澤郡)	平澤縣(郡) 振威縣(郡)	平澤縣 振威縣 永新縣(永豊)	河八縣 振威縣	河八縣 釜山縣 (金山縣, 松村活達)
	楊州郡	楊州郡	楊州府(郡) 豊壤縣	見州 豊壤縣 沙川縣	夾蘇郡 荒壤縣 沙川縣	買省郡昌化 骨衣奴縣 內乙買縣(內乙米)
	廣州市	廣州郡	廣州府(郡)	廣州	漢州	漢山郡
	抱川郡 永平里 (永中面)	抱川郡 永平里	抱川縣(郡) 永平縣(郡)	抱州縣 洞陰縣	堅城郡 洞陰縣	馬忽郡(命旨) 梁骨縣
	加平郡	加平郡	加平縣(郡)	嘉平郡 朝宗縣	嘉平郡(加平) 浚水縣(浚川)	斤平郡(幷平) 深川郡(伏斯買)
	楊平郡 (砥堤面) 砥平里	楊平郡	楊根郡 砥平縣(郡)	楊根縣 迷原縣 砥平縣	濱陽縣 砥平縣	楊根郡(恒陽, 斯斬) 砥硯縣

■ 江 原 道

現　在 (2003)		日　帝 (1914)	朝　鮮	高　麗	南 北 國	三　國 (高句麗)
	原州市	原州郡	原州牧	原州	北原小京	平原郡(北原)
江陵市	江陵市 連谷面 玉溪面	江陵郡 連谷面 玉溪面	江陵府(郡) 連谷縣 羽谿縣	溟洲 連谷縣 羽谿縣	溟州 支山縣 羽谿縣 棟堤縣(棟堤)	河西良(何瑟羅) 支山縣(陽谷) 羽谷縣(玉堂) 束土縣
	春川市	春川郡	春川府(郡)	春川	朔州 (牛首州, 首若州, 烏斤乃, 近乃, 首次若) 蘭山縣	昔達縣(密達)
	三陟市	三陟郡	三陟府(郡)	三陟縣	三陟郡 竹嶺縣 滿卿(鄉)縣 海利縣	悉直郡(悉直國) 竹峴縣(奈生於) 滿若縣 波利縣

現　在 (2003)		日　帝 (1914)	朝　鮮	高　麗	南北國	三　國 (高句麗)
洪川郡		洪川郡	洪川縣(郡)	洪川縣	綠驍縣	伐力川縣
橫城郡		橫城郡	橫城縣	橫川縣	潢川縣	橫川縣(於斯買)
寧越郡		寧越郡	寧越郡	寧越郡	奈城郡	奈生郡
酒泉面		酒泉里	酒泉縣	酒泉縣	酒泉縣(鶴城)	酒淵縣
平昌郡		平昌郡	平昌郡	平昌縣	白烏縣	郁烏縣(于烏)
旌善郡		旌善郡	旌善郡	旌善郡	旌善縣	仍置縣(仍買)
鐵原郡	金化邑	金化郡	金化縣(郡)	金化縣	富平郡	夫如郡
		金城面	金城縣(郡)	金城郡	益城郡	母城郡(也次忽)
				岐城縣	岐城郡	冬斯忽郡
		通口面	通溝縣(金城)	通溝縣	通溝縣	水入縣(買伊)
	鐵原邑	鐵原郡	鐵原郡	東州	鐵城郡	鐵原郡(毛乙冬非)
華川郡		華川郡	狼川縣(郡)	狼川縣	狼川郡	狌川郡(也尸買, 也口買)
楊口郡		楊口郡	楊口縣(郡)	楊溝郡	楊麓郡	楊口郡(要隱忽次)
方山面		方山面		方山縣	三嶺縣	三峴縣(密波兮)
麟蹄郡		麟蹄郡	麟蹄縣(郡)	麟蹄縣	狶蹄縣	猪足縣(烏斯回)
瑞禾面		瑞禾面		瑞禾縣	馳道縣	玉岐縣(皆次丁)
基麟面			基麟縣	基麟縣(鰲麟)		
襄陽郡 襄陽邑		襄陽郡	襄陽府(郡)	翼嶺縣	翼嶺縣	翼峴縣(伊文)
銅山里(縣南面)		銅山里	洞山縣	洞山郡	洞山縣	穴山縣
高城郡 杆城邑		杆城郡	杆城郡	杆城縣	守城郡	迖城郡(加羅忽)
				烈山縣(杆城)	童山縣	僧山縣(所勿達)
高城邑		高城面	高城郡	高城縣	高城郡	達忽
				安昌縣	英伊縣	
				㐁猳縣	㐁猳縣	猪迖穴縣(烏斯押)

■ 忠 淸 北 道

現　在 (2003)	日　帝 (1914)	朝　鮮	高　麗	南北國	三　國 (高句麗)
淸州市	淸州郡	淸州郡	淸州	西原京	上黨縣
		靑州		薩買縣	(娘臂城, 娘子谷)
淸原郡 文義面		文義縣(郡)	燕山郡	燕山郡	一牟山郡(百濟時)
忠州市	忠州郡	忠州郡	忠州	中原京	國原京
					(末乙省, 亂長城, 託長城)
堤川市	堤川郡	堤川縣(郡)	堤州郡	奈堤郡	奈吐郡(大隄)
淸風面		淸風郡	淸風郡	淸風縣	沙熱伊縣
報恩郡	報恩郡	報恩縣(郡)	保齡郡	三年郡	三年山郡(百濟時)
懷南面,懷北面		懷仁縣(郡)	懷仁縣	昧谷縣	未谷縣
沃川郡	沃川郡	沃川郡	管城郡	管城郡	古尸山郡
		利山縣	利山縣	利山縣	所利山縣
		安邑縣	安邑縣	安貞縣(縣眞)	阿冬號縣(阿冬兮)
靑山面	靑山面	靑山縣(郡)	靑山縣	耆山縣	屈山縣(玩山)

現 在 (2003)		日 帝 (1914)	朝 鮮	高 麗	南 北 國	三 國 (高句麗)
永同郡		永同郡	永同縣(郡)	永同郡	永同郡	吉同郡
黃澗面		黃澗面	黃磵縣(郡)陽	黃磵縣	黃磵縣	召羅縣
陽山面			山縣(沃川)	陽山縣	陽山縣	助比川縣
鎭川郡		鎭川郡	鎭川縣(郡)	鎭州	黑壤郡(黃壤)	今勿奴郡(萬弩郡)
槐 山 郡	槐山邑	槐山郡	槐山郡	槐州郡	槐壤郡	仍斤內郡
	延豊面	延豊面	延豊縣(郡)	長延縣	上芼縣	上芼縣
				長豊縣		
	清安面	清塘面	青安縣(郡)	青塘縣		
	道安面			道安縣	都西縣	
	青川面	青川面	青川縣(淸州)	青川縣	清川縣	古薩買
陰城郡		陰城郡	陰城縣(郡)	陰城縣(郡)	陰城縣	仍忽縣
丹陽郡 赤城面		丹陽郡	丹陽郡	丹山縣	赤山縣	赤山縣(赤城)
永春面			永春縣(郡)	永春縣	子春縣	乙阿旦縣
				於上川縣		

■ 忠 淸 南 道

現 在 (2003)		日 帝 (1914)	朝 鮮	高 麗	南 北 國	三 國 (百濟)
天 安 市	天安市	天安郡	天安郡	天安府		
	豊歲面	豊歲面		豊歲縣	馴雉縣	甘買縣
	木川邑	木川面	木川縣(郡)	木州郡	大麓郡	大木岳郡
	稷山邑		稷山縣(郡)	稷山縣	蛇山縣	蛇山縣
				慶陽縣		
公 州 市	公州市	公州郡	公州郡	公州	熊州	熊川(國都)
	新豊面			新豊縣	清陰縣	伐音支縣(武夫)
				德津縣	赤鳥縣	所叱浦縣
保 寧 市	保寧市	保寧郡	保寧縣(郡)	保寧縣	新邑縣	新村縣(汝村)
	鰲川面	鰲川面	鰲川郡 (1902年新設)			
	藍浦面	藍浦面	藍浦縣(郡)	藍浦縣	蘇浦縣	寺浦縣
牙 山 市	溫陽 溫川洞	牙山郡 溫陽面	溫水縣(郡) (→ 溫陽郡)	溫水郡	湯井郡	湯井郡
	新昌面		新昌縣(郡)	新昌縣	祈梁縣(祁梁)	屈直縣
	陰峰面	陰峰面	牙山縣(郡)	牙州縣	陰峰縣(陰岑)	牙述縣(述)
論 山 市	魯城面	魯城面 論山郡	尼山縣(郡) (→魯城郡)	尼山縣	尼山縣	熱也山縣
	恩津面		恩津縣(郡)	德恩郡 市津縣	德殷郡 市津縣	德近郡 加知奈縣(加乙乃, 新浦)
	連山面	連山面	連山縣(郡)	連山郡	黃山郡	黃等也山郡

現　在 (2003)		日　帝 (1914)	朝　鮮	高　麗	南北國	三　國 (百濟)
瑞 山 市	瑞山市 地谷面 海美面	瑞山郡 地谷面	瑞山郡 海美縣(郡)	富城縣 地谷縣 餘美縣 貞海縣	富城郡 地肯縣 餘邑縣	基郡 知六郡 餘村縣
泰安郡 泰安邑		泰安面	泰安郡	蘇泰郡	蘇泰縣	省大號縣(省大兮)
錦 山 郡	錦山邑 富利面 珍山面	錦山郡 富利面 珍山面 (全北)	錦山郡 珍山郡	進禮縣 富利縣 珍同縣 抎山縣	進禮郡 伊城縣 珍同縣	進乃郡(進仍乙) 豆尸伊縣(富尸伊) 珍同縣(珍洞)
燕 岐 郡	燕岐郡 全義面	燕岐郡 全義面	燕岐縣(郡) 全義縣(郡)	燕岐縣 全義縣	燕岐縣 金池縣(金地)	豆乃只縣 仇知縣
扶 餘 郡	扶餘邑 林川面 鴻山面 石城面	扶餘郡 林川面 鴻山面 石城面	扶餘顯(郡) 林川郡 鴻山縣(郡) 石城縣(郡)	扶餘郡 嘉林縣 鴻山縣 石城縣	扶餘郡 嘉林縣 翰山縣 石山縣	所夫里郡(泗沘) 加林郡 大山縣 珍惡山縣
舒 川 郡	舒川邑 庇仁邑 韓山面	舒川郡 庇仁邑 韓山面	舒川郡 庇仁縣(郡) 韓山郡	西林郡 庇仁縣 韓山縣	西林郡 庇仁縣 馬山縣	舌林郡(南陽) 比衆縣 馬山縣
青 陽 郡	青陽邑 定山面	青陽郡 定山面	青陽縣(郡) 定山縣(郡)	青陽縣 定山縣	青正縣(青武) 悅城縣	古良夫里縣 悅己縣(豆陵, 尹城, 豆串)
洪 城 郡	洪城邑 結城面	洪城郡	洪州郡 結城縣(郡)	洪州(運州) 興陽縣(遠軍) 合德縣 (德豊縣部曲) 驪陽縣(黎陽) 高丘縣 結城縣	 新良縣 目牛縣 潔城郡	(未詳) 沙尸良縣(沙羅) 牛見峴縣 結己縣
禮 山 郡	禮山邑 德山面 大興面	禮山郡 德山面 大興面	禮山縣(郡) 德山縣(郡) 大興縣(郡)	禮山縣 德豊縣 伊山縣 大興郡	孤山縣 今武縣 伊山郡 任城郡	烏山縣 今勿縣 馬尸山郡 任存郡(今州)
唐津郡 唐津邑 沔川面 新平面		唐津郡 新平面	唐津縣(郡) 沔川郡	唐津縣 槥城城 新平縣	唐津縣 槥城郡 新平縣	伐首只縣(夫只) 槥郡 沙平縣

■ 全 羅 北 道

現 在 (2003)		日 帝 (1914)	朝 鮮	高 麗	南 北 國	三 國 (百濟)
全州市		全州郡	全州府(郡)	全州 伊城縣 沃野縣 紆洲縣 利城縣	全州 杜城縣 沃野縣 紆洲縣(汗洲) 利城縣	完山州(比斯伐, 比自火) 豆伊縣(往武) 所力只縣 干召渚縣 乃利阿縣
完州郡 高山面		高山面	高山縣(郡)	高山縣 雲梯縣	高山縣 雲梯縣	高山縣(難等良) 只伐只縣
群山市	沃溝邑 澮縣面 臨陂面	沃溝郡 澮縣面 臨陂面	沃溝縣(郡) 臨陂縣(郡)	沃溝縣 澮尾縣(蓮江) 臨陂縣	沃溝縣 澮尾縣 臨陂郡	馬西良縣 夫夫里縣 屎山郡(陂山, 忻文, 所島, 失烏出)
益山市	金馬面 礪山面 朗山面 龍安面 咸悅邑	金馬面 礪山面 (益山郡) 龍安面 咸悅面	益山郡 礪山縣(郡) 龍安縣(郡) 咸悅縣(郡)	金馬郡 礪良縣 朗山縣 龍安縣 豐提縣 (豐城, 豐儲) 咸悅縣	金馬郡 礪良縣(礪陽) 野山縣 (道乃山銀所, 蒼山所) 咸悅縣	金馬渚郡 只良肖縣 閼也山縣(目支國) 甘勿阿縣
井邑市	井邑市 泰仁面 古阜面	井邑郡 泰仁面 古阜面	井邑縣(郡) 泰仁縣(郡) 古阜郡	井邑縣 泰山縣 仁義縣 古阜郡	井邑縣 大山郡(泰山) 斌成峴(武成, 賦成) 古阜郡	井村縣 大尸山郡 賓 屈 縣 古沙夫里郡
南原市	南原市 雲峯邑	南原郡 雲峯面	南原府(郡) 雲峰縣(郡)	南原府 雲峰縣	南原小京 母山縣	古龍郡(→ 帶方郡) 母山縣(阿英城, 阿莫城)
金堤市	金溝面 萬頃邑	金溝面 金堤郡 萬頃面	金溝縣(郡) 金堤郡 萬頃縣(郡)	金溝縣 礫陽縣(礫良) 巨野縣 金堤郡 平皋縣 萬頃縣 富潤縣	金溝縣 野西縣 金堤郡 平皋縣 萬頃縣 武邑縣	仇只山縣(仇智山) 也西伊縣 碧骨郡 首冬山縣 豆乃山縣 武斤村縣
鎮安郡	鎮安邑 馬靈面 龍潭面	鎮安郡 馬靈面 龍潭面	鎮安縣(郡) 龍潭縣(郡)	鎮安縣 馬靈縣 清渠縣	鎮安縣 馬靈縣 清渠縣	難珍阿縣(月良) 馬突縣(馬珍, 馬等良) 勿渠縣(勿居)
茂朱郡	茂朱邑 茂豐面	茂朱郡 茂豐面	茂朱縣(郡)	茂朱縣 朱溪縣	茂豐縣(茂山) 丹川縣	赤川縣

現 在 (2003)		日 帝 (1914)	朝 鮮	高 麗	南 北 國	三 國 (百濟)
長水郡	長水邑	長水郡	長水縣(郡)	長水縣	高澤縣	雨坪縣
	長溪面		長溪縣	長溪縣	壁溪郡	伯海郡(伯伊)
任實郡	任實邑	任實郡	任實縣(郡)	任實郡	任實郡	任實郡
	九皐里	九皐里		九皐縣	九皐縣	埃坪縣(淚坪)
	靑雄面	靑雄面		居寧縣(巨寧)	靑雄縣	居斯勿縣(新羅時)
淳昌郡	淳昌邑	淳昌郡	淳昌郡	淳昌郡	淳化縣(淳化)	道實郡
	赤城面	赤城面		赤城縣	赤城縣	礫坪縣
					(磧城, 磧城)	
	福興面	福興面		福興縣		
高敞郡	高敞邑	高敞郡	高敞縣(郡)	高敞縣	高敞縣	毛良夫里縣
	茂長面	茂長面	茂長縣(郡)	茂松縣	茂松縣	松彌知縣
				長沙縣	長沙縣	上老縣
	興德面	興德面	興德縣(郡)	尙質縣	尙質縣	上漆縣
扶安郡 扶安邑		扶安郡	扶安縣(郡)	扶寧縣	扶寧縣	皆火縣(戒發)
				保安縣	喜安縣	欣良買縣

■ 全 羅 南 道

現 在 (2003)		日 帝 (1914)	朝 鮮	高 麗	南 北 國	三 國 (百濟)
木浦市		木浦府 (1910년 設置)	務安港 (1897년 開港)			
麗水市		麗水郡 (→麗川郡)	麗水縣(郡)	麗水縣	海邑縣	猿村縣(猿平)
突山邑			突山縣(郡)	突山縣	廬山縣	突山縣
順天市	昇州邑	順天郡 (→昇州郡)	順天府(郡)	順天府	昇平郡	歃平郡 (沙平, 武平)
				富有縣	富有縣	遁支縣
	樂安面	樂安面	樂安郡	樂安郡(岳陽)	分嶺郡	分嵯郡(分沙)
光陽市 光陽邑		光陽郡	光陽縣(郡)	光陽縣	晞陽縣	馬老縣
求禮郡 求禮邑		求禮郡	求禮縣(郡)	求禮縣	求禮縣	仇次禮縣(仇禮次)
羅州市		羅州郡	羅州牧(郡)	羅州	錦山郡(錦城)	發羅郡(通義)
				伏龍縣	龍山縣	伏龍縣(林龍)
				會津縣	會津縣	豆肹縣
				艅艎縣	艅艎縣	水川縣(水入伊)
				黑山縣		
	榮山洞			榮山縣		
	潘南面			潘南縣	潘南郡	半奈夫里縣
	老安面	老安面		安老縣	野老縣	阿老谷縣
	長山面			長山縣	安波縣	居知山縣(安陵, 屈知山)
	南平邑	南平面	南平縣(郡)	南平郡	玄雄縣	未冬夫里縣
				(永平)	鐵冶縣	實於山縣

現在 (2003)		日帝 (1914)	朝鮮	高麗	南北國	三國 (百濟)
潭陽郡	昌平面	昌平面	昌平縣(郡)	昌平縣 甲鄕縣	祈陽縣	屈支縣
	潭陽邑	潭陽郡	潭陽府(郡)	潭陽郡	秋成郡	秋子兮郡
	原栗里 (錦城面)	原栗里 (錦城面)		栗原縣	栗原縣	栗支縣
谷城郡	谷城面	谷城郡	谷城縣(郡)	谷城郡	谷城郡	欲乃郡
	玉果面	玉果面	玉果縣(郡)	玉果縣	玉果縣	菓支縣
高興郡	高興邑	高興郡	高興縣 (興陽縣)	高興縣	高伊部曲	
	道陽邑			道陽縣	長興道良部曲	
	南陽面	南陽面	寶城郡	南陽縣	忠烈縣	助助禮縣
	東江面	東江面		泰江縣	栢舟縣	比史縣
	豆原面			荳原縣	竹軍縣	豆肹顯
				豐安縣		
	道化面	道化面	(興陽縣)	道化縣		他州部曲
寶城郡	寶城邑	寶城郡	寶城郡	寶城郡	寶城郡	伏忽郡
	福內面	福內面		福城縣	富里縣	波夫里縣
	朝陽里	(←長興)		兆陽縣	兆陽縣	冬老縣
莞島郡 莞島邑		莞島郡	莞島郡 (1896年)			
新安郡 押海面		押海面 (務安郡)	羅州牧(郡)	壓海縣	壓海郡 (押海)	阿次山郡
和順郡	和順邑	和順郡	和順縣(郡)	和順縣	汝湄縣 (海濱, 汝濱)	仍利阿縣
	同福面	同福面	同福縣(郡)	同福縣 水村縣 鴨谷縣	同福縣	豆夫只縣
	綾州面	綾州面	綾州縣(郡)	綾城縣	綾城郡	尒陵夫里縣 (竹樹夫里, 仁夫里)
長興郡 長興邑 會寧里 (寶城郡會泉)		長興郡	長興府(郡)	長興府(郡) 遂寧縣 長澤縣 會寧縣	烏兒縣 馬邑縣 季水縣 代勞縣	烏次縣 古馬彌知縣 季川縣 馬斯良縣
康津郡 康津邑		康津郡	康津縣(郡)	道康縣 耽津縣	陽武郡 耽津縣	道武郡 冬音縣
海南郡	海南邑	海南郡	海南縣(郡)	海南縣 竹山縣	浸溟縣(投溟) 固安縣(同安)	塞琴縣 古西伊縣
	黃山面			黃原郡	黃原縣	黃述縣
				玉山縣		
	玉泉面	玉泉面		玉泉縣		
靈巖郡 靈巖邑		靈巖郡	靈巖郡	靈巖郡	靈巖郡 昆湄縣	月奈郡 古彌縣

現 在 (2003)		日 帝 (1914)	朝 鮮	高 麗	南 北 國	三 國 (百濟)
務安郡 務安邑 海際面		務安郡	務安縣(郡)	務安縣 海際縣	務安郡 海際縣	勿奈兮縣(水入, 勿阿兮) 道際縣(陰海, 大峰)
咸平郡 咸平邑		咸平郡	咸平縣(郡)	咸豐縣 牟平縣	咸豐縣 多岐縣	屈乃縣 多只縣
靈 光 郡	靈光邑	靈光郡	靈光郡	靈光郡(靜州) 陸昌縣 臨淄縣 森溪縣	武靈郡 碣島縣 鹽海縣 森溪縣	武尸伊部 阿老賢(葛覃, 加位, 谷野) 古祿只縣(開要) 所非兮縣(所乙夫里)
長 城 郡	長城邑 珍原面 森溪面	長城郡 珍原面 森溪面	長城縣(郡)	長城郡 珍原縣 森溪縣	岬城郡 珍原縣 森溪縣	古尸伊縣 丘斯珍兮縣 所非兮縣(所乙夫里)
珍 島 郡	珍島邑 臨淮面	珍島郡 臨淮面	海珍郡 →珍島郡	珍島縣 嘉興縣 臨淮縣	珍島郡 牟山郡 瞻耽縣	因珍島郡 徒山縣(猿山) 買仇里縣

■ 慶 尙 北 道

現 在 (2003)		日 帝 (1914)	朝 鮮	高 麗	南 北 國	三 國 (新羅)
浦 項 市	延日邑 長鬐面 清河面 興海邑	迎日郡 長鬐面 清河面 興海面	延日縣(迎日) 長鬐縣(郡) 清河縣(郡) 與海郡	延日縣(迎日) 長鬐縣 清河縣 與海郡	臨汀縣 鬐立縣 海阿縣 義昌郡	斥烏支縣(烏良友) 只沓縣(高句麗) 阿兮縣 退火郡
	杞溪面 新光面	杞溪面 新光面	杞溪縣(慶州) 神光縣(慶州)	杞溪縣(慶州) 神光縣(慶州)	杞溪縣 神光縣	芼兮縣(一作 化雞) 東仍音縣
慶 州 市	月城洞 安康邑	慶州郡 (→月城郡, 慶州市)	慶州郡(府) 安康縣	慶州 (後置 東京留守 →鷄林府) 商城縣 安康縣 約章縣	新羅 商城郡 安光縣 約章縣 東安郡 臨關郡 長鎭縣	徐耶伐(徐羅伐) 西兄山郡 比火縣 晋汁火縣 惡支縣 生西良郡 毛火郡(蚊化)
金 泉 市	甘泉面 知禮面 禦侮面 開寧面	金泉郡 知禮面 開寧面	金山郡 知禮縣(郡) 開寧縣(郡)	金山縣 知禮縣 禦侮縣 開寧郡	金山縣 知禮縣 禦侮縣 開寧郡	金山縣(風茂) 知品川縣 今勿縣(陰達) 青州(甘文小國)

現 在 (2003)		日 帝 (1914)	朝 鮮	高 麗	南北國	三 國 (新羅)
安東市		安東郡	安東府(郡)	安東府	古昌郡	古陁耶郡(昌寧國)
				甘泉縣		(駒令 召羅 二國)
	臨河面	臨河洞	臨河縣	臨河郡	曲城郡	屈火郡(高句麗)
		吉安面		吉安縣	吉安部曲	
				奈城縣	退串部曲	
				春陽縣	加也鄉	
				才山縣	德山部曲	
	一直面	一直面		一直縣	直寧縣(一寧)	一直縣
					日谿縣	熱兮縣(尼兮)
	豊山邑	豊山面		豊山縣	永安縣	下枝縣
	禮安面	禮安面	禮安縣(郡)	禮安郡	善谷縣	買谷縣
				宜仁縣	知道部曲	
龜尾市	善山邑	善山郡	善山府(郡)	一善縣	嵩善郡	一善郡
	海平面	海平面	海平縣	海平縣	竝井縣(波澄)	
	仁同洞	仁同面	仁同縣(郡)	仁同縣(京山)	壽同縣(星山)	壽同火縣
營州市	榮州洞	榮州郡	榮川郡	順安縣	奈靈郡	奈已郡(捺己)
	豊基郡	豊基面	殷豊縣	殷豊縣	殷正縣	赤牙縣
			基川縣(郡)	基州縣	基木鎮	
			(→豊基郡)		鄰豊縣	伊伐只縣(自伐只)
	順興面	順興面	順興府(郡)	興州縣	岌山郡	及伐山郡
永川市	臨皋面	臨皋面	永川郡	永州郡	臨皋郡	切也火縣
		(永川郡)			道同縣	刀冬火縣
					臨川縣	骨火小國
	新寧面	新寧面	新寧縣(郡)	新寧縣	新寧縣(花山)	史丁火縣
					黽白縣	買熟次縣(買熱次)
				梨旨縣	梨旨銀所	
尙州市	沙伐面	尙州郡	尙州牧(郡)	尙州	尙州	沙伐國(上州, 上洛, 沙伐州)
	青理面	青理面		青理縣	青驍縣	音里火縣
					化昌縣	乃彌知縣
	功城面	功城面		功城縣	大幷部曲	
				永順縣	林下村	
			化寧縣	化寧郡	化寧郡	答達匕郡(沓達)
	(道安里)		中牟縣	中牟縣	道安縣	刀良縣
	咸昌邑	咸昌面	咸昌縣(郡)	咸昌郡	古寧郡	古冬攬郡(古寧伽倻國, 古陵)
聞慶市	聞慶邑	聞慶郡	聞慶縣(郡)	聞慶郡(聞喜)	冠山縣	冠文縣(冠縣, 高思曷伊城)
	加恩面	加恩面	加恩縣(聞慶)	加恩縣	嘉善縣	加害縣
	虎溪面	虎溪面		虎溪縣	虎溪縣	虎側縣(拜山城)
	山陽面	山陽面	山陽縣(尙州)	山陽縣	嘉猷縣	近品縣
慶山市	慶山市	慶山郡	慶山縣(郡)	章山郡	獐山郡	押梁小國(押督國)
	慈仁面	慈仁面	慈仁縣(郡)	慈仁縣	慈仁縣	奴斯火縣(其火)
				仇史部曲	餘粮縣	麻珍良縣(麻彌良)
	河陽邑	河陽面	河陽縣(郡)	河陽縣(河州)		

現　在 (2003)		日　帝 (1914)	朝　鮮	高　麗	南　北　國	三　國 (新羅)
軍威郡	軍威邑	軍威郡	軍威縣(郡)	軍威縣	軍威縣	奴同覓兮縣(如豆覓)
	孝令面	孝令面	孝靈縣	孝靈縣	孝靈縣(孝令)	芼兮縣
	義興面	義興面	義興縣(郡)	義興縣	義興縣	尒同兮縣
				缶溪縣	缶林縣	
醴泉郡 龍宮面		醴泉郡	龍宮縣(郡)	龍宮縣	竺山(園山)	
醴泉邑			醴泉郡	基陽縣	醴泉郡	水酒縣
					安仁縣	蘭山縣
義城郡	多仁面			多仁縣	多仁縣	達己縣(多己)
	義城邑	義城郡	義城縣(郡)	義城縣(安東)	聞韶郡	召文國
					高丘縣(高近)	仇火縣
	比安面	比安面	比屋縣	比屋縣	比屋縣	阿火屋縣(并屋)
			安貞縣(比安)	安貞縣	安賢縣	阿尸兮縣
	丹密面	丹密面	丹密縣(尙州)	丹密縣(尙州)	單密縣(丹密)	武冬彌知縣(葛冬彌知)
青松郡	眞寶面	眞寶面	眞寶縣(郡)	甫城府	眞寶縣	漆巴火縣
					眞安縣	助攬縣
	青松邑	青松郡	青松郡	青鳧縣(雲鳳)	積善縣	青己縣
				松生縣		
	安德面	安德面		安德縣	緣武縣	伊火兮縣
英陽郡 英陽邑		英陽郡	英陽縣(郡)	英陽郡(延陽)	古隱縣	
青杞面		青杞面		青杞縣		
盈德郡	寧海面	寧海面	寧海郡	禮州	有隣郡	于尸郡
	盈德邑	盈德郡	盈德縣(郡)	盈德縣	野城郡	也尸忽郡
清道郡	清道邑	清道郡	清道郡	清道郡(道州)	烏岳(丘山)縣	烏也山縣(仇道, 烏禮山)
						驚山城(茹山, 茄山)
					荊山縣	率伊山城(率爾,率已)
					蘇山縣	仇刀城(伊西國)
					大城郡	上火村縣
	豊角面	豊角面	豊角縣(密陽)	豊角縣	豊角縣	
高靈郡	高靈邑	高靈郡	高靈縣(郡)	高靈縣	高靈郡	大伽倻國
					新復縣	加尸兮縣
	星山面	星山面(高靈)	加利縣	加利縣	星山郡(里山, 一利)	星山伽倻國
星州郡 碧珍面		碧珍面 (星州郡)	星州牧	京山府	新安縣(→ 碧珍)	本彼縣
					都山縣	狄山縣
漆谷郡 若木面		漆谷郡 若木面	八莒縣(星州)	八莒縣	八里縣	八居里縣
			若木縣	若木縣	谿子縣	大木縣(七村, 昆山)
奉化郡 奉化邑		奉化郡	奉化縣(郡)	奉化縣	玉馬縣	古斯馬縣
蔚珍郡	蔚珍邑	蔚珍郡(江原)	蔚珍縣(郡)	蔚珍縣	蔚津郡	于珍也縣(于伊郡)
					海曲縣	波朝縣
	平海邑	平海面	平海郡	平海郡		斤乙於
	鬱陵郡	鬱陵島				于山國

■ 慶 尙 南 道

現 在 (2003)		日 帝 (1914)	朝 鮮	高 麗	南 北 國	三 國 (新羅)
鎭海市 熊川洞		昌原郡 (→鎭海市 昌原市 馬山市)	鎭海縣(郡) 熊川縣	鎭海縣 熊神縣 莞浦縣	熊神縣 莞浦	熊只縣
昌原市 義安洞 馬山市(合浦區)			昌原府(郡) 鎭南郡	義安郡 合浦縣 見乃梁	義安郡 合浦縣	屈自郡 骨浦縣
晋州市 班城面		晋州郡 (晉陽郡, 晋州市) 班城面	晋州郡 班城縣	晋州 班城縣 永善縣	康州 屈村縣 班城縣 尙善縣	居列城(居陁州) 一善縣
泗 川 市	泗川邑 昆明面 昆陽面	泗川郡 昆明面 昆陽郡	泗川縣(郡) 昆明面 昆南(陽)郡	泗州 昆明縣	泗水縣 河邑縣 省良縣	史勿縣 浦村縣
金海市		金海郡	金海府	金州	金海小京	金官國(本伽倻, 伽洛國)
密陽市		密陽郡	密陽府(郡) 守山縣	密城郡 守山縣(銀山)	密城郡 密津縣 守山部曲	推火郡 推浦縣(竹山)
巨 濟 市	巨濟面 鵝洲洞	統營郡 (→巨濟郡)	巨濟縣(郡)	巨濟縣 松邊縣 鵝洲縣 溟珍縣	巨濟郡 南垂縣 鵝洲縣 溟珍縣	裳郡 松邊縣 巨老縣(居老) 買珍伊縣
梁山市		梁山郡	梁山郡	梁州	良州	歃良州
宜 寧 郡	宜寧邑 新反里 (富林面)	宜寧郡	宜寧縣(郡) 新繁縣	宜寧縣 新繁縣	宜寧縣 宜桑縣	獐含縣 新尒縣(朱烏村, 泉川)
咸 安 郡	咸安面 漆原面	咸安郡 漆原面	咸安郡 漆原縣(郡)	咸安郡 漆原縣 龜山縣	咸安郡 玄武縣(正武) 漆隄縣 省法部曲	阿尸良國(阿那伽倻) 召乡縣 漆吐縣
昌 寧 郡	昌寧邑 靈山面	昌寧郡 靈山面	昌寧縣(郡) 靈山縣(郡)	昌寧郡 靈山縣 桂城縣	火王郡 尙樂縣	比自火縣(比斯伐) 西火縣
固城郡 固城邑		固城郡	固城縣(郡)	固城縣	固城郡	小伽倻國(→ 古自郡) 蚊火良縣
南海郡 南海邑 南面 平山里 昌善面		南海郡	南海郡 興善島 (→昌善島)	南海郡 蘭浦縣 平山縣 彰善縣(直村) (晉州牧)	南海郡 蘭浦縣 平山縣 有疾部曲 (高句麗)	轉也山郡 內浦縣 平西山縣(西平)

現　在 (2003)	日　帝 (1914)	朝　鮮	高　麗	南北國	三　國 (新羅)
河東郡	河東邑 嶽陽面 花開面	河東郡 嶽陽面 花開面	河東縣(郡) 嶽陽縣 花開部曲	河東郡 嶽陽縣 花開縣	河東郡 嶽陽縣	韓多沙郡 小多沙縣
山淸郡	丹城面 山淸邑	丹城面 山淸郡	珍城縣(郡) 丹城縣 山陰縣(郡)	江城縣 丹溪縣 山陰縣	闕城郡 丹邑縣 山陰縣	闕支郡 赤村縣 知品川縣
咸陽郡	咸陽邑 安義面	咸陽郡 安義面	咸陽郡 安陰縣(郡)	含陽縣(含城) 利安縣 感陰縣	天嶺郡 利安縣 餘善縣	速含郡 馬利縣 南門縣
居昌郡	居昌邑 加祚面	居昌郡	居昌縣(郡) 加祚縣	居昌郡 加祚縣	居昌郡 咸陰縣	居烈郡(居陁) 加召縣
陜川郡	陜川邑 冶爐面 草溪面 三嘉面	陜川郡 冶爐面 草溪面 三嘉面	陜川郡 冶爐縣 草溪郡 三嘉縣(郡)	陜州 冶爐縣 草谿縣 三岐縣 嘉壽縣	江陽郡 冶爐縣 八谿縣 三岐縣 嘉壽縣(嘉樹)	大良州郡(大耶州) 赤火縣 草八兮縣 三岐縣(麻杖) 加主火縣

■ 濟州島

現　在 (2003)	日　帝 (1914)	朝　鮮	高　麗	南北國	三　國 (百濟)
濟州市 濟州邑	濟州郡 (全南)	濟州郡	耽羅縣 歸德縣 貴日縣 高內縣 涯月縣 郭支縣 明月縣 新村縣 咸德縣 金寧縣 兎山縣 狐兒縣 洪爐縣 猊來縣	耽羅國	耽羅國
		旌義縣			
南濟州郡 大靜邑 西歸浦市 猊來洞		大靜縣			

■ 特別市, 直轄市(북한)

現　在 (1991)		日　帝 (1914)	朝　鮮	高　麗	南北國	三　國 (高句麗)
平壤特別市	平壤市	平壤府 大同郡	平壤府(郡)	平壤府 (西京)	西京鴨綠府 (渤海)	平壤城 (本 王儉城)
	江東郡	江東郡	江東縣(郡) 三登縣(郡)	江東縣 三登縣		
	祥原郡		祥原郡	土山縣	土山縣	息達縣
	中和郡	中和郡	中和縣	中和縣	唐嶽縣	加火押
	江南郡				松峴縣	夫斯波衣縣
南浦直轄市	江西區域	江西郡	江西縣(郡) 咸從縣(郡)	江西縣(平壤西村) 咸從縣(牙善城)		
	龍岡郡 龍岡邑	龍岡郡	龍岡縣(郡)	龍岡縣 (黃龍城, 軍岳)		
	龍岡郡 三和里		三和縣(郡)	三和縣(金堂, 呼山, 漆井三)		
開城直轄市	開城市	開城郡	開城府	開州 開城縣	松嶽郡 開城郡	扶蘇岬 冬比忽
	開豊郡 板門郡 일부		豊德郡	貞州 德水縣	貞州 德水縣	貞州 德勿縣(仁物)
	長豊郡 일부	漣川郡	漣川縣(郡)	漳州縣(獐州)	功成縣	功木達縣 (態閃山, 工木達)
	長豊郡 臨江里	長湍郡	長湍縣(郡) (長臨, 臨湍)	湍州縣 臨江縣 臨津縣 松林縣	長湍縣 臨江縣 臨津縣 如熊縣	長淺城縣(耶耶,夜牙) 獐項縣(古斯也忽次) 津臨縣(烏斯忽) 若豆恥縣 (之熊, 朔頭, 衣頭)

■ 黃海南道

現　在 (1991)	日　帝 (1914)	朝　鮮	高　麗	南北國	三　國 (高句麗)
海州市	海州郡	海州郡	海州	瀑池郡	內米忽郡 (池城長池)
延安郡 延安邑	延白郡	延安府(郡)	鹽州	海皐郡	冬音忽 (多彡忽, 鼓鹽城)
白川郡 白川邑		白川郡	白州縣	雊澤縣	刀臘縣(雉岳山)
康翎郡 康翎邑	甕津郡	康翎縣(郡)	永康縣		付珍伊
甕津郡 甕津邑		甕津縣(郡)	甕津縣		甕遷
長淵郡 長淵邑	長淵郡	長淵縣(郡)	長淵縣 海安縣(鷄鳴縣) 白翎鎮		長淵(長潭)
(仁川市 白翎島)					鵠島

現 在 (1991)	日 帝 (1914)	朝 鮮	高 麗	南 北 國	三 國 (高句麗)
松禾郡 과일군 松禾郡 松禾邑	松禾郡	松禾縣(郡)	青松縣 嘉禾縣 加天縣 永寧縣		麻耕伊 板麻串 態閑伊
延安郡 豊川里		豊川郡	豊州		仇乙峴(屈遷)
殷栗郡 殷栗邑 長連里	殷栗郡	殷栗縣(郡) 長連縣(郡)	殷栗縣 長命縣 連豊縣		栗口(栗川)
安岳郡	安岳郡	安岳郡	安岳郡		楊岳
信川郡 信川邑	信川郡	信川縣(郡) 文化縣	信州縣 儒州縣		升山郡 闕口縣
載寧郡 載寧邑 三支江里	載寧郡	載寧郡	安州 三支縣	重盤郡	息城郡 (漢城, 漢忽, 乃忽)

■ 黃 海 北 道

現 在 (1991)	日 帝 (1914)	朝 鮮	高 麗	南 北 國	三 國 (高句麗)
黃州郡 黃州邑	黃州郡	黃州郡	黃州 鐵和縣	取城郡	冬忽(于冬於忽)
鳳山郡 鳳山邑	鳳山郡	鳳山郡	鳳州	栖嵒郡	鵂嵒郡(鵂鶹城, 祖波衣)
瑞興郡 瑞興邑	瑞興郡	瑞興郡	洞州	五關郡	五谷郡(弓火, 于次呑忽)
遂安郡 遂安邑	遂安郡	遂安郡	遂安縣	獐塞縣	獐塞縣(古所於)
谷山郡 谷山邑	谷山郡	谷山郡	谷州 (→ 谷山)	鎭湍縣	十谷城縣 (德頓忽, 谷城, 谷郡)
新溪郡	新溪郡	新溪縣(郡)	新恩縣 峽溪縣	檀溪縣	水谷城縣(買且忽)
平山郡 平山邑	平山郡	平山府(郡)	平州	永豊郡	大谷郡(多知忽)
金川郡 金川邑	金川郡	金川縣(郡)	江陰縣 牛峰縣	江陰縣 牛峰郡	屈岬縣(江西) 烏斯含達縣
兎山郡 兎山邑		兎山縣	兎山郡	兎山郡	(烏斯蛤達, 月城)

■ 平 安 南 道

現 在 (1991)	日 帝 (1914)	朝 鮮	高 麗	南 北 國	三 國 (高句麗)
平城市 慈山里 順川市 殷山勞	順川郡	慈山郡 殷山縣(郡)	太安州 殷州 (興德郡, 同昌) 長興鎭 歸化鎭	渤海 西京鴨綠府에 屬함 아래도 같음	
順川市 順川邑		順川郡	順州(靜戎郡)		

現　在 (1991)	日　帝 (1914)	朝　鮮	高　麗	南北國	三　　國 (高句麗)
安州市	安州郡	安州郡	安北府(彭原郡) 安戎鎭(安仁鎭)	重盤郡	息城郡
价川市 价川邑	价川郡	价川郡	安水鎭(→ 朝陽鎭, 連州, 慶州, 价州等名)		
德川市 德川邑	德川郡	德川郡	德州(連原郡, 長德鎭) 撫州(雲南郡, 青城)		
甑山郡 甑山邑 咸從里	江西郡	江西縣(郡) 甑山縣(郡) 咸從縣(郡)	江西縣 (平壤西村) 咸從縣(牙善城)		
成川郡 成川邑	成川郡	成川府(郡)	剛德鎭		
陽德郡 陽德邑	陽德郡	陽德縣(郡)	陽嚴鎭 樹德鎭		
孟山郡 孟山邑	孟山郡	孟山縣(郡)	孟州 (猛州, 鐵甕縣)		
平原郡 平原邑 肅川郡 肅川邑	平原郡	順安縣(郡) 永柔縣(郡) 肅川府(郡)	順和縣 (平壤西村) 永清縣 平虜鎭 通海縣 通德鎭		
寧遠郡 寧遠邑	寧遠郡	寧遠	寧遠鎭 (來清縣)		

■ 平 安 北 道

現　在 (1991)	日　帝 (1914)	朝　鮮	高　麗	南北國	三　　國 (高句麗)
龜城市	龜城郡	龜城郡	龜州(本 萬年郡) 安義鎭	渤海 西京鴨綠府에 속함	
義州郡 義州邑	義州郡	義州郡	義州(龍灣縣, 和義) 靜州(松山縣) 麟州(露蹄縣, 鳥餘城) 靈州(興化鎭) 威遠鎭 定戎鎭(臨川城) 寧德鎭(定寧縣) 寧朔鎭(龜城, 安義, 榛子, 龍場)	아래도 같음	

現 在 (1991)	日 帝 (1914)	朝 鮮	高 麗	南 北 國	三 國 (高句麗)
朔州郡 朔州邑	朔州郡	朔州府(郡)	朔州(寧塞縣)		
昌城郡 昌城邑	昌城郡	昌城郡	昌州(長靜縣) 泥城府		
碧潼郡 碧潼邑	碧潼郡	碧潼郡	陰潼(林土) 碧團		
龍川郡 龍川邑	龍川郡	龍川郡	龍州(安興郡) 柳等井縣		
鐵山郡 鐵山邑	鐵山郡	鐵山郡	鐵州 (長寧縣 →銅山)		
泰川郡 泰川邑	泰川郡	泰川郡	泰州(光化縣, 寧朔, 連朔)		
宣川郡 宣川邑	宣川郡	宣川郡	宣州 (安化郡 → 通州)		
定州郡 定州邑	定州郡	定州郡	隨州(郭州地)		
郭山郡 郭山邑		郭山郡	郭州(長利縣)		
博川郡 博川邑	博川郡	博川郡	博州(博陵鄉, 德昌)		
雲田郡 嘉山里		嘉山郡	嘉州(信都郡, 德縣)		
寧邊郡 寧邊邑	寧邊郡	寧邊郡	渭州(雲南郡, 古青山 → 撫州)		
雲山郡 雲山邑	雲山郡	雲山郡	威化鎮(雲中郡) 延州 (密雲府, 安朔)		

■ 慈 江 道

現 在 (1991)	日 帝 (1914)	朝 鮮	高 麗	南 北 國	三 國 (高句麗)
江界市	江界郡	江界郡	江界府 (立石, 伊彦 初改 石州)	渤海 西京鴨綠府에 속함	
熙川市 東新郡	熙川郡	熙川郡	清塞鎮	아래도 같음	
楚山郡 理山里	楚山郡	理山郡 (→ 楚山)	豆木里(理州)		
渭原郡 渭原邑	渭原郡	渭原郡 (楚山都乙堡)			
慈城郡 慈城邑	慈城郡	慈城郡 (閭延府 慈作里)	慈城郡		

■ 江 原 道

現 在 (1991)	日 帝 (1914)	朝 鮮	高 麗	南北國	三 國 (高句麗)
鐵原郡 朔寧里	漣川郡	朔寧郡	朔寧縣	朔邑縣	所邑豆縣
	(경기도)		僧嶺縣	幢梁縣	僧梁縣(非勿縣)
鐵原郡	伊川郡	安峽縣	安峽縣	安峽縣	阿珍押縣(窮岳)
安邊郡	安邊郡	安邊府(郡)	登州	朔庭郡	比例忽(淺城郡)
	瑞谷面		瑞谷縣	瑞谷縣	原谷縣(首乙呑)
	文山面		汶山縣(文山)	菁山縣	加支達縣
			翼谷縣	翊谿縣	於支呑縣(翼谷)
(法洞郡)			衛山縣		
			霜陰縣	霜寒縣	薩寒縣
桑陰里			福靈縣(福令, 福寧鄕, 福平鄕)		
			派川縣	派川縣	岐淵縣
		鶴浦縣	鶴浦縣,	鶴浦縣	鵠浦縣(古衣浦)
		永豊縣	永豊鎭(甑大伊)		
元山市	元山府	德源郡	宣州(涌州)	泉井縣(涌州)	泉井郡(於乙買)
德源洞	德源郡			蒜山縣	買尸達縣
	(함남)			幽居縣	東墟縣(加知斤)
				松山縣	夫斯達縣
				鎭溟縣 (圓山水江)	
				龍津縣(狐浦縣)	
	文川郡	文川郡	文州(洙城)	渤海	
			雲林鎭	南京南海府에 屬함	
淮陽郡	淮陽郡	推陽府(郡)	交州	連城郡	各連城郡(客蓮城, 加牙兮)
	蘭谷面	嵐谷縣	嵐谷縣	丹松縣	赤木鎭(沙非斤乙)
				軼雲縣	管述縣
				狶嶺縣	猪守峴縣(烏生波衣, 猪蘭)
	長楊面	長楊縣	長楊郡	大楊郡	大楊管郡(馬斤押)
(金剛郡)	(安豊面)				
化川里	和川里	和川縣	和川縣	藪川縣	藪牲川縣(藪川)
金化郡	金化郡	金化縣(郡)	金化縣	富平郡	夫如郡
	金城面	金城縣(郡)	金城郡	益城郡	丹城縣(也忽次)
昌道郡	通口面	(金化郡)	通溝縣	通溝縣	水入縣(買伊)
岐城里	岐城里	(金化郡)	岐城縣	岐城郡	冬斯忽郡
文登里	文登里	(楊口郡)	文登縣	文登縣	文峴縣(斤尸波兮)
平康郡	平康郡	平康縣(郡)	平康郡	廣平縣	斧壤縣(於斯乃)
伊川郡	伊川郡	伊川縣(郡)	伊川縣	伊川縣	伊珍買縣

現　　在 (1991)	日　帝 (1914)	朝　鮮	高　麗	南北國	三　　國 (高句麗)
通川郡	通川郡	通川郡 歙谷縣(郡)	金壤縣 臨道縣 碧山縣 雲巖縣 歙谷縣	金壤郡 臨道縣 堤上縣 偏險縣 習谿縣	休壤郡(金惱) 道臨縣 吐上縣 平珍峴縣(平珍遷縣) 習比谷縣(習比呑)

■ 咸鏡南道

現　　在 (1991)	日　帝 (1914)	朝　鮮	高　麗	南北國	三　　國 (高句麗)
高原郡 高原邑	高原郡	高原郡	高州(德守鎭) 隘守鎭(梨柄)	渤海 南京南海府에 屬함	
金野郡 耀德郡	永興郡	永興府(郡)	和州 長平鎭(高比達) 輝德鎭 靜邊鎭 永興鎭(關防守)	(아래도 같음)	
定平郡 定平邑	定平郡	定平郡	定州(己只, 宣威) 預州 長州(椵林 端谷) 元興鎭		
咸興市 咸州郡	咸興郡	咸興府(郡)	咸州(哈蘭府) 德州		
新興郡 新興邑	新興郡 (1915년 新設)				
洪原郡 洪原邑	洪原郡	洪原郡	洪獻縣(洪肯)		
北青郡 北青邑	北青郡	北青府(郡)	北青州(三撒)		
利原郡 利原邑	利原郡	利原郡(利城縣)			
端川郡 端川邑	端川郡	端川郡	福州		
長津郡 長津邑	長津郡 (1915년 신설)				

■ 兩 江 道

現　在 (1991)	日　帝 (1914)	朝　鮮	高　麗	南北國	三　國 (高句麗)
甲山郡	甲山郡	甲山郡	甲州(虛州)		
三水郡	三水郡	三水郡(甲山, 三水堡)			
豊山郡	豊山郡 (1952년 新設)				
厚昌郡 厚昌邑	厚昌郡	茂昌郡 (本 閭延府 上無路堡)			

■ 咸 鏡 北 道

現　在 (1991)	日　帝 (1914)	朝　鮮	高　麗	南北國	三　國 (高句麗)
金策市	城津郡	城津郡(吉州地)			
明川郡 明川邑	明川郡	明州郡(吉州地)			
清津市 鐘城郡 鐘城邑	鐘城郡	鏡城郡(木郎古)			
清津市 富寧區域 富寧 1洞 富寧 2洞	富寧郡	富寧郡(鏡城, 石慕城) 富居縣 (鏡城富㽵帖)			
清津市 茂山郡 茂山邑	茂山郡	茂山郡(胡所錚 地)			
穩城郡 穩城邑	穩城郡	穩城郡(多溫平)			
穩城郡 鐘城 勞動者地區	鐘城郡	鐘城郡(愁州)			
새별郡 새별邑	慶源郡	慶源郡(孔州, 匡州)			
慶興郡 慶興邑	慶興郡	慶興郡(禮州)			
會寧郡 會寧邑	會寧郡	會寧郡(幹木河, 吾音會)			
吉州郡 吉州邑	吉州郡	吉州郡	吉州(弓漢村, 海洋) 英州 雄州 宣化鎭 通泰鎭 平戎鎭 崇寧鎭 (宗寧鎭) 眞陽鎭 公嶮鎭		

■ 遼水地方

現在	朝鮮		高麗	南北國 渤海	三國 高句麗	五國 朝鮮	古朝鮮
중국에 속함	山海關地方	明·清에 속함	遼·金·蒙古에 陷入	安邊府地方	遼西附地方 (安州·瓊洲)	灤河地方	灤河地方
	義州·錦州地方			安邊府地方	武厲邏地方	遼水地方	遼水地方
	奉天地方			長嶺府地方 (瑕州·河州)	遼東城地方 (白岩城·新城)		
	旅順地方			定理府地方 (定州·瀋州)	卑沙地方 (赫山·石城)		
	盖平地方			定理府地方	安市城地方 (遠安城·盖车城)	滿潘汗地方	遼東地方
	安東地方			定理府地方	烏骨城地方 (泊汋城·大行城)		

■ 白山地方

現在	朝鮮	高麗	南北國 渤海	三國 高句麗	五國 扶餘	古朝鮮
중국에 속함	哈爾濱地方	遼·金·蒙古에 陷入	鄭都府地方 (鄭州·高州)	木底城 蒼岩城地方	鹿山地方	扶餘地方
	吉林地方		獨秦州地方 (鄭州·銅州·高州)	積利城地方	方	
	開原 地方(間島)		扶餘府地方 (扶州·仙州)	扶餘城地方	北扶餘國都地方	
	西間島地方		西京鴨綠府地方 (神州·桓州· 豊州·正州)	卒本國內城地方 卒本 國內城 丸都城	卒本扶餘地方	
	寧古塔地方		中京顯德府地方 (盧州·顯州·鐵· 陽州·榮州·興州)	鞨鞨地方	迦葉原	
	北間島地方		南京南海府地方 (沃州·晴州·椒州)	柵城地方 鞨鞨地方	東扶餘地方	
	三姓地方		上京龍泉府地方 (龍州·湖州·渤州)			

新羅時代 行政區域 地名(景德王 16年, 754년)

州　名	京　名	郡　名	屬　縣　名
京都	東京		
尙州 尙州(現) 10郡 31縣		‥‥‥‥ 醴泉郡 古昌郡 聞韶郡 嵩善郡 開寧郡 永同郡 管城郡 三年郡 古寧郡 化寧郡	靑驍縣, 化昌縣, 多仁縣 永安縣, 安仁縣, 嘉猷縣, 殷正縣 直寧縣, 日谿縣, 高丘縣 眞寶縣, 比屋縣, 安賢縣, 單密縣 孝靈縣, 尒同兮縣, 軍威縣 禦侮縣, 金山縣, 知禮縣, 茂豊縣 陽山縣, 黃澗縣 利山縣, 縣眞縣 淸川縣, 耆山縣 嘉善縣, 冠山縣, 虎谿縣 道安縣
良州 梁山(現) 1京 12郡 34縣	金海京 (金海)	‥‥‥‥ 義安郡 密城郡 火王郡 壽昌郡 獐山郡 臨皐郡 東萊郡 東安郡 臨關郡 義昌郡 大城郡 商城郡	巘陽縣 漆隄縣, 合浦縣, 熊神縣 尙藥縣, 密津縣, 烏岳縣, 荊山縣, 蘇山縣 玄驍縣 大丘縣, 八里縣, 河濱縣, 花園縣 解顔縣, 餘粮縣, 慈仁縣 長鎭縣, 臨川縣, 道同縣, 新寧縣, 黽白縣 東平縣, 機張縣 虞風縣 東津縣, 河曲縣 安康縣, 礬立縣, 神光縣, 臨汀縣, 杞溪縣, 晋汁火縣 約章縣
康州 晋州(現) 11郡 30縣		‥‥‥‥ 南海郡 河東郡 固城郡 咸安郡 巨濟郡 闕城郡 天嶺郡 居昌郡 高靈郡 江陽郡 星山郡	嘉壽縣, 屈村縣 蘭浦縣, 平山縣 省良縣, 岳陽縣, 河邑縣 蚊火良縣, 泗水縣, 尙善縣 玄武縣, 宜寧縣 鵝洲縣, 溟珍縣, 南垂縣 丹邑縣, 山陰縣 雲峰縣, 利安縣 餘善縣, 咸陰縣 冶爐縣, 新復縣 三岐縣, 八谿縣, 宜桑縣 壽同縣, 谿子縣, 新安縣, 都山縣

州　名	京　名	郡　名	屬　縣　名
熊州 公州(現) 1京 13郡 29縣	西原京 (淸州)	……… 大麓郡 嘉林郡 西林郡 伊山郡 槥城郡 扶餘郡 任城郡 黃山郡 比豊郡 潔城郡 燕山郡 富城郡 湯井郡	尼山縣, 淸音縣 馴雉縣, 金池縣 馬山縣, 翰山縣 藍浦縣, 庇仁縣 目牛縣, 今武縣 唐津縣, 餘邑縣, 新平縣 石山縣, 悅城縣 靑正縣, 孤山縣 鎭嶺縣, 珍同縣 儒城縣, 赤烏縣 新邑縣, 新良縣 燕岐縣, 昧谷縣 蘇泰縣, 地育縣 陰峰縣, 祁梁縣
全州 全州(現) 1京 10郡 31縣	南原京 (南原)	……… 大山郡 古阜郡 進禮郡 德殷郡 臨陂郡 金隄郡 淳化郡 金馬郡 壁磎郡 任實郡	金溝縣, 杜城縣, 高山縣 井邑縣, 斌城縣, 野西縣 扶寧縣, 喜安縣, 尙質縣 伊城縣, 淸渠縣, 丹川縣 市津縣, 礪良縣, 雲梯縣 咸悅縣, 沃溝縣, 澮尾縣 萬頃縣, 平皐縣, 利城縣, 武邑縣 赤城縣, 九皐縣 沃野縣, 紆州縣, 野山縣 鎭安縣, 高澤縣 馬靈縣, 靑雄縣
武州 光州(現) 15郡 43縣		……… 分嶺郡 寶城郡 秋成郡 靈巖郡 潘南郡 岬城郡 武靈郡 昇平郡 谷城郡 陵城郡 錦山郡 陽武郡 務安郡 牢山郡 壓海郡	玄雄縣, 龍山縣, 祁陽縣 忠烈縣, 兆陽縣, 薑原縣, 柏舟縣 代勞縣, 季水縣, 烏兒縣, 馬邑縣 玉菓縣, 栗原縣 野老縣, 昆湄縣 珍原縣, 森溪縣 長沙縣, 茂松縣, 高敞縣 海邑縣, 晞陽縣, 盧山縣 富有縣, 求禮縣, 同福縣 富里縣, 汝湄縣 會津縣, 鐵冶縣, 艅艎縣 固安縣, 耽津縣, 浸溟縣, 黃原縣 咸豊縣, 多岐縣, 海際縣, 珍島縣 瞻旽縣 碣島縣, 鹽海縣, 安波縣

州 名	京 名	郡 名	屬 縣 名
漢州 廣州(現) 1京 28郡 49縣	中原京 (忠州)	········ 槐壤郡 沂川郡 黑壤郡 介山郡 白城郡 水城郡 唐恩郡 栗津郡 獐口郡 長堤郡 漢陽郡 來蘇郡 交河郡 堅城郡 鐵城郡 富平郡 兎山郡 牛峰郡 松嶽郡 開城郡 海口郡 永豊郡 海皐郡 瀑池郡 重盤郡 栖嵒郡 五關郡 取城郡	黃武縣, 巨黍縣 黃驍縣, 濱陽縣 都西縣, 陰城縣 陰竹縣 赤城縣, 蛇山縣 車城縣, 振威縣 穀壤縣, 孔巖縣, 邵城縣 戌城縣, 金浦縣, 童城縣, 分津縣 荒壤縣, 遇王縣 重城縣, 坡平縣 峰城縣, 高峰縣 沙川縣, 洞陰縣 幢梁縣, 功成縣 廣平縣 安峽縣, 朔邑縣, 伊川縣 臨江縣, 長湍縣, 臨端縣 如羆縣, 江陰縣 德水縣, 臨津縣 守鎭縣, 江陰縣, 喬桐縣 檀溪縣, 鎭湍縣 雊澤縣 獐塞縣 土山縣, 唐嶽縣, 松峴縣
朔州 春川(現) 1京 12郡 26縣	北原京 (原州)	········ 奈隄郡 奈靈郡 岌山郡 嘉平郡 楊麓郡 狼川郡 大楊郡 益城郡 岐城郡 連城郡 朔庭郡 井泉郡	綠驍縣, 潢川縣, 砥平縣 淸風縣, 赤山縣 善谷縣, 玉馬縣 鄰豐縣 浚水縣 狶蹄縣, 馳道縣, 三嶺縣 藪川縣, 文登縣 通溝縣 丹松縣, 軼雲縣, 狶嶺縣 瑞谷縣, 蘭山縣, 霜陰縣, 菁山縣, 翊谿縣 蒜山縣, 松山縣, 幽居縣

州　名	京　名	郡　名	屬　縣　名
溟州 江陵(現) 9郡 25縣			旌善縣, 棟隄縣, 支山縣, 洞山縣
		曲城郡	緣武縣
		野城郡	眞安縣, 積善縣
		有鄰郡	海阿縣
		蔚珍郡	海曲縣
		奈城郡	子春縣, 白烏縣, 酒泉縣
		三陟郡	竹嶺縣, 滿卿縣, 羽谿縣, 海利縣
		守城郡	童山縣, 翼嶺縣
		高城郡	豢猳縣, 偏嶮縣
		金壤郡	習谿縣, 堤上縣, 臨道縣, 派川縣, 鶴浦縣
總計 9州	1京 5小京	120郡	298縣

統一 전후의 九州명칭(2-1)

구분＼영토	9　州					1京 5小京
	神文王 代	景德王代	현재의 지명	郡	縣	
新羅 지역	沙伐州 歃良州 菁州	尙州 良州 康州	尙州 梁山 晉州	10 12 11	31 34 30	東京(慶州) 金海京(金海)
高句麗 지역	漢山州 首若州 河西州	漢州 朔州 溟州	廣州 春川 江陵	28 12 9	49 26 25	中原京(忠州) 北原京(原州)
百濟 지역	熊川州 完山州 武珍州	熊州 全州 武州	公州 全州 光州	13 10 15	29 31 43	西原京(淸州) 南原京(南原)
行政官	摠管	都督		太守	縣令	仕臣

<부록3>

高麗時代 行政區域 地名(高麗史 所載)

王京	開城府		所屬郡 1.	牛峰
			所屬縣 12.	開城, 貞州, 德水, 江陰, 長湍, 臨江, 兎山, 臨津, 松林, 麻田, 積城, 坡平
楊廣道	楊州		所屬郡 3.	交河, 見州, 抱州
			所屬縣 6.	幸州, 峰城, 高峰, 深岳, 豊壤, 沙川
	領都護府 1.	安南	所屬縣 6.	衿川, 童城, 通津, 孔巖, 金浦, 守安
	領知事郡 2.	仁州	所屬郡 1.	唐城
			所屬縣 1.	載陽
		水州	所屬縣 7.	安山, 永新, 雙阜, 龍城, 貞松, 振威, 陽城
	領縣令 1.	江華	所屬縣 3.	鎭江, 河陰, 喬桐
	廣州牧 廣州		所屬郡 4.	川寧, 利川, 竹州, 果州
			所屬縣 3.	砥平, 龍駒, 楊根
	忠州牧 忠州		所屬郡 1.	槐州
			所屬縣 5.	長延, 長豊, 陰竹, 陰城, 淸風
	領知事郡 1.	原州	所屬郡 2.	寧越, 堤州
			所屬縣 5.	平昌, 丹山, 永春, 酒泉, 黃驪
	淸州牧 淸州		所屬郡 2.	燕山, 木州
			所屬縣 7.	鎭州, 全義, 淸川, 道安, 靑塘, 燕岐, 懷仁
	領知事府 1.	公州	所屬郡 4.	德恩, 懷德, 扶餘, 連山
			所屬縣 8.	市津, 德津, 鎭岑, 儒城, 石城, 定山, 尼山, 新豊
	領知事郡 2.	洪州	所屬郡 3.	樻城, 大興, 結城
			所屬縣 11.	高丘, 保寧, 興陽, 靑陽, 新平, 德豊, 伊山, 唐津, 餘美, 驪陽, 貞海
		天安府	所屬郡 1.	溫水
			所屬縣 7.	牙州, 新昌, 豊歲, 平澤, 禮山, 稷山, 安城
	領縣令 2.	嘉林	所屬郡 1.	西林
			所屬縣 4.	庇仁, 鴻山, 藍浦, 韓山
		富城	所屬縣 2.	地谷, 蘇泰
慶尙道	東京 慶州		所屬郡 4.	興海, 章山, 壽城, 永州
			所屬縣 10.	安康, 新寧, 慈仁, 河陽, 淸河, 延日, 解顔, 神光, 杞溪, 長鬐
	領郡 5.	蔚州	所屬縣 2.	東萊, 巘陽
		禮州	所屬府 1.	甫城
			所屬郡 3.	英陽, 平海, 盈德
			所屬縣 2.	靑鳬, 松生

道			所屬	地名
慶尙道		金州	所屬郡 2.	義安, 咸安
			所屬縣 3.	漆原, 熊神, 合浦
		梁州	所屬縣 2.	東平, 機張
		密城	所屬郡 2.	昌寧, 淸斗
			所屬縣 4.	玄風, 桂城, 靈山, 豊角
	晋州牧 晋州		所屬郡 2.	江城, 河東
			所屬縣 7.	泗州, 岳陽, 永善, 鎭海, 昆明, 班城, 宜寧
	領知事郡 1.	陜州	所屬縣 12.	嘉樹, 三岐, 山陰, 丹溪, 加祚, 減陰, 利安, 新繁, 冶爐, 草溪, 居昌, 含陽
	領縣令 3.	固城		
		南海	所屬縣 2.	蘭浦, 平山
		巨濟	所屬縣 3.	鵝洲, 松邊, 溟珍
	尙州牧 尙州		所屬郡 7.	聞慶, 龍宮, 開寧, 保令, 咸昌, 永同, 海平
			所屬縣 17.	靑山, 山陽, 化寧, 功成, 丹密, 比屋, 安定, 中牟, 虎溪, 禦侮, 多仁, 靑理, 加恩, 一善, 軍威, 孝靈, 缶溪
	領知事府 2.	京山	所屬縣 1.	高靈
			所屬縣 14.	若木, 仁同, 知禮, 加利, 八莒, 金山, 黃澗, 管城, 安邑, 陽山, 利山, 大丘, 花園, 河濱
		安東	所屬郡 3.	臨河, 禮安, 義興
			所屬縣 11.	一直, 殷豊, 甘泉, 奉化, 安德, 豊山, 基州, 興州, 順安, 義城, 基陽
全羅道	全州牧 全州		所屬郡 1.	金馬
			所屬縣 11.	朗山, 沃野, 鎭安, 紆州, 高山, 雲梯, 馬靈, 礪良, 利城, 伊城, 咸悅
	領知事府 1.	南原	所屬郡 2.	任實, 淳昌
			所屬縣 7.	長溪, 赤城, 居寧, 九皐, 長水, 雲峰, 求禮
	領郡 1.	古阜	所屬郡 1.	大山
			所屬縣 6.	保安, 扶寧, 井邑, 仁義, 尙質, 高敞
	領縣令 4.	臨陂	所屬縣 4.	澮尾, 富潤, 沃溝, 萬頃
		進禮	所屬縣 5.	富利, 淸渠, 朱溪, 茂豊, 珍同
		金堤	所屬縣 1.	平皐
		金溝	所屬縣 1.	巨野
	羅州牧 羅州		所屬郡 5.	務安, 潭陽, 谷城, 樂安, 南平
			所屬縣 11.	鐵冶, 會津, 潘南, 安老, 伏龍, 原栗, 艅艎, 昌平, 長山, 珍原, 和順
	領知事府 1.	長興	所屬縣 4.	遂寧, 會寧, 長澤, 耽津
	領郡 4.	靈光	所屬郡 2.	壓海, 長城
			所屬縣 8.	森溪, 陸昌, 海際, 牟平, 咸豊, 臨淄, 長沙, 茂松
		靈巖	所屬郡 2.	黃原, 道康
			所屬縣 3.	昆湄, 海南, 竹山
		寶城	所屬縣 7.	同福, 福城, 兆陽, 南陽, 玉果, 泰江, 荳原
		昇平	所屬縣 4.	富有, 突山, 麗水, 光陽
	領縣令 4.	海陽, 珍島(嘉興, 臨淮), 綾城, 耽羅		

交州道	交州		所屬郡 2.	長楊, 金城	
			所屬縣 4.	嵐谷, 通溝, 岐城, 和川	
	春州		所屬郡 2.	嘉平, 狼川	
			所屬縣 9.	基麟, 朝宗, 麟蹄, 橫川, 洪川, 文登, 方山, 瑞禾, 楊溝	
	東州		所屬郡 1.	金化	
			所屬縣 7.	朔寧, 平康, 漳州, 僧嶺, 伊川, 安峽, 洞陰	
西海道	安西大都護府		所屬縣 3.	鹽州, 白州, 安州	
	領防禦郡 1. 豊州		所屬郡 1.	安岳	
			所屬縣 5.	儒州, 殷栗, 靑松, 嘉禾, 永寧	
	領縣令 1. 甕津		所屬縣 2.	長淵, 永康	
	領鎭 1. 白翎				
	黃州牧 黃州		所屬郡 2.	鳳州, 信州	
			所屬縣 1.	土山	
	領知事郡 2. 平州		所屬縣 1.	洞州	
	谷州		所屬縣 2.	新恩, 峽溪	
	領縣 1. 遂安				
東界	安邊都護府 登州		所屬縣 7.	瑞谷, 汶山, 衛山, 翼谷, 派川, 鶴浦, 霜陰	
	領防禦郡 9.	和州, 高州, 宜州, 文州, 長州, 定州, 豫州, 德州,			
	溟州		所屬縣 3.	羽溪, 旋善, 連谷	
	領鎭 10.	寧仁, 耀德, 長平, 龍津, 永興, 靜邊, 雲林, 永豊, 隘守, 元興			
	領縣令 8.	金壤	所屬縣 3.	臨道, 雲岩, 碧山	
		歙谷			
		高城	所屬縣 2.	豢猳, 安昌	
		杆城	所屬縣 1.	烈山	
		翼嶺	所屬縣 1.	洞山	
		三陟			
		蔚珍			
		鎭溟			
	九城 그밖	咸州, 英州, 雄州, 吉州, 福州, 公嶮鎭, 平戎鎭, 崇寧鎭, 眞陽鎭, 宣化鎭, 北靑州府, 甲州			
北界	西京 平壤府		所屬縣 4.	江東, 江西, 中和, 順和	
	大都護府 安北				
	領防禦郡 25.	龜州, 宣州, 龍州, 靜州, 麟州, 義州, 朔州, 昌州, 雲州, 延州, 博州, 嘉州, 郭州, 鐵州, 靈州, 孟州, 德州, 撫州, 順州, 渭州, 泰州, 成州, 殷州, 肅州, 慈州			
	領鎭 12.	寧德, 威遠, 定戎, 寧朔, 安義, 淸塞, 平虜, 朝陽, 陽岩, 樹德, 安戎, 寧遠			
	縣令 6.	通海, 永淸, 咸從, 龍岡, 三和, 三登			
	江界府				
	泥城府				
	隨州				

<부록4>

朝鮮時代 行政區域 地名(世宗地理志(1454년) 所載)

京都漢城府 舊都開城留後司			
京畿道 牧 1 都護府 8 郡 6 縣 26	廣州牧	所屬都護府 1. 所屬郡 1. 所屬縣 6.	驪興都護府 楊根郡, 陰竹縣, 利川縣, 果川縣, 川寧縣, 砥平縣, 衿川縣
	楊州都護府	所屬都護府 1. 所屬縣 6.	原平都護府 高陽縣, 交河縣, 臨津縣, 積城縣, 抱川縣, 加平縣
	水原都護府	所屬都護府 1. 所屬郡 2. 所屬縣 4.	南陽都護府 安山郡, 安城郡 振威縣, 龍仁縣, 陽城縣, 陽智縣
	鐵原都護府	所屬郡 1. 所屬縣 6.	朔寧郡 永平縣, 長湍縣, 安峽縣, 臨江縣, 麻田縣, 漣川縣
	富平都護府	所屬都護府 1. 所屬郡 2. 所屬縣 4.	江華都護府 仁川郡, 海豊郡 金浦縣, 陽川縣, 喬桐縣, 通津縣
忠淸道 牧 4 郡 11 縣 40	忠州牧	所屬郡 3. 所屬縣 4.	丹陽郡, 淸風郡, 槐山郡 永春縣, 堤川縣, 陰城縣, 延豊縣
	淸州牧	所屬郡 2. 所屬縣 17.	天安郡, 沃川郡 文義縣, 靑安縣, 鎭川縣, 竹山縣, 稷山縣, 平澤縣, 牙山縣, 新昌縣, 溫水縣, 全義縣, 燕岐縣, 木川縣, 懷仁縣, 靑山縣, 黃澗縣, 永同縣, 報恩縣
	公州牧	所屬郡 3. 所屬縣 11.	林川郡, 韓山郡, 舒川郡 懷德縣, 鎭岑縣, 連山縣, 恩津縣, 尼山縣, 石城縣, 扶餘縣, 鴻山縣, 庇仁縣, 藍浦縣, 定山縣
	洪州牧	所屬郡 3. 所屬縣 8.	泰安郡, 瑞山郡, 沔川郡 海美縣, 唐津縣, 德山縣, 禮山縣, 靑陽縣, 保寧縣, 結城縣, 大興縣
慶尙道 府 1 牧 3	慶州府	所屬都護府 1. 所屬郡 5. 所屬縣 10.	密陽都護府 梁山郡, 蔚山郡, 淸道郡, 興海郡, 大丘郡 慶山縣, 東萊縣, 昌寧縣, 彦陽縣, 機張縣, 長鬐縣, 靈山縣, 玄風縣, 迎日縣, 淸河縣

大都護府 1 都護府 6 郡 15 縣 40	安東大都護府	所屬都護府 2. 所屬郡 4. 所屬縣 11.	寧海都護府, 順興都護府 醴泉郡, 榮川郡, 永川郡, 青松郡 義城縣, 盈德縣, 禮安縣, 河陽縣, 基川縣, 仁同縣, 奉化縣, 義興縣, 新寧縣, 眞寶縣, 比安縣
	尚州牧	所屬牧 1. 所屬都護府 1. 所屬郡 3. 所屬縣 7.	星州牧 善山都護府 陜川郡, 草溪郡, 金山郡 高靈縣, 開寧縣, 咸昌縣, 龍宮縣, 聞慶縣, 軍威縣, 知禮縣
	晋州牧	所屬都護府 2. 所屬郡 3. 所屬縣 12.	金海都護府, 昌原都護府 咸安郡, 咸陽郡, 昆南郡 固城縣, 巨濟縣, 泗川縣, 居昌縣, 河東縣, 珍城縣, 漆原縣, 山陰縣, 安陰縣, 三嘉縣, 宜寧縣, 鎭海縣
全羅道 府 1 牧 2 都護府 4 郡 12 縣 37	全州府	所屬郡 5. 所屬縣 11.	珍山郡, 錦山郡, 益山郡, 古阜郡, 金堤郡 金溝縣, 萬頃縣, 臨陂縣, 沃溝縣, 咸悅縣, 龍安縣, 扶安縣, 井邑縣, 泰仁縣, 高山縣, 礪山縣
	羅州牧	所屬郡 3. 所屬縣 8.	海珍郡, 靈岩郡, 靈光郡, 康津縣, 茂長縣, 咸平縣, 南平縣, 務安縣, 高敞縣, 興德縣, 長城縣
	南原都護府	所屬郡 1. 所屬縣 9.	淳昌郡 龍潭縣, 求禮縣, 任實縣, 雲峰縣, 長水縣 茂朱縣, 鎭安縣, 谷城縣, 光陽縣
	長興都護府	所屬都護府 2. 所屬郡 3. 所屬縣 7.	潭陽都護府, 順天都護府 茂珍郡, 寶城郡, 樂安郡 高興縣, 綾城縣, 昌平縣, 和順縣, 同福縣, 玉果縣, 珍原縣
	濟州牧	所屬縣 2.	旌義縣, 大靜縣
黃海道 牧 2 都護府 3 郡 7 縣 12	黃州牧	所屬都護府 1. 所屬郡 4. 所屬縣 1.	瑞興都護府 鳳山郡, 安岳郡, 遂安郡, 谷山郡 新恩縣
	海州牧	所屬郡 1. 所屬縣 4.	載寧郡 甕津縣, 長淵縣, 康翎縣, 信川縣
	延安都護府	所屬都護府 1. 所屬郡 1. 所屬縣 3.	平山都護府 白(배)川郡 牛峰縣, 兎山縣, 江陰縣
	豊川郡	所屬縣 4.	文化縣, 松禾縣, 殷栗縣, 長連縣

江原道 牧 1 大都護府 1 都護府 4 郡 7 縣 11	江陵大都護府	所屬都護府 1. 所屬郡 2.	襄陽都護府 旌善郡, 平昌郡
	原州牧	所屬郡 1. 所屬縣 2.	寧越郡 橫城縣, 洪川縣
	淮陽都護府	所屬縣 4.	金城縣, 金化縣, 平康縣, 伊川縣
	三陟都護府	所屬郡 1. 所屬縣 1.	平海郡, 蔚珍縣
	春川都護府所	所屬縣 3.	狼川縣, 楊口縣, 麟蹄縣
	杆城郡	所屬郡 2. 所屬縣 1.	高城郡, 通川郡 歙谷縣
平安道 府 1 牧 3 大都護府 1 都護府 4 郡 25 縣 13	平壤府	所屬郡 2. 所屬縣 8.	中和郡, 祥原郡 三登縣, 江東縣, 順安縣, 甑山縣, 咸從縣, 三和縣, 江西縣, 龍岡縣
	安州牧	所屬都護府 2. 所屬郡 4. 所屬縣 4.	成川都護府, 肅川都護府 慈山郡, 順川郡, 价川郡, 德川郡 永柔縣, 孟山縣, 殷山縣, 陽德縣
	義州牧	所屬牧 1. 所屬郡 7. 所屬縣 1.	定州牧 麟山郡, 龍川郡, 鐵山郡, 郭山郡, 隨川郡, 宣川郡, 嘉山郡 定寧縣
	朔州都護府	所屬都護府 1. 所屬郡 5.	寧邊大都護府 昌城郡, 碧潼郡, 雲山郡, 博川郡, 泰川郡
	江界都護府	所屬郡 7.	理山郡, 熙川郡, 閭延郡, 慈城郡, 茂昌郡, 虞芮郡, 渭原郡
咸吉道 府 1 大都護府 1 都護府 9 郡 8 縣 1	咸興府	所屬都護府 2.	定平都護府, 北青都護府
	永興大都護府	所屬郡 3.	高原郡, 文川郡, 預原郡
	安邊都護府	所屬郡 1. 所屬縣 1.	宜川郡 龍津縣
	吉州牧	所屬都護府 1. 所屬郡 3.	慶源都護府 端川郡, 甲山郡, 鏡城郡
	(慶源都護府) 會寧都護府 鍾城都護府 穩城都護府 慶興都護府 富寧都護府 三水郡		

朝鮮時代 行政區域 地名(4-1)(新增東國與地勝覽(1530년) 所載)

漢城府 開城府			
京畿道	廣州牧	所屬牧 1.	驪州牧
		所屬都護府 1.	利川都護府
牧 4		所屬郡 1.	楊根郡(迷原縣)
都護府 7		所屬縣 5.	砥平縣, 陰竹縣, 陽智縣, 竹山縣, 果川縣
郡 7	水原都護府(雙阜縣, 龍城縣)		
縣 19		所屬都護府 3.	富平都護府, 南陽都護府, 仁川都護府
		所屬郡 2.	安山郡, 安城郡
		所屬縣 7.	振威縣, 陽川縣, 龍仁縣, 金浦縣, 衿川縣, 陽城縣, 通津縣
	楊州牧(豊壤縣)		
		所屬牧 1.	坡州牧
		所屬郡 1.	高陽郡
		所屬縣 5.	永平縣, 抱川縣, 積城縣, 交河縣, 加平縣(朝宗縣)
	長湍都護府		
		所屬都護府 1.	江華都護府
		所屬郡 3.	豊德郡, 朔寧郡, 麻田郡
		所屬縣 2.	漣川縣, 喬桐縣
忠清道	忠州牧	所屬郡 3.	清風郡, 丹陽郡, 槐山郡
		所屬縣 4.	延豊縣, 陰城縣, 永春縣(於上川縣), 堤川縣
牧 4	清州牧(青川縣, 周岸鄕)		
郡 12		所屬郡 2.	天安郡, 沃川郡(利山縣, 安邑縣, 陽山縣)
縣 38		所屬縣 10.	文義縣, 稷山縣, 木川縣, 懷仁縣, 清安縣, 鎭川縣, 報恩縣, 永同縣, 黃澗縣, 青山縣(酒城部曲)
	公州牧(儒城縣)	所屬郡 2.	林川郡, 韓山郡
		所屬縣 10.	全義縣, 定山縣, 恩津縣, 懷德縣, 鎭岑縣, 連山縣, 尼山縣, 扶餘縣, 石城縣, 燕岐縣
	洪州牧(新平縣)	所屬郡 5.	舒川郡, 瑞山郡, 泰安郡, 沔川郡, 溫陽郡
		所屬縣 14.	平澤縣, 鴻山縣, 德山縣, 青陽縣, 大興縣, 庇仁縣, 藍浦縣, 結城縣, 保寧縣, 牙山縣, 新昌縣, 禮山縣, 海美縣, 唐津縣
慶尙道	慶州府(安康縣, 杞溪縣, 慈仁縣, 神光縣, 仇史部曲, 竹長部曲, 比安谷部曲)		
		所屬郡 4.	蔚山郡, 梁山郡, 永川郡, 興海郡
府 1		所屬縣 6.	清河縣, 迎日縣, 長鬐縣, 機張縣, 東萊縣(東平縣), 彦陽縣
大都護府 1	安東大都護府(臨河縣, 豊山縣, 一直縣, 甘泉縣, 奈城縣, 春陽縣, 才山縣, 皆丹部曲, 小川部曲)		
牧 3		所屬都護府 2.	寧海都護府, 青松都護府(安德縣)
都護府 7		所屬郡 3.	醴泉郡(多仁縣), 榮川郡, 豊基郡(殷豊縣)
郡 14		所屬縣 8.	義城縣, 奉化縣, 眞寶縣, 軍威縣(孝靈縣), 比安縣(安貞縣), 禮安縣, 盈德縣, 龍宮縣
縣 41	大邱都護府(壽城縣, 解顔縣, 河濱縣)		
		所屬都護府 1.	密陽都護府(守山縣, 豊角縣)
		所屬郡 1.	清道郡
		所屬縣 8.	慶山縣, 河陽縣, 仁同縣, 玄風縣, 義興縣(缶溪縣), 新寧縣, 靈山縣, 昌寧縣

	尚州牧(化寧縣, 中牟縣, 丹密縣, 山陽縣, 長川部曲)		
		所屬牧 1.	星州牧(加利縣, 八莒縣, 花園縣)
		所屬都護府 1.	善山都護府(海平縣)
		所屬郡 1.	金山郡
		所屬縣 5.	開寧縣, 知禮縣(頭衣谷部曲), 高靈縣, 聞慶縣(加恩縣), 咸昌縣
	晋州牧(班城縣, 岳陽縣, 薩川部曲, 花開部曲)		
		所屬郡 4.	陜川郡, 草溪郡, 咸陽郡, 昆陽郡
		所屬縣 9.	泗川縣, 南海縣, 三嘉縣, 宜寧縣(新繁縣), 河東縣, 山陰縣, 安陰縣, 丹城縣, 居昌縣(加祖縣)
	金海都護府(太山部曲)		
		所屬都護府 1.	昌原都護府
		所屬郡 1.	咸安郡
		所屬縣 5.	巨濟縣, 固城縣, 漆原縣(龜山縣), 鎭海縣, 熊川縣
江原道 牧 1 大都護府 1 都護府 5 郡 7 縣 12	江陵大都護府(連谷縣, 羽溪縣)		
		所屬都護府 2.	三陟都護府, 襄陽都護府(洞山縣)
		所屬郡 4.	平海郡, 杆城郡, 高城郡, 通川郡
		所屬縣 2.	蔚珍縣, 歙谷縣
	原州牧(酒泉縣)	所屬都護府 1.	春川都護府(基麟縣)
		所屬郡 3.	旌善郡, 寧越郡, 平昌郡
		所屬縣 3.	麟蹄縣(瑞和縣), 橫城縣, 洪川縣
	淮陽都護府(和川縣, 嵐谷縣, 水入縣, 長楊縣)		
		所屬都護府 1.	鐵原都護府
		所屬縣 7.	金城縣(通溝縣), 楊口縣(方山縣), 狼川縣, 伊川縣, 平康縣, 金化縣, 安峽縣
全羅道 府 1 牧 3 都護府 4 郡 12 縣 37	全州府(沃野縣)		
		所屬郡 6.	益山郡, 金堤郡, 古阜郡, 錦山郡, 珍山郡, 礪山郡
		所屬縣 11.	萬頃縣, 臨陂縣, 金溝縣, 井邑縣, 興德縣, 扶安縣, 沃溝縣, 龍安縣, 咸悅縣, 高山縣, 泰仁縣
	羅州牧	所屬牧 1.	光州牧
		所屬郡 2.	靈巖郡, 靈光郡
		所屬縣 7.	咸平縣, 高敞縣, 長城縣, 珍原縣, 茂長縣, 南平縣, 務安縣
	長興都護府	所屬郡 1.	珍島郡
		所屬縣 2.	康津縣, 海南縣
	濟州牧	所屬縣 2.	旌義縣, 大靜縣
	南原都護府(楡谷部曲)		
		所屬都護府 1.	潭陽都護府
		所屬郡 1.	淳昌郡
		所屬縣 9.	龍潭縣, 昌平縣, 任實縣, 茂朱縣, 谷城縣, 鎭安縣, 玉果縣, 雲峰縣, 長水縣(長溪縣)
	順天都護府	所屬郡 2.	樂安郡, 寶城郡
		所屬縣 6.	綾城縣, 光陽縣, 求禮縣, 興陽縣, 同福縣, 和順縣

黃海道	黃州牧	所屬都護府 2.	平山都護府, 瑞興都護府
		所屬郡 6.	鳳山郡, 安岳郡, 載寧郡, 遂安郡, 谷山郡, 信川郡
牧　　2		所屬縣 5.	新溪縣, 牛峰縣, 文化縣, 兎山縣, 長連縣
都護府　4			
郡　　6	海州牧	所屬都護府 2.	延安都護府, 豊川都護府
縣　　12		所屬縣 6.	白(배)川縣, 瓮津縣, 松禾縣, 殷栗縣, 江陰縣, 康翎縣, 長淵縣
咸鏡道	咸興府	所屬都護府 1.	永興大都護府
		所屬都護府 1.	定平都護府
		所屬郡 1.	高原郡
府　　1			
大都護府　1	安邊都護府(鶴浦縣, 永豊縣)		
都護府　12		所屬都護府 1.	德原都護府
郡　　4		所屬郡 1.	文川郡
縣　　4	北靑都護府	所屬郡 1.	端川郡
		所屬縣 2.	利城縣, 洪原縣
	甲山都護府		
	三水郡		
	鏡城都護府	所屬縣 2.	吉城縣, 明川縣
	慶源都護府		
	會寧都護府		
	鍾城都護府		
	穩城都護府		
	慶興都護府		
	富寧都護府		
平安道	平壤府	所屬郡 1.	中和郡
		所屬縣 6.	龍岡縣, 三和縣, 咸從縣, 甑山縣, 順安縣, 江西縣
	安州牧	所屬牧 1.	定州牧
府　　1		所屬都護府 1.	肅川都護府
牧　　3		所屬郡 1.	嘉山郡
大都護府　1		所屬縣 1.	永柔縣
都護府　6	義州牧	所屬郡 2.	鐵山郡, 龍川郡
郡　　18			
縣　　13	昌城都護府		
	朔州都護府	所屬堡 1.	仇寧堡
	龜城都護府	所屬郡 2.	宣川郡, 郭山郡
	寧邊大都護府	所屬郡 3.	雲山郡, 熙川郡, 博川郡
		所屬縣 1.	泰川縣
	成川都護府	所屬郡 5.	德川郡, 价川郡, 慈山郡, 順川郡, 祥原郡
		所屬縣 5.	三登縣, 陽德縣, 孟山縣, 江東縣, 殷山縣
	江界都護府	所屬堡 2.	楸坡堡, 上土堡
	渭原郡, 理山郡, 碧潼郡, 寧遠郡		

( )안은 直割縣

大韓時代 行政區域 地名(1895년)

漢城府(11郡) : 漢城, 楊州, 廣州, 積城, 抱川, 永平, 加平, 漣川, 高陽, 坡州, 交河

仁川府(12郡) : 仁川, 富平, 金浦, 陽川, 始興, 安山, 果川, 水原, 南陽, 江華, 喬桐, 通津

忠州府(20郡) : 忠州, 陰城, 延豊, 槐山, 堤川, 淸風, 永春, 丹陽, 鎭川, 淸安, 驪州, 龍仁, 竹山, 陰竹, 利川, 陽智, 原州, 旌善, 平昌, 寧越

洪州府(21郡) : 洪州, 結城, 德山, 舒川, 庇仁, 藍浦, 保寧, 林川, 鴻山, 瑞山, 海美, 唐津, 沔川, 泰安, 大興, 靑陽, 禮山, 新昌, 溫陽, 牙山, 定山

公州府(27郡) : 公州, 燕岐, 恩津, 燕山, 石城, 扶餘, 魯城, 沃川, 文義, 懷德, 鎭岑, 平澤, 報恩, 懷仁, 永同, 靑山, 黃澗, 淸州, 全義, 木川, 天安, 稷山, 安城, 振威, 陽城, 珍山, 錦山

全州府(19郡) : 全州, 礪山, 高山, 臨陂, 咸悅, 沃溝, 龍安, 益山, 扶安, 萬頃, 金溝, 古阜, 興德, 井邑, 泰仁, 長城, 高敞, 茂長, 靈光

南原府(15郡) : 南原, 求禮, 雲峰, 谷城, 順天, 光陽, 任實, 長水, 鎭安, 潭陽, 淳昌, 玉果, 昌平, 龍潭, 茂朱

羅州府(16郡) : 羅州, 海南, 珍島, 康津, 長興, 興陽, 寶城, 靈岩, 臨安, 咸平, 綾州, 和順, 同福, 光州, 南平, 樂安

濟州府(3 郡) : 濟州, 大靜, 旌義

晋州府(21郡) : 晋州, 固城, 鎭海, 泗川, 昆陽, 南海, 丹城, 山淸, 河東, 居昌, 安義, 咸陽, 泗川, 草溪, 三嘉, 宜寧, 漆原, 咸安, 昌原, 熊川, 金海

東萊府(10郡) : 東萊, 梁山, 機張, 蔚山, 彦陽, 慶州, 迎日, 長鬐, 興海, 巨濟

大邱府(23郡) : 大邱, 慶山, 漆谷, 仁同, 星州, 知禮, 高靈, 善山, 開寧, 金山, 義城, 義興, 軍威, 比安, 密陽, 淸道, 永川, 慈仁, 新寧, 河陽, 昌寧, 靈山, 玄風

安東府(16郡) : 安東, 靑松, 眞寶, 英陽, 盈德, 寧海, 淸河, 榮川, 禮安, 奉化, 順興, 豊基, 咸昌, 龍宮, 醴泉, 尙州

江陵府(9府) : 江陵, 蔚珍, 海平, 三陟, 高城, 杆城, 通川, 歙谷, 襄陽

春川府(13郡) : 春川, 楊口, 洪川, 麟蹄, 橫城, 鐵原, 平康, 金化, 狼川, 淮陽, 金城, 楊根, 砥平

開城府(13郡) : 開城, 豊德, 朔寧, 麻田, 長湍, 伊川, 安峽, 兎山, 平山, 金川, 遂安, 谷山, 新溪

海州府(16郡) : 海州, 延安, 白川, 瓮津, 長淵, 松禾, 康翎, 豊川, 安岳, 長連, 殷栗, 載寧, 信川, 文化, 瑞興, 鳳山

平壤府(27郡) : 平壤, 安州, 肅川, 順安, 龍岡, 永柔, 甑山, 咸從, 三和, 慈山, 江西, 德川, 寧遠, 熙川, 孟山, 寧邊, 雲山, 順川, 价川, 殷山, 成川, 陽德, 三登, 江東, 祥原, 中和, 黃州

義州府(13郡) : 義州, 昌城, 碧潼, 朔州, 龍川, 鐵山, 宣川, 郭山, 定州, 嘉山, 博川, 泰川, 龜城

江界府(6 郡) : 江界, 厚昌, 慈城, 楚山, 渭原, 長津

咸興府(11郡) : 咸興, 定平, 永興, 高原, 文川, 德源, 安邊, 端川, 利原, 北靑, 洪原

甲山府(2 郡) : 甲山, 三水

鏡城府(10郡) : 鏡城, 富寧, 吉州, 明川, 慶源, 慶興, 穩城, 鍾城, 會寧, 茂山

大韓時代 行政區域 地名(5-1)(1896년)

道	官等	地名
京畿道 府 3 郡 36	一等府尹 3.	京城, 開城, 江華
	一等郡守 1.	楊州
	二等郡守 1.	水原
	三等郡守 4.	驪州, 廣州, 長湍, 通津
	四等郡守 30.	仁川, 坡州, 利川, 富平, 南陽, 豊德, 抱川, 竹山, 楊根, 安山, 朔寧, 安城, 高陽, 金浦, 永平, 麻田, 交河, 加平, 龍仁, 陰竹, 振威, 陽川, 始興, 砥平, 積城, 果川, 漣川, 陽智, 陽城, 喬桐
忠淸北道 郡 18	一等郡守 2.	忠州, 淸州
	三等郡守 2.	沃川, 鎭川
	四等郡守 14.	淸風, 槐山, 報恩, 丹陽, 堤川, 懷仁, 淸安, 永春, 永同, 黃澗, 靑山, 延豊, 陰城, 文義
忠淸南道 郡 37	一等郡守 1.	公州
	二等郡守 1.	洪州
	三等郡守 6.	韓山, 舒川, 沔川, 瑞山, 德山, 鴻山
	四等郡守 29.	泰安, 溫陽, 大興, 平澤, 定山, 靑陽, 懷德, 鎭岑, 連山, 魯城, 扶餘, 石城, 庇仁, 藍浦, 結城, 保寧, 海美, 唐津, 新昌, 禮山, 全義, 燕岐, 牙山, 稷山, 天安, 木川, 恩津, 林川, 鰲川
全羅北道 府 1 郡 27	一等府尹 1.	群山
	一等郡守 2.	全州, 南原
	二等郡守 3.	古阜, 金堤, 泰仁
	三等郡守 11.	礪山, 錦山, 益山, 臨陂, 金溝, 咸悅, 扶安, 茂朱, 淳昌, 任實, 鎭安
	四等郡守 11.	珍山, 萬頃, 龍安, 高山, 沃溝, 井邑, 龍潭, 雲峰, 長水, 高敞, 茂朱
全羅南道 府 1 牧 1 郡 34	一等府尹 1.	木浦
	一等牧使 1.	濟州
	一等郡守 5.	光州, 羅州, 靈巖, 靈光, 順天
	二等郡守 8.	寶城, 興陽, 長興, 咸平, 康津, 海南, 茂長, 潭陽
	三等郡守 7.	綾州, 樂安, 務安, 南平, 珍島, 興德, 長城
	四等郡守 11.	昌平, 光陽, 同福, 和順, 玉果, 谷城, 莞島, 智島, 突山, 麗水, 求禮
	五等郡守 3.	濟州, 旌義, 大靜
慶尙北道 府 1 郡 39	一等府尹 1.	大邱
	一等郡守 2.	尙州, 慶州
	二等郡守 4.	星州, 義城, 永川, 安東
	三等郡守 4.	醴泉, 金山, 善山, 淸道
	四等郡守 29.	靑松, 仁同, 寧海, 順興, 漆谷, 豊基, 盈德, 龍宮, 河陽, 榮川, 奉化, 淸河, 眞寶, 軍威, 義興, 新寧, 延日, 禮安, 開寧, 知禮, 咸昌, 英陽, 興海, 慶山, 比安, 玄風, 高靈, 長鬐, 聞慶
慶尙南道 府 2 郡 32	一等府尹 2.	釜山, 馬山
	一等郡守 2.	東萊, 晋州
	二等郡守 2.	金海, 密陽
	三等郡守 12.	蔚山, 宜寧, 昌寧, 昌原, 居昌, 河東, 陜川, 咸陽, 固城
	四等郡守 16.	梁山, 彦陽, 靈山, 機張, 巨濟, 草溪, 昆陽, 三嘉, 漆原, 鎭海, 安義, 山淸, 丹城, 南海, 泗川, 熊川

江原道 郡 26	四等郡守 26.	春川, 原州, 江陵, 淮陽, 襄陽, 鐵原, 伊川, 三陟, 寧越, 平海, 通川, 旌善, 高城, 杆城, 平昌, 金城, 蔚珍, 歙谷, 平康, 金化, 狼川, 洪川, 楊口, 麟蹄, 橫城, 安峽
黃海道 郡 23	一等郡守 2.	黃州, 安岳
	二等郡守 3.	海州, 平山, 鳳山
	三等郡守 10.	延安, 谷山, 瑞興, 長淵, 載寧, 遂安, 白川, 信川, 金川, 文化
	四等郡守 8.	豊川, 新溪, 長連, 松禾, 殷栗, 兎山, 瓮津, 康翎
平安南道 府 2 郡 22	一等府尹 2.	平壤, 鎭南浦
	二等府尹 2.	中和, 龍岡
	三等郡守 8.	成川, 咸從, 三和, 順川, 祥原, 永柔, 江西, 安州
	四等郡守 12.	慈山, 肅川, 价川, 德川, 寧遠, 殷山, 陽德, 江東, 孟山, 三登, 甑山, 順安
平安北道 府 1 郡 20	一等府尹 1.	義州
	一等郡守 1.	江界
	二等郡守 3.	定州, 寧邊, 宣川
	四等郡守 16.	楚山, 昌城, 龜城, 龍川, 鐵山, 朔州, 渭原, 碧潼, 嘉山, 郭山, 熙川, 雲山, 博川, 泰川, 慈城, 厚昌
咸鏡南道 府 1 郡 13	一等府尹 1.	德源
	二等郡守 3.	咸興, 端川, 永興
	三等郡守 3.	北青, 安邊, 定平
	四等郡守 7.	三水, 甲山, 長津, 利原, 文川, 高原, 洪原
咸鏡北道 府 2 郡 8	一等府尹 2.	慶興, 吉城
	三等郡守 2.	會寧, 鍾城
	四等郡守 6.	鏡城, 慶源, 穩城, 富寧, 明川, 茂山

日帝時代 行政區域 地名(1914년)

京畿道 府 2 郡 20	府：京城, 仁川 郡：高陽, 富川, 始興, 水原, 振威, 安城, 龍仁, 利川, 金浦, 江華, 坡州, 開城 　　抱川, 漣川, 廣州, 楊平, 楊州, 加平, 驪州, 長湍
忠淸北道 郡 10	郡：永同, 沃川, 報恩, 淸州, 槐山, 堤川, 丹陽, 陰城, 鎭川, 忠州
忠淸南道 郡 14	郡：公州, 燕岐, 大田, 論山, 扶餘, 舒川, 保寧, 洪城, 靑陽, 瑞山, 唐津, 禮山, 　　牙山, 天安
全羅北道 府 1 郡 14	府：群山 郡：沃溝, 益山, 全州, 金堤, 高敞, 井邑, 錦山, 鎭安, 南原, 扶安, 任實, 淳昌, 　　茂朱, 長水
全羅南道 府 1 郡 22	府：木浦 郡：務安, 羅州, 和順, 谷城, 潭陽, 麗水, 濟州, 咸平, 靈光, 光州, 光陽, 高興, 　　寶城, 康津, 海南, 長城, 求禮, 長興, 莞島, 珍島, 順天, 靈巖
慶尙北道 府 1 郡 23	府：大邱 郡：達城, 慶山, 永川, 慶州, 迎日, 盈德, 英陽, 靑松, 安東, 義城, 軍威, 漆谷, 　　金泉, 尙州, 醴泉, 榮州, 奉化, 聞慶, 星州, 高靈, 淸道, 善山, 鬱島
慶尙南道 府 2 郡 19	府：釜山, 馬山 郡：蔚山, 東萊, 昌寧, 泗川, 河東, 居昌, 固城, 統營, 咸陽, 陜川, 宜寧, 咸安, 　　山淸, 昌原, 晉州, 金海, 密陽, 梁山, 南海
江原道 郡 21	郡：伊川, 金化, 鐵原, 蔚珍, 春川, 洪川, 橫城, 原州, 平昌, 寧越, 旌善, 三陟, 　　江陵, 襄陽, 通川, 淮陽, 平康, 華川, 楊口, 麟蹄, 高城
黃海道 郡 17	郡：延白, 金川, 新溪, 海州, 平山, 谷山, 甕津, 長淵, 松禾, 載寧, 瑞興, 鳳山, 　　遂安, 信川, 安岳, 黃州, 殷栗
平安南道 府 2 郡 14	府：平壤, 鎭南浦 郡：大同, 龍岡, 中和, 江東, 成川, 順川, 平原, 江西, 安州, 价川, 德川, 寧遠, 　　孟山, 陽德
平安北道 府 1 郡 19	府：新義州 郡：博川, 定州, 宣川, 義州, 寧邊, 熙川, 雲山, 泰川, 龜城, 鐵山, 龍川, 朔州, 　　昌城, 碧潼, 楚山, 渭原, 江界, 慈城, 厚昌
咸鏡南道 府 1 郡 16	府：元山 郡：德源, 咸興, 高原, 洪原, 北靑, 新興, 豊山, 安邊, 文川, 永興, 定平, 利原, 　　端川, 甲山, 三水, 長津
咸鏡北道 府 1 郡 11	府：淸津 郡：富寧, 慶興, 明川, 會寧, 鍾城, 鏡城, 城津, 吉州, 慶源, 穩城, 茂山

<부록 7>

南韓의 行政區域 地名*(2003.4.)

1) 行政區域數 統計表

| 行政地域 | 市 | 郡 | 區 | | 計 | 邑 | 面 | 洞 | 計 |
			自治	一般					
서울特別市		-	25	-	25	-	-	522	522
釜山廣域市		1	15	-	16	2	3	216	221
大邱廣域市		1	7	-	8	3	6	129	138
仁川廣域市		2	8	-	10	1	19	117	137
光州廣域市		-	5	-	5	-	-	87	87
大田廣域市		-	5	-	5	-	-	79	79
蔚山廣域市		1	4	-	5	4	8	46	58
京畿道	25	6	-	15	46	30	118	346	494
江原道	7	11	-	-	18	24	95	74	193
忠清北道	3	8	-	2	13	13	90	49	152
忠清南道	6	9	-	-	15	24	145	37	206
全羅北道	6	8	-	2	16	14	145	89	248
全羅南道	5	17	-	-	22	30	199	69	298
慶尙北道	10	13	-	2	25	34	204	99	337
慶尙南道	10	10	-	-	20	22	177	115	314
濟州道	2	2	-	-	4	7	5	31	43
計	74	89	69	21	253	208	1,214	2,105	3,527

---

* 남한의 행정구역 현황은 행정자치부에서 발간한 地方行政區域要覽(2003.4)을 참고하였음

2) 行政區域別 地名의 數

行 政 區 域 名			行 政 區 域 別 地 名 의 數				
廣域市	市	區·郡	邑	面	洞	出張所	計
서울特別市		鐘路區			19		19
		中區			15		15
25區, 522洞		龍山區			20		20
		城東區			20		20
		廣津區			16		16
		東大門			26		26
		中浪區			20		20
		城北區			30		30
		江北區			17		17
		道峰區			15		15
		蘆原區			24		24
		恩平區			20		20
		西大門區			21		21
		麻浦區			24		24
		陽川區			20		20
		江西區			22		22
		九老區			19		19
		衿川區			12		12
		永登浦區			22		22
		銅雀區			20		20
		冠岳區			27		27
		瑞草區			18		18
		江南區			26		26
		松坡區			28		28
		江東區			21		21
釜山廣域市		中區			9		9
		西區			15		15
15區, 216洞		東區			17		17
1郡, 2邑, 3面		影島區			14		14
		釜山鎭區			25		25
		東萊區			14		14
		南區			19		19
		北區			11		11
		海雲臺區			14		14
		沙下區			16		16
		金井區			18		18
		江西區			7		7
		蓮堤區			13		13
		水營區			10		10
		沙上區			14		14
		機張郡	2	3			5

行　政　區　域　名			行　政　區　域　別　地　名　의　數				
廣域市	市	區·郡	邑	面	洞	出張所	計
大邱廣域市 7區, 129洞 1郡, 3邑, 6面		中區			13		13
		東區			20		20
		西區			17		17
		南區			13		13
		北區			22		22
		壽城區			23		23
		達西區			21		21
		達成郡	3	6		(2)	9
仁川廣域市 8區, 117洞 2郡, 1邑, 19面		中區			10	(2)	10
		東區			11		11
		南區			24		24
		延壽區			9		9
		南洞區			17	(1)	17
		富平區			21		21
		桂陽區			10		10
		西區			15	(1)	15
		江華郡	1	12			13
		甕津郡		7			7
光州廣域市 5區, 87洞		東區			13		13
		西區			16		16
		南區			16		16
		北區			25		25
		光山區			17		17
大田廣域市 5區, 79洞		東區			21		21
		中區			17		17
		西區			22		22
		儒城區			7		7
		大德區			12		12
蔚山廣域市 4區, 46洞 1郡, 4邑, 8面		中區			14		14
		南區			14		14
		東區			10		10
		北區			8		8
		蔚州郡	4	8			12

行 政 區 域 名			行 政 區 域 別 地 名 의 數				
道	市	區·郡	邑	面	洞	出張所	計
京畿道	水原市	長安區			11		11
		勸善區			12		12
25市, 15區, 346洞		八達區			14		14
6郡, 30邑, 118面	城南市	壽井區			16		16
		中院區			10		10
		盆唐區			18		18
	議政府				13		13
	安養市	萬安區			14		14
		東安區			17		17
	富川市	遠美區			18		18
		素砂區			10		10
		吾丁區			7		7
	光明市				18		18
	平澤市		2	7	13	(2)	22
	東豆川市				7		7
	安山市	常綠區			11		11
		檀園區			11	(1)	11
	高揚市	德陽區			18		18
		一山區			17		17
	果川市				6		6
	九里市				8		8
	南楊州市		5	4	6		15
	烏山市				6		6
	始興市				13		13
	軍浦市				11		11
	儀旺市				6		6
	河南市				10		10
	龍仁市		2	7	10	(1)	19
	坡州市		5	9	2	(1)	16
	利川市		2	8	3		13
	安城市		1	11	3		15
	金浦市			6	3		9
		楊州郡	3	4		(1)	7
		驪州郡	1	9		(1)	10
	華城市		2	12	1	(1)	15
	廣州市		1	6	3		10
		漣川郡	2	8			10
		抱川郡	2	11			13
		加平郡	1	5			6
		楊平郡	1	11			12

行 政 地 域 名			行 政 區 域 別 地 名 의 數				
道	市	區·郡	邑	面	洞	出張所	計
江原道	春川市		1	9	15		25
	原州市		1	8	16		25
7市, 74洞	江陵市		1	7	13		21
11郡, 24邑, 95面	東海市				10		10
	太白市				8		8
	束草市				8		8
	三陟市		2	6	4	(1)	12
		洪川郡	1	9			10
		橫城郡	1	8			9
		寧越郡	2	7		(1)	9
		平昌郡	1	7		(1)	8
		旌善郡	4	5		(1)	9
		鐵原郡	4	7(4)		(1)	11
		華川郡	1	4			5
		楊口郡	1	4			5
		麟蹄郡	1	5		(1)	6
		高城郡	2	4(1)			6
		襄陽郡	1	5			6
忠淸北道	淸州市	上黨區			12		12
		興德區			16		16
3市, 2區, 49洞	忠州市		1	12	12		25
8郡, 13邑, 90面	堤川市		1	7	9		17
		淸原郡	1	13			14
		報恩郡	1	10			11
		沃川郡	1	8			9
		永同郡	1	10			11
		鎭川郡	1	6			7
		槐山郡	2	11		(1)	13
		陰城郡	2	7			9
		丹陽郡	2	6			8
忠淸南道	天安市		4	8	13		25
	公州市		1	10	6		17
6市, 37洞	保寧市		1	10	5	(2)	16
9郡, 24邑, 145面	牙山市		1	10	6		17
	瑞山市		1	9	5		16
	論山市		2	12	2	(1)	15
		錦山郡	1	9			10
		燕岐郡	1	7			8
		扶餘郡	1	15			16
		舒川郡	2	11			12
		靑陽郡	1	9			10
		洪城郡	2	9			11
		禮山郡	2	10			12
		泰安郡	2	6			8
		唐津郡	2	10			12

行 政 地 域 名			行 政 區 域 別 地 名 의 數				
道	市	區·郡	邑	面	洞	出張所	計
全羅北道	全州市	完山區			23		23
		德津區			17		17
6市, 2區, 89洞	群山市		1	10	18		29
8郡, 14邑, 145面	益山市		1	14	12		27
	井邑市		1	14	8		23
	南原市		1	15	7		23
	金堤市		1	14	4		29
		完州郡	2	11			13
		鎭安郡	1	10			11
		茂朱郡	1	5			6
		長水郡	1	6			7
		任實郡	1	11			12
		淳昌郡	1	10			11
		高敞郡	1	13			14
		扶安郡	1	12			13
全羅南道	木浦市				26		26
	麗水市		1	6	20	(10)	27
5市, 69洞	順天市		1	10	12	(1)	13
17郡, 30邑, 199面	羅州市		1	12	6		19
	光陽市		1	6	5		12
		潭陽郡	1	11			12
		谷城郡	1	10			11
		求禮郡	1	7			7
		高興郡	2	14		(2)	16
		寶城郡	2	10		(1)	12
		和順郡	1	12		(1)	13
		長興郡	3	7			10
		康津郡	1	10			11
		海南郡	1	13			14
		靈岩郡	1	10			11
		務安郡	2	7			9
		咸平郡	1	8			6
		靈光郡	3	8		(1)	11
		長城郡	1	10			11
		莞島郡	3	9		(2)	12
		珍島郡	1	6		(2)	7
		新安郡	1	13		(9)	14
慶尙北道	浦項市	南區	3	4	9		16
		北區	1	6	10	(1)	17
10市, 2구, 99洞	慶州市		4	8	13		25
13郡,34邑, 204面	金泉市		1	14	7		22
	安東市		1	13	10	(3)	24
	龜尾市		2	6	19	(1)	27

行 政 地 域 名			行 政 區 域 別 地 名 의 數				
道	市	區·郡	邑	面	洞	出張所	計
慶尙北道	榮州市		1	9	9		19
	永川市		1	10	5		16
10市, 2구, 99洞	尙州市		1	17	6	(4)	24
13郡, 34邑, 204面	聞慶市		2	7	5	(2)	14
	慶山市		2	6	6		14
		軍威郡	1	7			8
		義城郡	1	17			18
		青松郡	1	7			8
		英陽郡	1	5		(1)	6
		盈德郡	1	8		(2)	9
		淸道郡	2	7		(2)	9
		高靈郡	1	7			8
		星州郡	1	9			10
		漆谷郡	1	7			8
		醴泉郡	1	11			12
		奉化郡	1	9			10
		蔚珍郡	2	8		(1)	10
		鬱陵郡	1	2		(1)	3
慶尙南道	昌原市		1	2	12		15
	馬山市		1	4	27		32
10市, 115洞	晉州市		1	15	21		37
10郡, 22邑, 177面	鎭海市				15		15
	統營市		1	6	11		17
	泗川市		1	7	6	(2)	14
	金海市		1	7	9		17
	密陽市		2	9	5	(1)	16
	巨濟市		1	9	6	(3)	16
	梁山市		2	4	3	(1)	9
		宜寧郡	1	12			13
		咸安郡	1	9			10
		昌寧郡	2	12			14
		固城郡	1	13			14
		南海郡	1	9			10
		河東郡	1	12			13
		山淸郡	1	10			11
		咸陽郡	1	10			11
		居昌郡	1	11			12
		陜川郡	1	16			17
濟州道	濟州市				19		19
	西歸浦市				12		12
2市, 31洞		北濟州郡	4	3			7
2郡, 7邑, 5面		南濟州郡	3	2		(3)	5
計			196	1,229	2,086	(86)	3,511

註 : 邑,面,洞의 ( ) 안은 住民 未居住 地域임.

3) 行政區域別 地名

(1) 特別市, 廣域市別

① 서울특별시(서울特別市)

종로구(鐘路區) (19동)

청운동(淸雲洞), 효자동(孝子洞), 사직동(社稷洞), 삼청동(三淸洞), 부암동(付岩洞), 평창동 (平倉洞), 무악동(毋岳洞), 교남동(橋南洞), 가회동(嘉會洞), 종로1·2·3·4가동(鐘路一·二·三·四街 洞), 종로5·6가동(鐘路五·六街洞), 이화동(梨花洞), 혜화동(惠化洞), 명륜3가동(明倫三街洞), 창신(昌信)제1~3동, 숭인(崇仁)제1·2동

중구(中區) (15동)

소공동(小公洞), 회현동(會賢洞), 명동(明洞), 필동(筆洞), 장충동(奬忠洞), 광희동(光熙洞), 을지로3·4·5가동(乙支路三.四五街洞), 신당(新堂)제1~6동, 황학동(黃鶴洞), 중림동(中林洞)

용산구(龍山區) (20동)

후암동(厚岩洞), 용산2가동(龍山二街洞), 남영동(南營洞), 청파(靑坡)제1·2동, 원효로(元曉 路)제1·2동, 효창동(孝昌洞), 용문동(龍門洞), 한강로(漢江路)제1~3동, 이촌(二村)제1·2동, 이 태원(梨泰院)제1·2동, 한남(漢南)제1·2동, 서빙고동(西氷庫洞), 보광동(普光洞)

성동구(城東區) (20동)

왕십리(往十里)제1·2동, 도선동(道詵洞), 마장동(馬場洞), 사근동(沙斤洞), 행당(杏堂)제1·2 동, 응봉동(鷹峰洞), 금호(金湖)제1~4동, 옥수(玉水)제1·2동, 성수1가(聖水一街)제1·2동, 성수 2가(聖水二街)제1·3동, 송정동(松亭洞), 용답동(龍踏洞)

광진구(廣津區) (16동)

중곡(中谷)제1~4동, 능동(陵洞), 구의(九宜)제1~3동, 광장동(廣壯洞), 자양(紫陽)제1~3

동, 노유(老遊)제1·2동, 화양동(華陽洞), 군자동(君子洞)

동대문구(東大門區) (26동)
신설동(新設洞), 용두(龍頭)제1·2동, 제기(祭基)제1·2동, 전농(典農)제1~4동, 답십리(踏十里)제1~5동, 장안(長安)제1~4동, 청량리(淸凉里)제1·2동, 회기동(回基洞), 휘경(徽慶)제1·2동, 이문(里門)제1~3동

중랑구(中浪區) (20동)
면목(面牧)제1~8동, 상봉(上鳳)제1·2동, 중화(中和)제1~3동, 묵(墨)제1·2동, 망우(忘憂)제1~3동, 신내(新內)제1·2동

성북구(城北區) (30동)
성북(城北)제1·2동, 동소문동(東小門洞), 삼선(三仙)제1·2동, 동선(東仙)제1·2동, 돈암(敦岩)제1·2동, 안암동(安岩洞), 보문동(普門洞), 정릉(貞陵)제1~4동, 길음(吉音)제1~3동, 종암(鍾岩)제1·2동, 월곡(月谷)제1~4동, 상월곡동(上月谷洞), 장위(長位)제1~3동, 석관(石串)제1·2동

강북구(江北區) (17동)
미아(彌阿)제1~5동, 6·7동, 8~9동, 번(樊)제1~3동, 수유(水踰)제1~6동

도봉구(道峰區) (15동)
쌍문(雙門)제1~4동, 방학(放鶴)제1~4동, 창(倉)제1~5동, 도봉(道峰)제1·2동

노원구(蘆原區) (24동)
월계(月溪)제1~4동, 공릉(孔陵)제1~3동, 하계(下溪)제1·2동, 중계본동(中溪本洞), 중계(中溪)제1~4동, 상계(上溪)제1~10동

은평구(恩平區) (20동)
녹번동(碌磻洞), 불광(佛光)제1~3동, 갈현(葛峴)제1·2동, 구산동(龜山洞), 대조동(大棗洞), 응암(鷹岩)제1~4동, 역촌(驛村)제1·2동, 신사(新寺)제1·2동, 증산동(繒山洞), 수색동(水色

洞), 진관내동(津寬內洞), 진관외동(津寬外洞)

서대문구(西大門區) (21동)

충정로동(忠正路洞), 천연동(天然洞), 북아현(北阿峴)제1～3동, 대신동(大新洞), 창천동(滄川洞), 연희(延禧)제1～3동, 홍제(弘濟)제1～4동, 홍은(弘恩)제1～3동, 남가좌(南加佐)제1·2동, 북가좌(北加佐)제1·2동

마포구(麻浦區) (24동)

아현(阿峴)제1～3동, 공덕(孔德)제1·2동, 신공덕동(新孔德洞), 도화(桃花)제1·2동, 용강동(龍江洞), 대흥동(大興洞), 염리동(鹽里洞), 노고산동(老姑山洞), 신수동(新水洞), 창전동(倉前洞), 상수동(上水洞), 서교동(西橋洞), 동교동(東橋洞), 합정동(合井洞), 망원(望遠)제1·2동, 연남동(延南洞), 성산(城山)제1·2동, 상암동(上岩洞)

양천구(陽川區) (20동)

목(木)제1～6동, 신월(新月)제1～7동, 신정(新亭)제1～7동

강서구(江西區) (22동)

염창동(鹽倉洞), 등촌(登村)제1～3동, 화곡본동(禾谷本洞), 화곡(禾谷)제1～8동, 가양(加陽)제1～3동, 발산(鉢山)제1·2동, 공항동(空港洞), 방화(傍花)제1～3동

구로구(九老區) (19동)

신도림동(新道林洞), 구로본동(九老本洞), 구로(九老)제1～6동, 가리봉(加里峰)제1·2동, 고척(高尺)제1·2동, 개봉본동(開峰本洞), 개봉(開峰)제1～3동, 오류(梧柳)제1·2동, 수궁동(水宮洞)

금천구(衿川區) (12동)

가산동(加山洞), 독산본동(禿山本洞), 독산(禿山)제1～4동, 시흥본동(始興本洞), 시흥(始興)제1～5동

영등포구(永登浦區) (22동)

영등포(永登浦)제1~3동, 여의동(汝矣洞), 당산(堂山)제1·2동, 도림(道林)제1·2동, 문래(文來)제1·2동, 양평(楊平)제1·2동, 신길(新吉)제1~7동, 대림(大林)제1~3동

동작구(銅雀區) (20동)

노량진(鷺梁津)제1·2동, 상도(上道)제1~5동, 본동(本洞), 흑석(黑石)제1~3동, 동작동(銅雀洞), 사당(舍堂)제1~5동, 대방동(大方洞), 신대방(新大方)제1.2동

관악구(冠岳區) (27동)

봉천본동(奉天本洞), 봉천(奉天)제1~11동, 남현동(南峴洞), 신림본동(新林本洞), 신림(新林)제1~13동,

서초구(瑞草區) (18동)

서초(瑞草)제1~4동, 잠원동(蠶院洞), 반포본동(盤浦本洞), 반포(盤浦)제1~4동, 방배본동(方背本洞), 방배(方背)제1~4동, 양재(良才)제1·2동, 내곡동(內谷洞)

강남구(江南區) (26동)

신사동(新沙洞), 논현(論峴)제1·2동, 압구정(狎鷗亭)제1·2동, 청담(淸潭)제1·2동, 삼성(三成)제1·2동, 대치(大峙)제1~4동, 역삼(驛<轢>三)제1·2동, 도곡(道谷)제1·2동, 개포(開浦)제1~4동, 일원본동(逸院本洞), 일원(逸院)제1·2동, 수서동(水西洞), 세곡동(細谷洞)

송파구(松坡區) (28동)

풍납(風納)제1·2동, 거여(巨餘)제1·2동, 마천(馬川)제1·2동, 방이(芳荑)제1·2동, 오륜동(五輪洞), 오금동(梧琴洞), 송파(松坡)제1·2동, 석촌동(石村洞), 삼전동(三田洞), 가락본동(可樂本洞), 가락(可樂)제1·2동, 문정(文井)제1·2동, 잠실본동(蠶室本洞), 잠실(蠶室)제1~7동

강동구(江東區) (21동)

강일동(江一洞), 상일동(上一洞), 명일(明逸)제1·2동, 고덕(高德)제1·2동, 암사(岩寺)제1~4동, 천호(千戶)제1~4동, 성내(城內)제1~3동, 길(吉)제1·2동, 둔촌(遁村)제1·2동

② 부산광역시(釜山廣域市)

중구(中區) (9동)

중앙동(中央洞), 동광동(東光洞), 대청동(大廳洞), 보수동(寶水洞), 부평동(富平洞), 광복동(光復洞), 남포동(南浦洞), 영주(瀛州)제1·2동

서구(西區) (15동)

동대신(東大新)제1~3동, 서대신(西大新)제1~4동, 부민동(富民洞), 아미동(峨嵋洞), 초장동(草場洞). 충무동(忠武洞), 남부민(南富民)제1~3동, 암남동(岩南洞)

동구(東區) (17동)

초량(草梁)제1~4동, 초량(草梁洞)제6동, 수정(水晶)제1~5동, 좌천(佐川洞)제1동, 좌천(佐川)제4동, 범일(凡一)제1·2동, 범일(凡一)제4~6동

영도구(影島區) (14동)

남항동(南港洞), 영선(瀛仙)제1·2동, 신선(新仙)제1~3동, 봉래(蓬萊)제1동, 봉래(蓬萊)제3·4동, 청학(靑鶴)제1·2동, 동삼(東三)제1~3동

부산진구(釜山鎭區) (25동)

부전(釜田)제1·2동, 범전동(凡田洞), 연지동(蓮池洞), 초읍동(草邑洞), 양정(楊亭)제1·2동, 전포(田浦)제1~3동, 부암(釜岩)제1동, 부암(釜岩洞)제3동, 당감(堂甘)제1~4동, 가야(伽倻)제1~3동, 개금(開琴)제1~3동, 범천(凡川)제1·2동, 범천(凡川)제4동

동래구(東萊區) (14동)

수민동(壽民洞), 복산동(福山洞), 명륜(明倫)제1·2동, 온천(溫泉)제1~3동, 사직(社稷)제1~3동, 안락(安樂)제1·2동, 명장(鳴藏)제1·2동

남구(南區) (19동)

대연(大淵)제1~6동, 용호(龍湖)제1~4동, 용당동(龍塘洞), 감만(戡蠻)제1·2동, 우암(牛岩)

제1·2동, 문현(門峴)제1~4동

북구(北區) (11동)

구포(龜浦)제1~3동, 금곡동(金谷洞), 화명동(華明洞), 덕천(德川)제1~3동, 만덕(萬德)제1~3동

해운대구(海雲臺區) (14동)

우(佑)제1·2동, 중(中)제1·2동, 좌동(佐洞), 송정동(松亭洞), 반여(盤如)제1~3동, 반송(盤松)제1~3동, 재송(栽松)제1·2동

사하구(沙下區) (16동)

괴정(槐亭)제1~4동, 당리동(堂里洞), 하단(下端)제1·2동, 신평(新平)제1·2동, 장림(長林)제1·2동, 다대(多大)제1·2동, 구평동(舊平洞), 감천(甘川)제1·2동

금정구(金井區) (18동)

서(書)제1~4동, 금사동(錦絲洞), 부곡(釜谷)제1~4동, 장전(長箭)제1~3동, 선·두구동(仙杜邱洞), 청룡·노포동(青龍老圃洞), 남산동(南山洞), 구서(久瑞)제1·2동, 금성동(金城洞)

강서구(江西區) (7동)

대저(大渚)제1·2동, 강동동(江東洞), 명지동(鳴旨洞), 가락동(駕洛洞), 녹산동(菉山洞), 천가동(天加洞)

연제구(蓮堤區) (13동)

거제(巨堤)제1~4동, 연산(蓮山)제1~9동

수영구(水營區) (10동)

남천(南川)제1·2동, 수영동(水營洞), 망미(望美)제1·2동, 광안(廣安)제1~4동, 민락동(民樂洞)

사상구(沙上區) (14동)

삼락동(三樂洞), 모라(毛羅)제1~3동, 덕포(德浦)제1·2동, 괘법동(掛法洞), 감전동(甘田)제
1·2동, 주례(周禮)제1~3동, 학장동(鶴章洞), 엄궁동(嚴弓洞)

기장군(機張郡) (2읍, 3면)

기장읍(機張邑), 장안읍(長安邑), 일광면(日光面), 정관면(鼎冠面), 철마면(鐵馬面)

③ 대구광역시(大邱廣域市)

중구(中區) (13동)

동인1·2·4가동(東仁一·二·四街洞), 동인3가동(東仁三街洞), 삼덕동(三德洞), 성내(城內)1~3
동, 대신동(大新洞), 남산(南山)1~4동, 대봉(大鳳)1·2동

동구(東區) (20동)

신암(新岩)1~5동, 신천1·2동(新川一·二洞), 신천3동(新川三洞), 신천4동(新川四洞), 효목
(孝睦)1·2동, 도평동(道坪洞), 불로·봉무동(不老·鳳舞洞), 지저동(枝底洞), 동촌동(東村洞), 방
촌동(芳村洞), 해안동(解顔洞), 안심동(安心洞)1·2동, 안심3·4동(安心三·四洞), 공산동(公山洞)

서구(西區) (17동)

내당1동(內唐一洞), 내당2·3동(內唐二·三洞), 내당4동(內唐四洞), 비산1동(飛山一洞), 비산
2·3동(飛山二·三洞), 비산(飛山)4~7동, 평리(坪里)1~6동, 상중리동(上中梨洞), 원대동(院垈
洞)

남구(南區) (13동)

이천동(梨泉洞), 봉덕(鳳德)1~3동, 대명1동(大明一洞), 대명2·8동(大明二·八洞), 대명3동
(大明三洞), 대명(大明)4~6동, 대명(大明)9~11동

북구(北區) (22동)

고성동(古城洞), 칠성동(七星洞), 침산(砧山)1~3동, 노원1·2동(魯院一·二洞), 노원3동(魯院

三洞), 산격(山格)1~4동, 복현(伏賢)1·2동, 대현(大賢)1·2동, 검단동(檢丹洞), 무태·조야동(無怠·助也洞), 칠곡(漆谷)1~3동, 관음동(觀音洞), 태전동(太田洞)

수성구(壽城區) (23동)

범어(泛魚)1~4동, 만촌(晩村)1~3동, 수성1가동(壽城一街洞), 수성2·3가동(壽城二·三街洞), 수성4가동(壽城四街洞), 황금(黃金)1·2동, 중동(中洞), 상동(上洞), 파동(巴洞), 두산동(斗山洞), 지산(池山)1·2동, 범물(凡勿)1·2동, 고산(孤山)1~3동

달서구(達西區) (21동)

성당(聖堂)1·2동, 두류(頭流)1~3동, 본리동(本里洞), 감삼동(甘三洞), 죽전동(竹田洞), 장기동(長基洞), 이곡동(梨谷洞), 신당동(新唐洞), 월성(月城)1·2동, 진천동(辰泉洞), 상인(上仁)1~3동, 도원동(桃源洞), 송현(松峴)1·2동, 본동(本洞)

달성군(達成郡) (3읍, 6면, 2출)

화원읍(花園邑), 논공읍(論工邑), 공단출장소(工團出張所), 다사읍(多斯邑), 조제출장소(鋤齊出張所), 가창면(嘉昌面), 하빈면(河濱面), 옥포면(玉浦面), 현풍면(玄豊面), 유가면(瑜伽面), 구지면(求智面)

④ 인천광역시(仁川廣域市)

중구(中區) (10동, 2출)

신포동(新浦洞), 연안동(沿岸洞), 신흥동(新興洞), 도원동(桃源洞), 율목동(栗木洞), 동인천동(東仁川洞), 북성동(北城洞), 송월동(松月洞), 영종동(永宗洞), 영종출장소(永宗出張所), 용유동(龍游洞), 용유출장소(龍游出張所)

동구(東區) (11동)

만석동(萬石洞), 화수1·화평동(花水一·花平洞), 화수2동(花水二洞), 송현1·2동(松峴一·二洞), 송현3동(松峴三洞), 송림(松林)1·2동, 송림3·5동(松林三·五洞), 송림4동(松林四洞), 송림6동(松林六洞), 금창동(金昌洞)

남구(南區) (24동)

숭의(崇義)1~4동, 용현(龍現)1~5동, 학익(鶴翼洞)1·2동, 도화(道禾)1~3동, 주안(朱安)1~8동, 관교동(官校洞), 문학동(文鶴洞)

연수구(延壽區) (9동)

옥련동(玉蓮洞), 선학동(仙鶴洞), 연수(延壽)1~3동, 청학동(靑鶴洞), 동춘(東春)1·2동, 청량동(淸凉洞)

남동구(南洞區) (17동, 1출)

구월(九月)1~4동, 간석(間石)1~4동, 만수(萬壽)1~6동, 장수·서창동(長壽·西昌洞), 남촌·도림동(南村·桃林洞), 논현·고잔동(論峴·古棧洞), 남동출장소(南洞出張所)

부평구(富平區) (21동)

부평(富平)1~6동, 산곡(山谷)1~4동, 청천(淸川)1·2동, 갈산(葛山)1·2동, 삼산동(三山洞), 부개(富開)1~3동, 일신동(日新洞), 십정(十井)1·2동

계양구(桂陽區) (10동)

효성(曉星)1·2동, 계산(桂山)1~3동, 작전(鵲田)1·2동, 작전·서운동(鵲田·瑞雲洞), 계양(桂陽)1·2동

서구(西區) (15동, 1출)

검암·경서동(黔岩·景西洞), 연희동(連喜洞), 가정(佳亭)1~3동, 신현·원창동(新峴·元倉洞), 석남(石南)1~3동, 가좌(佳佐)1~4동, 검단동(黔丹洞)1·2동, 검단출장소(黔丹出張所)

강화군(江華郡) (1읍, 12면, 1출)

강화읍(江華邑), 선원면(仙源面), 불은면(佛恩面), 길상면(吉祥面), 화도면(華道面), 양도면(良道面), 내가면(內可面), 하점면(河岾面), 양사면(兩寺面), 송해면(松海面), 교동면(喬桐面), 삼산면(三山面), 서도면(西島面), 볼음출장소(乶音出張所)

옹진군(甕津郡) (7면, 2출)

북도면(北島面), 송림면(松林面), 백령면(白翎面), 대청면(大靑面), 덕적면(德積面), 자월면(紫月面), 영흥면(靈興面), 장봉출장소(長峰出張所), 소청출장소(小靑出張所)

⑤ 광주광역시(光州廣域市)

동구(東區) (13동)

충장동(忠壯洞), 동명동(東明洞), 계림(鷄林)1·2동, 산수(山水)1·2동, 지산(芝山)1·2동, 서남동(瑞南洞), 학동(鶴洞), 학운동(鶴雲洞), 지원(池元)1·2동

서구(西區) (16동)

양동(良洞), 양3동(良三洞), 농성(農城)1·2동, 광천동(光川洞), 유덕동(柳德洞), 상무(尙武)1·2동, 화정(花亭)1~4동, 서창동(西倉洞), 금호동(金湖洞), 풍암동(楓岩洞)

남구(南區) (16동)

양림동(楊林洞), 방림(芳林)1.2동, 봉선(鳳仙)1·2동, 사직동(社稷洞), 월산동(月山洞), 월산4동(月山四洞), 월산5동(月山五洞), 백운(白雲)1·2동, 주월(珠月)1·2동, 효덕동(孝德洞), 송암동(松岩洞), 대촌동(大村洞)

북구(北區) (25동)

중흥(中興)1~3동, 중앙동(中央洞), 임동(林洞), 신안동(新安洞), 용봉동(龍鳳洞), 운암(雲岩)1~3동, 동림동(東林洞), 우산동(牛山洞), 풍향동(豊鄕洞), 문화동(文化洞), 문흥(文興)1·2동, 두암(斗岩)1~3동, 서산동(瑞山洞), 매곡동(梅谷洞), 오치(梧峙)1·2동, 석곡동(石谷洞), 건국동(建國洞)

광산구(光山區) (17동)

송정(松汀)1·2동, 도산동(道山洞), 신흥동(新興洞), 어룡동(魚龍洞), 우산동(牛山洞), 월곡(月谷)1·2동, 비아동(飛鴉洞), 첨단동(尖端洞), 신가동(新佳洞), 하남동(河南洞), 임곡동(林谷

洞), 동곡동(東谷洞), 평동(平洞), 삼도동(三道洞), 본량동(本良洞)

⑥ 대전광역시(大田廣域市)

동구(東區) (21동)

중앙동(中央洞), 인동(仁洞), 효동(孝洞), 신흥동(新興洞), 판암(板岩)1·2동, 용운동(龍雲洞), 대신동(大新洞), 대동(大洞), 자동양동(紫陽洞), 소제동(蘇堤洞), 가양(佳陽)1·2동, 용전동(龍田洞), 성남(城南)1·2동, 홍도동(弘道洞), 삼성(三省)1·2동, 대정동(大貞洞), 산내동(山內洞)

중구(中區) (17동)

은행·선화동(銀杏·宣化洞), 목동(牧洞), 중촌동(中村洞), 대흥동(大興洞), 문창동(文昌洞), 석교동(石橋洞), 대사동(大寺洞), 부사동(芙沙洞), 용두동(龍頭洞), 오류동(五柳洞), 태평(太平)1·2동, 유천(柳川)1·2동, 문화(文化)1·2동, 산성동(山城洞)

서구(西區) (22동)

복수동(福守洞), 도마(桃馬)1·2동, 정림동(正林洞), 변동(邊洞), 용문동(龍汶洞), 탄방동(炭坊洞), 삼천동(三川洞), 둔산(屯山)1·2동, 괴정동(槐亭洞), 가장동(佳狀洞), 내동(內洞), 갈마(葛馬)1·2동, 월평(月坪)1~3동, 만년동(萬年洞), 가수원동(佳水院洞), 관저동(關雎洞), 기성동(杞城洞)

유성구(儒城區) (7)

진잠동(鎭岑洞), 온천(溫泉)1·2동, 노은동(老隱洞), 신성동(新城洞), 전민동(田民洞), 구즉동(九則洞)

대덕구(大德區) (12동)

오정동(梧井洞), 대화동(大禾洞), 회덕동(懷德洞), 비래동(比來洞중), 송촌동(宋村洞), 중리동(中里洞), 법(法)1·2동, 신탄진동(新灘津洞), 석봉동(石峰洞), 덕암동(德岩洞), 목상동(木上洞)

⑦ 울산광역시(蔚山廣域市)

중구(中區) (14동)

학성동(鶴城洞), 반구(伴鷗)1·2동, 복산(福山)1·2동, 북정동(北亭洞), 옥교동(玉橋洞), 성남동(城南洞), 우정동(牛亭洞) 태화동(太和洞), 다운동(茶雲洞), 병영(兵營)1·2동, 약사동(藥泗洞)

남구(南區) (14동)

신정(新亭)1~5동, 달동(達洞), 삼산동(三山洞), 무거(無去)1·2동, 옥동(玉洞), 야음1·장생포동(也音一·長生浦洞) 야음(也音)2·3동, 선암동(仙岩洞),

동구(東區) (10동)

방어동(方魚洞), 일산동(日山洞), 화정동(華亭洞), 대송동(大松洞), 전하(田下)1~3동, 남목(南牧)1~3동

북구(北區) (8동)

농소(農所)1~3동, 강동동(江東洞), 효문동(孝門洞), 송정동(松亭洞), 양정동(楊亭洞), 염포동(鹽浦洞)

울주군(蔚州郡) (4읍, 8면)

온산읍(溫山邑), 언양읍(彦陽邑), 온양읍(溫陽邑), 범서읍(凡西邑), 서생면(西生面), 청량면(青良面), 웅촌면(熊村面), 두동면(斗東面), 두서면(斗西面), 상북면(上北面), 삼남면(三南面), 삼동면(三同面)

(2) 道別

① 경기도(京畿道)

수원시(水原市)

장안구(長安區) (11동)

신안동(新安洞), 화서(華西)1·2동, 파장동(芭長洞), 율천동(栗泉洞), 정자(亭子)1·2동, 영화동(迎華洞), 송죽동(松竹洞), 조원동(棗園洞), 연무동(練武洞)

권선구(勸善區) (12동)

매교동(梅校洞), 세류(細柳)1~3동, 평동(坪洞), 서둔동(西屯洞), 구운동(九雲洞), 매산동(梅山洞), 고등동(高等洞), 권선동(勸善洞), 곡선동(谷善洞), 입북동(笠北洞)

팔달구(八達區) (14동)

팔달동(八達洞), 남향동(南香洞), 지동(池洞), 우만(牛滿)1·2동, 인계동(仁溪洞), 매탄(梅灘)1~4동, 원천동(遠川洞), 영통(靈通)1·2동, 이의동(二儀洞)

성남시(城南市)

수정구(壽井區) (16동)

신흥(新興)1~3동, 태평(太平)1~4동, 수진(壽進)1·2동, 단대동(丹垈洞), 산성동(山城洞), 양지동(陽地洞), 복정동(福井洞), 신촌동(新村洞), 고등동(高登洞), 시흥동(始興洞)

중원구(中院區) (10동)

성남동(城南洞), 중동(中洞), 금광(金光)1·2동, 은행(銀杏)1·2동, 상대원(上大院)1~3동, 하대원동(下大院洞)

분당구(盆唐區) (18동)

분당동(盆唐洞), 수내(藪內)1~3동, 정자(亭子)1~3동, 서현동(書峴洞)1·2동, 이매(二梅)1·2동, 야탑(野塔)1~3동, 판교동(板橋洞), 금곡동(金谷洞), 구미동(九美洞), 운중동(雲中洞)

의정부시(議政府市) (13동)

의정부(議政府)1~3동, 호원동(虎院洞), 장암동(長岩洞), 신곡(新谷)1·2동, 송산동(松山洞), 자금동(自金洞), 가릉(佳陵)1~3동, 녹양동(綠楊洞)

안양시(安養市)

만안구(萬安區) (14동)
안양(安養)1~9동, 석수(石水)1~3동, 박달(博達)1·2동

동안구(東安區) (17동)
비산(飛山)1~3동, 부흥동(復興洞), 달안동(達安洞), 관양(冠陽)1·2동, 부림동(富林洞), 평촌동(坪村洞), 평안동(坪安洞), 귀인동(貴仁洞), 호계(虎溪)1~3동, 범계동(□溪洞), 신촌동(新村洞), 갈산동(葛山洞)

부천시(富川市)

원미구(遠美區) (18동)
심곡(深谷)1~3동, 원미(遠美)1·2동, 소사동(素砂洞), 역곡(驛谷)1·2동, 춘의동(春衣洞), 도당동(陶唐洞), 약대동(若大洞), 중동(中洞), 중(中)1~4동, 상동(上洞), 상1동(上一洞)

소사구(素砂區) (10동)
심곡본1동(深谷本一洞), 심곡본동(深谷本洞), 소사본(素砂本洞)1~3동, 범박동(範朴洞), 괴안동(槐安洞), 역곡3동(驛谷三洞), 송내(松內)1·2동

오정구(吾丁區) (7동)
성곡동(城谷洞), 원종(遠宗)1·2동, 고강본동(古康本洞), 고강1동(古康一洞), 오정동(吾丁洞), 신흥동(新興洞)

광명시(光明市) (18동)
광명(光明)1~7동, 철산(鐵山)1~4동, 하안(下安)1~4동, 소하(所下)1·2동, 학온동(鶴溫洞)

평택시(平澤市) (2읍, 7면, 13동, 2출)
팽성읍(彭城邑), 안중읍(安仲邑), 진위면(振威面), 서탄면(西炭面), 고덕면(古德面), 오성면

(梧城面), 청북면(靑北面), 포승면(浦升面), 현덕면(玄德面), 중앙동(中央洞), 서정동(西井洞), 송탄동(松炭洞), 지산동(芝山洞), 송북동(松北洞), 신장(新場)1·2동, 신평동(新平洞), 원평동(原平洞), 통복동(通伏洞), 비전(碑前)1·2동, 세교동(細橋洞), 안중출장소(安仲出張所), 송탄출장소(松炭出張所)

동두천시(東豆川市) (7동)

생연(生淵)1·2동, 중앙동(中央洞), 보산동(保山洞), 불현동(佛峴洞), 소요동(逍遙洞), 상패동(上牌洞)

안산시(安山市)

상록구(常綠區) (11동)

일동(一洞), 사(四洞)1·2동, 본오(本五)1~3동, 부곡동(釜谷洞), 월피동(月陂洞), 성포동(聲浦洞), 반월동(半月洞), 안산동(安山洞)

단원구(檀園區) (11동 1출)

와동(瓦洞), 고잔(古棧)1·2동, 원곡본동(元谷本洞), 원곡(元谷)1·2동, 초지동(草芝洞), 선부(仙府)1~3동, 호수동(湖水洞), 대부출장소(大阜出張所)

고양시(高陽市)

덕양구(德陽區) (18동)

주교동(舟橋洞), 원신동(元新洞), 흥도동(興道洞), 성사(星沙)1·2동, 효자동(孝子洞), 신도동(神道洞), 창릉동(昌陵洞), 고양동(高陽洞), 관산동(官山洞), 능곡동(陵谷洞), 화정(花井)1·2동, 행주동(幸洲洞), 행신(幸信)1·2동, 화전동(花田洞), 대덕동(大德洞)

일산구(一山區) (17동)

식사동(食寺洞), 일산(一山)1~4동, 풍산동(楓山洞), 백석동(白石洞), 마두(馬頭)1·2동, 주엽(注葉)1·2동, 문화동(文化洞), 장항(獐項)1·2동, 고봉동(高烽洞), 송포동(松浦洞), 송산동(松山洞)

과천시(果川市) (6동)

중앙동(中央洞), 갈현동(葛峴洞), 별양동(別陽洞), 부림동(富林洞), 과천동(果川洞), 문원동(文原洞)

구리시(九里市) (8동)

갈매동(葛梅洞), 동구동(東九洞), 인창동(仁倉洞), 교문(橋門)1·2동, 수택(水澤)1~3동

남양주시(南楊州市) (5읍, 4면, 6동)

와부읍(瓦阜邑), 진접읍(榛接邑), 화도읍(和道邑), 진건읍(眞乾邑), 오남읍(梧南邑), 별내면(別內面), 퇴계원면(退溪院面), 수동면(水洞面), 조안면(鳥安面), 호평동(好坪洞), 평내동(坪內洞), 금곡동(金谷洞), 양정동(養正洞), 지금동(芝錦洞), 도농동(陶農洞)

오산시(烏山市) (6동)

중앙동(中央洞), 대원동(大園洞), 남촌동(南村洞), 신장동(新場洞), 세마동(洗馬洞), 초평동(楚坪洞)

시흥시(始興市) (13동)

대야동(大也洞), 신천동(新川洞), 신현동(新峴洞), 은행동(銀杏洞), 매화동(梅花洞), 목감동(牧甘洞), 군자동(君子洞), 정왕(正往)1~4동, 과림동(果林洞), 연성동(蓮城洞)

군포시(軍浦市) (11동)

군포(軍浦)1·2동, 산본(山本)1·2동, 금정동(衿井洞), 재궁동(齋宮洞), 오금동(五禁洞), 수리동(修理洞), 궁내동(宮內洞), 광정동(光亭洞), 대야동(大野洞)

의왕시(儀旺市) (6동)

고천동(古川洞), 부곡동(富谷洞), 오전동(五全洞), 내손(內蓀)1·2동, 청계동(淸溪洞)

하남시(河南市) (10동)

천현동(泉峴洞), 신장(新張)1·2동, 덕풍(德豊)1~3동, 풍산동(豊山洞), 감북동(甘北洞), 춘궁동(春宮洞), 초이동(草二洞)

용인시(龍仁市) (2읍, 7면, 10동, 1출)

기흥읍(器興邑), 구성읍(駒城邑), 포곡면(蒲谷面), 모현면(慕賢面), 남사면(南四面), 이동면(二東面), 원삼면(遠三面), 백암면(白岩面), 양지면(陽智面), 중앙동(中央洞), 역삼동(驛三洞), 유림동(儒林洞), 동부동(東部洞), 풍덕천(豊德川)1·2동, 죽전(竹田)1·2동, 동천동(東川洞수), 상현동(上峴洞), 수지출장소(水地出張所)

파주시(坡州市) (5읍, 9면, 2동, 1출)

문산읍(汶山邑), 파주읍(坡州邑), 법원읍(法院邑), 교하읍(交河邑), 조리읍(條里邑),월롱면(月籠面), 탄현면(炭縣面), 광탄면(廣灘面), 파평면(坡平面), 적성면(積城面), 군내면(郡內面), 장단면(長湍面), 진동면(津東面), 津西面(진서면), 금촌(金村)1·2동, 군내출장소(郡內出張所)

이천시(利川市) (2읍, 8면, 3동)

장호원읍(長湖院邑), 부발읍(夫鉢邑), 신둔면(新屯面), 백사면(栢沙面), 호법면(戶法面), 마장면(麻長面), 대월면(大月面), 모가면(暮加面), 설성면(雪星面), 율면(栗面) 창전동(倉前洞), 중리동(中里洞), 관고동(官庫洞)

안성시(安城市) (1읍,11면, 3동)

공도읍(孔道邑), 보개면(寶蓋面), 금광면(金光面), 서운면(瑞雲面), 미양면(薇陽面), 대덕면(大德面), 양성면(陽城面), 원곡면(元谷面), 일죽면(一竹面), 죽산면(竹山面), 삼죽면(三竹面), 고삼면(古三面), 안성(安城)1~3동

김포시(金浦市) (3동, 6면)

김포(金浦)1～3동, 고촌면(高村面), 양촌면(陽村面), 통진면(通津面), 대곶면(大串面), 월곶면(月串面), 하성면(霞城面)

양주군(楊州郡) (3읍, 4면)

회천읍(檜泉邑), 양주읍(楊州邑), 백석읍(白石邑), 은현면(隱縣面), 남면(南面), 광적면(廣積面), 장흥면(長興面), 덕계출장소(德溪出張所)

여주군(驪州郡) (1읍, 9면, 1출)

여주읍(驪州邑), 점동면(占東面), 가남면(加南面), 능서면(陵西面), 흥천면(興川面), 금사면(金沙面), 산북면(山北面), 대신면(大神面), 북내면(北內面), 강천면(康川面), 오학출장소(五鶴出張所)

화성시(華城市) (2읍,12면, 1동, 1출)

태안읍(台安邑), 봉담읍(峰潭邑), 매송면(梅松面), 비봉면(飛鳳面), 남양면(南陽面), 마도면(麻道面), 송산면(松山面), 서신면,(西新面), 팔탄면(八灘面), 장안면(長安面), 우정면(雨汀面), 향남면(鄕南面), 양감면(楊甘面), 정남면(正南面), 동탄면(東灘面), 남양동(南陽洞), 동부출장소(東部出張所)

광주시(廣州市) (1읍, 6면, 3동)

광주읍(廣州邑), 오포면(五浦面), 초월면(草月面), 실촌면(實村面), 도척면(都尺面), 퇴촌면(退村面), 남종면(南終面), 중부면(中部面), 경안동(京安洞), 송정동(松亭洞), 광남동(廣南洞)

연천군(漣川郡) (2읍, 8면)

연천읍(漣川邑), 전곡읍(全谷邑), 군남면(郡南面), 청산면(靑山面), 백학면(白鶴面), 미산면(嵋山面), 왕징면(旺澄面), 신서면(新西面), 중면(中面), 장남면(長南面)

포천군(抱川郡) (2읍, 11면)

포천읍(抱川邑), 소흘읍(蘇屹邑), 군내면(郡內面), 내촌면(內村面), 가산면(加山面), 신북면(新北面), 창수면(蒼水面), 영중면(永中面), 일동면(一東面), 이동면(二東面), 영북면(永北面), 관인면(官仁面), 화현면(花峴面)

가평군(加平郡) (1읍, 5면)

가평읍(加平邑), 설악면(雪岳面), 외서면(外西面), 상면(上面), 하면(下面), 북면(北面)

양평군(楊平郡) (1읍, 11면)

양평읍(楊平邑), 강상면(江上面), 강하면(江下面), 양서면(楊西面), 옥천면(玉泉面), 서종면(西宗面), 단월면(丹月面), 청운면(青雲面), 양동면(楊東面), 지제면(砥堤面), 용문면(龍門面), 개군면(介軍面)

② 강원도(江原道)

춘천시(春川市) (1읍, 9면, 15동)

신북읍(新北邑), 동면(東面), 동산면(東山面), 신동면(新東面), 동내면(東內面), 남면(南面), 남산면(南山面), 서면(西面), 사북면(史北面), 북산면(北山面), 교동(校洞), 조운동(朝雲洞), 약사명동(藥司明洞), 근화동(槿花洞), 후평(後坪)1~3동, 효자(孝子)1~3동, 석사동(碩士洞), 퇴계동(退溪洞), 강남동(江南洞), 신사우동(新司牛洞)

원주시(原州市) (1읍, 8면, 16동)

문막읍(文幕邑), 소초면(所草面), 호저면(好楮面), 지정면(地正面), 부론면(富論面), 귀래면(貴來面), 흥업면(興業面), 판부면(板富面), 신림면(神林面), 중앙동(中央洞), 원인동(園仁洞), 개운동(開運洞), 명륜(明倫)1·2동, 단구동(丹邱洞), 일산동(一山洞), 학성동(鶴城洞), 단계동(丹溪洞), 우산동(牛山洞), 태장(台庄)1·2동, 봉산동(鳳山洞), 행구동(杏邱洞), 무실동(茂實洞), 반

곡·관설동(盤谷·觀雪洞)

강릉시(江陵市) (1읍, 7면, 13동)

주문진읍(注文津邑), 성산면(城山面), 왕산면(旺山面), 구정면(邱井面), 강동면(江東面), 옥계면(玉溪面), 사천면(沙川面), 연곡면(連谷面), 홍제동(洪濟洞), 중앙동(中央洞), 옥천동(玉川洞), 교(校)1·2동, 포남(浦南)1·2동, 초당동(草堂洞), 송정동(松亭洞), 내곡동(內谷洞), 강남동(江南洞), 성덕동(城德洞), 경포동(鏡浦洞)

동해시(東海市) (10동)

천곡동(泉谷洞), 송정동(松亭洞), 북삼동(北三洞), 부곡동(釜谷洞), 동호동(東湖洞), 발한동(發翰洞), 묵호동(墨湖洞), 북평동(北坪洞), 망상동(望祥洞), 삼화동(三和洞)

태백시(太白市) (8동)

황지동(黃池洞), 황연동(黃蓮洞), 삼수동(三水洞), 상장동(上長洞), 문곡·소도동(文曲·所道洞), 장성동(長省洞), 구문소동(求文沼洞), 철암동(鐵岩洞)

속초시(束草市) (8동)

영랑동(永郎洞), 동명동(東明洞), 금호동(琴湖洞), 교동(校洞), 노학동(蘆鶴洞), 조양동(朝陽洞), 청호동(靑湖洞), 대포동(大浦洞)

삼척시(三陟市) (2읍, 6면, 4동, 1출)

도계읍(道溪邑), 원덕읍(遠德邑), 근덕면(近德面), 하장면(下長面), 노곡면(蘆谷面), 미로면(未老面), 가곡면(柯谷面), 신기면(新基面), 남양동(南陽洞), 성내동(城內洞), 교동(校洞), 정라동(汀羅洞), 임원출장소(臨院出張所)

홍천군(洪川郡) (1읍, 9면)

홍천읍(洪川邑), 화촌면(化村面), 두촌면(斗村面), 내촌면(乃村面), 서석면(瑞石面), 동면(東面), 남면(南面), 서면(西面), 북방면(北方面), 내면(內面)

횡성군(橫城郡) (1읍, 8면)

횡성읍(橫城邑), 우천면(隅川面), 안흥면(安興面), 둔내면(屯內面), 갑천면(甲川面), 청일면(晴日面), 공근면(公根面), 서원면(書院面), 강림면(講林面)

영월군(寧越郡) (2읍, 7면, 1출)

영월읍(寧越邑), 상동읍(上東邑), 중동면(中東面), 하동면(下東面), 북면(北面), 남면(南面), 서면(西面), 주천면(酒泉面), 수주면(水周面), 쌍룡출장소(雙龍出張所)

평창군(平昌郡) (1읍, 7면, 1출)

평창읍(平昌邑), 미탄면(美灘面), 방림면(芳林面), 대화면(大和面), 봉평면(蓬坪面), 용평면(龍坪面), 진부면(珍富面), 도암면(道岩面), 계촌출장소(桂村出張所)

정선군(旌善郡) (4읍, 5면, 1출)

정선읍(旌善邑), 고한읍(古汗邑), 사북읍(舍北邑), 신동읍(新東邑), 동면(東面), 남면(南面), 북면(北面), 북평면(北坪面), 임계면(臨溪面), 함백출장소(咸白出張所)

철원군(鐵原郡) (4읍, 7면, 1출)

철원읍(鐵原邑), 김화읍(金化邑), 갈말읍(葛末邑), 동송읍(東松邑), 서면(西面), 근남면(近南面), 근북면(近北面), 근동면(近東面), 원동면(遠東面), 원남면(遠南面), 임남면(任南面), 와수출장소(瓦水出張所)

화천군(華川郡) (1읍, 4면)

화천읍(華川邑), 간동면(看東面), 하남면(下南面), 상서면(上西面), 사내면(史內面)

양구군(楊口郡) (1읍, 4면)

양구읍(楊口邑), 남면(南面), 동면(東面), 방산면(方山面), 해안면(亥安面)

인제군(麟蹄郡) (1읍, 5면, 1출)

인제읍(麟蹄邑), 남면(南面), 북면(北面), 기린면(麒麟面), 서화면(瑞和面), 상남면(上南面), 귀둔출장소(貴屯出張所)

고성군(高城郡) (2읍, 4면)

간성읍(杆城邑), 거진읍(巨津邑), 현내면(縣內面), 죽왕면(竹旺面), 토성면(土城面), 수동면(水洞面)

양양군(襄陽郡) (1읍, 5면)

양양읍(襄陽邑), 서면(西面), 손양면(巽陽面), 현북면(縣北面), 현남면(縣南面), 강현면(降峴面)

③ 충청북도(忠淸北道)

청주시(淸州市)

상당구(上黨區) (12동)

중앙동(中央洞), 성안동(□□洞), 우암동(牛岩洞), 내덕(內德)1·2동, 율량·사천동(栗陽·斜川洞), 탑·대성동(塔·大成洞), 영운동(永雲洞), 금천동(金川洞), 용담·명암·산성동(龍潭·明岩·山城洞), 용암·용정·방서동(龍岩·龍亭·方西洞), 오근장동(梧根場洞)

홍덕구(興德區) (16동)

사직(社稷)1·2동, 사창동(司倉洞), 모충동(慕忠洞), 운천·신봉동(雲泉·新鳳洞), 산·미·분·장동(山·未·粉·長洞), 수곡(秀谷)1·2동, 성화·개신·죽림동(聖化·開新·竹林洞), 복대(福臺)1·2동, 가경동(佳景洞), 봉명1동(鳳鳴一洞), 봉명2·송정동(鳳鳴二·松亭洞), 강서(江西)1·2동

충주시(忠州市) (1읍, 12면, 12동)

주덕읍(周德邑), 살미면(乞味面), 상모면(上芼面), 이류면(利柳面), 신니면(薪尼面), 노은면(老隱面), 앙성면(仰城面), 가금면(可金面), 금가면(金加面), 동량면(東良面), 산척면(山尺面), 엄정면(嚴政面), 소태면(蘇台面), 성내·충인동(城內·忠仁洞), 교현·안림동(校峴·安林洞), 교현2동(校峴二洞), 용산동(龍山洞), 지현동(芝峴洞), 문화동(文化洞), 호암동(虎岩洞), 달천동(達川洞), 봉방동(鳳方洞), 칠금동(漆琴洞), 연수동(連守洞), 목행동(牧杏洞)

제천시(堤川市) (1읍, 7면, 9동)

봉양읍(鳳陽邑), 금성면(錦城面), 청풍면(淸風面), 수산면(水山面), 덕산면(德山面), 한수면(寒水面), 백운면(白雲面), 송학면(松鶴面), 교동(校洞), 중앙동(中央洞), 명서동(明西洞), 의림동(義林洞), 용두동(龍頭洞), 동현동(東峴洞), 청전동(靑田洞), 화산동(花山洞), 영천동(榮川洞)

청원군(淸原郡) (1읍, 13면)

내수읍(內秀邑), 낭성면(琅城面), 미원면(米院面), 가덕면(加德面), 남일면(南一面), 남이면(南二面), 문의면(文義面), 현도면(賢都面), 부용면(芙蓉面), 강내면(江內面), 강외면(江外面), 옥산면(玉山面), 오창면(梧倉面), 북이면(北二面)

보은군(報恩郡) (1읍, 10면)

보은읍(報恩邑), 내속리면(內俗離面), 외속리면(外俗離面), 마로면(馬老面), 탄부면(炭釜面), 삼승면(三升面), 수한면(水汗面), 회남면(懷南面), 회북면(懷北面), 내북면(內北面), 산외면(山外面)

옥천군(沃川郡) (1읍, 8면)

옥천읍(沃川邑), 동이면(東二面), 안남면(安南面), 안내면(安內面), 청성면(靑城面), 청산면(靑山面), 이원면(伊院面), 군서면(郡西面), 군북면(郡北面)

영동군(永同郡) (1읍, 10면)

영동읍(永同邑), 용산면(龍山面), 황간면(黃澗面), 추풍령면(秋風嶺面), 매곡면(梅谷面), 상촌면(上村面), 양강면(楊江面), 용화면(龍化面), 학산면(鶴山面), 양산명(陽山面), 심천면(深川面)

진천군(鎭川郡) (1읍, 6면)

진천읍(鎭川邑), 덕산면(德山面), 초평면(草坪面), 문백면(文白面), 백곡면(栢谷面), 이월면(梨月面), 광혜원면(廣惠院面)

괴산군(槐山郡) (2읍, 11면, 1출)

괴산읍(槐山邑), 증평읍(曾坪邑), 감물면(甘勿面), 장연면(長延面), 연풍면(延豊面), 칠성면(七星面), 문광면(文光面), 청천면(靑川面), 청안면(淸安面), 도안면(道安面), 사리면(沙梨面), 소수면(沼壽面), 불정면(佛頂面), 승평출장소(曾坪出張所)

음성군(陰城郡) (2읍, 7면)

음성읍(陰城邑), 금왕읍(金旺邑), 소이면(蘇伊面), 원남면(遠南面), 맹동면(孟洞面), 대소면(大所面), 삼성면(三成面), 생극면(笙極面), 감곡면(甘谷面)

단양군(丹陽郡) (2읍, 6면)

단양읍(丹陽邑), 매포읍(梅浦邑), 단성면(丹城面), 대강면(大崗面), 가곡면(佳谷面), 영춘면(永春面), 어상천면(魚上川面), 적성면(赤城面)

④ 충청남도(忠淸南道)

천안시(天安市) (4읍, 8면, 13동)

성환읍(成歡邑), 성거읍(聖居邑), 직산읍(稷山邑), 목천읍(木川邑), 입장면(笠場面), 풍위면(豊歲面), 광덕면(廣德面), 북면(北面), 성남면(城南面), 수신면(修身面), 병천면(並川面), 동면(東面), 중앙동(中央洞), 문성동(文城洞), 원성(院城)1·2동, 성정(星井)1·2동, 봉명동(鳳鳴洞), 쌍룡(雙龍)1·2동, 신룡동(新龍洞), 청룡동(靑龍洞), 신안동(新安洞), 부성동(富城洞)

공주시(公州市) (1읍, 10면, 6동)

유구읍(維鳩邑), 이인면(利仁面), 탄천면(灘川面), 계룡면(鷄龍面), 반포면(反浦面), 장기면(長岐面), 의당면(儀堂面), 정안면(正安面), 우성면(牛城面), 사곡면(寺谷面), 신풍면(新豊面), 중학동(中學洞), 산성동(山城洞), 웅진동(熊津洞), 금학동(金鶴洞), 옥룡동(玉龍洞), 신관동(新官洞)

보령시(保寧市) (1읍, 10면, 5동, 2출)

웅천읍(熊川邑), 주포면(周浦面), 주교면(舟橋面), 오천면(鰲川面), 천북면(川北面), 청소면(靑所面), 청라면(靑蘿面), 남포면(藍浦面), 주산면(珠山面), 미산면(嵋山面), 성주면(聖住面), 대천동(大川洞)1~5동, 어항(漁港)출장소, 원산도(元山島)출장소

아산시(牙山市) (1읍, 10면, 6동)

염치읍(鹽峙邑), 송악면(松岳面), 배방면(排芳面), 탕정면(湯井面), 음봉면(陰峰面), 둔포면(屯浦面), 영인면(靈仁面), 인주면(仁州面), 선장면(仙掌面), 도고면(道高面), 신창면(新昌面), 온양·온천동(溫陽·溫泉洞)1·2동, 권곡동(權谷洞), 신정동(神井洞), 용동(龍洞), 온주동(溫州洞)

서산시(瑞山市) (1읍, 9면, 5동)

대산읍(大山邑), 인지면(仁旨面), 부석면(浮石面), 팔봉면(八峯面), 지곡면(地谷面), 성연면

(聖淵面), 음암면(音岩面), 운산면(雲山面), 해미면(海美面), 고북면(高北面), 부춘동(富春洞), 동문동(東門洞), 활성동(活城洞), 수석동(壽石洞), 석남동(石南洞)

논산시(論山市) (2읍, 12면, 2동, 1출)

강경읍(江景邑), 연무읍(練武邑), 성동면(城東面), 광석면(光石面), 노성면(魯城面), 상월면(上月面), 부적면(夫赤面), 연산면(連山面), 두마면(豆磨面), 벌곡면(伐谷面), 양촌면(陽村面), 가야곡면(可也谷面), 은진면(恩津面), 채운면(彩雲面), 칙암동(鷲岩洞), 부창동(富倉洞), 계룡출장소(鷄龍出張所)

금산군(錦山郡) (1읍, 9면)

금산읍(錦山邑), 금성면(錦城面), 제원면(濟原面), 부리면(富利面), 군북면(郡北面), 남일면(南一面), 남이면(南二面), 진산면(珍山面), 복수면(福壽面), 추부면(秋富面)

연기군(燕岐郡) (1읍, 7면)

조치원읍(鳥致院邑), 동면(東面), 서면(西面), 남면(南面), 금남면(錦南面), 전의면(全義面), 전동면(全東面), 소정면(小井面)

부여군(扶餘郡) (1읍, 15면)

부여읍(扶餘邑), 규암면(窺岩面), 은산면(恩山面), 외산면(外山面), 내산면(內山面), 구룡면(九龍面), 홍산면(鴻山面), 옥산면(玉山面), 남면(南面), 충화면(忠化面), 양화면(良化面), 임천면(林川面), 장암면(場岩面), 세도면(世道面), 석성면(石城面), 초촌면(草村面)

서천군(舒川郡) (2읍, 11면)

장항읍(長項邑), 서천읍(舒川邑), 마서면(馬西面), 화양면(華陽面), 기산면(麒山面), 한산면(韓山面), 마산면(馬山面), 시초면(時草面), 문산면(文山面), 판교면(板橋面), 종천면(鐘川面), 비인면(庇仁面), 서면(西面)

청양군(靑陽郡) (1읍, 9면)

청양읍(靑陽邑), 운곡면(雲谷面), 대치면(大峙面), 정산면(定山面), 목면(木面), 청남면(靑南面), 장평면(長坪面), 남양면(南陽面), 화성면(化城面), 비봉면(飛鳳面)

홍성군(洪城郡) (2읍, 9면)

홍성읍(洪城邑), 광천읍(廣川邑), 홍북면(洪北面), 금마면(金馬面), 홍동면(洪東面), 장곡면(長谷面), 은하면(銀河面), 결성면(結城面), 서부면(西部面), 갈산면(葛山面), 구항면(龜項面)

예산군(禮山郡) (2읍, 10면)

예산읍(禮山邑), 삽교읍(揷橋邑), 대술면(大述面), 신양면(新陽面), 광시면(光時面), 대흥면(大興面), 응봉면(鷹峰面), 덕산면(德山面), 봉산면(鳳山面), 고덕면(古德面), 신암면(岩面), 오가면(吾可面)

태안군(泰安郡) (2읍, 6면)

태안읍(泰安邑), 안면읍(安眠邑), 고남면(古南面), 남면(南面), 근흥면(近興面), 소원면(所遠面), 원북면(遠北面), 이원면(梨園面)

당진군(唐津郡) (2읍, 10면)

당진읍(唐津邑), 합덕읍(合德邑), 고대면(高大面), 석문면(石門面), 대호지면(大湖芝面), 정미면(貞美面), 면천면(沔川面), 순성면(順城面), 우강면(牛江面), 신평면(新平面), 송악면(松嶽面), 송산면(松山面)

⑤ 전라북도(全羅北道)

전주시(全州市)

완산구(完山區) (23동)

중앙동(中央洞), 풍남동(豊南洞), 교동(校洞), 태평동(太平洞), 중노송(中老松)1·2동, 남노송동(南老松洞), 동완산동(東完山洞), 서완산동(西完山洞), 동서학동(東捿鶴洞), 서서학동(西捿鶴洞), 중화산(中華山)1·2동, 평화(平和)1·2동, 서신동(西新洞), 삼천(三川)1~3동, 효자(孝子)1~4동

덕진구(德津區) (17동)

서노송동(西老松洞), 진북(鎭北)1·2동, 인후(麟後)1~3동, 덕진동(德津洞), 금암(金岩)1·2동, 팔복동(八福洞), 우아(牛牙)1·2동, 호성동(湖城洞), 송천(松川)1·2동, 조촌동(助村洞), 동산동(東山洞)

군산시(群山市) (1읍, 10면, 18동)

옥구읍(沃溝邑), 옥산면(玉山面), 회현면(澮縣面), 임피면(臨陂面), 서수면(瑞穗面), 대야면(大野面), 개정면(開井面), 성산면(聖山面), 나포면(羅浦面), 옥도면(沃島面), 옥서면(沃西面), 해신동(海新洞), 월명동(月明洞), 오룡동(五龍洞), 신풍동(新豊洞), 삼학동(三鶴洞), 선양동(先陽洞), 중앙동(中央洞), 중미동(中米洞), 흥남동(興南洞), 조촌동(助村洞), 경암동(京岩洞), 구암동(龜岩洞), 개정동(開井洞), 수송동(秀松洞), 나운동(羅雲洞)1·2동, 소룡동(少龍洞), 미성동(米星洞)

익산시(益山市) (1읍, 14면, 12동)

함열읍(咸悅邑), 오산면(五山面), 황등면(黃登面), 함라면(咸羅面), 웅포면(熊浦面), 성당면(聖堂面), 용안면(龍安面), 낭산면(郎山面), 망성면(望城面), 여산면(礪山面), 금마면(金馬面), 왕궁면(王宮面), 춘포면(春浦面), 삼기면(三箕面), 용동면(龍東面), 중앙동(中央洞), 평화동(平和洞), 인화동(仁和洞), 동산동(銅山洞), 마동(馬洞), 남중동(南中洞), 모현동(慕縣洞), 송학동(松鶴洞), 신동(新洞), 영등동(永登洞), 팔봉동(八峰洞), 삼성동(三星洞)

정읍시(井邑市) (1읍, 14면, 8동)

신태인읍(新泰仁邑), 북면(北面), 입암면(笠岩面), 소성면(所聲面), 고부면(古阜面), 영원면

(永元面), 덕천면(德川面), 이평면(梨坪面), 정우면(淨雨面), 태인면(泰仁面), 감곡면(甘谷面), 옹동면(甕東面), 칠보면(七寶面), 산내면(山內面), 산외면(山外面), 수성동(水城洞), 장명동(長明洞), 내장·상동(內藏·上洞), 시기동(市基洞), 시기3동(市基三洞), 연지동(蓮池洞), 농소동(農所洞), 상교동(上橋洞)

남원시(南原市) (1읍, 15면, 7동)

운봉읍(雲峯邑), 주천면(朱川面), 수지면(水旨面), 송동면(松洞面), 주생면(周生面), 금지면(金池面), 대강면(帶江面), 대산면(大山面), 사매면(巳梅面), 덕과면(德果面), 보절면(寶節面), 산동면(山東面), 이백면(二白面), 인월면(引月面), 아영면(阿英面), 산내면(山內面), 동충동(東忠洞), 죽항동(竹港洞), 노암동(鷺岩洞), 금동(錦洞), 왕정동(王亭洞), 향교동(鄕校洞), 도통동(道通洞)

김제시(金堤市) (1읍, 14면, 4동)

만경읍(萬頃邑), 죽산면(竹山面), 백산면(白山面), 용지면(龍池面), 백구면(白鷗面), 부량면(扶梁面), 공덕면(孔德面), 청하면(靑蝦面), 성덕면(聖德面), 진봉면(進鳳面), 금구면(金溝面), 봉남면(鳳南面), 황산면(凰山面), 금산면(金山面), 광활면(廣活面), 요촌동(堯村洞), 신풍동(新豊洞), 검산동(劍山洞), 교동·월촌동(校洞·月村洞)

완주군(完州郡) (2읍, 11면)

삼례읍(參禮邑), 봉동읍(鳳東邑), 용진면(龍進面), 상관면(上關面), 이서면(伊西面), 소양면(所陽面), 구이면(九耳面), 고산면(高山面), 비봉면(飛鳳面), 운주면(雲洲面), 화산면(華山面), 동상면(東上面), 경천면(庚川面)

진안군(鎭安郡) (1읍, 10면)

진안읍(鎭安邑), 용담면(龍潭面), 안천면(顔川面), 동향면(銅鄕面), 상전면(上田面), 백운면(白雲面), 성수면(聖壽面), 마령면(馬靈面), 부귀면(富貴面), 정천면(程川面), 주천면(朱川面)

무주군(茂朱郡) (1읍, 5면)

무주읍(茂朱邑), 무풍면(茂豊面), 설천면(雪川面), 적상면(赤裳面), 안성면(安城面), 부남면(富南面)

장수군(長水郡) (1읍, 6면)

장수읍(長水邑), 산서면(山西面), 번암면(蟠岩面), 장계면(長溪面), 천천면(天川面), 계남면(溪南面), 계북면(溪北面)

임실군(任實郡) (1읍, 11면)

임실읍(任實邑), 청웅면(靑雄面), 운암면(雲岩面), 신평면(新平面), 성수면(聖壽面), 오수면(獒樹面), 신덕면(新德面), 삼계면(三溪面), 관촌면(館村面), 강진면(江津面), 덕치면(德峙面), 지사면(只沙面)

순창군(淳昌郡) (1읍, 10면)

순창읍(淳昌邑), 인계면(仁溪面), 동계면(東溪面), 적성면(赤城面), 유등면(柳等面), 풍산면(豊山面), 금과면(金果面), 팔덕면(八德面), 복흥면(福興面), 쌍치면(雙置面), 구림면(龜林面)

고창군(高敞郡) (1읍, 13면)

고창읍(高敞邑), 고수면(古水面), 아산면(雅山面), 무장면(茂長面), 공음면(孔音面), 상하면(上下面), 해리면(海里面), 성송면(星松面), 대산면(大山面), 심원면(心元面), 흥덕면(德面), 성내면(星內面), 신림면(新林面), 부안면(富安面)

부안군(扶安郡) (1읍, 12면)

부안읍(扶安邑), 주산면(舟山面), 동진면(東津面), 행안면(幸安面), 계화면(界火面), 보안면(保安面), 변산면(邊山面), 진서면(鎭西面), 백산면(白山面), 상서면(上西面), 하서면(下西面), 줄포면(茁浦面), 위도면(蝟島面)

⑥ 전라남도(全羅南道)

목포시(木浦市) (26동)

용당동(龍塘洞)1·2동, 산정동(山亭洞)1~3동, 연산동(連山洞), 원산동(元山洞), 대성동(大成洞), 남양동(南陽洞), 북교동(北橋洞), 무안동(務安洞), 동명동(東明洞), 만호동(萬戶洞), 유달동(儒達洞), 충무동(忠武洞), 죽교동(竹橋洞), 북항동(北港洞), 용해동(龍海洞),이노동(二老洞), 상동(上洞), 하당동(下塘洞), 신흥동(新興洞), 삼향동(三鄕洞), 옥암동(玉岩洞), 부흥동(復興洞)

여수시(麗水市) (1읍, 6면, 20동, 10출)

돌산읍(突山邑), 소라면(召羅面), 율촌면(栗村面), 화양면(華陽面), 남면(南面), 화정면(華井面), 삼산면(三山面), 동문동(東門洞), 한려동(閑麗洞), 중앙동(中央洞), 충무동(忠武洞), 광림동(光林洞), 서강동(西崗洞), 대교동(大喬洞), 국동(菊洞), 월호동(月湖洞), 여서동(麗西洞), 문수동(文水洞), 미평동(美坪洞), 둔덕동(屯德洞), 만덕동(萬德洞), 쌍봉동(雙鳳洞), 시전동(柿田洞), 여천동(麗川洞), 주삼동(珠三洞), 삼일동(三日洞), 묘도동(猫島洞),우두, 죽포, 연도, 안도, 화태, 낭도, 개도, 여자, 초도, 손죽출장소(牛頭, 竹圃, 鳶島, 安島, 禾太, 狼島, 蓋島, 汝自, 草島, 巽竹出張所)

순천시(順天市) (1읍, 10면, 12동, 1출)

승주읍(昇州邑), 주암면(住岩面), 송광면(松光面), 외서면(外西面), 낙안면(樂安面), 별량면(別良面), 상사면(上沙面), 해룡면(海龍面), 서면(西面), 황전면(黃田面), 월등면(月燈面), 향동(鄕洞), 매곡동(梅谷洞), 삼산동(三山洞), 조곡동(稠谷洞), 덕련동(德蓮洞), 풍덕동(豊德洞), 남제동(南蹄洞), 저전동(楮田洞), 장천동(長泉洞), 중앙동(中央洞), 도사동(道沙洞), 왕조동(旺照洞), 상삼출장소(上三出張所)

나주시(羅州市) (1읍, 12면, 6동)

남평읍(南平邑), 세지면(細枝面), 왕곡면(旺谷面), 반남면(潘南面), 공산면(公山面), 동강면(洞江面), 다시면(多侍面), 문평면(文平面), 노안면(老安面), 금천면(金川面), 산포면(山浦面),

다도면(茶道面), 봉황면(鳳凰面), 송월동(松月洞), 영강동(榮江洞), 금남동(錦南洞), 성북동(城北洞), 영산동(榮山洞), 이창동(二倉洞)

광양시(光陽市) (1읍, 6면, 5동)

광양읍(光陽邑), 봉강면(鳳崗面), 옥룡면(玉龍面), 옥곡면(玉谷面), 진상면(津上面), 진월면(津月面), 다압면(多鴨面), 골약동(骨若洞), 중마동(中馬洞), 황영동(黃英洞), 태인동(太仁洞), 금호동(金湖洞)

담양군(潭陽郡) (1읍, 11면)

담양읍(潭陽邑), 봉산면(鳳山面), 고서면(古西面), 남면(南面), 창평면(昌平面), 대덕면(大德面), 무정면(武貞面), 금성면(金城面), 용면(龍面), 월산면(月山面), 수북면(水北面), 대전면(大田面)

곡성군(谷城郡) (1읍, 10면)

곡성읍(谷城邑), 오곡면(梧谷面), 삼기면(三岐面), 석곡면(石谷面), 목사동면(木寺洞面), 죽곡면(竹谷面), 고달면(古達面), 옥과면(玉果面), 입면(立面), 겸면(兼面), 오산면(梧山面)

구례군(求禮郡) (1읍, 7면)

구례읍(求禮邑), 문척면(文尺面), 간전면(艮田面), 토지면(土旨面), 마산면(馬山面), 광의면(光義面), 용방면(龍方面), 산동면(山洞面)

고흥군(高興郡) (2읍, 14면, 2출)

고흥읍(高興邑), 도양읍(道陽邑), 풍양면(豊陽面), 도덕면(道德面), 금산면(錦山面), 도화면(道化面), 포두면(浦頭面), 봉래면(蓬萊面), 동일면(東日面), 점암면(占岩面), 영남면(影南面), 과역면(過驛面), 남양면(南陽面), 동강면(東江面), 대서면(大西面), 두원면(豆原面), 소록(小鹿)출장소, 시산(詩山)출장소

보성군(寶城郡) (2읍, 10면, 1출)

보성읍(寶城邑), 벌교읍(筏橋邑), 노동면(蘆洞面), 미력면(彌力面), 겸백면(兼白面), 율어면(栗於面), 복내면(福內面), 문덕면(文德面), 조성면(鳥城面), 득량면(得粮面), 회천면(會泉面), 웅치면(熊峙面), 예당출장소(禮堂出張所)

화순군(和順郡) (1읍, 12면, 1출)

화순읍(和順邑), 한천면(寒泉面), 춘양면(春陽面), 청풍면(清豊面), 이양면(梨陽面), 능주면(稜州面), 도곡면(道谷面), 도암면(道岩面), 이서면(二西面), 북면(北面), 동복면(同福面), 남면(南面), 동면(東面), 영외출장소(嶺外出張所)

장흥군(長興郡) (3읍, 7면)

장흥읍(長興邑), 관산읍(冠山邑), 대덕읍(大德邑), 용산면(蓉山面), 안량면(安良面), 장동면(長東面), 장평면(長平面), 유치면(有治面), 부산면(夫山面), 회진면(會鎭面)

강진군(康津郡) (1읍, 10면)

강진읍(康津邑), 군동면(郡東面), 칠량면(七良面), 대구면(大口面), 마량면(馬良面), 도암면(道岩面), 신전면(薪田面), 성전면(城田面), 작천면(鵲川面), 병영면(兵營面), 옴천면(*唵川面)

해남군(海南郡) (1읍, 13면)

해남읍(海南邑), 삼산면(三山面), 화산면(花山面), 현산면(縣山面), 송지면(松旨面), 북평면(北平面), 북일면(北日面), 옥천면(玉泉面), 계곡면(溪谷面), 마산면(馬山面), 황산면(黃山面), 산이면(山二面), 문내면(門內面), 화원면(花源面)

영암군(靈岩郡) (1읍, 10면)

영암읍(靈岩邑), 덕진면(德津面), 금정면(金井面), 신북면(新北面), 시종면(始終面), 도포면(都浦面), 군서면(郡西面), 서호면(西湖面), 학산면(鶴山面), 미암면(美岩面), 삼호면(三湖面),

안마(鞍馬)출장소

무안군(務安郡) (2읍, 7면)

무안읍(務安邑), 일로읍(一老邑), 삼향면(三鄕面), 몽탄면(夢灘面), 청계면(淸溪面), 현경면(玄慶面), 망운면(望雲面), 해제면(海際面), 운남면(雲南面)

함평군(咸平郡) (1읍, 8면)

함평읍(咸平邑), 손불면(孫佛面), 신광면(新光面), 학교면(鶴橋面), 엄다면(嚴多面), 대동면(大洞面), 나산면(羅山面), 해보면(海保面), 월야면(月也面)

영광군(靈光郡) (3읍, 8면, 1출)

영광읍(靈光邑), 백수읍(白岫邑), 홍농읍(弘農邑), 대마면(大馬面), 묘량면(畝良面), 불갑면(佛甲面), 군서면(郡西面), 군남면(郡南面), 염산면(鹽山面), 법성면(法聖面), 낙월면(落月面), 안마출장소(鞍馬出張所)

장성군(長城郡) (1읍, 10면)

장성읍(長城邑), 진원면(珍原面), 남면(南面), 동화면(東化面), 삼서면(森西面), 삼계면(森溪面), 황룡면(黃龍面), 서삼면(西三面), 북일면(北一面), 북이면(北二面), 북하면(北下面)

완도군(莞島郡) (3읍, 9면, 2출)

완도읍(莞島邑), 금일읍(金日邑), 노화읍(蘆花邑), 군외면(郡外面), 신지면(薪智面), 고금면(古今面), 약산면(藥山面), 청산면(靑山面), 소안면(所安面), 금당면(金塘面), 보길면(甫吉面), 생일면(生日面), 잉도출장소(芿島出張所), 모도출장소(茅島出張所)

진도군(珍島郡) (1읍, 6면, 2출)

진도읍(珍島邑), 군내면(郡內面), 고군면(古郡面), 의신면(義新面), 임회면(臨淮面), 지산면

(智山面), 조도면(鳥島面), 가사출장소(加沙出張所), 거차출장소(巨次出張所)

신안군(新安郡) (1읍, 13면, 9출)

지도읍(智島邑), 증도면(曾島面), 임자면(荏子面), 자은면(慈恩面), 비금면(飛禽面), 도초면(都草面), 흑산면(黑山面), 하의면(荷衣面), 신의면(新衣面), 장산면(長山面), 안좌면(安佐面), 팔금면(八禽面), 암태면(岩泰面), 압해면(押海面), 선도, 병풍도, 우이, 가거도, 태도, 대둔도, 자라도, 매화도, 고이도(蟬島, 屛風島, 牛耳, 可居島, 苔島, 大屯島, 者羅島, 梅花島, 古耳島) 출장소

⑦ 경상북도(慶尙北道)

포항시(浦項市)

남구(南區) (3읍, 4면, 9동)
구룡포읍(九龍浦邑), 연일읍(延日邑), 오천읍(烏川邑), 대송면(大松面), 동해면(東海面), 장기면(長鬐面), 대보면(大甫面), 상대(上大)1·2동, 해도(海島)1·2동, 송도동(松島洞), 청림동(靑林洞), 제철동(製鐵洞), 효곡동(孝谷洞), 대리동(大梨洞)

북구(北區) (1읍, 6면, 10동, 1출)
흥해읍(興海邑), 신광면(新光面), 청하면(淸河面), 송라면(松羅面), 기계면(杞溪面), 죽(竹長面), 기북면(杞北面), 중앙동(中央洞), 학산동(鶴山洞), 양학동(良鶴洞), 죽도동(竹島洞)1·2동, 용흥동(龍興洞), 우창동(牛昌洞), 두호동(斗湖洞), 장량동(長良洞), 환여동(環汝洞), 상옥출장소(上玉出張所)

경주시(慶州市) (4읍, 8면, 13동)

감포읍(甘浦邑), 안강읍(安康邑), 건천읍(乾川邑) 외동읍(外東邑), 양북면(陽北面), 양남면(陽南面), 내남면(內南面) 산내면(山內面), 서면(西面), 현곡면(見谷面), 강동면(江東面), 천북면(川北面), 중부동(中部洞), 성동동(城東洞), 황오동(皇吾洞), 성건동(城乾洞), 탑정동(塔正

洞), 황남동(皇南洞), 월성동(月城洞), 선도동(仙桃洞), 용강동(龍江洞), 황성동(隍城洞), 동천동(東川洞), 불국동(佛國洞), 보덕동(普德洞)

김천시(金泉市) (1읍, 14면, 7동)

아포읍(牙浦邑), 농소면(農所面), 남면(南面), 개령면(開寧面), 감문면(甘文面), 어모면(禦侮面), 봉산면(鳳山面), 대항면(代項面), 감천면(甘川面), 조마면(助馬面), 구성면(龜城面), 지례면(知禮面), 부항면(釜項面), 대덕면(大德面), 증산면(甑山面), 용암동(龍岩洞), 성남동(城南洞), 평화동(平和洞), 양금동(陽金洞), 대신동(大新洞), 대곡동(大谷洞), 지좌동(智佐洞)

안동시(安東市) (1읍, 13면, 10동, 3출)

풍산읍(豊山邑), 와룡면(臥龍面), 북후면(北後面), 서후면(西後面), 풍천면(豊川面), 일직면(一直面), 남후면(南後面), 남선면(南先面), 임하면(臨河面), 길안면(吉安面), 임동면(臨東面), 예안면(禮安面), 도산면(陶山面), 녹전면(祿轉面), 중구동(中區洞), 명륜동(明倫洞), 용상동(龍上洞), 서구동(西區洞), 옥률동(玉栗洞), 신흥동(新興洞), 동남동(東南洞), 대흥동(大興洞), 대신동(大新洞), 태화동(太華洞), 법상동(法尙洞), 평화동(平和洞), 안기동(安寄洞), 옥동(玉洞), 송하동(松下洞), 어담, 삼계, 서부(漁潭, 三溪, 西部)출장소

구미시(龜尾市) (2읍, 6면, 19동, 1출)

선산읍(善山邑), 고아읍(高牙邑), 무을면(舞乙面), 옥성면(玉城面), 도개면(桃開面), 해평면(海平面), 산동면(山東面), 장천면(長川面), 송정동(松亭洞), 원평동(元坪洞)1·2동, 지산동(芝山洞), 도량동(道良洞), 선주·원남동(善州·元南洞), 형곡동(荊谷洞)1·2동, 신평동(新坪洞)1·2동, 비산동(飛山洞), 공단동(工團洞)1·2동, 광평동(廣坪洞), 상모·사곡동(上毛·沙谷洞), 임오동(林吳洞), 인동동(仁同洞), 진미동(眞美洞), 양포동(陽浦洞), 선산(善山)출장소

영주시(榮州市) (1읍, 9면, 9동)

풍기읍(豊基邑), 이산면(伊山面), 평은면(平恩面), 문수면(文殊面), 장수면(長壽面), 안정면

(安定面), 봉현면(鳳峴面), 순흥면(順興面), 단산면(丹山面), 부석면(浮石面), 상망동(上望洞), 하망동(下望洞), 영주(榮州)1·2동, 휴천(休川)1～3동, 가흥(可興)1·2동

영천시(永川市) (1읍, 10면, 5동)

금호읍(琴湖邑), 청통면(淸通面), 신녕면(新寧面), 화산면(花山面), 화북면(花北面), 화남면(華南面), 자양면(紫陽面), 임고면(臨皐面), 고경면(古鏡面), 북안면(北安面), 대창면(大昌面), 동부동(東部洞), 중앙동(中央洞), 서부동(西部洞), 완산동(完山洞), 남부동(南部洞)

상주시(尙州市) (1읍, 17면, 6동, 4출)

함창읍(咸昌邑), 사벌면(沙伐面), 중동면(中東面), 낙동면(洛東面), 청리면(靑里面), 공성면(功城面), 외남면(外南面), 내서면(內西面), 모동면(牟東面), 모서면(牟西面), 화동면(化東面), 화서면(化西面), 화북면(化北面), 외서면(外西面), 은척면(銀尺面), 공검면(恭儉面), 이안면(利安面), 화남면(化南面), 남원동(南院洞), 북문동(北門洞), 계림동(溪林洞), 동문동(東門洞), 동성동(東城洞), 신흥동(新興洞), 낙동면동부출장소, 모서면서부출장소, 화북면서부출장소, 은척면북부출장소

문경시(聞慶市) (2읍, 7면, 5동, 2출)

문경읍(聞慶邑), 가은읍(加恩邑), 영순면(永順面), 산양면(山陽面), 호계면(虎溪面), 산북면(山北面), 동로면(東魯面), 마성면(麻城面), 농암면(籠岩面), 점촌동(店村洞), 중앙동(中央洞), 신흥동(新興洞), 신평동(新坪洞), 모전동(茅田洞), 갈평(葛坪)출장소, 가평읍북부출장소

경산시(慶山市) (2읍, 6면, 6동)

하양읍(河陽邑), 진량읍(珍良邑), 와촌면(瓦村面), 자인면(慈仁面), 용성면(龍城面), 남산면(南山面), 압량면(押梁面), 남천면(南川面), 중앙동(中央洞), 동부동(東部洞), 서부동(西部洞), 남부동(南部洞), 북부동(北部洞), 중방동(中方洞)

군위군(軍威郡) (1읍, 7면)

군위읍(軍威邑), 소보면(召保面), 효령면(孝令面), 부계면(缶溪面), 우보면(友保面), 의흥면(義興面), 산성면(山城面) 고로면(古老面)

의성군(義城郡) (1읍, 17면)

의성읍(義城邑), 단촌면(丹村面), 점곡면(點谷面), 옥산면(玉山面), 사곡면(舍谷面), 춘산면(春山面), 가음면(佳音面), 금성면(金城面), 봉양면(鳳陽面), 비안면(比安面), 구천면(龜川面), 단밀면(丹密面), 단북면(丹北面), 안계면(安溪面), 다인면(多仁面), 신평면(新平面), 안평면(安平面), 안사면(安寺面)

청송군(靑松郡) (1읍, 7면)

청송읍(靑松邑), 부동면(府東面), 부남면(府南面), 현동면(縣東面), 현서면(縣西面), 안덕면(安德面), 파천면(巴川面), 진보면(眞寶面)

영양군(英陽郡) (1읍, 5면, 1출)

영양읍(英陽邑), 입암면(立岩面), 청기면(靑杞面), 일월면(日月面), 수비면(首比面), 석보면(石保面), 당리출장소(唐里出張所)

영덕군(盈德郡) (1읍, 8면, 2출)

영덕읍(盈德邑), 강구면(江口面), 남정면(南亭面), 달산면(達山面), 지품면(知品面), 축산면(丑山面), 영해면(寧海面), 병곡면(柄谷面), 창수면(蒼水面), 원전(院前)출장소, 축산(丑山)출장소

청도군(淸道郡) (2읍, 7면, 2출)

화양읍(華陽邑), 청도읍(淸道邑), 각남면(角南面), 풍각면(豊角面), 각북면(角北面), 이서면(伊西面), 운문면(雲門面), 금천면(錦川面), 매전면(梅田面), 남성현(南省峴)출장소, 유호(楡湖)출장소

고령군(高靈郡) (1읍, 7면)

고령읍(高靈邑), 덕곡면(德谷面), 운수면(雲水面), 성산면(星山面), 다산면(茶山面), 개진면(開津面), 우곡면(牛谷面), 쌍림면(雙林面)

성주군(星州郡) (1읍, 9면)

성주읍(星州邑), 선남면(船南面), 용암면(龍岩面), 수륜면(修倫面), 가천면(伽泉面), 금수면(金水面), 대가면(大家面), 벽진면(碧珍面), 초전면(草田面), 월항면(月恒面)

칠곡군(漆谷郡) (1읍, 7면)

왜관읍(倭館邑), 지천면(枝川面), 동명면(東明面), 가산면(架山面), 석적면(石積面), 북삼면(北三面), 약목면(若木面), 기산면(岐山面)

예천군(醴泉郡) (1읍, 11면)

예천읍(醴泉邑), 용문면(龍門面), 상리면(上里面), 하리면(下里面), 감천면(甘泉面), 보문면(普門面), 호명면(虎鳴面), 유천면(柳川面), 용궁면(龍宮面), 개포면(開浦面), 지보면(知保面), 풍양면(豊壤面)

봉화군(奉化郡) (1읍, 9면)

봉화읍(奉化邑), 물야면(物野面), 봉성면(鳳城面), 법전면(法田面), 춘양면(春陽面) 소천면(小川面), 석포면(石浦面), 재산면(才山面), 명호면(明湖面), 상운면(祥雲面)

울진군(蔚珍郡) (2읍, 8면, 1출)

울진읍(蔚珍邑), 평해읍(平海邑), 북면(北面), 서면(西面), 근남면(近南面), 원남면(遠南面), 기성면(箕城面), 온정면(溫井面), 죽변면(竹邊面), 후포면(厚浦面), 하당(下塘)출장소

울릉군(鬱陵郡) (1읍, 2면, 1출)

울릉읍(鬱陵邑), 서면(西面), 북면(北面), 태하(台霞)출장소

⑧ 경상남도(慶尙南道)

창원시(昌原市) (1읍, 2면, 12동)

동읍(東邑), 북면(北面), 대산면(大山面), 의창동(義昌洞), 팔룡동(八龍洞), 명곡동(明谷洞), 봉림동(鳳林洞), 반송동(盤松洞), 중앙동(中央洞), 용지동(龍池洞), 상남동(上南洞), 사파동(沙巴洞), 가음정동(加音丁洞), 성주동(聖住洞), 웅남동(熊南洞)

마산시(馬山市) (1읍, 4면, 27동)

내서읍(內西邑), 구산면(龜山面), 진동면(鎭東面), 진북면(鎭北面), 진전면(鎭田面), 현동(縣洞), 가포동(架浦洞), 월영동(月影洞), 문화동(文化洞), 반월동(半月洞), 중앙동(中央洞), 완월동(玩月洞), 자산동(玆山洞), 동서동(東西洞), 성호동(城湖洞), 교방동(校坊洞), 노산동(鷺山洞), 오동동(午東洞), 합포동(合浦洞), 산호동(山湖洞), 회원(檜原)1·2동, 석전(石田)1·2동, 회성동(檜城洞), 양덕(陽德)1·2동, 합성(合城)1·2동, 구암(龜岩)1.2동, 봉암동(鳳岩洞)

진주시(晉州市) (1읍, 15면, 21동)

문산읍(文山邑), 내동면(奈洞面), 정촌면(井村面), 금곡면(金谷面), 진성면(晉城面), 일반성면(一班城面), 이반성면(二班城面), 사봉면(寺奉面), 지수면(智水面), 대곡면(大谷面), 금산면(琴山面), 집현면(集賢面), 미천면(美川面), 명석면(鳴石面), 대평면(大坪面), 수곡면(水谷面), 망경동(望京洞), 강남동(江南洞), 칠암동(七岩洞), 성지동(城址洞), 중앙동(中央洞), 상봉동동(上鳳東洞), 상봉서동(上鳳西洞), 봉수동(蓬水洞), 옥봉동(玉峰洞), 상대(上大)1·2동, 하대(下大)1·2동, 상평동(上坪洞), 초장동(草長洞), 평거동(平居洞), 신안동(新安洞), 이현동(二峴洞), 판문동(板門洞), 가호동(加虎洞)

진해시(鎭海市) (15동)

중앙동(中央洞), 태평동(太平洞), 충무동(忠武洞), 여좌동(余佐洞), 태백동(太白洞), 경화동(慶和洞), 병암동(屛岩洞), 석동(石洞), 이동(泥洞), 자은동(自隱洞), 덕산동(德山洞), 풍호동(豊湖洞), 웅동(熊東)1·2동

통영시(統營市) (1읍, 6면, 11동)

산양읍(山陽邑), 용남면(龍南面), 도산면(道山面), 광도면(光道面), 욕지면(欲知面), 한산면(閑山面), 사량면(蛇梁面), 도천동(道泉洞), 명정동(明井洞), 중앙동(中央洞), 정량동(貞梁洞), 북신동(北新洞), 무전동(霧田洞), 인평동(仁平洞), 미수동(美修洞)1·2동, 봉평동(鳳坪洞), 도남동(道南洞)

사천시(泗川市) (1읍, 7면, 6동, 2출)

사천읍(泗川邑), 정동면(正東面), 사남면(泗南面), 용현면(龍見面), 축동면(杻洞面), 곤양면(昆陽面), 곤명면(昆明面), 서포면(西浦面), 동서동(東西洞), 선구동(仙龜洞), 동서금동(東西錦洞), 벌룡동(閥龍洞), 향촌동(香村洞), 남양동(南陽洞), 늑도(勒島)출장소, 신수(新樹)출장소

김해시(金海市) (1읍, 7면, 9동)

진영읍(進永邑), 장유면(長有面), 주촌면(酒村面), 진례면(進禮面), 한림면(翰林面), 생림면(生林面), 동상동(東上洞), 회현동(會峴洞), 부원동(府院洞), 내외동(內外洞), 북부동(北部洞), 칠산·서부동(七山·西部洞), 활천동(活川洞), 삼안동(三安洞), 불암동(佛岩洞)

밀양시(密陽市) (2읍, 9면, 5동, 1출)

삼랑진읍(三浪津邑), 하남읍(下南邑), 부북면(府北面), 상동면(上東面), 산외면(山外面), 산내면(山內面), 단장면(丹場面), 상남면(上南面), 초동면(初同面), 무안면(武安面), 청도면(淸道面), 내일동(內一洞), 내이동(內二洞), 교동(校洞), 삼문동(三門洞), 가곡동(駕谷洞), 임천(林川)출장소

거제시(巨濟市) (1읍, 9면, 6동, 3출)

신현읍(新縣邑), 일운면(一運面), 동부면(東部面), 남부면(南部面), 거제면(巨濟面), 둔덕면(屯德面), 사등면(沙等面), 연초면(延草面), 하청면(河淸面), 장목면(長木面), 장승포동(長承浦洞), 마전동(麻田洞), 능포동(菱浦洞), 아주동(鵝州洞), 옥포(玉浦)1·2동, 가조(加助)출장소, 칠천(七川)출장소, 외포(外浦)출장소

양산시(梁山市) (2읍, 4면, 3동, 1출)

웅상읍(熊上邑), 물금읍(勿禁邑), 동면(東面), 원동면(院洞面), 상북면(上北面), 하북면(下北面), 중앙동(中央洞), 삼성동(三城洞), 강서동(江西洞), 덕계(德溪)출장소

의령군(宜寧郡) (1읍, 12면)

의령읍(宜寧邑), 가례면(嘉禮面), 칠곡면(七谷面), 대의면(大義面), 화정면(華井面), 용덕면(龍德面), 정곡면(正谷面), 지정면(芝正面), 낙서면(洛西面), 부림면(富林面), 봉수면(鳳樹面), 궁류면(宮柳面), 유곡면(柳谷面)

함안군(咸安郡) (1읍, 9면)

가야읍(伽倻邑), 함안면(咸安面), 군북면(郡北面), 법수면(法守面), 대산면(代山面), 칠서면(漆西面), 칠북면(漆北面), 칠원면(漆原面), 산인면(山仁面), 여항면(艅航面)

창녕군(昌寧郡) (2읍, 12면)

창녕읍(昌寧邑), 남지읍(南旨邑), 고암면(高岩面), 성산면(城山面), 대합면(大合面), 이방면(梨房面), 유어면(遊漁面), 대지면(大池面), 계성면(桂城面), 영산면(靈山面), 장마면(丈麻面), 도천면(都泉面), 길곡면(吉谷面), 부곡면(釜谷面)

고성군(固城郡) (1읍, 13면)

고성읍(固城邑), 삼산면(三山面), 하일면(下一面), 하이면(下二面), 상리면(上里面), 대면(大

可面), 영현면(永縣面), 영오면(永吾面), 개천면(介川面), 구만면(九萬面), 회화면(會華面), 마암면(馬岩面), 동해면(東海面), 거류면(巨流面)

남해군(南海郡) (1읍, 9면)

남해읍(南海邑), 이동면(二東面), 상주면(尙州面), 삼동면(三東面), 미조면(彌助面), 남면(南面), 서면(西面), 고현면(古縣面), 설천면(雪川面), 창선면(昌善面)

하동군(河東郡) (1읍, 12면)

하동읍(河東邑), 화개면(花開面), 악양면(岳陽面), 적량면(赤良面), 횡천면(橫川面), 고전면(古田面), 금남면(金南面), 금성면(金城面), 진교면(辰橋面), 양보면(良甫面), 북천면(北川面), 청암면(靑岩面), 옥종면(玉宗面)

산청군(山淸郡) (1읍, 10면)

산청읍(山淸邑), 차황면(車黃面), 어부면(梧釜面), 생초면(生草面), 금서면(今西面), 삼장면(三壯面), 시천면(矢川面), 단성면(丹城面), 신안면(新安面), 생비량면(生比良面), 신등면(新等面)

함양군(咸陽郡) (1읍, 10면)

함양읍(咸陽邑), 마천면(馬川面), 휴천면(休川面), 유림면(柳林面), 수동면(水東面), 지곡면(池谷面), 안의면(安義面), 서하면(西下面), 서상면(西上面), 백전면(栢田面), 병곡면(甁谷面)

거창군(居昌郡) (1읍, 11면)

거창읍(居昌邑), 주상면(主尙面), 웅양면(熊陽面), 고제면(高梯面), 북상면(北上面), 위천면(渭川面), 마리면(馬利面), 남상면(南上面), 남하면(南下面), 신원면(神院面), 가조면(加祚面), 가북면(加北面)

합천군(陜川郡) (1읍, 16면)

합천읍(陜川邑), 봉산면(鳳山面), 묘산면(妙山面), 가야면(伽倻面), 야로면(冶爐面), 율곡면(栗谷面), 초계면(草溪面), 쌍책면(雙冊面), 덕곡면(德谷面), 청덕면(靑德面), 적중면(赤中面), 대양면(大陽面), 쌍백면(雙栢面), 삼가면(三嘉面), 가회면(佳會面), 대병면(大幷面), 용주면(龍洲面)

⑨ 제주도(濟州道)

제주시(濟州市) (19동)

일도(一徒)1·2동, 이도(二徒)1·2동, 삼도(三徒)1·2동, 용담(龍潭)1·2동, 건입동(健入洞), 화북동(禾北洞), 삼양동(三陽洞), 봉개동(奉蓋洞), 아라동(我羅洞), 오라동(吾羅洞), 연동(蓮洞), 노형동(老衡洞), 외도동(外都洞), 이호동(梨湖洞), 도두동(道頭洞)

서귀포시(西歸浦市) (12동)

송산동(松山洞), 정방동(正房洞), 중앙동(中央洞), 천지동(天地洞), 효돈동(孝敦洞), 영천동(靈泉洞), 동홍동(東烘洞), 서홍동(西烘洞), 대륜동(大倫洞), 대천동(大川洞), 중문동(中文洞), 예래동(猊來洞)

북제주군(北濟州郡) (4읍, 3면)

한림읍(翰林邑), 애월읍(涯月邑), 구좌읍(舊左邑), 조천읍(朝天邑), 한경면(翰京面), 추자면(楸子面), 우도면(牛島面)

남제주군(南濟州郡) (3읍, 2면, 3출)

대정읍(大靜邑), 남원읍(南元邑), 성산읍(城山邑), 안덕면(安德面), 표선면(表善面), 무릉(武陵)출장소, 위미(爲美)출장소, 신출(新出)출장소

<부록 8>

北韓의 行政區域 地名[*](1991.)

1) 行政區域數 統計表

行政地域	市	區域	郡	計	邑	勞動者區域	洞	里	計
平壤特別市		18	4	22	4	5	219	131	359
南浦直轄市		5	1	6	1		64	39	104
開城直轄市	1		3	4	3	1	21	59	84
黃海南道	1		19	20	19	7	28	413	467
黃海北道	2		14	16	14	6	44	280	344
平安南道	5		14	19	18	39	16	395	468
平安北道	2		24	26	23	34	54	516	627
慈江道	3		15	18	15	22	59	253	349
江原道	1		16	17	16	11	40	390	457
咸鏡南道	2	6	14	22	17	35	116	484	652
兩江道	1		11	12	11	36	22	164	233
咸鏡北道	3	7	14	24	13	35	89	297	434
計	21	36	149	206	154	231	772	3,421	4,578

---

[*] 북한의 행정지명은 李泳澤이 編輯하고 佑晋地圖文化社에서 發行한 『最新 北韓地圖』(1992)를 밑본으로 하고, 이철수(1996)('북한의 행정구역 지명어에 대하여', 명칭과학 2-1, 명칭과학연구소)를 참고하였다.

2) 行政區域別 地名의 數

行政地域名	行政區域名	邑	勞動者區域	洞	里	計
平壤特別市	中區域			28		28
	平川區域			13		13
	普通江區			14		14
	牡丹峰區域			18		18
	西城區域			16		16
	船橋區域			19		19
	東大院區域			17		17
	大同江區域			11		11
	寺洞區域			11	7	18
	大城區域			12	2	14
	萬景臺區域			14	3	17
	兄弟山區域			7	4	11
	龍城區域			10		10
	三石區域			6	5	11
	勝湖區域			6	7	13
	力浦區域			5	8	13
	樂浪區域			8	9	17
	順安區域			4	14	18
	江南郡	1			18	19
	中和郡	1			16	17
	祥原郡	1			22	23
	江東郡	1	5		16	22
소 계	구역(18), 군(4)	4	5	219	131	359
南浦直轄市	港口區域			24	10	34
	臥牛島區域			13	5	18
	大安區域			17	5	22
	千里馬區域			4	2	6
	江西區域			6	8	14
	龍岡郡	1			9	10
소 계	구역(5), 군(1)	1		64	39	104
開城直轄市	開城市			21	5	26
	開豊郡	1			18	19
	板門郡	1	1		16	18
	長豊郡	1			20	21
소 계	시(1), 군(3)	3	1	21	59	84
黃海南道	海州市			25	4	29
	碧城郡	1			19	20
	青丹郡	1			18	19
	延安郡	1	1		27	29
	白川郡	1			27	28

行政地域名	行政區域名	邑	勞動者區域	洞	里	計
黃海南道	平川郡	1			23	24
	康翎郡	1	1		22	24
	甕津郡	1	2		24	27
	苔灘郡	1			15	16
	龍淵郡	1			20	21
	長淵郡	1	1		19	21
	三泉郡	1			19	20
	松禾郡	1			10	11
	과일郡	1			22	23
	殷栗郡	1	1		22	24
	銀泉郡	1			19	20
	安岳郡	1			26	27
	信川郡	1		3	31	35
	載寧郡	1	1		27	29
	新院郡	1			19	20
소 계	시(1), 군(19)	19	7	28	413	467
黃海北道	沙里院市			25	6	31
	松林市			19	5	24
	黃州郡	1			28	29
	鳳山郡	1			20	21
	銀波郡	1	1		16	18
	瑞興郡	1			24	25
	燕灘郡	1			18	19
	遂安郡	1	1		17	19
	延山郡	1	1		15	17
	新坪郡	1	2		14	17
	谷山郡	1			20	21
	新溪郡	1			26	27
	平山郡	1	1		21	23
	麟山郡	1			19	20
	金川郡	1			14	15
	兎山郡	1			17	18
소 계	시(2), 군(14)	14	6	44	280	344
平安南道	平城市			10	16	26
	順川市	1	7		31	39
	安州市	1	3		27	31
	价川市	1	10		12	23
	德川市	1	4		18	23
	大同郡	1	1		23	25
	甑山郡	1			17	18
	溫泉郡	1	3		14	18
	平原郡	1	1		26	28
	肅川郡	1	1		20	22

行政地域名	行政區域名	邑	勞動者 區域	洞	里	計
平安南道	文德郡	1	1		24	26
	成川郡	1	5		23	29
	檜倉郡	1			17	18
	新陽郡	1			18	19
	陽德郡	1			18	19
	北倉郡	1	2		24	27
	孟山郡	1			25	26
	寧遠郡	1			25	26
	大興郡	1	1		16	18
	清南區			6	1	7
소 계	시(5), 군(14)	18	39	16	395	468
平安北道	新義州市			35	13	48
	龜城市			19	18	37
	義州郡	1	2		17	20
	朔州郡	1	9		20	30
	天摩郡	1	1		20	22
	大館郡	1	1		25	27
	昌城郡	1	1		15	17
	東倉郡	1	1		16	18
	碧潼郡	1			19	20
	枇峴郡	1	2		22	25
	龍川郡	1	3		20	24
	薪島郡	1	2			3
	塩州郡	1	1		21	23
	鐵山郡	1	2		25	28
	東林郡	1	1		22	24
	宣川郡	1			24	25
	泰川郡	1			28	29
	郭山郡	1			19	20
	定州郡	1	1		28	30
	雲田郡	1			24	25
	博川郡	1	1		24	26
	寧邊郡	1	2		26	29
	球場郡	1	3		23	27
	香山郡	1			20	21
	雲山郡	1	1		27	29
소 계	시(2), 군(24)	23	34	54	516	627
慈江道	江界市			29	3	32
	滿浦市			11	17	28
	熙川市			19	13	32
	雩時郡	1	1		22	24
	楚山郡	1			18	19
	古豊郡	1			12	13

行政地域名	行政區域名	邑	勞動者區域	洞	里	計
慈江道	松原郡	1	1		17	19
	渭原郡	1	2		21	24
	東新郡	1			14	15
	前川郡	1	5		11	17
	龍林郡	1	1		11	13
	城干郡	1	2		12	15
	時中郡	1			17	18
	長江郡	1	3		10	14
	慈城郡	1	1		17	19
	中江郡	1	1		14	16
	和坪郡	1	3		10	14
	狼林郡	1	2		14	17
소 계	시(3), 군(15)	15	22	59	253	349
江原道	元山市			40	12	52
	安邊郡	1	2		32	35
	高山郡	1			24	25
	通川郡	1			30	31
	高城郡	1			23	24
	金剛郡	1			26	27
	昌道郡	1			22	23
	金化郡	1	1		18	20
	淮陽郡	1			25	26
	洗浦郡	1			24	25
	平康郡	1			31	32
	鐵原郡	1			31	32
	伊川郡	1			22	23
	板橋郡	1			22	23
	法洞郡	1			19	20
	文川郡	1	5		14	20
	川內郡	1	3		15	19
소 계	시(1), 군(16)	16	11	40	390	457
咸鏡南道	城川區域			18		18
	東興山區域			17	3	20
(咸興市)	會上區域			16	12	28
	沙浦區域			23	2	25
	龍城區域			12	3	15
	興南區域			14	3	17
	新浦市			16	14	30
	端川市	1	9		37	47
	咸州郡	1			37	38
	榮光郡	1	1		24	26
	長津郡	1	3		16	20
	赴戰郡	1	1		15	17

行政地域名	行政區域名	邑	勞動者區域	洞	里	計
咸鏡南道 (咸興市)	新興郡	1	2		23	26
	高原郡	1	7		33	41
	耀德郡	1			24	25
	金野郡	2	2		49	53
	定平郡	1	1		43	45
	樂園郡	1	1		11	13
	洪原郡	1	1		30	32
	北青郡	1	1		39	41
	德城郡	1			25	26
	利原郡	1	2		22	25
	虛川郡	1	4		19	24
소 계	시(2), 구역(6), 군(14)	17	35	116	484	652
兩江道	惠山市			22	4	26
	普天郡	1	1		17	19
	雲興郡	1	5		15	21
	甲山郡	1	1		21	23
	豊西郡	1	2		18	21
	金亨權郡	1			18	19
	三水郡	1			24	25
	金晶淑郡	1	2		22	25
	金亨稷郡	1	4		14	19
	三池淵郡	1	5		5	11
	大紅湍郡	1	9			10
	白岩郡	1	7		6	14
소 계	시(1), 군(11)	11	36	22	164	233
咸鏡北道 (清津市)	清岩區域			10	7	17
	浦項區域			13		13
	新岩區域			7	2	9
	水南區域			9		9
	松坪區域			12	4	16
	羅南區域			8	3	11
	富潤區域		1	1	1	3
	金策市			14	26	40
	羅津市			11	11	22
	會寧市	1	5		28	34
	富寧郡			4	11	15
	茂山郡	1	4		16	21
	鏡城郡	1	4		17	22
	花臺郡	1			20	21
	明川郡	1	1		14	16
	化城郡	1	1		25	27
	吉州郡	1	3		23	27
	延社郡	1	1		10	12

行政地域名	行政區域名	邑	勞動者區域	洞	里	計
咸鏡北道	穩城郡	1	8		15	24
	새별郡	1	3		21	25
(淸津市)	恩德郡	1	2		14	17
	先鋒郡	1	1		9	11
	漁郎郡	1	1		20	22
소 계	시(3), 구역(7), 군14	13	35	89	297	434
총 계	시(21), 구역(36), 군(149)	154	231	772	3,421	4,578

3) 行政區域別 地名

(1) 特別市, 直轄市

① 평양특별시(平壤特別市)

중구역(中區域) (28동)

경상동(慶上洞), 경림동(敬臨洞), 창전동(倉田洞), 서문동(西門洞), 신암동(新岩洞), 신양동(新陽洞), 남문동(南門洞), 중성동(中城洞), 보통문동(普通門洞), 해방산동(解放山洞), 종로동(鐘路洞), 만수동(萬壽洞), 대동문동(大同門洞), 류성동(柳城洞), 외성동(外城洞), 련화(蓮花)1·2동, 역전동(驛前洞), 오탄동(烏灘洞), 교구동(橋口洞), 동흥동(東興洞), 서창동(西倉洞), 동성동(東城洞), 창광동(蒼光洞), 신서동(新西洞), 서성동(西城洞), 동안동(東安洞), 경림동(敬林洞)

평천구역(平川區域) (13동)

북성동(北城洞), 간성동(干城洞), 봉지동(鳳池洞), 정평동(井平洞), 평천동(平川洞), 갈솔동, 봉학동(鳳鶴洞), 해운동(海運洞), 봉남동(鳳南洞), 륙교(陸橋)1·2동, 새마을1·2동

보통강구역(普通江區域) (14동)

세거리동, 보통강동(普通江洞), 석암동(石岩洞), 경흥동(慶興洞), 서장(西長)1·2동, 서재동(書齋洞), 운하동(運河洞), 락원동(樂園洞), 신원동(新院洞), 붉은거리1·2동, 봉화동(鳳花洞), 대보동(大寶洞)

모란봉구역(牡丹峰區域) (18동)

평화동(平和洞), 칠성문동(七星門洞), 북새동(北塞洞), 서흥동(西興洞), 월향동(月香洞), 진흥동(進興洞), 인흥(仁興)1·2동, 항미동(抗美洞), 전우동(戰友洞), 비파동(琵琶洞), 흥천동(興天洞), 전승동(戰勝洞), 개선동(凱旋洞), 민흥동(民興洞), 장현동(長峴洞), 성북동(城北洞), 긴마을동

서성구역(西城區域) (16동)

장산동(長山洞), 상흥동(上興洞), 석봉동(石峰洞), 상신동(上新洞), 평원동(平源洞), 장경(長慶)1·2동, 서산(西山)1·2동, 서천동(西川洞), 와산동(臥山洞), 중신동(中新洞), 련못동, 하신동(下新洞), 남교동(南橋洞), 긴재洞

선교구역(船橋區域) (19동)

남신(南新)1·2동, 등매(藤梅)1~3동, 선교(船橋)1~3동, 장춘(長春)1·2동, 무진(武進)1·2동, 대흥동(大興洞), 률곡(栗谷)1·2동, 산업동(産業洞), 영제동(永濟洞), 강안동(江岸洞), 옷메동

동대원구역(東大院區域) (17동)

신흥(新興)1~3동, 랭천(冷泉)1·2동, 동신(東新)1~3동, 문신(文新)1·2동, 동대원(東大院)1·2동, 삼마동(三馬洞), 대신동(大新洞), 률동(栗洞), 신리동(新里洞), 새살림동

대동강구역(大同江區域) (11동)

문수동(紋繡洞), 탑재동(塔在洞), 의암동(衣岩洞), 북수(北繡)1·2동, 동문동(東門洞), 사동

(寺洞), 문흥동(文興洞), 서곡(西谷)1·2동, 소룡동(小龍洞)

사동구역(寺洞區域) (11동, 7리)

미림동(美林洞), 남산동(南山洞), 휴암동(休岩洞), 장천동(將泉洞), 송신동(松新洞), 동창리(東倉里), 리현리(梨峴里), 오류리(五柳里), 대원리(大園里), 삼골동(三骨洞), 두루(豆樓)1·2동, 금탄리(金灘里), 칠불리(七佛里), 덕동리(德洞里), 송화동(松華洞), 송림(松林)1·2동

대성구역(大城區域) (12동, 2리)

대성동(大城洞), 안학동(安鶴洞), 삼신동(三神洞), 미산(嵋山)1·2동, 룡흥(龍興)1·2동, 룡남리(龍南里), 임흥동(林興洞), 룡북(龍北)1·2동, 청호동(淸湖洞), 고산동(高山洞), 청암리(淸岩里)

만경대구역(萬景臺區域) (14동, 3리)

궁골(宮骨)1·2동, 웃고개동, 당상동(堂上洞), 선내동(仙內洞), 팔골동(八骨洞), 칠골동(七骨洞), 오류동(五柳洞), 대평동(大平洞), 대타령(大駝嶺)1·2동, 봉수동(鳳岫洞), 금천동(金泉洞), 만경대동(萬景臺洞), 룡봉리(龍峰里), 원로리(元魯里), 룡산리(龍山里)

형제산구역(兄弟山區域) (7동 4리)

서포동(西浦洞), 하당동(下堂洞), 중당동(中堂洞), 상당동(上堂洞), 석전동(石田洞), 제산동(弟山洞), 천남동(川南洞), 형산리(兄山里), 신미리(新美里), 학산리(鶴山里), 신간리(新間里)

룡성구역(龍城區域) (10동)

청계동(淸溪洞), 룡성동(龍城洞), 화성동(和盛洞), 마산동(馬山洞), 어은동(御恩洞), 중이동(中二洞), 룡추동(龍秋洞), 룡궁동(龍宮洞), 룡문동(龍門洞), 림원동(林原洞)

삼석구역(三石區域) (6동, 5리)

대천동(大泉洞), 문영동(文榮洞), 광덕리(廣德里), 삼성동(三成洞), 도덕리(道德里), 원흥리

(圓興里), 원신리(元新里), 호남리(湖南里), 성문동(聖文洞), 삼석동(三石洞), 로산동(魯山洞)

승호구역(勝湖區域) (6동, 7리)

승호(勝湖)1·2동, 앞새동, 화천동(貨泉洞), 독골동(獨骨洞), 남강동(南江洞), 리천리(梨川里), 립석리(立石里), 봉도리(鳳島里), 괴음리(槐陰里), 삼청리(三靑里), 만달리(萬達里), 금옥리(金玉里)

력포구역(力浦區域) (5동, 8리)

소신동(小新洞), 장진동(將進洞), 력포동(力浦洞), 대현동(大峴洞), 능금동(能錦洞), 류현리(柳絃里), 양음리(陽陰里), 석정리(石井里), 추당리(楸堂里), 무진리(戊辰里), 소삼정리(小三井里), 세우물리, 서현리(西峴里)

락랑구역(樂浪區域) (8동, 9리)

정백동(貞百洞), 토성동(土城洞), 락랑동(樂浪洞), 정오동(貞梧洞), 동산동(東山洞), 원암동(猿岩洞), 두위동(斗圍洞), 룡호동(龍湖洞), 송남리(松南里), 보성리(甫城里), 류소리(柳巢里), 남사리(南寺里), 중단리(中端里), 금대리(今大里), 벽지도리(碧只島里), 긴골리, 현골리(賢骨里)

순안구역(順安區域) (4동, 14리)

신원동(新院洞), 역전동(驛前洞), 순안동(順安洞), 신성동(新成洞), 오산리(梧山里), 구서리(九瑞里), 안흥리(安興里), 택암리(宅庵里), 룡복리(龍伏里), 재경리(在京里), 천동리(泉洞里), 대양리(大陽里), 성주리(聖住里), 동산리(東山里), 산양리(山陽里), 상송리(上松里), 상서리(上西里), 오금리(梧琴里)

강남군(江南郡) (1읍, 18리)

강남읍(江南邑), 고읍리(古邑里), 문암리(文岩里), 동정리(東井里), 룡곡리(龍谷里), 신흥리(新興里), 상암리(上岩里), 룡포리(龍浦里), 신정리(新井里), 고천리(古川里), 당곡리(唐谷里),

장교리(長橋里), 마정리(馬井里), 룡교리(龍橋里), 류포리(柳浦里), 이산리(二山里), 영진리(英進里), 간천리(間川里), 석호리(石湖里)

중화군(中和郡) (1읍, 16리)

중화읍(中和邑), 관봉리(館峯里), 삼성리(三姓里), 금산리(金山里), 장산리(長山里), 채송리(蔡松里), 마장리(馬場里), 룡산리(龍山里), 어룡리(魚龍里), 명월리(明月里), 삼흥리(三興里), 충흥리(忠興里), 진광리(眞廣里), 건산리(乾山里), 백운리(白雲里), 동산리(東山里), 물동리

상원군(祥原郡) (1읍, 22리)

상원읍(祥原邑), 대동리(大同里), 령천리(靈泉里), 로동리(蘆洞里), 릉성리(綾盛里), 대천리(大泉里), 금성리(金城里), 흑우리(黑隅里), 대흥리(大興里), 번동리(繁洞里), 전산리(錢山里), 룡곡리(龍谷里), 귀일리(貴逸里), 사기리(沙器里), 장리(場里), 중리(中里), 신원리(新院里), 장항리(獐項里), 수산리(水山里), 식송리(植松里), 은구리(銀口里), 신하리(新下里), 노천리(蘆川里)

강동군(江東郡) (1읍, 16리, 5로)

강동읍(江東邑), 문흥리(文興里), 향목리(香木里), 동리(東里), 맥전리(麥田里), 봉화리(烽火里), 용흥리(龍興里), 명의리(明義里), 문명리(文明里), 순창리(順昌里), 향단리(香檀里), 구보리(九寶里), 난산리(卵山里), 태잠리(太岑里), 삼등리(三登里), 화강리(花岡里), 하리로(下里勞), 고비로(高飛勞), 송가로(松街勞), 대리로(垈里勞), 흑령로(黑嶺勞), 자양리(紫陽里)

② 남포직할시(南浦直轄市)

항구구역(港口區域) (24동, 10리)

도지동(島知洞), 류사동(柳沙洞), 한두동(漢頭洞), 지산동(芝山洞), 상대두동(上大頭洞), 중대두동(中大頭洞), 하대두동(下大頭洞), 항구동(港口洞), 역전동(驛前洞), 후포동(後浦洞), 상비석동(上碑石洞), 중비석동(中碑石洞), 하비석동(下碑石洞), 고령동(高靈洞), 남흥동(南興洞), 문화동(文化洞), 남산동(南山洞), 해안동(海岸洞), 회창동(會倉洞), 새길동, 서흥동(西興洞),

선창동(仙倉洞), 진도동(進道洞), 룡수동(龍水洞), 신흥리(新興里), 한학리(寒鶴里), 어호리(漁湖里), 문애리(文艾里), 우산리(牛山里), 덕해리(德海里), 갈천리(葛川里), 동전리(東箭里), 검산리(劍山里), 지사리(芝沙里)

와우도구역(臥牛島區域) (13동, 5리)

마사동(麻沙洞), 마산동(麻山洞), 억량기동(億兩機洞), 덕성동(德成洞), 룡정동(龍井洞), 대대리(大臺里), 화도리(火島里), 신령리(新寧里), 소강리(蘇康里), 령남리(嶺南里), 충성동(忠誠洞), 탄포동(灘浦洞), 락원동(樂園洞), 봉산동(鳳山洞), 기산동(岐山洞), 문화동(文化洞), 샘물동, 세길동

대안구역(大安區域) (17동, 5리)

금산동(金山洞), 옥수동(玉水洞), 은덕동(恩德洞), 남산동(南山洞), 봉화동(烽火洞), 상봉동(相逢洞), 역전동(驛前洞), 포구동(浦口洞), 싸리동, 전진동(前進洞), 천내동(川內洞), 새거리동, 중동(中洞), 달마동(達馬洞), 원정동(元亭洞), 문천동(文川洞), 오신리(吾新里), 월매리(月梅里), 다미리(多美里), 대정리(大井里), 대안동(大安洞), 성암리(城岩里)

천리마구역(千里馬區域) (4동, 2리)

천리마(강선)동(千里馬(降仙)洞), 강철동(鋼鐵洞), 보산동(保山洞), 서학동(西鶴洞), 송호리(松湖里), 보봉리(寶鳳里)

강서구역(江西區域) (6동, 8리)

덕흥리(德興里), 삼묘리(三墓里), 수산리(水山里), 약수리(藥水里), 청산리(青山里), 태성리(台城里), 잠진리(箴津里), 세길동, 고창리(高倉里), 덕성동(德星洞), 산업동(産業洞), 기양동(岐陽洞), 봉상동(鳳上洞), 관포동(寬浦洞)

룡강군(龍岡郡) (1읍, 9리)

룡강읍(龍岡邑), 애원리(愛園里), 포성리(浦城里), 립송리(立松里), 후산리(後山里), 양곡리

(陽谷里), 삼화리(三和里), 룡흥리(龍興里), 옥도리(玉桃里), 룡호리(龍湖里)

③ 개성직할시(開城直轄市)

개성시(開城市) (21동, 5리)

운학동(雲鶴洞), 만월동(滿月洞), 고려동(高麗洞), 태평동(太平洞), 사직동(社稷洞), 자남동(子男洞), 북안동(北安洞), 관훈동(冠訓洞), 동현동(銅峴洞), 룡산동(龍山洞), 남안동(南安洞), 선죽동(善竹洞), 동흥동(東興洞), 해운동(海運洞), 보선동(保善洞), 송악동(松嶽洞), 남문동(南門洞), 남산동(南山洞), 부산동(富山洞), 역전동(驛前洞), 승전동(勝戰洞), 손하리(孫河里), 덕암리(德岩里), 삼거리(三巨里), 룡흥리(龍興里), 산성리(山城里)

개풍군(開豊郡) (1읍, 18리)

개풍읍(開豊邑), 해선리(海仙里), 묵산리(墨山里), 연릉리(煙陵里), 신서리(新西里), 연강리(蓮江里), 광답리(廣沓里), 삼성리(三成里), 남포리(南浦里), 신광리(新光里), 유릉리(裕陵里), 묵송리(墨松里), 광수리(光水里), 의포리(義浦里), 도원리(道元里), 신성리(新聖里), 해평리(海平里), 고남리(古南里), 려현리(礪峴里)

판문군(板門郡) (1읍, 16리, 1로)

판문읍(板門邑), 대룡리(大龍里), 덕수리(德水里), 림한리(臨漢里), 월정리(月井里), 조강리(祖江里), 령정리(嶺井里), 신흥리(新興里), 대련리(大蓮里), 상도리(上道里), 흥왕리(興旺里), 진봉리(進鳳里), 선적리(仙跡里), 전재리(田齋里), 동창리(東倉里), 판문점리(板門店里), 평화리(平和里), 화곡로(化谷勞)

장풍군(長豊郡) (1읍, 20리)

장풍읍(長豊邑), 십탄리(十灘里), 월고리(月古里), 장학리(獐鶴里), 가천리(佳川里), 국화리(國花里), 서암리(西岩里), 고읍리(古邑里), 구화리(九化里), 림강리(臨江里), 사시리(沙是里), 자하리(紫霞里), 덕적리(德積里), 장좌리(長佐里), 가곡리(佳谷里), 석촌리(石村里), 귀

존리(貴存里), 랭정리(冷井里), 석둔리(席屯里), 솔현리(率賢里), 세골리

(2) 道別

① 황해남도(黃海南道)

해주시(海州市) (25동, 4리)

석미동(石美洞), 룡당동(龍塘洞), 결성동(結城洞), 석천동(石川洞), 읍파리(挹波里), 광하동(光河洞), 광석동(廣石洞), 선산동(仙山洞), 양사동(養社洞), 장춘동(長春洞), 승마동(乘馬洞), 해운동(海運洞), 옥계동(玉溪洞), 부용동(芙蓉洞), 청풍동(淸風洞), 구제동(救濟洞), 사미동(射美洞), 해청동(海靑洞), 태봉동(泰峰洞), 서애동(西艾洞), 대곡동(大谷洞), 영양리(迎陽里), 연하동(煙霞洞), 학원동(學園洞), 남산동(南山洞), 작천리(鵲川里), 학현동(鶴峴洞), 신광리(神光里), 장방리(長芳里)

벽성군(碧城郡) (1읍, 19동)

벽성읍(碧城邑), 옥정리(玉井里), 장현리(長峴里), 석동리(席洞里), 서원리(書院里), 사현리(士峴里), 상림리(桑林里), 월현리(月峴里), 룡정리(龍井里), 죽천리(竹川里), 백운리(白雲里), 쌍암리(雙岩里), 대성리(大城里), 월봉리(月峰里), 안곡리(安谷里), 내호리(內湖里), 도현리(道峴里), 통산리(通山里), 원평리(原坪里), 석담리(石潭里)

청단군(靑丹郡) (1읍, 18리)

청단읍(靑丹邑), 룡포리(龍浦里), 구월리(龜月里), 영산리(迎山里), 남촌리(南村里), 신생리(新生里), 소정리(蘇井里), 금학리(錦鶴里), 화산리(花山里), 갈산리(葛山里), 칠봉리(七峰里), 삼정리(蔘井里), 운곡리(雲谷里), 덕달리(德達里), 화양리(花陽里), 동대리(東大里), 심평리(深坪里), 흥산리(興山里), 청정리(靑亭里)

연안군(延安郡) (1읍, 27리, 1로)

연안읍(延安邑), 자양리(紫陽里), 라진포리(羅津浦里), 개안리(開安里), 장곡리(長谷里), 룡호리(龍湖里), 해월리(海月里), 고포리(古浦里), 정촌리(鼎村里), 창덕리(彰德里), 아현리(雅峴里), 와룡리(臥龍里), 풍천리(豊川里), 청화리(靑花里), 천대리(天臺里), 호서리(湖西里), 화양리(華陽里), 발산리(鉢山里), 소정리(素井里), 신양리(新陽里), 해남리(海南里), 호남리(湖南里), 봉덕리(鳳德里), 소아리(小雅里), 도남리(桃南里), 부흥리(復興里), 오현리(梧峴里), 송호리(松湖里), 염전로(塩田勞)

백천군(白川郡) (1읍, 27리)

백천읍(白川邑), 봉량리(鳳兩里), 강호리(江湖里), 석산리(石山里), 도대리(都臺里), 정촌리(亭村里), 창포리(昌浦里), 화산리(花山里), 오봉리(梧鳳里), 일곡리(日谷里), 대아리(大雅里), 화양리(花陽里), 홍현리(紅峴里), 신월리(新月里), 수복리(壽福里), 수원리(水源里), 금성리(錦城里), 행정리(杏亭里), 추정리(楸井里), 방현리(方峴里), 금곡리(金谷里), 류천리(柳川里), 운산리(雲山里), 금산리(金山里), 문산리(文山里), 룡동리(龍東里), 봉화리(烽火里), 역구도리(域久道里)

평천군(平川郡) (1읍, 23리)

평천읍(平川邑), 행정리(杏亭里), 한정리(寒井里), 신답리(新畓里), 황룡리(黃龍里), 신명리(新明里), 백석리(白石里), 연흥리(延興里), 원산리(圓山里), 룡촌리(龍村里), 송정리(松亭里), 봉암리(鳳岩里), 대룡리(大龍里), 루천리(漏川里), 군동리(郡洞里), 죽동리(竹洞里), 응촌리(鷹村里), 가동리(稼動里), 성기리(聖基里), 한촌리(漢村里), 주답리(注畓里), 석사리(石沙里), 광암리(廣岩里), 화촌리(花村里)

강령군(康翎郡) (1읍, 22리, 1로)

강령읍(康翎邑), 부민리(富民里), 광천리(廣泉里), 금수리(錦水里), 오봉리(梧鳳里), 룡연리(龍淵里), 인봉리(仁鳳里), 향죽리(香竹里), 신암리(新岩里), 식여리(食餘里), 등암리(登岩

里), 쌍교리(雙橋里), 삼봉리(三峰里), 봉오리(烽吾里), 송현리(松峴里), 내동리(內洞里), 사연리(舍鳶里), 동포리(同胞里), 동강리(東江里), 수압리(睡鴨里), 순위리(巡威里), 어화도리(漁化島里), 부포로동자구(釜浦勞動者區)

옹진군(甕津郡) (1읍, 24리, 2로)

옹진읍(甕津邑), 은동리(隱洞里), 수대리(秀垈里), 랭정리(冷井里), 로호리(蘆湖里), 립석리(立石里), 장송리(長松里), 남해리(南海里), 서해리(西海里), 본영리(本營里), 삼산리(三山里), 국봉리(國峰里), 전산리(錢山里), 만진리(萬珍里), 련봉리(蓮峰里), 대기리(大機里), 룡천리(龍川里), 제작리(諸作里), 해방리(解放里), 송월리(松月里), 진해리(津海里), 구랑리(𠀤鳥浪里), 룡호도리(龍湖島里), 창린도리(昌鱗島里), 기린도리(麒麟島里), 옹진로동자구(甕津勞動者區), 구곡로동자구(九曲勞動者區)

태탄군(苔灘郡) (1읍, 15리)

태탄읍(苔灘邑), 성남리(城南里), 목감리(牧甘里), 학천리(鶴川里), 삼봉리(三峰里), 기암리(基岩里), 광탄리(廣灘里), 부양리(釜洋里), 지촌리(芝村里), 운산리(雲山里), 류정리(柳亭里), 의거리(義擧里), 대진리(大進里), 옥암리(玉岩里), 공세리(公稅里), 수동리(水洞里)

룡연군(龍淵郡) (1읍, 20리)

룡연읍(龍淵邑), 등산리, 사원리(四院里), 구미리(九美里), 선포리(船浦里), 가평리(佳坪里), 룡호리(龍湖里), 룡정리(龍井里), 근록리(芹轆里), 석교리(石橋里), 평촌리(坪村里), 봉대리(烽臺里), 순계리(蕈溪里), 몽금포리(夢金浦里), 장산리(長山里), 오차진리(吾叉鎭里), 향초리(香草里), 원촌리(院村里), 남창리(南昌里), 고현리(古縣里), 곡정리(谷井里)

장연군(長淵郡) (1읍, 19리, 1로)

장연읍(長淵邑), 산천리(山川里), 명천리(明川里), 화원리(花源里), 청계리(淸溪里), 박산리(礴山里), 산수리(山水里), 학림리(鶴林里), 늘산리(*訥山里), 창파리(蒼波里), 샘물리, 광

천리(廣天里), 금사리(金寺里), 백촌리(白村里), 추화리(秋華里), 삼산리(三山里), 세마리(細馬里), 락흥리(樂興里), 석장리(石長里), 선정리(仙亭里), 락연로동자구(樂淵勞動者區)

삼천군(三泉郡) (1읍, 19리)

삼천읍(三泉邑), 수장리(壽長里), 덕천리(德川里), 추릉리(楸陵里), 고현리(古縣里), 궁흥리(弓興里), 달천리(達泉里), 도명리(道明里), 신명리(新明里), 금천리(金川里), 월봉리(月峰里), 룡천리(龍川里), 룡암리(龍岩里), 방남리(芳南里), 탑평리(塔坪里), 군산리(群山里), 도봉리(道峰里), 련평리(蓮坪里), 괴정리(槐亭里), 수교리(水橋里)

송화군(松禾郡) (1읍, 10리)

송화읍(松禾邑), 원당리(院堂里), 약산리, 홍암리(鴻岩里), 수증리(壽增里), 룡호리(龍虎里), 명례리(明禮里), 다암리(多岩里), 구탄리(九灘里), 온천리(溫泉里), 관양리(觀楊里)

과일군(1읍, 22리)

과일읍, 장암리(長岩里), 초도리(椒島里), 천남리(川南里), 주촌리(周村里), 논밭리, 오정리(五井里), 포구리(蒲口里), 북창리(北昌里), 사기리(沙器里), 산수리(山水里), 세교리(細橋里), 신대리(新大里), 신평리(薪坪里), 석도리(席島里), 송곡리(松谷里), 수풍리(水豊里), 덕안리(德安里), 운산리(雲山里), 월사리(月沙里), 염전리(塩田里), 룡학리(龍鶴里), 용학리(龍鶴里), 률리(栗里)

은률군(殷栗郡) (1읍, 22리, 1로)

은률읍(殷栗邑), 연암리(鳶岩里), 산승리(山承里), 락천리(樂泉里), 구월리(九月里), 원평리(元平里), 은혜리(恩惠里), 산동리(山東里), 삼리(三里), 운성리(雲城里), 가천리(佳泉里), 대조리(大棗里), 관산리(冠山里), 서곡리(西谷里), 서해리(西海里), 금천리(金川里), 송관리(松串里), 철산리(鐵山里), 이도포리(二道浦里), 장련리(長連里), 관해리(觀海里), 금복리(今卜里), 률리(栗里), 금산포로동자구(金山浦勞動者區)

은천군(銀泉郡) (1읍, 19리)

은천읍(銀泉邑), 초교리(草橋里), 신창리(新倉里), 덕양리(德陽里), 송봉리(松峰里), 저도리(猪島里), 남산리(南山里), 량담리(兩潭里), 마두리(馬頭里), 복두리(卜頭里), 덕천리(德泉里), 초정리(椒井里), 제량리(濟兩里), 안리(安里), 학천리(鶴泉里), 학월리(鶴月里), 매화리(梅花里), 동창리(東倉里), 정동리(亭洞里), 송산리(松山里)

안악군(安岳郡) (1읍, 26리)

안악읍(安岳邑), 연등리(淵登里), 평정리(坪井里), 판륙리(板六里), 남정리(南井里), 금강리(金岡里), 유성리(楡城里), 신춘리(新村里), 엄곳리(嚴*串里), 구와리(舊瓦里), 복사리(伏獅里), 봉성리(鳳城里), 대추리(大楸里), 원룡리(元龍里), 굴산리(屈山里), 덕성리(德城里), 오국리(五局里), 로암리(路岩里), 마명리(馬鳴里), 경지리(境地里), 월산리(月山里), 룡산리(龍山里), 한월리(漢月里), 월지리(月池里), 강산리(江山里), 패엽리(貝葉里), 월정리(月精里)

신천군(信川郡) (1읍, 3동, 31리)

신천읍(信川邑), 서원리(書院里), 반정리(泮亭里), 우룡리(牛龍里), 원암리(猿岩里), 새길리, 발산리(鉢山里), 룡당리(龍塘里), 온천리(溫泉里), 송오리(松梧里), 백석리(白石里), 명석리(明石里), 새날리, 우산리(牛山里), 석당리(石塘里), 청산리(靑山里), 화산리(花山里), 건산리(乾山里), 룡산리(龍山里), 사창리(司倉里), 복우리(福隅里), 근로자리(勤勞者里), 월성리(月城里), 석교리(石橋里), 호암리(虎岩里), 명사리(明沙里), 동령리(東嶺里), 리목리(梨木里), 도락리(道樂里), 랭정리(冷井里), 지남리(指南里), 장재리(長財里), 한은동, 부정동, 새마을동

재령군(載寧郡) (1읍, 27리, 1로)

재령읍(載寧邑), 청룡리(靑龍里), 룡교리(龍橋里), 석탄리(石灘里), 봉오리(鳳梧里), 서림리(西林里), 양계리(陽溪里), 천마리(天麻里), 장국리(墻菊里), 서원리(書院里), 청천리(淸川里), 신곳리(新串里), 부덕리(富德里), 벽산리(碧山里), 고산리(孤山里), 재천리(財泉里), 신환포리(新換浦里), 강교리(江橋里), 굴해리(屈海里), 김제원리(金濟院里), 동신흥리(東新興

里), 북지리(北芝里), 남지리(南芝里), 래림리(來臨里), 고잔리(古棧里), 봉천리(蓬泉里), 해서리(海西里), 삼지강리(三支江里), 금산로(金山勞)

신원군(新院郡) (1읍, 19리)

신원읍(新院邑), 검촌리(儉村里), 무학리(舞鶴里), 화석리(花石里), 신흥리(新興里), 가려리(佳麗里), 백운리(白雲里), 염탄리(塩灘里), 자하리(紫霞里), 령월리(靈月里), 신창리(新昌里), 률라리(栗蘿里), 계남리(桂南里), 장금리(長錦里), 수원리(水源里), 신덕리(新德里), 청석두리(靑石頭里), 운양리(雲陽里), 월당리(月堂里), 아양리(峨洋里)

② 황해북도(黃海北道)

사리원시(沙里院市) (25동, 6리)

신양동(新養洞), 대성동(大成洞), 운하(運河)1·2동, 구천(駒泉)1~4동, 신흥동(新興洞), 북(北)1~4동, 서리동(西里洞), 동(東)1·2동, 철산동(鐵山洞), 상해(上海)1·2동, 상하동(上下洞), 산업동(産業洞), 어수동(御水洞), 미곡동(嵋谷洞), 만금동(萬金洞), 광성리(廣成里), 구룡리(九龍里), 신창리(新昌里), 도림리(桃林里), 경암리(景岩里), 원주리(原州里), 해서동

송림시(松林市) (19동, 5리)

동송동(東松洞), 꽃핀동, 새살림동, 철산동(鐵山洞), 네길동, 신흥동(新興洞), 송산동(松山洞), 운곡동(雲谷洞), 월봉동(月峰洞), 산서동(山西洞), 대흥동(大興洞), 전동(前洞), 삼가동(三街洞), 오류동(五柳洞), 사포(沙浦)1·2동, 새마을동, 석탑동(石塔洞), 서송리(西松里), 신량리(新兩里), 마산리(馬山里), 석탄리(石灘里), 신성동(新成洞), 당산리(棠山里)

황주군(黃州郡) (1읍, 28리)

황주읍(黃州邑), 신상리(新上里), 운성리(雲城里), 선봉리(仙峰里), 순천리(順天里), 심촌리(沈村里), 삼정리(三井里), 대동리(大同里), 석산리(石山里), 룡궁리(龍宮里), 청운리(靑雲

里), 광천리(光川里), 인포리(仁浦里), 석정리(石井里), 흑교리(黑橋里), 고연리(高淵里), 룡천리(龍川里), 금석리(金石里), 장사리(長沙里), 내외리(內外里), 삼훈리(三勳里), 천주리(天柱里), 철도리(鐵道里), 외상리(外上里), 포남리(浦南里), 구포리(九浦里), 청룡리(靑龍里), 삼전리(三田里), 장천리(長川里)

봉산군(鳳山郡) (1읍, 20리)

봉산읍(鳳山邑), 가촌리(佳村里), 해서리(海西里), 선정리(蟬井里), 지탑리(智塔里), 토성리(土城里), 송산리(松山里), 대룡리(大龍里), 정방리(正方里), 봉의리(鳳儀里), 문현리(文峴里), 구읍리(舊邑里), 독정리(獨亭里), 마산리(馬山里), 천덕리(天德里), 오봉리(五峰里), 관정리(館亭里), 구연리(龜淵里), 청계리(靑溪里), 류정리(柳井里), 청룡리(靑龍里)

은파군(銀波郡) (1읍, 16리, 1로)

은파읍(銀波邑), 초구리(楚邱里), 대청리(大靑里), 묘송리(妙松里), 례로리(禮老里), 강안리(江安里), 류정리(柳亭里), 양동리(養洞里), 옥현리(玉峴里), 구련리(龜蓮里), 기산리(岐山里), 묵천리(墨川里), 갈현리(葛峴里), 전산리(錢山里), 적성리(赤城里), 금대리(金大里), 신촌리(新村里), 광명로동자구(光明勞動者區)

서흥군(瑞興郡) (1읍, 24리)

서흥읍(瑞興邑), 거문리(巨門里), 가창리(加倉里), 락촌리(洛村里), 화곡리(禾谷里), 청포리(靑浦里), 양사리(陽射里), 대평리(大平里), 화봉리(花峰里), 남한리(南漢里), 자작리(自作里), 신당리(新塘里), 운천리(雲川里), 송월리(松月里), 고성리(古城里), 백암리(白岩里), 당현리(塘峴里), 수곡리(水曲里), 삼천리(三川里), 문무리(文武里), 금릉리(金陵里), 봉하리(鳳下里), 범안리(泛雁里), 양암리(陽岩里), 온정리(溫井里)

연탄군(燕灘郡) (1읍, 18리)

연탄읍(燕灘邑), 송죽리(松竹里), 성산리(城山里), 칠봉리(七峰里), 풍답리(豊畓里), 월룡

리(月龍里), 금봉리(金鳳里), 미산리(眉山里), 수봉리, 봉재리(鳳在里), 두무리(杜茂里), 성매리(城梅里), 오봉리(五峰里), 장운리(長雲里), 문화리(文化里), 신흥리(新興里), 도치리(都峙里), 창매리(昌梅里), 신금리(新金里)

수안군(遂安郡) (1읍, 17리, 1로)

수안읍(遂安邑), 서평리(西坪里), 신대리(新垈里), 상덕리(上德里), 좌위리(佐位里), 수덕리(水德里), 철산리(鐵山里), 산북리(山北里), 석교리(石橋里), 룡포리(龍浦里), 천암리(天岩里), 룡현리(龍峴里), 도전리(島田里), 평원리(坪院里), 성교리(星橋里), 옥치리(玉峙里), 석담리(石潭里), 주경리(周景里), 남정로동자구(楠亭勞動者區)

연산군(延山郡) (1읍, 15리 ,1로)

연산읍(延山邑), 상곡리(上谷里), 대평리(大平里), 도치리(道峙里), 신락리(新樂里), 반천리(飯泉里), 대산리(大山里), 공포리(公浦里), 방정리(芳井里), 송촌리(松村里), 대룡리(大龍里), 옥덕리(玉德里), 생금리(生金里), 대군리(大軍里), 덕암리(德岩里), 송산리(松山里), 홀동로동자구(笏洞勞動者區)

신평군(新坪郡) (1읍, 14리, 2로)

신평읍(新坪邑), 평화리(平和里), 고읍리(古邑里), 광천리(廣川里), 선암리(仙岩里), 미송리(眉松里), 남천리(南川里), 생양리(生陽里), 추란전리(楸蘭田里), 도음리(陶陰里), 거리소리(巨利所里), 룡산리(龍山里), 장암리(將岩里), 대지리(大地里), 석암리(石岩里), 멱미로동자구(覓美勞動者區), 만년로동자구(萬年勞動者區)

곡산군(谷山郡) (1읍, 20리)

곡산읍(谷山邑), 송림리(松林里), 호암리(虎岩里), 계수리(溪水里), 문양리(文陽里), 청송리(靑松里), 고성리(古城里), 초평리(草坪里), 병술리(兵術里), 룡암리(龍岩里), 동산리(東山里), 세림리(細林里), 사현리(沙峴里), 월양리(月陽里), 평암리(平岩里), 서촌리(西村里), 무갈리

(武葛里), 계림리(溪林里), 률리(栗里), 현암리(玄岩里), 오리포리(五里浦里)

신계군(新溪郡) (1읍, 26리)

신계읍(新溪邑), 마산리(馬山里), 신흥리(新興里), 태을리(太乙里), 천개리(天開里), 정봉리(丁峰里), 왕당리(汪塘里), 중산리(中山里), 금성리(金城里), 추천리(楸川里), 부용리(芙蓉里), 신성리(新星里), 가무리(歌舞里), 백곡리(白谷里), 침교리(砧橋里), 구락리(龜洛里), 지석리(支石里), 은점리(銀店里), 천곡리(泉谷里), 대정리(大井里), 화야리(花野里), 사정리(沙井里), 대평리(大坪里), 화성리(花城里), 해포리(海浦里), 대성리(大成里), 원교리(院橋里)

평산군(平山郡) (1읍, 21리, 1로)

평상읍(平山邑), 월천리(月川里), 탄교리(灘橋里), 림산리(林山里), 산수리(山水里), 기탄리(岐灘里), 례성리(禮成里), 평화리(平和里), 복수리(福水里), 삼룡리(三龍里), 산성리(山城里), 한포리(汗浦里), 옥촌리(玉村里), 주포리(舟浦里), 봉탄리(峰灘里), 해월리(海月里), 청수리(淸水里), 봉천리(鳳川里), 삼천리(三千里), 룡궁리(龍宮里), 와현리(臥峴里), 상암리(上岩里), 청학로동자구(靑鶴勞動者區)

린산군(麟山郡) (1읍, 19리)

린산읍(麟山邑), 지택리(池澤里), 안창리(安昌里), 평화리(平和里), 상하리(上下里), 다전리(多田里), 석교리(石橋里), 석련리(石蓮里), 동사리(東糸里), 상월리(上月里), 룡석리(龍石里), 기춘리(基春里), 진천리(眞川里), 수현리(水峴里), 련풍리(輦豊里), 기린리(麒麟里), 백천리(白川里), 대촌리(大村里), 랭정리(冷井里), 주암리(舟岩里)

금천군(金川郡) (1읍, 14리)

금천읍(金川邑), 백양리(白陽里), 신강리(新江里), 남정리(南亭里), 백마리(白馬里), 룡성리(龍城里), 현내리(峴內里), 원명리(圓明里), 월암리(月岩里), 계정리(鷄井里), 덕산리(德山里), 강북리(江北里), 강남리(江南里), 량합리(兩合里), 문명리(文明里)

토산군(兎山郡) (1읍, 17리)

토산읍(兎山邑), 양사리(陽寺里), 룡암리(龍岩里), 월성리(月城里), 북포리(北浦里), 안봉리(安鳳里), 황강리(黃江里), 매봉리(梅峰里), 하남리(下南里), 봉불리(峰佛里), 수합리(水合里), 합탄리(合灘里), 문성리(文城里), 미당리(美堂里), 송세리(松細里), 백화리(白花里), 송천리(松川里), 석봉리(石峯里)

③ 평안남도(平安南道)

평성시(平城市) (10동, 16리)

배산동(裵山洞), 봉학동(鳳鶴洞), 연한동(連汗洞), 주례동(主禮洞), 신배동(新培洞), 두무동(豆無洞), 평성동(平城洞), 옥전리(玉田里), 하단리(下端里), 한왕리(漢王里), 청옥리(靑玉里), 삼화동(三花洞), 월포리(月浦里), 후탄리(厚灘里), 은덕동(恩德洞), 상차리(上次里), 덕산리(德山里), 자산리(慈山里), 고천리(高天里), 백송리(栢松里), 화포리(和浦里), 률화리(栗花里), 어중리(御重里), 운흥리(雲興里), 자모리(慈母里), 냉천동(冷泉洞)

순천시(順川市) (1읍, 31리, 7로)

순천읍(順川邑), 평리(坪里), 동암리(東岩里), 룡악리(龍岳里), 북창리(北倉里), 오봉리(五峰里), 룡봉리(龍峰里), 원상리(元上里), 강포리(江浦里), 금천리(金川里), 내남리(內南里), 신리(新里), 신흥리(新興里), 응봉리(鷹峰里), 신덕리(新德里), 룡지리(龍池里), 풍덕리(豊德里), 증산리(甑山里), 성산리(聖山里), 밀전리(密田里), 류정리(柳井里), 수원리(水源里), 신창리(新倉里), 망일리(望日里), 연합리(延合里), 수덕리(修德里), 수양리(首陽里), 제현리(濟賢里), 서남리(西南里), 룡화리(龍化里), 숭화리(崇化里), 동삼리(東三里), 련포로(蓮浦勞), 은산로(殷山勞), 부산로(富山勞), 천성로(天聖勞), 구봉로(九峰勞), 룡흥로(龍興勞), 재동로(梓洞勞)

안주시(安州市) (1읍, 27리, 3로)

안주읍(安州邑), 원풍리(元豊里), 룡계리(龍溪里), 운흥리(雲興里), 상서리(祥瑞里), 평률

리(平栗里), 룡화리(龍花里), 룡담리(龍潭里), 룡복리(龍伏里), 구룡리(九龍里), 반룡리(反龍里), 중흥리(中興里), 립석리(立石里), 선흥리(船興里), 장천리(長川里), 룡연리(龍淵里), 미상리(彌上里), 창송리(蒼松里), 운송리(雲松里), 청송리(靑松里), 남칠리(南七里), 송학리(松鶴里), 운학리(雲鶴里), 송암리(松岩里), 룡정리(龍井里), 연풍리(延豊里), 신안주로(新安州勞), 송도리(松都里), 룡호리(龍湖里), 덕성로(德星勞), 남흥로(南興勞)

개천시(价川市) (1읍, 12리, 10로)

개천읍(价川邑), 준혁리(準革里), 외서리(外西里), 도화리(桃花里), 보부리(寶富里), 룡암리(龍岩里), 청룡리(靑龍里), 광도리(光道里), 대각리(大角里), 룡운리(龍雲里), 내동리(內東里), 봉창리(鳳倉里), 외동리(外東里), 람전로(藍田勞), 룡담로(龍潭勞), 삼봉로(三峯勞), 북원로(北院勞), 룡진로(龍津勞), 조양로(朝陽勞), 룡원로(龍源勞), 알일로(戛日勞), 묵방로(姑射勞), 군우로(軍隅勞)

덕천시(德川市) (1읍, 18리, 4로)

덕천읍(德川邑), 금성리(金城里), 련당리(蓮塘里), 수하리(水下里), 남양리(南陽里), 신성리(新城里), 삼흥리(三興里), 상덕리(上德里), 운흥리(雲興里), 구장리(九長里), 무창리(武昌里), 안동리(安洞里), 영웅리(英雄里), 풍곡리(豊谷里), 신풍리(新豊里), 장동리(長洞里), 송정리(松亭里), 신흥리(新興里), 남덕리(南德里), 제남로(濟南勞), 청송로(靑松勞), 형봉로(形峰勞), 장상로(長上勞)

대동군(大同郡) (1읍, 23리, 1로)

대동읍(大同邑), 장산리(長山里), 순화리(順花里), 금정리(金井里), 덕촌리(德村里), 덕화리(德花里), 서제리(西祭里), 학수리(學水里), 고산리(孤山里), 와우리(臥牛里), 대보산리(大寶山里), 팔청리(八淸里), 마산리(馬山里), 성칠리(星七里), 성삼리(星三里), 연곡리(硯谷里), 반곡리(班谷里), 반석리(班石里), 가장리(加庄里), 상서리(上西里), 중석화리(中石花里), 판교리(板橋里), 오금리(梧琴里), 원천리(原川里), 시정로(柴井勞)

증산군(甑山郡) (1읍, 17리)

증산읍(甑山邑), 무본리(務本里), 락생리(樂生里), 광제리(廣濟里), 룡덕리(龍德里), 석다리 (石多里), 적송리(赤松里), 금송리(金宋里), 사천리(沙川里), 문동리(文洞里), 림성리(林城里), 청산리(青山里), 신흥리(新興里), 이압리(二鴨里), 풍정리(豊井里), 발산리(鉢山里), 함종리(咸從里), 만풍리(萬豊里)

온천군(溫泉郡) (1읍, 14리, 3로)

온천읍(溫泉邑), 성현리(城峴里), 송현리(松峴里), 룡월리(龍月里), 마영리(麻永里), 서화리 (瑞和里), 석치리(石峙里), 한현리(漢峴里), 운하리(運河里), 대령리(大嶺里), 금성리(金城里), 귀성리(貴城里), 금당리(金塘里), 금곡리(金谷里), 안석리(安石里), 원읍로(元邑勞), 증악로(甑岳勞), 보림로(普林勞)

평원군(平原郡) (1읍, 26리, 1로)

평원읍(平原邑), 량교리(兩橋里), 신성리(信成里), 룡상리(龍上里), 원암리(院岩里), 송림리 (松林里), 월일리(月逸里), 대정리(大井里), 문흥리(文興里), 운봉리(雲峯里), 덕제리(德齊里), 덕포리(德浦里), 심원리(深院里), 송화리(松華里), 화진리(華進里), 신송리(新松里), 천보리(天寶里), 남산리(南山里), 청룡리(青龍里), 매전리(梅田里), 운룡리(雲龍里), 석교리(石橋里), 대암리(大岩里), 송석리(松石里), 삼봉리(三峯里), 석암리(石岩里), 원화리(元和里), 어파로(漁波勞)

숙천군(肅川郡) (1읍, 20리 ,1로)

숙천읍(肅川邑), 흥오리(興五里), 장흥리(長興里), 룡덕리(龍德里), 검흥리(檢興里), 대성리 (大成里), 검산리(劍山里), 평화리(平和里), 쌍운리(雙雲里), 백암리(白岩里), 약전리(藥田里), 기은리(基隱里), 신풍리(新豊里), 소은리(小銀里), 광천리(廣川里), 창동리(倉東里), 칠리(七里), 사산리(蛇山里), 송덕리(松德里), 운정리(雲井里), 평산리(平山里), 남양로(南洋勞)

문덕군(文德郡) (1읍, 24리, 1로)

문덕읍(文德邑), 립석리(立石里), 서호리(西湖里), 룡북리(龍北里), 룡흥리(龍興里), 룡림리(龍林里), 성법리(聖法里), 신리(新里), 어룡리(漁龍里), 만흥리(萬興里), 금계리(錦溪里), 풍년리(豊年里), 남상계리(南上溪里), 룡남리(龍南里), 룡담리(龍潭里), 마산리(馬山里), 룡중리(龍中里), 룡반리(龍盤里), 상북동리(上北洞里), 인흥리(仁興里), 상팔리(上八里), 남이리(南二里), 동서리(東西里), 동림리(東林里), 룡오리(龍五里), 안주로(安州勞)

성천군(成川郡) (1읍, 23리, 5로)

성천읍(成川邑), 룡흥리(龍興里), 암포리(岩浦里), 향풍리(香楓里), 상하리(上下里), 남원리(南源里), 문옥리(文玉里), 온정리(溫井里), 대봉리(大鳳里), 류동리(柳洞里), 대양리(大陽里), 룡산리(龍山里), 기창리(岐倉里), 운봉리(雲峰里), 신풍리(新豊里), 금평리(錦坪里), 계석리(溪石里), 회전리(檜田里), 거흥리(巨興里), 남옥리(南玉里), 장상리(長上里), 삭창리(朔倉里), 덕암리(德岩里), 삼덕리(三德里), 장림로(長林勞), 은곡로(銀谷勞), 신성천로(新成川勞), 백원로(百源勞), 군자로(君子勞)

회창군(檜倉郡) (1읍, 17리)

회창읍(檜倉邑), 덕련리(德連里), 구룡리(九龍里), 가운리(佳雲里), 회운리(回雲里), 신성리(新成里), 숭인리(崇仁里), 택인리(澤仁里), 정산리(井山里), 화심리(花尋里), 대곡리(大谷里), 문어리(文語里), 지동리(芝洞里), 송동리(松洞里), 소남리(召南里), 삼양리(三陽里), 룡중리(隆中里), 대덕리(大德里)

신양군(新陽郡) (1읍, 18리)

신양읍(新陽邑), 화천리(化泉里), 지동리(支洞里), 장산리(長山里), 송전리(松田里), 광흥리(光興里), 관성리(館城里), 백석리(白石里), 사개리(寺介里), 창계리(昌溪里), 룡연리(龍淵里), 룡운리(龍雲里), 운봉리(雲峰里), 장성리(長星里), 문명리(文明里), 쌍룡리(雙龍里), 평원리(平院里), 덕흥리(德興里), 송동리(松洞里)

양덕군(陽德郡) (1읍, 18리)

양덕읍(陽德邑), 봉계리(鳳溪里), 태흥리(太興里), 수덕리(樹德里), 운창리(雲倉里), 상신리(上信里), 삼계리(三溪里), 거상리(巨上里), 은하리(隱下里), 일암리(一岩里), 온정리(溫井里), 룡암리(龍岩里), 룡평리(龍坪里), 상성리(上城里), 동양리(東陽里), 추마리(秋馬里), 통동리(通洞里), 사기리(士基里), 구룡리(九龍里)

북창군(北倉郡) (1읍, 24리, 2로)

북창읍(北倉邑), 수옥리(水玉里), 남양리(南陽里), 송사리(松寺里), 매현리(梅峴里), 신석리(新石里), 삼리(三里), 룡포리(龍浦里), 풍곡리(豊谷里), 회안리(檜安里), 송림리(松林里), 원평리(元坪里), 잠상리(蠶上里), 석산리(石山里), 룡산리(龍山里), 대평리(大坪里), 관하리(官下里), 연류리(淵柳里), 남상리(南上里), 신복리(新福里), 소창리(召倉里), 신평리(新坪里), 가평리(加坪里), 상하리(上下里), 광로리(廣路里), 북창로동자구(北倉勞動者區), 송남로동자구(松南勞動者區)

맹산군(孟山郡) (1읍, 25리)

맹산읍(孟山邑), 향교리(香橋里), 양동리(楊東里), 송광리(松光里), 매향리(梅香里), 정평리(貞坪里), 수전리(水田里), 신상리(新上里), 주포리(朱浦里), 기양리(岐陽里), 인흥리(仁興里), 시억리(柴億里), 양산리(楊山里), 대흥리(大興里), 평지리(坪地里), 지성리(至城里), 신흥리(新興里), 룡암리(龍岩里), 송산리(松山里), 광화리(廣和里), 은포리(銀浦里), 풍림리(豊林里), 유송리(有松里), 령운리(嶺雲里), 중흥리(中興里), 유승리(踰勝里)

녕원군(寧遠郡) (1읍, 25리)

녕원읍(寧遠邑), 장산리(長山里), 룡성리(龍城里), 신대리(新岱里), 신리(新里), 신막리(新幕里), 마산리(馬山里), 문곡리(文谷里), 풍전리(豊田里), 송산리(松山里), 영창리(永昌里), 내창리(內倉里), 화순리(和順里), 도평리(都坪里), 승통리(勝通里), 중삼리(中三里), 창산리(倉山里), 대성리(大城里), 룡대리(龍岱里), 청산리(淸山里), 순호리(順湖里), 신흥리(新興里), 온양

리(溫陽里), 회양리(回陽里), 수하리(水下里), 도삼리(都三里)

대흥군(大興郡) (1읍, 16리, 1로)

대흥읍(大興邑), 룡평리(龍坪里), 광통리(廣通里), 인룡리(仁龍里), 복흥리(福興里), 흑수리 (黑水里), 평화리(平和里), 대동리(大同里), 소백리(小白里), 랑림리(狼林里), 금성리(錦城里), 도흥리(都興里), 운흥리(雲興里), 신남리(新南里), 창현리(昌峴里), 문삼리(文三里), 덕흥리(德 興里), 경수로동자구(鯨水勞動者區)

청남구(淸南區) (6동, 1리)

락원동(樂園洞), 검은금동, 새거리동, 삼봉동(三逢洞), 문화동(文化洞), 충성동(忠城洞), 신 리(新里)

④ 평안북도(平安北道)

신의주시(新義州市) (35동, 13리)

압강동(鴨江洞), 평화동(平和洞), 동하동(東下洞), 개혁동(改革洞), 남하동(南下洞), 백사동 (白沙洞), 신원동(新元洞), 균화동(均化洞), 백운동(白雲洞), 신포동(新浦洞), 남중동(南中洞), 동중동(東中洞), 동서동(東西洞), 청송동(青松洞), 본부동(本部洞), 역전동(驛前洞), 민포동(敏 浦洞), 채하동(彩霞洞), 마전동(麻田洞), 미륵동(彌勒洞), 남상동(南上洞), 친선동(親善洞), 수 문동(水門洞), 해방동(解放洞), 남송동(南松洞), 관문동(關門洞), 신남동(新南洞), 동상동(東上 洞), 와이동(瓦耳洞), 류상동(柳上洞), 련산동(連山洞), 락원동(樂元洞), 풍서동(豊西洞), 방직 동(紡織洞), 락청동(樂清洞), 상단리(上端里), 하단리(下端里), 송한리(送鵬里), 선상리(仙上 里), 중제리(中齊里), 삼교리(三橋里), 삼룡리(三龍里), 백토리(白土里), 토성리(土城里), 성서 리(城西里), 남민리(南敏里), 류초리(柳草里)

구성시(龜城市) (19동, 18리)

성안동(城安洞), 서산동(西山洞), 서성동(西城洞), 동문동(東門洞), 남산동(南山洞), 백석

동(白石洞), 방직동(紡織洞), 새골동, 새날동, 과일동, 상단동(上端洞), 금풍동(金風洞), 백운동(白雲洞), 방현동(方峴洞), 상석동(上石洞), 신흥동(新興洞), 차흥동(車興洞), 역전동(驛前洞), 청년동(靑年洞), 리구리(梨邱里), 동산리(東山里), 룡풍리(龍豊里), 양하리(陽荷里), 오봉리(五峰里), 기룡리(氣龍里), 남흥리(南興里), 청송리(靑松里), 발산리(鉢山里), 원진리(源進里), 대안리(大安里), 청룡리(靑龍里), 운양리(雲陽里), 중방리(中坊里), 백상리(白上里), 운풍리(雲豊里), 신풍리(新豊里), 왕인리(王仁里)

의주군(義州郡) (1읍, 17리, 2로)

의주읍(義州邑), 대산리(臺山里), 대문리(大門里), 금광리(金光里), 운천리(雲川里), 춘산리(春山里), 중단리(中端里), 서호리(西湖里), 룡운리(龍雲里), 홍남리(弘南里), 룡계리(龍溪里), 수진리(水鎭里), 대화리(大花里), 미송리(美松里), 추리(楸里), 삼하리(三下里), 연무리(燕武里), 어적리(於赤里), 연하로(烟下勞), 덕현로(德峴勞)

삭주군(朔州郡) (1읍, 20리, 9로)

삭주읍(朔州邑), 신풍리(新豊里), 연삼리(延三里), 금부리(金部里), 룡암리(龍岩里), 신서리(新西里), 소덕리(蘇德里), 대대리(大垈里), 구곡리(九曲里), 좌리(佐里), 천감리(泉甘里), 도령리(都嶺里), 옥강리(玉江里), 방산리(方山里), 내옥리(內玉里), 당목리(棠木里), 부평리(富坪里), 판막리(板幕里), 상광리(上廣里), 중대리(中臺里), 북사리(北社里), 수풍로(水豊勞動), 온천로(溫泉勞), 인풍로(仁豊勞), 판막로(板幕勞), 신연로(新延勞), 청성로(淸城勞), 사평로(四坪勞), 남사로(南社勞), 청수로(靑水勞)

천마군(天摩郡) (1읍, 20리 ,1로)

천마읍(天摩邑), 신창리(新昌里), 관동리(館洞里), 조악리(造岳里), 삼송리(三松里), 비화리(斐化里), 신시리(新市里), 백자리(栢子里), 송현리(松峴里), 구암리(九岩里), 지경리(地境里), 소관리(昭關里), 송림리(松林里), 대우리(大牛里), 대하리(大鰕里), 삼봉리(三峰里), 일녕리(一寧里), 영산리(永山里), 서고리(西古里), 동고리(東古里), 천산리(天山里), 금골로(□□勞)

대관군(大館郡) (1읍, 25리, 1로)

대관읍(大館邑), 신광리(新光里), 송남리(松南里), 운창리(雲昌里), 운림리(雲林里), 수원리(水元里), 신온리(新溫里), 오봉리(五峯里), 원풍리(院豊里), 료하리(料下里), 량산리(兩山里), 덕연리(德淵里), 답풍리(畓風里), 룡산리(龍山里), 룡창리(龍昌里), 남장리(南長里), 대안리(大安里), 로흥리(老興里), 청계리(淸溪里), 금창리(金昌里), 평화리(平和里), 신상리(新上里), 수동리(水洞里), 덕하리(德下里), 룡성리(龍成里), 명상리(明上里), 송평로(松坪勞)

창성군(昌城郡) (1읍, 15리, 1로)

창성읍(昌城邑), 금야리(錦野里), 옥포리(玉浦里), 달산리(達山里), 의산리(義山里), 인산리(仁山里), 약수리(藥水里), 봉천리(蜂泉里), 유평리(楡坪里), 어신리(於新里), 신평리(新坪里), 락성리(洛城里), 연풍리(鉛豊里), 풍덕리(豊德里), 회덕리(檜德里), 완풍리(完豊里), 유전로동자구(楡田勞動者區)

동창군(東倉郡) (1읍, 16리, 1로)

동창읍(東倉邑), 신안리(新安里), 화풍리(和豊里), 리천리(梨川里), 고직리(高直里), 두룡리(頭龍里), 대동리(大同里), 창암리(倉岩里), 학성리(鶴城里), 봉룡리(鳳龍里), 구룡리(九龍里), 학송리(鶴松里), 룡두리(龍頭里), 학봉리(鶴峯里), 률곡리(栗谷里), 청룡리(靑龍里), 회상리(會上里), 대유로동자구(大楡勞動者區)

벽동군(碧潼郡) (1읍, 19리)

벽동읍(碧潼邑), 동주리(東主里), 대동리(大東里), 영풍리(永豊里), 남서리(南西里), 마전리(麻田里), 동하리(東下里), 사창리(社倉里), 룡평리(龍坪里), 관창리(鸛倉里), 권상리(*鸛上里), 대풍리(大豊里), 남하리(南下里), 남중리(南中里), 성하리(城下里), 성상리(城上里), 송2리(松2里), 송3리(松3里), 송4리(松4里), 송련리(松連里)

피현군(*枇峴郡) (1읍, 22리, 2로)

피현읍(*枇峴邑), 하단리(下端里), 상고리(上古里), 룡운리(龍雲里), 동서리(東西里), 성

하리(聖下里), 룡흥리(龍興里), 북삼리(北三里), 화삼리(化三里), 추봉리(*鷲峰里), 농건리(農建里), 로중리(蘆中里), 당후리(堂後里), 정산리(亭山里), 광리(廣里), 룡유리(龍遊里), 룡계리(龍溪里), 충렬리(忠烈里), 송정리(松亭里), 동상리(東上里), 성동리(城東里), 태평리(台坪里), 삼상리(三上里), 백마로(白馬勞), 량책로(兩策勞)

룡천군(龍川郡) (1읍, 20리, 3로)

룡천읍(龍川邑), 산두리(山斗里), 서북리(西北里), 동신리(東新里), 신암리(新岩里), 룡송리(龍松里), 양서리(楊西里), 견일리(見一里), 룡연리(龍淵里), 쌍학리(雙鶴里), 수성리(秀城里), 서석리(西石里), 덕승리(德升里), 장산리(長山里), 인흥리(仁興里), 학흥리(鶴興里), 쌍룡리(雙龍里), 동하리(東下里), 오흥리(五興里), 덕흥리(德興里), 황금평리, 북중로(北中勞), 룡암포로(龍岩浦勞), 진흥로(辰興勞)

신도군(薪島郡) (1읍, 2로)

신도읍(薪島邑), 비단도로(緋緞島勞), 구호로동자구역(□□勞動者區域)

염주군(鹽州郡) (1읍, 21리, 1로)

염주읍(鹽州邑), 인광리(仁光里), 향봉리(香峰里), 삼개리(三价里), 련산리(連山里), 서림리(西林里), 룡산리(龍山里), 동성리(東城里), 반곡리(盤谷里), 내중리(內中里), 련곡리(蓮谷里), 도봉리(道峰里), 룡북리(龍北里), 신정리(新停里), 외하리(外下里), 남압리(南鴨里), 반궁리(磐弓里), 중호리(中虎里), 주의리(做義里), 학소리(鶴巢里), 하석리(下石里), 동발리(東鉢里), 다사로동자구(多獅勞動者區)

철산군(鐵山郡) (1읍, 25리, 2로)

철산읍(鐵山邑), 동천리(東川里), 동평리(東平里), 월봉리(月峰里), 령삭리(令朔里), 명암리(明岩里), 수부리(壽富里), 검암리(儉岩里), 동창리(東倉里), 선암리(仙岩里), 기봉리(起鳳里), 보산리(保山里), 근천리(根川里), 풍천리(豊川里), 오봉리(梧峰里), 가도리(椵島里), 금산리(錦山里), 선주리(宣州里), 학산리(鶴山里), 리화리(梨花里), 성암리(星岩里), 문봉리(文峰

里), 가산리(佳山里), 원세평리(元世平里), 련수리(蓮水里), 대화리(大和里), 장송로동자구
(長松勞動者區), 가봉로동자구(加峰勞動者區)

동림군(東林郡) (1읍, 22리, 1로)

동림읍(東林邑), 오봉리(五峰里), 월안리(月安里), 잠봉리(蠶峰里), 룡산리(龍山里), 풍천리
(豊川里), 남삼리(南三里), 고군영리(古軍營里), 인두리(仁豆里), 부황리(付皇里), 월곡리(月谷
里), 마성리(磨星里), 산성리(山城里), 청강리(淸江里), 보성리(保聖里), 삼성리(三省里), 은봉
리(殷峰里), 보응리(保鷹里), 인풍리(仁豊里), 상수리(上水里), 청송리(靑松里), 안산리(雁山
里), 룡연리(龍淵里), 신곡로동자구(新谷勞動者區)

선천군(宣川郡) (1읍, 24리)

선천읍(宣川邑), 월천리(越川里), 백현리(白峴里), 안상리(安上里), 인암리(仁岩里), 고성리
(古城里), 수청리(水淸里), 원봉리(圓峯里), 삼봉리(三峰里), 삼성리(三省里), 고부리(古府里),
장공리(長公里), 효자리(孝子里), 연봉리(延峰里), 로하리(路下里), 인곡리(仁谷里), 송현리(松
峴里), 약수리(藥水里), 일봉리(日峰里), 원창리(院倉里), 장요리(長腰里), 진도리(眞島里), 문
사리(文泗里), 운종리(雲從里), 석화리(石和里)

태천군(泰川郡) (1읍, 28리)

태천읍(泰川邑), 송태리(松泰里), 룡상리(龍詳里), 래하리(來賀里), 운룡리(雲龍里), 림천리
(林泉里), 신봉리(新峯里), 덕흥리(德興里), 은흥리(銀興里), 송원리(松院里), 신광리(新光里),
안흥리(安興里), 취흥리(取興里), 환현리(還峴里), 마현리(馬峴里), 진남리(鎭南里), 룡흥리(龍
興里), 상단리(上丹里), 학봉리(鶴峰里), 학당리(鶴塘里), 덕화리(德化里), 천계리(天溪里), 풍
림리(豊林里), 마평리(馬坪里), 은덕리(銀德里), 덕천리(德川里), 개혁리(改革里), 양지리(陽地
里), 룡전리(龍田里)

곽산군(郭山郡) (1읍, 19리)

곽산읍(郭山邑), 남단리(南端里), 석동리(石洞里), 렴호리(濂湖里), 로하리(路下里), 원하리

(元下里), 원포리(遠浦里), 천대리(天臺里), 초장리(草庄里), 통경리(通景里), 고현리(高峴里), 삼단리(三端里), 안의리(安義里), 암죽리(岩竹里), 문장리(文庄里), 군산리(君山里), 당산리(堂山里), 월옥리(月玉里), 장룡리(長龍里)

정주군(定州郡) (1읍, 28리, 1로)

정주읍(定州邑), 서주리(西州里), 상단리(上端里), 서호리(西湖里), 보산리(寶山里), 남호리(南湖里), 남양리(南陽里), 월양리(月陽里), 신천리(新川里), 침향리(沈香里), 신봉리(新峰里), 세마리(細馬里), 일해리(逸海里), 흑록리(黑綠里), 광동리(光東里), 오산리(五山里), 석산리(石山里), 오성리(五星里), 원봉리(圓峰里), 대송리(大松里), 신안리(新安里), 오룡리(五龍里), 연봉리(延鳳里), 고현리(高峴里), 룡포리(龍浦里), 암두리(岩頭里), 독장리(獨將里), 대산리(大山里), 일신리(日新里), 애도로(艾島勞)

운전군(雲田郡) (1읍, 24리)

운전읍(雲田邑), 가산리(嘉山里), 송학리(松鶴里), 보석리(寶石里), 금계리(金鷄里), 학산리(鶴山里), 옥야리(玉野里), 운하리(雲何里), 서삼리(西三里), 원서리(院西里), 대오리(大五里), 덕암리(德岩里), 관해리(觀海里), 덕원리(德元里), 월현리(月峴里), 동창리(東倉里), 신오리(新五里), 청정리(淸亭里), 룡봉리(龍鳳里), 삼광리(三光里), 북일리(北一里), 봉덕리(鳳德里), 동삼리(東三里), 구련리(九蓮里), 대연리(大淵里)

박천군(博川郡) (1읍, 24리, 1로)

박천읍(博川邑), 봉흥리(鳳興里), 봉성리(鳳星里), 중남리(中南里), 원남리(元南里), 상추리(上秋里), 덕삼리(德三里), 송석리(松石里), 석계리(石溪里), 기송리(箕松里), 룡흥리(龍興里), 남흥리(南興里), 학암리(鶴岩里), 송도리(松都里), 상양리(上楊里), 맹중리(孟中里), 맹하리(孟下里), 형팔리(炯八里), 률곡리(栗谷里), 청산리(靑山里), 단산리(壇山里), 신평리(新坪里), 삼화리(三和里), 삼봉리(三峰里), 청룡리(靑龍里), 덕성로동자구(德星勞動者區)

녕변군(寧邊郡) (1읍, 26리, 2로)

녕변읍(寧邊邑), 룡포리(龍浦里), 세죽리(細竹里), 서화리(西花里), 대천리(大川里), 연화리(煙花里), 룡화리(龍花里), 서위리(西位里), 남등리(南登里), 룡추리(龍秋里), 관하리(館下里), 고성리(古城里), 봉산리(鳳山里), 구산리(龜山里), 망일리(望日里), 명덕리(明德里), 옥창리(玉昌里), 룡성리(龍城里), 하초리(下草里), 남산리(南山里), 구항리(龜項里), 동남리(東南里), 오봉리(五峰里), 송강리(松江里), 화평리(和平里), 서산리(西山里), 송화리(松花里), 팔원로(八院勞), 분강로(分江勞)

구장군(球場郡) (1읍, 23리, 3로)

구장읍(球場邑), 수구리(水口里), 룡연리(龍淵里), 룡철리(龍鐵里), 운흥리(雲興里), 소민리(蘇民里), 귀상리(貴祥里), 상이리(上耳里), 운룡리(雲龍里), 송호리(松湖里), 묵시리(墨時里), 상초리(上草里), 하초리(下草里), 우현리(牛峴里), 대풍리(大豊里), 중초리(中草里), 조산리(造山里), 개화리(開華里), 도관리(都館里), 하장리(下長里), 상구리(上九里), 사오리(沙塢里), 삼봉리(三峰里), 신흥리(新興里), 등립로동자구(登立勞動者區), 룡등로동자구(龍登勞動者區), 룡문로동자구(龍門勞動者區)

향산군(香山郡) (1읍, 20리)

향산읍(香山邑), 석창리(石倉里), 수양리(守陽里), 불무리(佛舞里), 천수리(天水里), 립석리(立石里), 구두리(龜頭里), 운봉리(雲峰里), 조산리(造山里), 신화리(新花里), 상서리(上西里), 태평리(太平里), 하서리(下西里), 관하리(館下里), 향암리(香岩里), 림흥리(林興里), 북신현리(北薪峴里), 로현리(蘆峴里), 상로리(上蘆里), 가좌리(加佐里), 룡성리(龍城里)

운산군(雲山郡) (1읍, 27리, 1로)

운산읍(雲山邑), 풍양리(豊兩里), 방어리(防禦里), 삼산리(三山里), 월양리(月陽里), 부흥리(富興里), 도청리(道青里), 성봉리(成峯里), 고성리(古城里), 남산리(南山里), 연하리(延下里), 응봉리(鷹峯里), 구읍리(舊邑里), 룡흥리(龍興里), 제인리(諸仁里), 전승리(戰勝里), 화옹리(化翁里), 조양리(朝陽里), 룡호리(龍湖里), 마장리(馬場里), 니답리(泥畓里), 평화리(平

和里), 좌리(佐里), 마상리(馬尙里), 봉지리(鳳至里), 상원리(上院里), 답상리(畓上里), 영웅리(英雄里), 북진로동자구(北鎭勞動者區)

⑤ 자강도(慈江道)

강계시(江界市) (29동, 3리)

고당동(古堂洞), 석조동(夕朝洞), 북문동(北門洞), 고영동(古營洞), 연풍동(淵豊洞), 류동(柳洞), 두흥리(斗興里), 부창동(富倉洞), 동문동(東門洞), 석현동(石峴洞), 강서동(江西洞), 내룡동(內龍洞), 외룡동(外龍洞), 신문동(新門洞), 인풍동(仁豊洞), 남산동(南山洞), 만수동(萬壽洞), 대흥동(大興洞), 흥주동(興州洞), 서산동(西山洞), 동부동(東部洞), 야학동(野鶴洞), 수침동(水砧洞), 연주동(淵州洞), 남문동(南門洞), 향로동(香路洞), 남천동(南天洞), 장자동(長者洞), 연석동(淵石洞), 공인리(公仁里), 공귀리(公貴里), 인가리(仁街里)

만포시(滿浦市) (11동, 17리)

강안동(江岸洞), 군막동(軍幕洞), 고개동, 관문동(關門洞), 봉화동(烽火洞), 새마을동, 샘물동, 세검동(洗劍洞), 구오동(九五洞), 별오동(別午洞), 문악동(文岳洞), 십리동리(十里洞里), 연포리(煙浦里), 삼강리(三江里), 미타리(美他里), 남상리(南上里), 연하리(延下里), 고산리(高山里), 연상리(延上里), 건상리(乾上里), 건중리(乾中里), 건하리(乾下里), 등공리(登公里), 송하리(松下里), 송학리(松鶴里), 부문리(富門里), 함부리(咸富里), 등내리(登內里)

희천시(熙川市) (19동, 13리)

솔모루동(率母樓洞), 대흥동(大興洞), 역전동(驛前洞), 역평동(驛坪洞), 청천동(淸川洞), 전신동(前新洞), 추평동(秋平洞), 갈골동((葛骨洞), 금산동(金山洞), 매봉동(梅峰洞), 남천동(南川洞), 풍산동(豊山洞), 신흥동(新興洞), 서문동(西門洞), 지신동(地新洞), 전평동(全坪洞), 평원동(平院洞), 청하동(淸下洞), 청상동(淸上洞), 장평리(長坪里), 갈현리(葛峴里), 향천리(*杏川里), 명대리(明岱里), 관대리(館岱里), 극성리(克城里), 상서리(上西里), 류중리(柳中里), 부흥리(復興里), 남신리(南新里), 송지리(松芝里), 마선리(馬船里), 동문리(東門里)

우시군(雩時郡) (1읍, 22리, 1로)

우시읍(雩時邑), 금양리(金陽里), 금성리(金城里), 우중리(雩中里), 우상리(雩上里), 시하리(時下里), 시상리(時上里), 별하리(別下里), 별상리(別上里), 가하리(加下里), 가중리(加中里), 가상리(加上里), 대평리(大平里), 평상리(平上里), 하평리(下坪里), 부흥리(復興里), 상평리(上坪里), 북하리(北下里), 북상리(北上里), 오하리(吾下里), 오상리(吾上里), 하창리(下倉里), 룡해리(龍海里), 발은로동지구(發銀勞動者區)

초산군(楚山郡) (1읍, 18리)

초산읍(楚山邑), 앙토리(央土里), 운평리(雲坪里), 수침리(水砧里), 와인리(瓦仁里), 직리(直里), 련무리(蓮舞里), 룡상리(龍上里), 안찬리(安贊里), 구룡리(龜龍里), 신양송리(新楊松里), 화신리(花新里), 화건리(和建里), 리산리(梨山里), 구평리(龜坪里), 충상리(忠上里), 송묘리(松廟里), 창토리(倉土里), 련풍리(蓮豊里)

고풍군(古豊郡) (1읍, 12리)

고풍읍(古豊邑), 방성리(坊城里), 삼평리(三坪里), 월명리(月明里), 문덕리(文德里), 룡대리(龍大里), 룡곡리(龍谷里), 룡당리(龍塘里), 룡풍리(龍豊里), 동도리(東島里), 석상리(石桑里), 룡성리(龍星里), 신창리(新倉里)

송원군(松原郡) (1읍, 17리, 1로)

송원읍(松原邑), 송파리(松波里), 판평리(板坪里), 판삼리(板三里), 삼거리(三巨里), 월승리(月崇里), 신흥리(新興里), 중평리(中坪里), 차평리(車坪里), 원대리(元垈里), 월현리(月峴里), 회양리(檜陽里), 창덕리(倉德里), 송관리(松館里), 송천리(松泉里), 신원리(新元里), 양지리(陽地里), 명문리(明文里), 전창로동자구(田倉勞動者區)

위원군(渭原郡) (1읍, 21리, 2로)

위원읍(渭原邑), 화창리(和昌里), 월평리(越坪里), 도봉리(刀峯里), 락민리(樂民里), 신연리

(新延里), 고성리(古城里), 송진리(松榛里), 향양리(向陽里), 고보리(古堡里), 덕암리(德岩里), 구암리(鳩岩里), 룡탄리(龍灘里), 개원리(開元里), 대야리(大野里), 어곡리(漁谷里), 광천리(廣川里), 창평리(倉坪里), 추포리(*枏浦里), 삼락리(三樂里), 지산리(只山里), 부흥리(復興里), 량강로(兩江勞), 룡연로(龍淵勞)

동신군(東新郡) (1읍, 14리)

동신읍(東新邑), 생리(生里), 동흥리(東興里), 석포리(石浦里), 약수리(藥水里), 백산리(白山里), 룡평리(龍坪里), 원흥리(元興里), 서양리(西陽里), 온천리(溫泉里), 금석리(金石里), 수전리(水田里), 문화리(文化里), 경흥리(京興里), 청운리(靑雲里)

전천군(前川郡) (1읍, 11리, 5로)

전천읍(前川邑), 무평리(舞坪里), 장림리(長林里), 창덕리(倉德里), 와운리(臥雲里), 회덕리(回德里), 창평리(倉坪里), 리만리(梨滿里), 신계리(新溪里), 진평리(津坪里), 화룡리(化龍里), 운포리(雲浦里), 화암로(花岩勞), 신적로(新積勞), 운송로(雲松勞), 고인로동자구(古仁勞動者區), 학무로동자구(鶴舞勞動者區)

룡림군(龍林郡) (1읍, 11리, 1로)

룡림읍(龍林邑), 구룡리(九龍里), 남흥리(南興里), 광성리(廣城里), 남상리(南上里), 신흥리(新興里), 후지리(厚地里), 도양리(都陽里), 신창리(新昌里), 천산리(天山里), 룡문리(龍門里), 두문리(頭門里), 룡운로동자구(龍雲勞動者區)

성간군(城干郡) (1읍, 12리, 2로)

성간읍(城干邑), 무채리(茂茱里), 백암리(白岩里), 남리(南里), 북리(北里), 백자리(栢子里), 무선리(舞仙里), 동산리(東山里), 쌍방리(雙芳里), 외중리(外中里), 외서리(外西里), 부지리(富只里), 신청리, 성하로(城河勞), 성룡로(城龍勞)

시중군(時中郡) (1읍, 17리)

시중읍(時中邑), 쌍신리(雙新里), 의진리(義眞里), 략수리(藥水里), 쌍부리(雙富里), 천성리(天城里), 천장리(天章里), 풍룡리(豊龍里), 종인리(從仁里), 풍청리(豊淸里), 상청리(上淸里), 안찬리(安贊里), 심귀리(深貴里), 로남리(魯南里), 연평리(延坪里), 흥평리(興坪里), 흥판리(興判里), 리남리(吏南里)

장강군(長江郡) (1읍, 10리, 3로)

장강읍(長江邑), 향하리(香河里), 장평리(長坪里), 성장리(成章里), 원평리(院坪里), 무덕리(武德里), 황청리(黃淸里), 신성리(新城里), 명신리(明新里), 종포리(從浦里), 장항리(障項里), 승방로(勝芳勞), 오일로(五一勞), 랑림로(狼林勞)

자성군(慈城郡) (1읍, 17리, 1로)

자성읍(慈城邑), 화전리(花田里), 호례리(浩禮里), 삼거리(三巨里), 송암리(松岩里), 법동리(法洞里), 연풍리(延豊里), 역수리(逆水里), 상평리(常坪里), 관평리(館平里), 대남리(大楠里), 귀인리(貴仁里), 수침리(水砧里), 자작리(自作里), 구중영리(舊中營里), 류삼리(流三里), 신풍리(新豊里), 량덕리(兩德里), 운봉로동자구(雲峰勞動者區)

중강군(中江郡) (1읍, 14리, 1로)

중강읍(中江邑), 중상리(中上里), 건하리(乾下里), 진평리(陳坪里), 덕삼리(德三里), 초당리(草堂里), 만흥리(晚興里), 장흥리(長興里), 상장리(上長里), 중덕리(中德里), 호남리(湖南里), 토성리(土城里), 장성리(長城里), 원동리(遠洞里), 오수리(烏首里), 호하로동자구(湖下勞動者區)

화평군(和坪郡) (1읍, 10리, 3로)

화평읍(和坪邑), 가산리(佳山里), 양계리(陽溪里), 부남리(富南里), 흑수리(黑水里), 소북리(小北里), 대흥리(大興里), 회중리(檜中里), 송덕리(松德里), 진송리(榛松里), 리평리(梨坪里),

가림로(佳林勞), 장백로(長白勞), 중흥로(中興勞)

랑림군(狼林郡) (1읍, 14리, 2로)

랑림읍(狼林邑), 삼포리(三浦里), 장성리(長城里), 서중리(西中里), 서상리(西上里), 황포리(黃浦里), 중흥리(中興里), 문악리(文岳里), 련화리(蓮花里), 중강리(中江里), 갈점리(葛店里), 대흥리(大興里), 인산리(仁山里), 신전리(新田里), 류벌리(流筏里), 신원로동자구(新院勞動者區), 운수로동자구(雲水勞動者區)

⑥ 강원도(江原道)

원산시(元山市) (40동, 12리)

갈마동(葛麻洞), 신성동(新城洞), 내원산동(內元山洞), 방하산동(訪霞山洞), 원석동(原石洞), 송흥동(松興洞), 양지동(陽地洞), 삼봉동(三峰洞), 해방(解放)1·2동, 신풍동(新豊洞), 와우동(臥牛洞), 평화동(平和洞), 초하동(草下洞), 룡하동(龍下洞), 관풍동(館豊洞), 광석동(廣石洞), 봉춘동(鳳春洞), 해안동(海岸洞), 산제동(山祭洞), 신흥동(新興洞), 봉수동(鳳水洞), 개선동(凱旋洞), 승리동(勝利洞), 장촌동(場村洞), 복막동(福幕洞), 려도동(麗島洞), 덕성동(德成洞), 장흥동(長興洞), 명석동(銘石洞), 상동(上洞), 고능동(高能洞), 남산동(南山洞), 중청동(中清洞), 률동(律洞), 원남동(元南洞), 중평동(中坪洞), 송천동(松川洞), 적천동(赤川洞), 덕원동(德源洞), 춘산리(春山里), 영삼리(永三里), 현동리(現洞里), 룡천리(龍川里), 락수리(洛水里), 삼태리(三泰里), 석현리(石峴里), 장림리(長林里), 석우리(石隅里), 죽산리(竹山里), 세길리, 신성리(新城里)

안변군(安邊郡) (1읍, 32리, 2로)

안변읍(安邊邑), 옥리(玉里), 비산리(比山里), 륙화리(六*瓦里), 과평리(果坪里), 중평리(中坪里), 오계리(梧溪里), 상음리(桑陰里), 월랑리(月浪里), 사평리(沙坪里), 학천리(鶴川里), 봉산리(峰山里), 배양리(培養里), 배화리(培花里), 송산리(松山里), 수락동리(水落洞里), 남천리(南川里), 수상리(水上里), 상자리(上慈里), 칠봉리(七峰里), 룡성리(龍城里), 동포리

(東浦里), 풍화리(豊花里), 천삼리(川三里), 화산리(花山里), 남계리(南溪里), 미현리(美峴里), 모풍리(茅豊里), 신화리(新花里), 령신리(領新里), 문수리(文水里), 삼성리(三成里), 내산리(內山里), 룡대로(龍大勞), 앞강로

고산군(高山郡) (1읍, 24리)

고산읍(高山邑), 주천리(舟川里), 구읍리(舊邑里), 위남리(衛南里), 성북리(星北里), 부평리(富坪里), 룡지원리(龍池院里), 사현리(沙峴里), 란정리(蘭亭里), 남산리(南山里), 금리(錦里), 구령리(九嶺里), 신현리(新峴里), 설봉리(雪峰里), 광명리(光明里), 연호리(演湖里), 금풍리(錦豊里), 해방리(解放里), 봉련리(峰連里), 량사리(兩寺里), 혁창리(赫昌里), 죽근리(竹根里), 산양리(山陽里), 산탄리(山灘里), 금천리(琴川里)

통천군(通川郡) (1읍, 30리)

통천읍(通川邑), 장진리(長津里), 자산리(慈山里), 군산리(君山里), 하수리(河水里), 화통리(貨通里), 명고리(鳴皐里), 룡천리(龍川里), 보호리(寶湖里), 풍산리(豊山里), 리목리(梨木里), 대곡리(大谷里), 패천리(沛川里), 강동리(江洞里), 장대리(長臺里), 로상리(路上里), 송전리(松田里), 거성리(巨城里), 보탄리(寶炭里), 미평리(嵋坪里), 봉호리(峯湖里), 룡수리(龍水里), 구읍리(舊邑里), 신흥리(新興里), 방포리(芳浦里), 신림리(新林里), 중천리(中泉里), 벽암리(碧岩里), 신대리(新垈里), 가흥리(佳興里), 금란리(金蘭里)

고성군(高城郡) (1읍, 23리)

고성읍(高城邑), 온정리(溫井里), 금천리(金川里), 주둔리(駐屯里), 월비산리(月飛山里), 순학리(順鶴里), 봉화리(烽火里), 구읍리(舊邑里), 삼일포리(三日浦里), 장포리(長浦里), 해방리(解放里), 운곡리(雲谷里), 종곡리(宗谷里), 성북리(城北里), 신봉리(新峰里), 두포리(荳浦里), 복송리(福松里), 릉동리(陵洞里), 남애리(南涯里), 운전리(雲田里), 렴성리(濂城里), 초구리(草邱里), 해금강리(海金剛里), 고봉리(高峰里)

금강군(金剛郡) (1읍, 26리)

금강읍(金剛邑), 신원리(新院里), 현리(縣里), 현동리(峴洞里), 하회리(下檜里), 소곤리(小坤里), 이포리(伊浦里), 속사리(束沙里), 순갑리(順甲里), 북점리(北占里), 내강리(內剛里), 병무리(竝武里), 김천리(金川里), 신풍리(新豊里), 금풍리(金豊里), 풍미리(豊美里), 룡암리(龍岩里), 안미리(安美里), 화천리(化川里), 방목리(方目里), 세동리(細洞里), 곡산리(谷山里), 산월리(山月里), 신교리(新橋里), 신읍리(新邑里), 청두리(淸豆里), 단풍리

창도군(昌道郡) (1읍, 22리)

창도읍(昌道邑), 당산리(堂山里), 도화리(桃花里), 장현리(長峴里), 오천리(烏川里), 철벽리, 송거리(松巨里), 인패리(印佩里), 천리(泉里), 대정리(大井里), 두목리(杜木里), 면천리(綿川里), 임남리(任南里), 판교리(板橋里), 대백리(大白里), 성도리(城桃里), 기성리(岐城里), 신성리(新城里), 사동리(泗東里), 지석리(支石里), 금산리(錦山里), 문등리(文登里), 백현리(栢峴里)

김화군(金化郡) (1읍, 18리, 1로)

김화읍(金化邑), 상판리(上板里), 어호리(漁湖里), 학방로(鶴芳勞), 창도리(昌道里), 신창리(新昌里), 룡현리(龍峴里), 원동리(遠東里), 원남리(遠南里), 당현리(堂峴里), 원북리(遠北里), 초서리(初西里), 구봉리(九峰里), 신풍리(新豊里), 탑거리(塔距里), 수태리(水泰里), 근동리(近東里), 법수리(法首里), 성산리(城山里), 건천리(乾川里)

회양군(淮陽郡) (1읍, 25리)

회양읍(淮陽邑), 소풍리(素豊里), 하교리(下校里), 강돈리(江敦里), 전항리(箭項里), 광전리(廣田里), 교주리(校主里), 신동리(新洞里), 신안리(新安里), 구룡리(九龍里), 송포리(松浦里), 추전리(楸田里), 포천리(浦泉里), 봉포리(蜂浦里), 선대리(仙臺里), 금곡리(金谷里), 금철리(金鐵里), 신계리(新溪里), 마전리(麻田里), 룡포리(龍浦里), 전곡리(田谷里), 오랑리(五郞里), 기정리(機正里), 도납리(道納里), 신명리(新明里), 명우리(鳴牛里)

세포군(洗浦郡) (1읍, 24리)

세포읍(洗浦邑), 대곡리(大谷里), 오봉리(梧蜂里), 귀락리(貴洛里), 유읍리(楡邑里), 삼방리(三防里), 성평리(成坪里), 북평리(北坪里), 상술리(上述里), 유연리(楡淵里), 대문리(大門里), 천기리(泉岐里), 후평리(後坪里), 내평리(內坪里), 서하리(西下里), 중평리(中坪里), 약수리(藥水里), 백산리(白山里), 신생리(新生里), 원남리(遠南里), 신평리(新坪里), 성산리(城山里), 리목리(梨木里), 현리(縣里), 신동리(新洞里)

평강군(平康郡) (1읍, 31리)

평강읍(平康邑), 신정리(新井里), 문산리(文山里), 이덕수리(李德壽里), 상원리(上元里), 복계리(福溪里), 송포리(松浦里), 하주리(下注里), 상갑리(上甲里), 남양리(南陽里), 화암리(化岩里), 랑월리(朗越里), 정동리(鼎洞里), 중삼리(中三里), 기산리(箕山里), 장촌리(墻村里), 복만리(福滿里), 옥동리(玉洞里), 문봉리(文峰里), 금곡리(金谷里), 정산리(定山里), 봉래리(蓬萊里), 해방리(解放里), 천암리(天岩里), 자원리(資源里), 전승리(戰勝里), 내천리(內川里), 압동리(鴨洞里), 랑하리(浪下里), 하송리(下松里), 산송관리(山松館里), 가곡리(佳谷里)

철원군(鐵原郡) (1읍, 31리)

철원읍(鐵原邑), 류대포리(流大浦里), 문암리(文岩里), 저탄리(猪灘里), 정동리(定洞里), 월암리(月岩里), 하식점리(下食*站里), 외학리(外鶴里), 보막리(洑幕里), 룡학리(龍鶴里), 반석리(班石里), 내문리(乃文里), 오동리(梧洞里), 대전리(大田里), 왕피리(往避里), 상하리(上下里), 립석리(立石里), 마방리(馬放里), 밀암리(密岩里), 부압리(浮鴨里), 유정리(楡井里), 상마산리(上馬山里), 삭녕리(朔寧里), 독검리(篤儉里), 검사리(儉寺里), 회산리(回山里), 마장리(馬場里), 적동리(積洞里), 모타리, 적산리, 가승리, 도밀리(道密里)

이천군(伊川郡) (1읍, 22리)

이천읍(伊川邑), 개천리(開川里), 신당리(新塘里), 문동리(文童里), 산지리(山旨里), 무릉리(武陵里), 건설리(建設里), 회산리(回山里), 축동리(軸洞里), 산참리(山站里), 우미리(友味里), 룡정리(龍亭里), 신흥리(新興里), 학봉리(鶴峰里), 오현리(筽峴里), 사청리(射廳里), 은

행정리(銀杏亭里), 심동리(深洞里), 장동리(長洞里), 송정리(松亭里), 상하리(上下里), 장재리(長在里), 성북리(城北里)

판교군(板橋郡) (1읍, 22리)

판교읍(板橋邑), 천암리(川岩里), 사동리(寺洞里), 금평리(禁坪里), 하린원리(下獜原里), 상린원리(上獜原里), 구당리(龜塘里), 룡지리(龍池里), 리하리(梨下里), 리상리(梨上里), 경도리(京都里), 풍현리(楓峴里), 룡천리(龍川里), 명덕리(明德里), 룡포리(龍浦里), 개련리(開蓮里), 구봉리(九峯里), 지하리(支下里), 지상리(支上里), 군암리(君岩里), 룡당리(龍塘里), 룡흥리(龍興里), 상두리(上頭里)

법동군(法洞郡) (1읍, 19리)

법동읍(法洞邑), 상서리(上西里), 감둔리(甘屯里), 룡포리(龍浦里), 마전리(馬轉里), 작동리(鵲洞里), 령저리(嶺底里), 도찬리(道贊里), 여해리(汝海里), 률동리(栗洞里), 백일리(白日里), 추암리(*鷲岩里), 장안리(長安里), 어유리(魚遊里), 금구리(金龜里), 로탄리(蘆灘里), 금평리(金坪里), 구룡리(九龍里), 건자리(乾子里), 해랑리(海浪里)

문천군(文川郡) (1읍, 14리, 5로)

문천읍(文川邑), 삼동리(三洞里), 삼일리(三一里), 답촌리(畓村里), 남창리(南昌里), 교성리(橋城里), 부방리(富方里), 삼화리(三花里), 송죽리(松竹里), 신송리(新松里), 룡정리(龍井里), 신안리(新安里), 룡탄리(龍灘里), 덕흥리(德興里), 석전리(石田里), 가평로(柯坪勞), 옥평로(玉坪勞), 고암로(庫岩勞), 문평로(文坪勞), 가은로(柯銀勞)

천내군(川內郡) (1읍, 15리, 3로)

천내읍(川內邑), 동흥리(東興里), 회복리(會福里), 승전리(勝戰里), 인흥리(仁興里), 장풍리(長豊里), 신흥리(新興里), 로운리(盧雲里), 룡루리(龍樓里), 수치리(秀峙里), 구포리(龜浦里), 신암리(新岩里), 금성리(錦城里), 풍전리(豊田里), 당치리(堂峙里), 염전리(鹽田里), 화라로(禾羅勞), 신산로(新山勞), 룡담로(龍澹勞)

⑦ 함경남도(咸鏡南道)

함흥시(咸興市) (6구, 100동, 23리)

성천구역(城川區域) (18동)

서문동(西門洞), 동문동(東門洞), 성천동(城川洞), 남문(南門)1·2동, 중앙동(中央洞), 통남(通南)1·2동, 련지동(蓮池洞), 룡흥(龍興)1·2동, 금사동(錦沙洞), 신흥(新興)1·2동, 상신흥동(上新興洞), 삼일동(三一洞), 하신흥동(下新興洞), 광화동(光華洞)

동흥산구역(東興山區域) (17동, 3리)

만세동(萬歲洞), 룡마동(龍馬洞), 여위동(余謂洞), 운흥(雲興)1·2동, 신상(新上)1·2동, 서흥동(西興洞), 송흥동(松興洞), 지장동(至長洞), 반룡동(盤龍洞), 서운(瑞雲)1·2동, 해방동(解放洞), 풍호동(豊湖洞), 서상동(西上洞), 덕성동(德城洞), 부민리(富民里), 류정리(柳亭里), 구흥리(九興里)

회상구역(會上區域) (16동, 12리)

회상(會上)1~4동, 리화동(梨花洞), 치마(馳馬)1~3동, 평수동(坪水洞), 강흥동(康興洞), 회양동(會陽洞), 초운동(草雲洞), 경흥동(慶興洞), 송흥동(松興洞), 금실동(金實洞), 덕산동(德山洞), 하덕리(下德里), 풍흥리(豊興里), 풍경리(豊京里), 쌍봉리(雙峰里), 동흥리(東興里), 수동리(水東里), 중호리(中湖里), 대흥리(大興里), 광덕리(光德里), 성원리(城元里), 금사리(金沙里), 령봉리(嶺峰里)

사포구역(沙浦區域) (23동, 2리)

사포(沙浦)1~3동, 당보(塘保)1·2동, 상수동(上水洞), 수변동(水邊洞), 궁서동(宮西洞), 영호동(營湖洞), 보전동(保全洞), 룡흥동(龍興洞), 흥덕(興德)1~4동, 본궁(本宮)1~3동, 룡신동(龍新洞), 창흥동(昌興洞), 흥서동(興西洞), 흥북동(興北洞), 룡연동(龍淵洞), 초운리(草雲里), 련흥리(蓮興里)

룡성구역(龍城區域) (12동, 3리)

운중(雲中)1·2동, 구룡(九龍)1~4동, 송흥동(松興洞), 룡암동(龍岩洞), 운성(雲城)1·2동, 룡성(龍城)1·2동, 수도리(水道里), 풍동리(豊東里), 덕풍리(德豊里)

흥남구역(興南區域) (14동, 3리)

호남동(湖南洞), 천기동(天機洞), 응봉(鷹峰)1·2동, 서호(西湖)1·2동, 내호동(內湖洞), 후농동(厚農洞), 류정(柳亭)1~3동, 작도동(鵲島洞), 풍흥동(豊興洞), 마전리(麻田里), 릉동리(陵洞里), 송상리(松上里), 덕동(德洞)

신포시(新浦市) (16동, 14리)

해암(海岩)1·2동, 어항동(漁港洞), 남항동(南港洞), 동호동(東湖洞), 령무동(靈武洞), 해산동(海山洞), 마양동(馬養洞), 광복동(光復洞), 풍어동(豊漁洞), 신흥동(新興洞), 련호동(蓮湖洞), 류대(六坮)1·2동, 부창동(富昌洞), 신호리(新湖里), 풍복동(豊復洞), 양화리(陽化里), 호남리(湖南里), 보주리(寶珠里), 신풍리(新豊里), 룡중리(龍中里), 서흥리(西興里), 중흥리(中興里), 남흥리(南興里), 강상리(江上里), 오매리(梧梅里), 금호리(琴湖里), 광천리(廣川里), 호만포리(湖滿浦里)

단천시(端川市) (1읍, 37리, 9로)

단천읍(端川邑), 문호리(文湖里), 신호리(新湖里), 령산리(靈山里), 복평리(福坪里), 오몽리(吾夢里), 룡연리(龍淵里), 장내리(場內里), 백상리(栢上里), 련대리(蓮臺里), 달전리(達田里), 양평리(陽坪里), 송파리(松坡里), 가원리(加元里), 신동리(新洞里), 쌍룡리(雙龍里), 정동리(貞洞里), 석우리(石隅里), 삼거리(三巨里), 돌산리(乭山里), 답동리(畓洞里), 가응리(加應里), 화장리(華藏里), 두연리(斗淵里), 덕주리(德州里), 문암리(門岩里), 와동리(瓦洞里), 운천리(雲川里), 룡잠리(龍岺里), 영평리(永坪里), 룡덕리(龍德里), 증산리(甑山里), 리파리(梨坡里), 신평리(新坪里), 신풍리(新豊里), 송정리(松亭里), 리풍리(梨豊里), 봉화리(峰華里), 직절로(直節勞), 두언로(豆彦勞), 광천로(廣泉勞), 검덕로(檢德勞), 동암로(東岩勞), 보거로(堡巨勞), 룡양로(龍陽勞), 룡대로동자구(龍臺勞動者區), 대흥로동자구(大興勞動者區)

함주군(咸州郡) (1읍, 37리)

함주읍(咸州邑), 상중리(上中里), 흥보리(興保里), 조양리(朝陽里), 천원리(川原里), 신성리(新成里), 룡안리(龍安里), 홍서리(洪西里), 고양리(高陽里), 지석리(支石里), 동암리(東岩里), 주서리(州西里), 풍성리(豊成里), 원동리(源東里), 구상리(九上里), 신하리(新下里), 동원리(東元里), 신상리(新上里), 운동리(雲洞里), 항수리(項水里), 재안리(在安里), 수흥리(首興里), 포항리(浦項里), 송정리(松亭里), 신덕리(新德里), 신경리(新慶里), 추상리(楸上里), 련지리(蓮池里), 포구리(浦久里), 운봉리(雲峰里), 흥봉리(興峰里), 상창리(上倉里), 로동리(蘆洞里), 풍송리(豊松里), 련포리(蓮浦里), 동봉리(東峰里), 수동리(水東里), 부흥리(富興里)

영광군(榮光郡) (1읍, 24리, 1로)

영광읍(榮光邑), 상중리(上中里), 동양리(東陽里), 장흥리(長興里), 후주리(厚周里), 흥봉리(興峰里), 기산리(岐山里), 동중리(東中里), 삼흥리(三興里), 신덕리(新德里), 풍호리(豊豪里), 인다리(仁多里), 봉흥리(鳳興里), 룡동리(龍洞里), 쌍송리(雙松里), 신상리(新上里), 상통리(上通里), 신창리(新昌里), 화장리(花藏里), 중상리(中上里), 풍상리(豊上里), 자동리(自動里), 관수리(觀水里), 전동리(典洞里), 천불산리(千佛山里), 수전로동자구(水電勞動者區)

장진군(長津郡) (1읍, 16리, 3로)

장진읍(長津邑), 신대리(新岱里), 축전리(*杻田里), 신흥리(新興里), 풍류리(豊流里), 청량리(靑兩里), 류담리, 양묘리(養苗里), 림산리(林産里), 서목리(西木里), 룡호리(龍湖里), 갈전리(葛田里), 동사리(東沙里), 도내리(島內里), 백암리(白岩里), 늪수리(*淵水里), 메물리(*袂物里), 양지로(陽地勞), 만풍로(滿豊勞), 황초로(黃草勞)

부전군(赴戰郡) (1읍, 15리, 1로)

부전읍(赴戰邑), 백암리(白岩里), 문천리(文川里), 이팔리(二八里), 문암리(文岩里), 차일리(遮日里), 광대리(廣大里), 서늪리(西*淵里), 한대리(漢岱里), 산수리(山水里), 개화리(開花里), 여운리(如雲里), 릉구리(陵口里), 안기리(安基里), 은하리(銀河里), 동늪리(東*淵里), 호반로동

자구(湖畔勞動者區)

신흥군(新興郡) (1읍, 23리, 2로)

신흥읍(新興邑), 풍흥리(豊興里), 리전리(梨田里), 흥복리(興福里), 원동리(元洞里), 중평리(中坪里), 서남리(西南里), 우상리(右上里), 창서리(昌瑞里), 대동리(大同里), 길봉리(吉峰里), 동흥리(東興里), 부연리(富淵里), 경흥리(慶興里), 영고리(永古里), 기린리(麒麟里), 상원천리(上元川里), 서곡리(西谷里), 동곡리(東谷里), 반석리(盤石里), 하원천리(下元川里), 축상리(*杻上里), 흥경리(興慶里), 영웅리(英雄里), 발전로동자구(發展勞動者區), 부흥로동자구(富興勞動者區)

고원군(高原郡) (1읍, 33리, 7로)

고원읍(高原邑), 남흥리(南興里), 상평리(上坪里), 중평리(中坪里), 하평리(下坪里), 황송리(黃松里), 송천리(松川里), 단천리(端川里), 락천리(樂泉里), 상산리(上山里), 금수리(今水里), 미둔리(弥屯里), 신창리(新昌里), 군내리(郡內里), 문하리(文下里), 수산리(秀山里), 성남리(城南里), 죽전리(竹田里), 운흥리(雲興里), 천을리(天乙里), 룡평리(龍坪里), 운산리(雲山里), 관평리(館坪里), 천성리(泉城里), 장량리(莊糧里), 성내리(城內里), 인흥리(仁興里), 축전리(*杻田里), 삼평리(三坪里), 회평리(檜坪里), 원봉리(元峰里), 송흥리(松興里), 전탄리(箭灘里), 풍남리(豊南里), 운곡로(雲谷勞), 부래산로(浮來山勞), 팔흥로(八興勞), 수동로(水洞勞), 원거로(院巨勞), 장동로(長洞勞), 산곡로(山谷勞)

요덕군(耀德郡) (1읍, 24리)

요덕읍(耀德邑), 동산리(東山里), 운흥리(雲興里), 평원리(平院里), 천흥리(泉興里), 송도리(松島里), 미삼리(美三里), 대평리(大坪里), 립석리(立石里), 대숙리(大淑里), 흥상리(興上里), 인흥리(仁興里), 평전리(坪田里), 룡평리(龍坪里), 룡남리(龍南里), 문암리(文岩里), 향봉리(香峰里), 룡천리(龍川里), 인화리(仁花里), 성리(城里), 룡산리(龍山里), 성천리(城川里), 완산리(完山里), 량수리(陽壽里), 룡암리(龍岩里)

금야군(金野郡) (2읍, 49리, 2로)

금야읍(金野邑), 금풍리(金豊里), 청동리(淸洞里), 풍동리(豊東里), 백산리(白山里), 동흥리(東興里), 지인리(智仁里), 작동리(鵲洞里), 온정리(溫井里), 송재리(松在里), 범포리(范浦里), 삼봉리(三峰里), 대응리(大鷹里), 왕장리(旺場里), 중동리(中東里), 련동리(蓮洞里), 안동리(安東里), 청백리(靑白里), 신당리(新唐里), 진수리(鎭峀里), 룡산리(龍山里), 광덕리(廣德里), 독구미리(獨九味里), 원평리(原平里), 호도리(虎島里), 영흥읍(永興邑), 문하리(文下里), 연풍리(淵豊里), 룡원리(龍源里), 사현리(社峴里), 상중리(上中里), 중남리(中南里), 평화리(平和里), 갈전리(葛田里), 중양리(中陽里), 순안리(順安里), 룡강리(龍江里), 풍남리(豊南里), 덕산리(德山里), 흥평리(興坪里), 봉흥리(鳳興里), 구룡리(九龍里), 해중리(海中里), 성재리(成在里), 진흥리(鎭興里), 량탄리(兩灘里), 봉상리(鳳上里), 신성리(新成里), 수원리(水源里), 정동리(正洞里), 룡흥리(龍興里), 가진로동자구(加進勞動者區), 인흥로동자구(仁興勞動者區)

정평군(定平郡) (1읍, 43리, 1로)

정평읍(定平邑), 구창리(舊倉里), 고양리(高陽里), 태양리(太陽里), 독산리(獨山里), 다호리(多湖里), 봉대리(鳳垈里), 호남리(湖南里), 구읍리(舊邑里), 장흥리(長興里), 신천리(新川里), 률성리(栗城里), 장천리(長川里), 장동리(長洞里), 문창리(文昌里), 부평리(富坪里), 서경리(西京里), 호중리(湖中里), 남창리(南昌里), 창신리(倉新里), 선덕리(宣德里), 동호리(東湖里), 삼도리(三島里), 향동리(香洞里), 용흥리(用興里), 중평리(仲坪里), 관평리(館坪里), 사수리(泗洙里), 초원리(草原里), 풍양리(豊陽里), 기산리(岐山里), 동천리(東川里), 문봉리(文峰里), 문흥리(文興里), 내동리(內洞里), 신평리(新坪里), 하남리(河南里), 동하리(東下里), 광흥리(光興里), 신풍리(新豊里), 신성리(新城里), 조양리(朝陽里), 화동리(禾洞里), 부흥리(復興里), 신상로(新上勞)

낙원군(樂園郡) (1읍, 11리, 1로)

낙원읍(樂園邑), 사동리(寺洞里), 흥상리(興上里), 장흥리(長興里), 서중리(西中里), 상송리(上松里), 흥서리(興西里), 려호리(呂湖里), 송해리(松海里), 세포리(細浦里), 천중리(天中里), 신풍리(新豊里), 삼호로동자구(三湖勞動者區)

홍원군(洪原郡) (1읍, 30리, 1로)

홍원읍(洪原邑), 방동리(方東里), 운하리(雲下里), 동중리(東仲里), 남산리(南山里), 고읍리(古邑里), 호남리(湖南里), 룡운리(龍雲里), 관흥리(關興里), 룡덕리(龍德里), 산양리(山陽里), 장풍리(壯豊里), 남풍리(南豊里), 부상리(富上里), 보현리(普賢里), 구룡리(九龍里), 원덕리(源德里), 동상리(東上里), 방평리(芳坪里), 광명리(光明里), 학송리(鶴松里), 경포리(景浦里), 신성리(新成里), 경흥리(鏡興里), 운상리(雲上里), 룡삼리(龍三里), 룡신리(龍新里), 룡포리(龍浦里), 중은리(中隱里), 삼성리(三成里), 중서리(中西里), 운포로동자구(雲浦勞動者區)

북청군(北靑郡) (1읍, 39리, 1로)

북청읍(北靑邑), 서리(西里), 죽산리(竹山里), 중평리(仲坪里), 장항리(獐項里), 청흥리(靑興里), 당우리(唐隅里), 문동리(文洞里), 부동리(富洞里), 종산리(鐘山里), 오평리(梧坪里), 라흥리(羅興里), 룡전리(龍田里), 신상리(新上里), 안곡리(安谷里), 량가리(良家里), 지만리(芝滿里), 라하대리(羅下垈里), 봉의리(鳳儀里), 초리(初里), 중리(中里), 마산리(馬山里), 상세동리(上細洞里), 신창읍(新昌邑), 건자리(乾自里), 반송리(盤松里), 상립석리(上立石里), 평리(坪里), 하세동리(下細洞里), 만춘리(晩春里), 보천리(寶泉里), 양천서리(楊川西里), 하호리(荷湖里), 덕음리(德音里), 예승리(藝昇里), 동도리(東島里), 경안대리(景安垈里), 서해리(西海里), 토성리(土城里), 양천동리(楊川東里), 신북청로동자구(新北靑勞動者區)

덕성군(德城郡) (1읍, 25리)

덕성읍(德城邑), 수서리(水西里), 주의동리(主義洞里), 니망지리(泥望只里), 상(上)1·2동, 송중리(松中里), 삼기리(三岐里), 인동리(仁洞里), 중동리(中洞里), 직동리(直洞里), 창성(昌星)1·2동, 보성리(寶星里), 동중리(東中里), 장흥리(獐興里), 양승리(楊勝里), 신태리(新泰里), 상돌리(上乭里), 중돌리(中乭里), 엄동리(嚴東里), 엄서리(嚴西里), 덕우대리(德友垈里), 임자동리(荏子洞里), 월근대리(月近垈里), 신흥리(新興里)

리원군(利原郡) (1읍, 22리, 2로)

리원읍(利原邑), 장축리(場筑里), 청산리(淸山里), 풍암리(豊岩里), 대덕리(大德里), 성곡리

(城谷里), 곡구리(谷口里), 학사대리(學士坮里), 구읍리(舊邑里), 룡북리(龍北里), 하전리(荷田里), 송동리(松東里), 문앙리(文仰里), 원사리(院四里), 곡창리(谷昌里), 송정리(松亭里), 염성리(鹽城里), 다보리(多寶里), 중평리(中坪里), 원산리(元山里), 유성리(楡城里), 룡흥리(新興里), 기암리(奇岩里), 라흥로(羅興勞), 차호로(遮湖勞)

허천군(虛川郡) (1읍, 19리, 4로)

허천읍(虛川邑), 중평리(仲坪里), 은흥리(殷興里), 하농리(下農里), 수의리(守義里), 황곡리(黃谷里), 운승리(雲承里), 금창리(金倉里), 통흥리(通興里), 장평리(長坪里), 와포리(瓦浦里), 신흥리(新興里), 홍훈리(洪焄里), 슬암리(瑟岩里), 상남리(上南里), 황명리(黃明里), 신평리(新坪里), 양음평리(陽陰坪里), 사탑리(寺塔里), 화장리(樺庄里), 만덕로(滿德勞), 룡원로(龍源勞), 상농로(上農勞), 상산로(上山勞)

⑧ 량강도(兩江道)

혜산시(惠山市) (22동, 4리)

혜산동(惠山洞), 혜화동(惠化洞), 혜흥동(惠興洞), 혜신동(惠新洞), 혜강동(惠江洞), 혜명동(惠明洞), 성후동(城後洞), 련두동(蓮頭洞), 련봉동(連峰洞), 송봉동(松峯洞), 강구동(江口洞), 위연동(渭淵洞), 춘동(春洞), 영흥동(英興洞), 혜장동(惠長洞), 장안동(長安洞), 연풍동(淵豊洞), 탑성동(塔城洞), 혜탄동(惠灘洞), 강안동(江岸洞), 검산동, 마선동(麻先洞), 로중리(蘆中里), 신장리(新長里), 운총리(雲寵里), 신흥리(新興里)

보천군(普天郡) (1읍, 17리, 1로)

보천읍(普天邑), 가산리(佳山里), 화전리(樺田里), 의화리(儀化里), 신흥리(新興里), 운남리(雲南里), 흥성리(興成里), 내곡리(內曲里), 청림리(靑林里), 상룡리(上龍里), 룡덕리(龍德里), 송봉리(松峯里), 문암리(門岩里), 대흥리(大興里), 백자리(栢子里), 보흥리(保興里), 대신리(大新里), 대진평리(大鎭坪里), 대평로동자구(大坪勞動者區)

운흥군(雲興郡) (1읍, 15리, 5로)

운흥읍(雲興邑), 동포리(東浦里), 장운리(長雲里), 대하리(大下里), 대중리(大中里), 심포리(深浦里), 복안리(福安里), 장항리(獐項里), 룡포리(龍浦里), 신중리(新中里), 동평리(東坪里), 상산리(上山里), 대전평리(大田坪里), 대오시천리(大五是川里), 대덕리(大德里), 대동리(大同里), 령하로(嶺下勞), 생장로(生長勞), 일건로(日建勞), 룡암로(龍岩勞), 남중로(南中勞)

갑산군(甲山郡) (1읍, 21리, 1로)

갑산읍(甲山邑), 남평리(南坪里), 추풍리(秋風里), 사평리(沙坪里), 삼봉리(三峰里), 림동리(林洞里), 평화리(平和里), 양흥리(陽興里), 창동리(倉洞里), 사장리(士庄里), 상흥리(上興里), 중천리(中泉里), 천성리(泉盛里), 금화리(金化里), 사동리(四洞里), 삼일리(三一里), 신정리(新亭里), 금풍리(金豊里), 창송리(昌松里), 송암리(松岩里), 대중리(大仲里), 회린리(會麟里), 동점로동자구(銅店勞動者區)

풍서군(豊西郡) (1읍, 18리, 2로)

풍서읍(豊西邑), 청서리(靑瑞里), 로흥리(櫓興里), 문조리(文藻里), 림서리(林西里), 서창리(西倉里), 룡문리(龍門里), 속신리(俗新里), 석우리(石禹里), 관흥리(舘興里), 유상하리(楡上下里), 내포리(內浦里), 신덕리(新德里), 귀복리(貴福里), 신명리(新明里), 무하리(舞下里), 우포리(禹浦里), 상리(上里), 회은리(會隱里), 신창로(藥水勞), 약수로(藥水勞)

김형권군(金亨權郡) (1읍, 18리)

김형권읍(金亨根邑), 직설리(直雪里), 신원리(新元里), 사아리(士雅里), 지경리(地境里), 하지경리(下地境里), 광덕리(廣德里), 리포리(梨浦里), 양평리(陽坪里), 장안리(長安里), 내중리(內中里), 동흥리(東興里), 파발리(擺撥里), 로은리(老隱里), 황수원리(黃水院里), 미감리(米甘里), 장평리(長坪里), 수동리(水東里), 평산리(平山里)

삼수군(三水郡) (1읍, 24리)

삼수읍(三水邑), 동수리(東水里), 반룡기리(盤龍基里), 신양리(新陽里), 원동리(院洞里), 중

평장리(仲坪場里), 천남리(川南里), 관동리(舘洞里), 신포동리(新浦洞里), 청수리(靑水里), 간령리(間嶺里), 룡복동리(龍福洞里), 관서리(舘西里), 관흥리(舘興里), 개운성리(開雲城里), 풍척리(豊德里), 삼곡리(三谷里), 일우봉리(一宇峯里), 령성리(嶺城里), 포성리(*堡城里), 왕가리(王哥里), 신전리(新田里), 관평리(舘坪里), 광생리(光生里), 번포리(蕃浦里)

김정숙군(金貞淑郡) (1읍, 22리, 2로)

김정숙읍(金貞淑邑), 상대리(上大里), 풍양리(豊陽里), 강하리(江下里), 삼포동리(三浦洞里), 장항리(長項里), 자서리(自西里), 도룡덕리(道龍德里), 태양리(太陽里), 석평리(石坪里), 하원동리(下院洞里), 차보리(車堡里), 원동리(院洞里), 거룡리(巨龍里), 목서리(木西里), 황철리(黃鐵里), 성동리(城洞里), 포덕리(浦德里), 저풍리(底豊里), 송지리(松芝里), 삼서리(三西里), 송전리(松田里), 신상리(新上里), 룡하로동자구(龍下勞動者區), 신흥로동자구(新興勞動者區)

김형직군(金亨稷郡) (1읍, 14리, 4로)

김형직읍(金亨稷邑), 련하리(蓮下里), 련송리(蓮松里), 대흥리(大興里), 라죽리(羅竹里), 무창리(茂昌里), 죽전리(竹田里), 회양리(檜陽里), 운중리(雲中里), 령저리(嶺底里), 두지리(杜芝里), 연포리(烟浦里), 부전리(赴戰里), 금창리(金昌里), 월탄리(月灘里), 남사로(南社勞), 록림로(綠林勞), 고읍로(古邑勞), 로탄로(蘆灘勞)

삼지연군(三池淵郡) (1읍, 5리, 5로)

삼지연읍(三池淵邑), 녹수리(綠水里), 통남리(通南里), 중흥리(中興里), 보서리(普西里), 호산리(虎山里), 무봉로(茂峰勞), 신무성로(新武城勞), 리명수로(鯉明水勞), 포태로(胞胎勞), 소백산로(小白山勞)

대홍단군(大紅湍郡) (1읍, 9로)

대홍단읍(大紅湍邑), 신덕로(新德勞), 삼봉로(三峰勞), 서두로(西頭勞), 원봉로(圓峰勞), 농

사로(農事勞), 삼장로(三長勞), 홍암로(紅岩勞), 신홍로(新興勞), 대홍단로(大紅湍勞)

백암군(白岩郡) (1읍, 6리, 7로)

백암읍(白岩邑), 황토리(黃土里), 천수리(天水里), 상담리(上潭里), 서두리(西頭里), 양곡리
(陽谷里), 신전리(新田里), 유평로(楡坪勞), 덕립로(德立勞), 동계로(東溪勞), 대택로(大澤勞),
박천로(博川勞), 산양로(山羊勞), 양홍로(暘興勞)

⑨ 함경북도(咸鏡北道)

청진시(清津市) (7구역, 50동, 17리, 1로)

청암구역(清岩區域) (10동, 7리)
청암(清岩)1·2동, 반죽(班竹)1·2동, 인곡(仁谷)1·2동, 금바위동, 정산동(亭山洞), 역전동(驛前
洞), 사구동(沙口洞), 부거리(富居里), 교원리(橋院里), 직하리(稷下里), 련천리(連川里), 련진
리(連津里), 마전리(麻田里), 룡제리(龍齊里)

포항구역(浦港區域) (13동)
청송(清松)1~3동, 수원(水源)1·2동, 남강(南江1洞)1~3동, 수북(水北)1~3동, 남향동(南鄕
洞), 북향동(北鄕洞)

신암구역(新岩區域) (7동, 2리)
교동(橋洞), 근화동(槿花洞), 서홍동(西興洞), 천마동(天馬洞), 신암동(新岩洞), 명성동(明星
洞), 신진동(新進洞), 동서수라리(東西水羅里), 대서수라리(大西水羅里)

수남구역(水南區域) (9동)
수남(水南)1·2동, 말음(秣陰)1·2동, 어항동(漁港洞), 신향동(新鄕洞), 추평동(楸坪洞), 청남동
(清南洞), 취목동(鷲木洞)

송평구역(松坪區域) (12동, 4리)

송평동(松坪洞), 송향동(松鄕洞), 서항(西港)1·2동, 사봉동(砂峰洞), 남포동(南浦洞), 강덕동(康德洞), 농포동(農浦洞), 남석동(南夕洞), 수성동(輸城洞), 송림동(松林洞), 제철동(製鐵洞), 월포리(月浦里), 룡호리(龍湖里), 송곡리(松谷里), 근동리(芹洞里)

라남구역(羅南區域) (8동, 3리)

라흥(羅興)1·2동, 평화동(平和洞), 풍곡동(豊谷洞), 리곡동(梨谷洞), 용암동(龍岩洞), 라성동(羅城洞), 신흥동(新興洞), 회향리(檜鄕里), 봉암리(鳳岩里), 라북리(羅北里)

부윤구역(富潤區域) (1동, 1리, 1로)

아양동(阿陽洞), 어유리(漁遊里), 부윤노동자구역(富潤勞動者區域)

김책시(金策市) (14동, 26리)

쌍포(雙浦)1·2동, 쌍암동(雙岩洞), 쌍화동(雙花洞), 신평동(新坪洞), 한천동(閑川洞), 련호동(蓮湖洞), 수원동(水源洞), 청학동(靑鶴洞), 성남동(城南洞), 송암동(松岩洞), 금천동(錦川洞), 장현동(將峴洞), 탄소동(灘所洞), 은호리(恩湖里), 달리동(達利洞), 만춘리(晩春里), 송령동(松嶺洞), 덕인리(德仁里), 세천리(細川里), 학성동(鶴城洞), 송중리(松中里), 흥평리(興坪里), 왕덕리(王德里), 옥천리(玉泉里), 상평리(上坪里), 송흥리(松興里), 호통리(湖通里), 방학리(放鶴里), 수동리(水洞里), 림명리(臨溟里), 춘동리(春東里), 학동리(鶴東里), 석호리(石湖里), 룡호리(龍湖里), 원평리(院坪里), 성상리(城上里), 탑하리(塔下里), 업억동(業億洞), 동흥리(東興里)

라진시(羅津市) (11동, 11리)

안화동(安化洞), 창평동(昌坪洞), 치경동(致景洞), 청계동(淸溪洞), 신흥동(新興洞), 안주동(安州洞), 신안동(新安洞), 락산동(洛山洞), 역전동(驛前洞), 동명동(東明洞), 남산동(南山洞), 유현리(踰峴里), 후창리(厚倉里), 무창리(武倉里), 방진리(方津里), 신해리(新海里), 리진리(梨津里), 관해리(觀海里), 로창리(蘆倉里), 서리(西里), 라석리(羅石里), 삼해리(三海里)

회령군(會寧郡) (1읍, 28리, 5로)

회령읍(會寧邑), 락생리(洛生里), 행영리(行營里), 굴산리(屈山里), 방원리(防垣里), 덕흥리(德興里), 오봉리(五鳳里), 대덕리(大德里), 창태리(蒼苔里), 풍산리(豊山里), 무산리(茂山里), 금생리(金生里), 창효리(彰孝里), 원산리(元山里), 신흥리(新興里), 사을리(沙乙里), 인계리(仁溪里), 학포리(鶴浦里), 남산리(南山里), 영수리(永綏里), 벽성리(碧城里), 홍산리(鴻山里), 오류리(五柳里), 성동리(城東里), 성북리(城北里), 송학리(松鶴里), 룡천리(龍川里), 계하리(溪下里), 계상리(溪上里), 중봉로(仲峰勞), 망양로(望洋勞), 궁심로(弓心勞), 세천로(細川勞), 유선로(遊仙勞)

부령군(富寧郡) (4동, 11리)

고무산(古茂山)1·2동, 부령(富寧)1·2동, 석막리(石幕里), 사하리(沙河里), 금강리(金降里), 형제리(兄弟里), 최현리(最賢里), 무수리(舞袖里), 창평리(蒼坪里), 교원리(橋院里), 마전리(麻田里), 부거리(富居里), 사구리(沙口里)

무산군(茂山郡) (1읍, 16리, 4로)

무산읍(茂山邑), 서호리(西湖里), 지초리(芝草里), 새골리, 칠성리(七星里), 독소리(篤所里), 강선리(降仙里), 풍산리(豊山里), 차유리(車踰里), 오봉리(五峰里), 허언리(虛彦里), 온천리(溫泉里), 박천리(朴川里), 상창리(上倉里), 문암리(文岩里), 흥암리(興岩里), 림강리(臨江里), 창렬로(彰列勞), 마양로(馬養勞), 삼봉로(三峰勞), 남산로동자구(南山勞動者區)

경성군(鏡城郡) (1읍, 17리, 4로)

경성읍(鏡城邑), 상온포리(上溫*堡里), 하온포리(下溫*堡里), 룡산리(龍山里), 하면리(河面里), 화하리(花下里), 매향리(梅香里), 관모리(冠帽里), 대향리(大鄕里), 중평리(仲坪里), 룡현리(龍峴里), 온대진리(溫大津里), 일향리(一鄕里), 오상리(梧上里), 구덕리(九德里), 독연리(獨淵里), 장평리(長坪里), 남석리(南夕里), 생기령로(生氣嶺勞), 룡천로(龍川勞), 박충로(朴忠勞), 승암로(勝岩勞)

화대군(花臺郡) (1읍, 20리)

화대읍(花臺邑), 금성리(錦城里), 룡원리(龍原里), 창촌리(倉村里), 석성리(石城里), 불로리(不老里), 룡포리(龍浦里), 사포리(泗浦里), 송동리(松洞里), 자가리(自佳里), 석현리(石峴里), 양촌리(陽村里), 장덕리(長德里), 토원리(土垣里), 주의리(周儀里), 교향리(橋香里), 정문리(旌門里), 하평리(荷坪里), 증산리(甑山里), 목진리(木津里), 무수단리(舞水端里)

명천군(明川郡) (1읍, 14리, 1로)

명천읍(明川邑), 고참리(古站里), 만호리(萬戶里), 황곡리(黃谷里), 사리(沙里), 독포리(讀浦里), 양정리(楊亭里), 다호리(茶湖里), 허의리(許儀里), 연덕리(淵德里), 락동리(洛東里), 보촌리(寶村里), 포중리(浦中里), 포하리(浦下里), 황진리(黃津里), 룡암로동자구(龍岩勞動者區)

화성군(化城郡) (1읍, 25리, 1로)

화성읍(化城邑), 극동리(極洞里), 화룡리(花龍里), 광암리(廣岩里), 신양리(新陽里), 호남리(湖南里), 삼포리(三浦里), 량화리(良化里), 양천리(楊川里), 립석리(立石里), 명남리(明南里), 호산리(虎山里), 백록리(白鹿里), 근동리(芹洞里), 함진리(咸鎭里), 하우리(下雩里), 하평리(下坪里), 룡동리(龍洞里), 룡덕리(龍德里), 룡반리(龍蟠里), 상장리(上場里), 하월리(下月里), 청룡리(靑龍里), 고성리(高城里), 부암리(富岩里), 부화리(富禾里), 룡반로동자구(龍蟠勞動者區)

길주군(吉州郡) (1읍, 23리, 3로)

길주읍(吉州邑), 온천리(溫泉里), 금송리(金松里), 홍수리(紅繡里), 류천리(柳川里), 신동리(新洞里), 봉암리(鳳岩里), 쌍룡리(雙龍里), 상하리(上下里), 탑양리(塔陽里), 룡성리(龍城里), 남양리(南陽里), 일신리(日新里), 덕신리(德新里), 청암리(靑岩里), 문암리(門岩里), 금천리(錦川里), 춘흥리(春興里), 평대리(坪大里), 림동리(林洞里), 합포리(合浦里), 십일리(十一里), 목성리(木城里), 풍계리(豊溪里), 영북로동자구(英北勞動者區), 룡담로동자구(龍潭勞動者區), 주남로동자구(洲南勞動者區)

연사군(延社郡) (1읍, 10리, 1로)

연사읍(延社邑), 팔소리(八所里), 신장리(新章里), 신북리(新北里), 석수리(石水里), 삼포리(三浦里), 광양리(廣陽里), 남작리(南作里), 로평리(蘆坪里), 삼하리(三下里), 연수리(延水里), 신양로동자구(新陽勞動者區)

온성군(穩城郡) (1읍, 15리, 8로)

온성읍(穩城邑), 풍리리(豊利里), 세선리(世仙里), 풍서리(豊西里), 향당리(香棠里), 룡남리(龍南里), 왕재산리(旺載山里), 미산리(美山里), 강안리(江岸里), 창평리(蒼坪里), 동포리(東浦里), 풍천리(豊川里), 풍계리(豊溪里), 영강리(營江里), 하삼봉리(下三峰里), 고성리(古城里), 삼봉로(三峰勞), 상화로(上和勞), 주원로(周原勞), 풍인로(豊仁勞), 월파로(月波勞), 온탄로(穩炭勞), 종성로(鐘城勞), 산성로(山城勞)

새별군 (1읍, 21리, 3로)

새별읍, 훈융리(訓戎里), 사수리(沙水里), 중영리(中榮里), 농포리(農圃里), 성내리(城內里), 연산리(硯山里), 안농리(安農里), 량동리(良洞里), 금동리(金洞里), 안원리(安原里), 승량리(承良里), 동림리(洞林里), 신건리(新乾里), 룡현리(龍峴里), 룡문리(龍門里), 룡신리(龍新里), 룡남리(龍南里), 룡계리(龍溪里), 종산리(鐘山里), 봉산리(鳳山里), 후석리(厚石里), 하면로(下面勞), 고건원로(古乾原勞), 룡북로(龍北勞)

은덕군(恩德郡) (1읍, 14리, 2로)

은덕읍(恩德邑), 학송리(鶴松里), 송학리(松鶴里), 하여평리(下汝坪里), 원정리(元汀里), 신아산리(新阿山里), 록야리(鹿野里), 귀락리(貴洛里), 금송리(金松里), 장평리(長坪里), 죽귀리(竹貴里), 하회리(下檜里), 박상리(朴上里), 안길리(安吉里), 태양리(太陽里), 룡연로동자구(龍淵勞動者區), 오봉로동자구(梧鳳勞動者區)

선봉군(先鋒郡) (1읍, 9리, 1로)

선봉읍(先鋒邑), 웅상리(雄尙里), 사회리(四會里), 조산리(造山里), 부포리(鮒浦里), 굴포리(屈浦里), 우암리(牛岩里), 홍의리(洪儀里), 백학리(白鶴里), 철주리(鐵柱里), 두만강로동자구(豆滿江勞動者區)

어랑군(漁郎郡) (1읍, 20리, 1로)

어랑읍(漁郎邑), 삼향리(三鄕里), 회문리(會文里), 룡평리(龍坪里), 량견리(良見里), 수남리(水南里), 지방리(芝坊里), 무계리(武溪里), 팔경대리(八景臺里), 봉강리(鳳岡里), 이엄리(二崊里), 소요리(所要里), 부평리(富坪里), 부암리(富岩里), 룡전리(龍田里), 이향리(二鄕里), 칠향리(七鄕里), 화룡리(花龍里), 룡연리(龍淵里), 두남리(斗南里), 운곡리(雲谷里), 어대진로동자구(漁大津勞動者區)

시대별 지도

1. 남북국시대 지도

2. 고려시대 지도

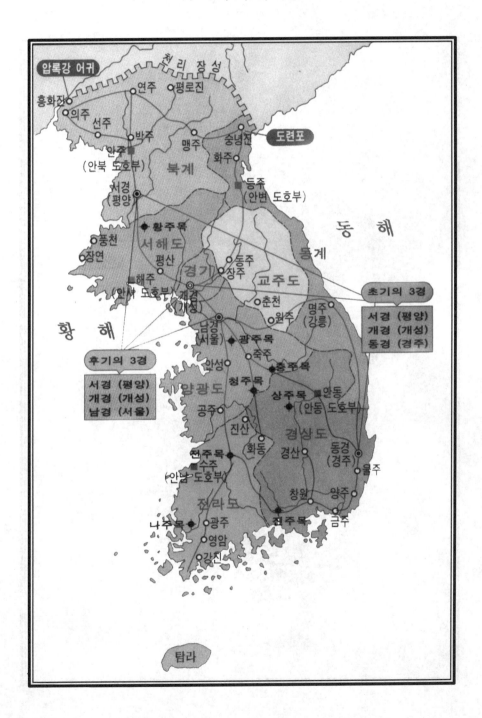

3. 조선시대(1530년) 지도

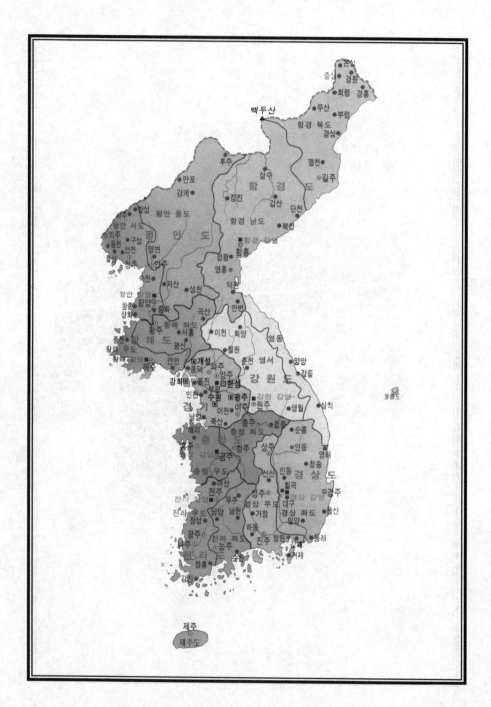

4. 대한시대(1895년) 지도

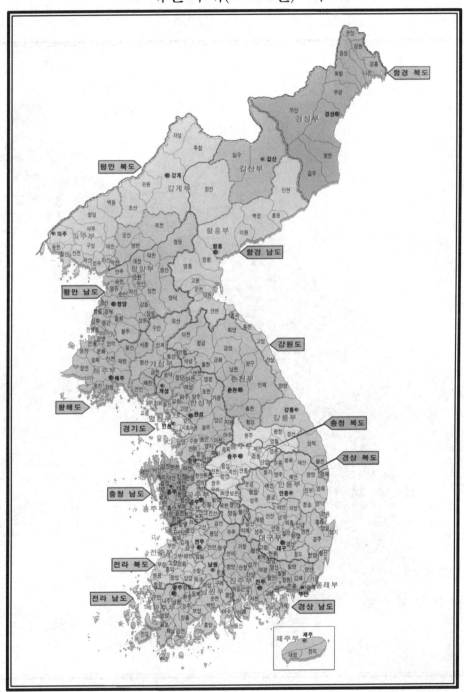

5-1. 현재의 북한 지도

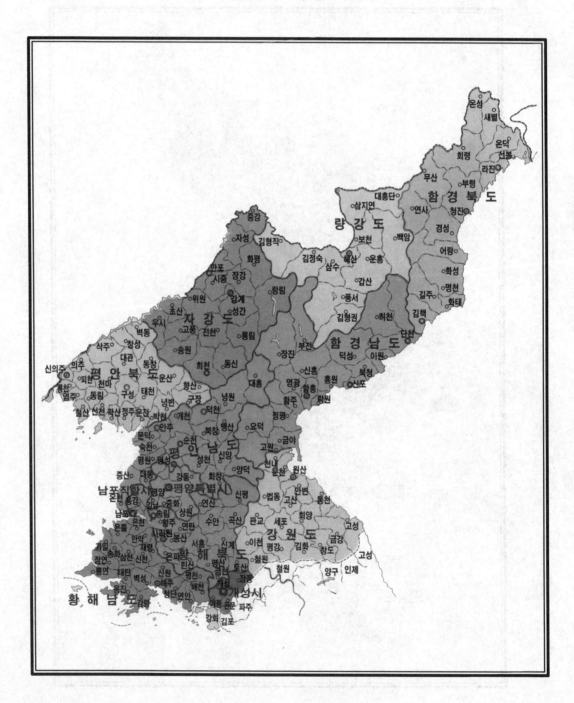

5-2. 현재의 남한 지도

찾아보기

엮은이 | 이병운

엮은이 이병운은 부산대학교 사범대학 국어교육과를 졸업하고 같은 대학교 대학원 국어국문학과에서 「중세국어의 음절구조와 음운현상」으로 박사학위를 받았다. 현재 부산대학교 국어교육과 교수로 있으며, '우리말학회' 회장, '한국음성과학회', '한국지명학회'의 이사로도 활동하고 있다. 주요 논문으로는 '형태론적 경계와 음운과정', '일본 규슈(九州)지방의 행정구역 지명어 연구', '중부방언, 경남방언, 전남방언의 억양에 대한 비교 연구' 외 다수가 있으며, 저서로는 『중세국어의 음절과 표기법 연구』(2000. 세종문화사)가 있다.

한국 행정지명 변천사

ⓒ 이병운 2004

초판인쇄 | 2004년 4월 15일
초판발행 | 2004년 4월 23일

엮 은 이 | 이병운
펴 낸 이 | 송미옥
펴 낸 곳 | 이회문화사
출판등록 | 1992년 5월 2일 (제6-0532호)
주   소 | 131-303 서울 동대문구 답십리동 488-338 부영빌딩 503호
전화번호 | (02) 2244-7912~3
모사전송 | (02) 2244-7914
전자우편 | ih7912@chollian.net
정   가 | 28,000원

ISBN 89-8107-238-8 93700